「十三五」国家重点出版物出版规划项目

国家出版基金项目
NATIONAL PUBLICATION FOUNDATION

中国中药资源大典

宁夏卷

②

黄璐琦 / 总主编

王英华　余建强　梁文裕 / 主　编

北京科学技术出版社

图书在版编目（CIP）数据

中国中药资源大典 . 宁夏卷 . 2 / 王英华，余建强，梁文裕主编 . — 北京：北京科学技术出版社，2022.1

ISBN 978-7-5714-1967-7

Ⅰ．①中… Ⅱ．①王… ②余… ③梁… Ⅲ．①中药资源—资源调查—宁夏 Ⅳ．① R281.4

中国版本图书馆 CIP 数据核字（2021）第 254318 号

责任编辑：侍　伟　李兆弟　王治华
责任校对：贾　荣
图文制作：樊润琴
责任印制：李　茗
出 版 人：曾庆宇
出版发行：北京科学技术出版社
社　　址：北京西直门南大街16号
邮政编码：100035
电　　话：0086-10-66135495（总编室）　　0086-10-66113227（发行部）
网　　址：www.bkydw.cn
印　　刷：北京捷迅佳彩印刷有限公司
开　　本：889 mm×1 194 mm　　1/16
字　　数：1 009千字
印　　张：45.5
版　　次：2022年1月第1版
印　　次：2022年1月第1次印刷
审 图 号：GS（2021）8727号
ISBN 978-7-5714-1967-7

定　　价：490.00元

目 录

Contents

被子植物

苋科 Amaranthaceae 沙蓬属 Agriophyllum

沙蓬
Agriophyllum squarrosum (L.) Moq.

| 药 材 名 | 沙蓬（药用部位：种子。别名：沙米、灯索、灯蓿）。

| 形态特征 | 一年生草本。茎直立，坚硬，浅绿色，具不明显的条棱，幼时密被分枝毛，后脱落；由基部分枝。单叶互生，叶无柄，披针形、披针状条形或条形，长 1.3 ~ 7 cm，宽 0.1 ~ 1 cm，先端渐尖，具小刺尖，基部渐狭，全缘。叶脉浮凸，纵行，3 ~ 9。穗状花序紧密，卵圆状或椭圆状，无梗，1（~ 3）腋生；苞片宽卵形，先端急缩，具小尖头，后期反折，背部密被分枝毛。花被片 1 ~ 3，膜质；雄蕊 2 ~ 3，花丝锥形，膜质，花药卵圆形。果实卵圆形或椭圆形，两面扁平或背部稍凸，幼时在背部被毛，后期秃净，上部边缘略具翅缘；果喙深裂成 2 扁平的条状小喙，微向外弯，小喙先端外侧各具 1 小齿突。种子近圆形，光滑，有时具浅褐色的斑点。花果期 8 ~ 10 月。

沙蓬

| 生境分布 | 生于沙丘或流动沙丘的背风坡上。分布于宁夏同心、灵武、盐池、红寺堡、沙坡头、金凤、兴庆等。

| 资源情况 | 野生资源丰富。

| 采收加工 | 夏、秋季种子成熟后采收,除去杂质。

| 功能主治 | 甘,凉。归肾、大肠经。发表解热,消食化积。用于感冒发热,肾炎。

| 用法用量 | 内服煎汤,9 ~ 15 g。

| 附　注 | （1）我国少数民族多将本种作药用,民间有将其用于糖尿病者。《中华本草·蒙药卷》记载,沙蓬可作蒙药,其全草味苦、涩,性平,效糙,具有祛疫、清热、解毒、利尿的功效。
（2）《中国植物志》（英文版）将本种由藜科 Chenopodiaceae 修订为苋科 Amaranthaceae。

苋科 Amaranthaceae 滨藜属 Atriplex

中亚滨藜 Atriplex centralasiatica Iljin

| 药 材 名 | 马灰条（药用部位：果实。别名：软蒺藜）。

| 形态特征 | 一年生草本。茎通常自基部分枝；枝钝四棱形，黄绿色，无色条，有粉或下部近无粉。叶有短柄，枝上部的叶近无柄，叶片卵状三角形至菱状卵形，边缘具疏锯齿，近基部的 1 对锯齿较大而呈裂片状，或仅有 1 对浅裂片而其余部分全缘，先端微钝，基部圆形至宽楔形，上面灰绿色，无粉或稍有粉，下面灰白色，有密粉；叶柄长 2 ~ 6 mm。花集成腋生团伞花序；雄花花被 5 深裂，裂片宽卵形，雄蕊 5，花丝扁平，基部联合，花药宽卵形至短矩圆形；雌花的苞片近半圆形至平面钟形，边缘近基部以下合生，近基部的中心部鼓胀并木质化，表面具多数疣状或肉棘状附属物，缘部草质或硬化，边缘具不等大的三角形牙齿；苞柄长 1 ~ 3 mm。胞果扁平，宽卵形或圆形，果皮

中亚滨藜

膜质，白色，与种子贴伏。种子直立，红褐色或黄褐色，直径 2 ~ 3 mm。花期 7 ~ 8 月，果期 8 ~ 9 月。

| **生境分布** | 生于山沟、田边、碱地。分布于宁夏贺兰山（永宁、西夏、大武口）及灵武、海原、平罗、同心、惠农、兴庆等。

| **资源情况** | 野生资源丰富。

| **药材性状** | 本品外被 2 宿存苞片，直径 0.4 ~ 1.4 cm，土黄色或浅绿色。苞片呈扁平扇形，有 3 放射状隆起的主脉及网状细脉，无棘状突起，上部扇形，边缘波状或稍 5 浅裂，基部渐细成短果柄。剥开两苞片露出扁圆形胞果 1，呈棕色，直径约 3 mm。表面光滑，一侧有喙状突起。果皮与种皮均薄，剥开后呈淡黄色，富油质。气微弱，味微酸、咸。

| **采收加工** | 秋季果实成熟后割取地上部分，晒干，打下果实，除去杂质。

| **功能主治** | 甘，平。归肝、肾经。清肝明目，活血消肿，祛风。用于头痛，皮肤瘙痒，乳汁不通。

| **用法用量** | 内服煎汤，5 ~ 10 g。外用适量，煎汤洗。

| **附　　注** | （1）《中华本草》记载，软蒺藜为藜科植物西伯利亚滨藜 *Atriplex sibirica* L. 和中亚滨藜 *Atriplex centralasiatica* Iljin 的果实。
（2）《中国植物志》（英文版）将本种由藜科 Chenopodiaceae 修订为苋科 Amaranthaceae。

苋科 Amaranthaceae 滨藜属 Atriplex

西伯利亚滨藜
Atriplex sibirica L.

| 药 材 名 | 马灰条（药用部位：果实。别名：白蒺藜、软蒺藜、碱灰菜）。

| 形态特征 | 一年生草本。茎通常自基部分枝；枝外倾或斜伸，钝四棱形，无色条，有粉。叶片卵状三角形至菱状卵形，先端微钝，基部圆形或宽楔形，边缘具疏锯齿，近基部的 1 对齿较大而呈裂片状，或仅有 1 对浅裂片而其余部分全缘，上面灰绿色，无粉或稍有粉，下面灰白色，有密粉；叶柄长 3 ~ 6 mm。团伞花序腋生；雄花花被 5 深裂，裂片宽卵形至卵形；雄蕊 5，花丝扁平，基部联合，花药宽卵形至短矩圆形；雌花的苞片联合成筒状，仅顶缘分离，果时鼓胀，略呈倒卵形，长 5 ~ 6 mm（包括柄），宽约 4 mm，木质化，表面具多数不规则的棘状突起，顶缘薄，牙齿状，基部楔形。胞果扁平，卵形或近圆形；果皮膜质，白色，与种子贴伏。种子直立，红褐色或黄褐色，直径

西伯利亚滨藜

2 ～ 2.5 cm。花期 6 ～ 7 月，果期 8 ～ 9 月。

| **生境分布** | 生于山沟、田边、碱性草地或草甸。分布于宁夏彭阳等。

| **资源情况** | 野生资源丰富。

| **采收加工** | 8 ～ 9 月采收，割取全草，晒干，打下果实，碾去硬刺。

| **药材性状** | 本品的苞片基部具棘状、软棘状或疣状突起，但不刺手。

| **功能主治** | 苦，平。归肝、肾经。清肝明目，活血消肿，祛风。用于头痛，皮肤瘙痒，乳汁不通。

| **用法用量** | 内服煎汤，5 ～ 10 g。外用适量，煎汤洗。

| **附　　注** | 《中国植物志》(英文版)将本种由藜科 Chenopodiaceae 修订为苋科 Amaranthaceae。

苋科 Amaranthaceae 轴藜属 Axyris

轴藜

Axyris amaranthoides L.

轴藜

药 材 名

轴藜（药用部位：果实）。

形态特征

一年生草本。茎直立，粗壮，微具纵纹，毛后期大部脱落；分枝多集中于茎中部以上，纤细，劲直，长 3 ~ 13 cm。叶具短柄，先端渐尖，具小尖头，基部渐狭，全缘，背部密被星状毛，后期秃净；基生叶大，披针形，叶脉明显；茎生叶和苞叶较小，狭披针形或狭倒卵形，长约 1 cm，宽 2 ~ 3 mm，边缘通常内卷。雄花序穗状；花被裂片 3，狭矩圆形，先端急尖，向内卷曲，背部密被毛，后期脱落；雄蕊 3，与裂片对生，伸出花被外。雌花花被片 3，白色，膜质，背部密被毛，后脱落，侧生的 2 花被片大，宽卵形或近圆形，先端全缘或微具缺刻，近苞片处的花被片较小，矩圆形。果实长椭圆状倒卵形，侧扁，灰黑色，有时具浅色斑纹，光滑，先端具 1 附属物；附属物冠状，其中央微凹，有时亦有发育极好的果实，其附属物不明显。花果期 8 ~ 9 月。

生境分布

生于荒地、田边、渠沟旁或村庄附近。分布

于宁夏灵武、海原、隆德、原州等。

| **资源情况** | 野生资源丰富。

| **采收加工** | 夏、秋季采收,晾干。

| **功能主治** | 清肝明目,祛风消肿。用于目赤肿痛,风眼。

| **附　　注** | 《中国植物志》(英文版)将本种由藜科 Chenopodiaceae 修订为苋科 Amaranthaceae。

苋科 Amaranthaceae 沙冰藜属 Bassia

雾冰藜
Bassia dasyphylla (Fisch. et Mey.) O. Kuntze

雾冰藜

| 药 材 名 |

雾冰藜(药用部位:全草。别名:五星蒿、雾冰草、毛脊梁)。

| 形态特征 |

一年生草本,植株高 3 ~ 50 cm。茎直立,密被水平伸展的长柔毛;分枝多,开展,与茎夹角通常大于 45°,有的几成直角。叶互生,肉质,圆柱状或半圆柱状条形,密被长柔毛,长 3 ~ 15 mm,宽 1 ~ 1.5 mm,先端钝,基部渐狭。花两性,单生或 2 花簇生,通常仅 1 花发育;花被筒密被长柔毛,裂齿不内弯,果时花被背部具 5 钻状附属物,三棱状,平直,坚硬,形成平展的五角星状;雄蕊 5,花丝条形,伸出花被外;子房卵状,具短的花柱和 2(~ 3)长的柱头。果实卵圆状。种子近圆形,光滑。花果期 7 ~ 9 月。

| 生境分布 |

生于砂质地、半固定沙丘及荒漠草原。分布于宁夏灵武、同心、盐池、红寺堡、兴庆等。

| 资源情况 |

野生资源丰富。

| **采收加工** | 夏、秋季采收。

| **功能主治** | 甘，凉。归肝、肾经。清热祛湿。用于脂溢性皮炎。

| **用法用量** | 内服煎汤，15 ～ 30 g。外用适量，煎汤洗。

| **附　　注** | （1）《中国植物志》（英文版）将本种由雾冰藜属 *Bassia* 修订为沙冰藜属 *Bassia*。

（2）《宁夏中药志》记载，本种的全草作雾冰藜药用；《中华本草》记载，本种的全草作五星蒿药用。

（3）《中国植物志》（英文版）将本种由藜科 Chenopodiaceae 修订为苋科 Amaranthaceae。

苋科 Amaranthaceae 甜菜属 Beta

甜菜 *Beta vulgaris* L.

| 药 材 名 | 莙荙菜（药用部位：茎、叶。别名：糖萝卜、恭菜、甜菜）、莙荙子（药用部位：果实。别名：糖萝卜、恭菜子）、恭菜根（药用部位：根。别名：糖萝卜、出莙荙儿、莙荙根）。

| 形态特征 | 二年生草本。根圆锥状至纺锤状，多汁。茎直立，多少有分枝，具条棱及色条。基生叶矩圆形，具长叶柄，上面皱缩不平，略有光泽，下面有粗壮凸出的叶脉，全缘或略呈波状，先端钝，基部楔形、截形或略呈心形，叶柄粗壮，下面凸，上面平或具槽；茎生叶互生，较小，卵形或披针状矩圆形，先端渐尖，基部渐狭入短柄。花 2 ~ 3 团集；花被片 5，基部合生，裂片条形或狭矩圆形；雄蕊 5，着生于具腺的花盘上；子房 1 室，花柱短，柱头 3。胞果下部陷在硬化的花被内，上部稍肉质。种子双凸镜状，红褐色，有光泽；胚环形，

甜菜

苍白色。花期 5 ～ 6 月，果期 7 月。

| 生境分布 | 栽培种。分布于宁夏沙坡头、中宁、贺兰、惠农、平罗、永宁、兴庆、灵武等引黄灌区。

| 资源情况 | 栽培资源丰富。

| 采收加工 | 莙荙菜：根据不同的播种期，夏、秋季均可采收，鲜用或晒干。
莙荙子：夏季果实成熟时采收，晒干。
恭菜根：秋季采挖，洗净泥土，鲜用或晒干。

| 功能主治 | 莙荙菜：甘、苦，寒。归肺、肾、大肠经。清热解毒，行瘀止血。用于时行热病，痔疮，麻疹透发不畅，吐血，热毒下痢，闭经，淋浊，痈肿，跌打损伤，蛇虫咬伤。
莙荙子：甘、苦，寒。清热解毒，凉血止血。用于小儿发热，痔瘘下血。
恭菜根：甘，平。宽胸下气。用于胸膈胀闷。

| 用法用量 | 莙荙菜：内服煎汤，15 ～ 30 g，鲜品 60 ～ 120 g；或捣汁。外用适量，捣敷。
莙荙子：内服煎汤，6 ～ 9 g；或研末。外用适量，醋浸涂擦。
恭菜根：内服煎汤，15 ～ 30 g。

| 附　　注 | （1）莙荙菜原产于欧洲南部，在我国栽培历史悠久。宁夏曾大面积栽种，现部分县市仅零星种植。
（2）《中国植物志》（英文版）将本种由藜科 Chenopodiaceae 修订为苋科 Amaranthaceae。

苋科 Amaranthaceae 驼绒藜属 Krascheninnikovia

驼绒藜 Krascheninnikovia ceratoides (Linnaeus) Gueldenstaedt

| **药 材 名** | 优若藜（药用部位：花序）。

| **形态特征** | 多年生灌木，植株高 0.1 ~ 1 m，分枝多集中于下部，斜展或平展。叶较小，条形、条状披针形、披针形或矩圆形，先端急尖或钝，基部渐狭，楔形或圆形，1 脉，有时近基处有 2 侧脉，极稀为羽状。雄花序较短，长达 4 cm，紧密。雌花管椭圆形，长 3 ~ 4 mm，宽约 2 mm；花管裂片角状，较长，其长为管长的 1/3 至等长。果实直立，椭圆形，被毛。花果期 6 ~ 9 月。

| **生境分布** | 生于戈壁、荒漠、半荒漠、干旱山坡或草原中。分布于宁夏灵武、泾源、海原、原州、大武口等。

| **资源情况** | 野生资源丰富。

驼绒藜

| 采收加工 | 6～7月采收花序，晾干。

| 药材性状 | 本品黄白色，上部为排列紧密的雄花序，数花成簇，在枝端集成穗状花序。雌花位于下部，1～2生于叶腋，由2小苞片合生成雌花管，上部有2角状裂片，叉开。果期管外两侧各有2束等长的长毛。胞果椭圆形或倒卵形。种子侧扁。

| 功能主治 | 淡，微寒。归肺经。清肺化痰，止咳。用于气管炎，肺结核。

| 用法用量 | 内服煎汤，3～6 g。

| 附　注 | 《中国植物志》（英文版）将本种的拉丁学名由 *Ceratoides latens* (J. F. Gmel.) Reveal et Holmgren 修订为 *Krascheninnikovia ceratoides* (Linnaeus) Gueldenstaedt，并将本种由藜科 Chenopodiaceae 修订为苋科 Amaranthaceae。

灰绿藜 *Chenopodium glaucum* L.

| 药 材 名 | 藜（药用部位：全草。别名：落藜、胭脂菜）。

| 形态特征 | 一年生草本。茎平卧或外倾，具条棱及绿色或紫红色色条。叶片矩圆状卵形至披针形，肥厚，先端急尖或钝，基部渐狭，边缘具缺刻状牙齿，上面无粉，平滑，下面有粉而呈灰白色，有稍带紫红色，中脉明显，黄绿色；叶柄长 5 ~ 10 mm。花两性兼有雌性，通常数花聚成团伞花序，再于分枝上排列成有间断而通常短于叶的穗状或圆锥花序；花被裂片 3 ~ 4，浅绿色，稍肥厚，通常无粉，狭矩圆形或倒卵状披针形，长不及 1 mm，先端通常钝；雄蕊 1 ~ 2，花丝不伸出花被，花药球形；柱头 2，极短。胞果先端露出花被外，果皮膜质，黄白色。种子扁球形，直径 0.75 mm，横生、斜生及直立，暗褐色或红褐色，边缘钝，表面有细点纹。花果期 5 ~ 10 月。

灰绿藜

| 生境分布 | 生于农田边、水渠沟旁、平原荒地、山间谷地。宁夏各地均有分布。 |

| 资源情况 | 野生资源丰富。 |

| 采收加工 | 6 ~ 7 月采收，鲜用或晒干。 |

| 药材性状 | 本品灰黄绿色。叶多皱缩或破碎。完整者展平后，呈矩圆状卵形至披针形，边缘具波状牙齿。叶上面平滑，下面有粉而呈灰绿白色。小花在枝上排列成断续的穗状或圆锥状。 |

| 功能主治 | 甘，平。归肝经。清热利湿，透疹。用于风热感冒，痢疾，腹泻，龋齿痛；外用于皮肤瘙痒，麻疹不透。 |

| 用法用量 | 内服煎汤，15 ~ 30 g。外用适量，煎汤漱口或熏洗；或捣涂。 |

| 附　注 | （1）《中华本草》记载，药材藜来源于藜 *Chenopodium album* L.、灰绿藜 *Chenopodium glaucum* L. 的幼嫩全草。 |
| | （2）《中国植物志》（英文版）将本种由藜科 Chenopodiaceae 修订为苋科 Amaranthaceae。 |

苋科 Amaranthaceae 藜属 Chenopodium

杂配藜

Chenopodium hybridum L.

| 药 材 名 | 大叶藜（药用部位：地上部分。别名：大叶灰藜、大叶灰条、八角灰菜）。

| 形态特征 | 一年生草本。茎直立，粗壮，具淡黄色或紫色纵条棱，上部有疏分枝，无粉或枝上稍有粉。单叶互生，具长柄，叶柄长 2 ~ 7 cm；叶片宽卵形至卵状三角形，长 4 ~ 12 cm，宽 3 ~ 10 cm，两面均呈亮绿色，无粉或稍有粉，先端渐尖，基部近平截或略呈心形，边缘不规则波状浅裂；裂片先端尖，两面无粉。花两性或雌性，圆锥花序顶生或腋生；花被裂片 5，狭卵形，先端钝圆，背面具纵脊并稍有粉，边缘膜质；雄蕊 5。胞果双凸镜状；果皮膜质，有白色斑点，与种子贴生。种子扁圆形，直径通常 2 ~ 3 mm，黑色，无光泽，表面具明显的凹点。花果期 6 ~ 7 月。

杂配藜

| 生境分布 | 生于林缘、路旁、草甸或村舍附近。宁夏各地均有分布。

| 资源情况 | 野生资源丰富。

| 采收加工 | 夏季割取，切段，晒干。

| 药材性状 | 本品黄绿色。茎粗壮，具深纵棱。叶多皱缩破碎，完整叶展平后三角状卵形或卵形，长 4 ～ 15 cm，宽 2 ～ 13 cm；边缘掌状浅裂或全缘。小花成团。胞果宿存膜质花被，灰绿色，先端 5 裂。胞果果皮膜质，有白色斑点。种子扁圆形，直径 2 ～ 3 mm，黑色，无光泽，表面具明显的圆形深洼或凹凸不平。气微，味微苦。

| 功能主治 | 甘，平。归心、肾、小肠经。调经止血。用于吐血，咯血，尿血，鼻衄，月经不调，痈疮肿毒，蛇虫咬伤。

| 用法用量 | 内服煎汤，3 ～ 9 g。外用适量，鲜品捣敷。

| 附 注 | 《中国植物志》（英文版）将本种由藜科 Chenopodiaceae 修订为苋科 Amaranthaceae。

苋科 Amaranthaceae 藜属 *Chenopodium*

尖头叶藜

Chenopodium acuminatum Willd.

| **药 材 名** | 尖头叶藜（药用部位：全草）。

| **形态特征** | 一年生草本。茎直立，具条棱及绿色色条，有时色条带紫红色，多分枝；枝斜升，较细瘦。叶片宽卵形至卵形，茎上部的叶片有时呈卵状披针形，长 2～4 cm，宽 1～3 cm，先端急尖或短渐尖，有 1 短尖头，基部宽楔形、圆形或近截形，上面无粉，浅绿色，下面多少有粉，灰白色，全缘并具半透明的环边；叶柄长 1.5～2.5 cm。花两性，团伞花序于枝上部排列成紧密的或有间断的穗状或穗状圆锥花序，花序轴（或仅在花间）具圆柱状毛束；花被扁球形，5 深裂，裂片宽卵形，边缘膜质，并有红色或黄色粉粒，果时背面大多增厚并彼此合成五角星形；雄蕊 5，花药长约 0.5 mm。胞果顶基扁，圆形或卵形。种子横生，直径约 1 mm，黑色，有光泽，表面略具点纹。

尖头叶藜

花期 6 ~ 7 月，果期 8 ~ 9 月。

| **生境分布** | 生于河岸、荒地或田边。分布于宁夏青铜峡、兴庆等。

| **资源情况** | 野生资源较丰富。

| **采收加工** | 夏、秋季采收，洗净，晒干。

| **功能主治** | 用于风寒头痛，四肢胀痛。

| **附　　注** | （1）《中国藏药》记载尖头叶藜可作藏药，其全草用于疮伤。

（2）《中国植物志》（英文版）将本种由藜科 Chenopodiaceae 修订为苋科 Amaranthaceae。

苋科 Amaranthaceae 藜属 Chenopodium

藜

Chenopodium album L.

| 药 材 名 | 灰条（药用部位：全草。别名：藜、灰藋、灰菜）、藜实（药用部位：果实或种子）。

| 形态特征 | 一年生草本。茎平卧或外倾，具条棱及绿色或紫红色色条。叶片矩圆状卵形至披针形，肥厚，先端急尖或钝，基部渐狭，边缘具缺刻状牙齿，上面无粉，平滑，下面有粉而呈灰白色，有时稍带紫红色；中脉明显，黄绿色；叶柄长 5 ~ 10 mm。花两性或雌性，通常数花聚成团伞花序，再于分枝上排列成有间断而通常短于叶的穗状或圆锥花序；花被裂片 3 ~ 4，浅绿色，稍肥厚，通常无粉，狭矩圆形或倒卵状披针形，长不及 1 mm，先端通常钝；雄蕊 1 ~ 2，花丝不伸出花被，花药球形；柱头 2，极短。胞果先端露出于花被外，果皮膜质，黄白色。种子扁球形，直径 0.75 mm，横生、斜生及直立，

藜

暗褐色或红褐色，边缘钝，表面有细点纹。花果期 5 ~ 10 月。

| **生境分布** | 生于农田边、水渠沟旁、平原荒地、山间谷地。宁夏各地均有分布。

| **资源情况** | 野生资源丰富。

| **采收加工** | 灰条：6 ~ 7 月采收，鲜用或晒干。
　　　　　　　藜实：秋季果实成熟时，割取全草，打下果实和种子，除去杂质，晒干或鲜用。

| **药材性状** | 灰条：本品灰黄绿色。叶多皱缩或破碎。完整者展平后，呈矩圆状卵形至披针形，边缘具波状牙齿。叶上面平滑，下面有粉而呈灰绿白色。小花在枝上排列成断续的穗状或圆锥状。
　　　　　　　藜实：本品胞果呈五角状扁球形，直径 1 ~ 1.5 mm，花被紧包果实外，黄绿色，先端 5 裂；裂片三角形，稍反卷，背面有 5 棱线，呈放射状；无翅；内有果实 1，果皮膜状，贴生于种子。种子半球形，黑色，有光泽，表面具浅沟纹。

| **功能主治** | 灰条：甘，平。归肝经。清热利湿，透疹。用于风热感冒，痢疾，腹泻，龋齿痛；外用于皮肤瘙痒，麻疹不透。
　　　　　　　藜实：甘、苦，寒；有小毒。清热祛湿，杀虫止痒。用于小便不利，水肿，皮肤湿疮，头疮，耳聋。

| **用法用量** | 灰条：内服煎汤，15 ~ 30 g。外用适量，煎汤漱口或熏洗；或捣涂。
　　　　　　　藜实：内服煎汤，10 ~ 15 g。外用适量，煎汤洗；或烧灰调敷。

| **附　注** | （1）《宁夏中药志》记载药材灰条来源于藜 *Chenopodium album* L. 的地上全草；《中华本草》记载药材藜来源于藜 *Chenopodium album* L.、灰绿藜 *Chenopodium glaucum* L. 的幼嫩全草，藜 *Chenopodium album* L. 的果实或种子作藜实药用。
（2）《中国植物志》（英文版）将本种由藜科 Chenopodiaceae 修订为苋科 Amaranthaceae。

苋科 Amaranthaceae 藜属 Chenopodium

小藜 *Chenopodium ficifolium* Smith

| 药 材 名 | 灰藿（药用部位：全草。别名：灰藜、小叶藜、灰灰苋）。

| 形态特征 | 一年生草本。茎直立，具条棱及绿色色条。叶片卵状矩圆形，通常 3 浅裂；中裂片两边近平行，先端钝或急尖并具短尖头，边缘具深波状锯齿；侧裂片位于中部以下，通常具 2 浅裂齿。花两性，数花团集，排列于上部的枝上形成较开展的顶生圆锥花序；花被近球形，5 深裂，裂片宽卵形，不开展，背面具微纵隆脊并有密粉；雄蕊 5，开花时外伸；柱头 2，丝形。胞果包在花被内，果皮与种子贴生。种子双凸镜状，黑色，有光泽，直径 1 mm，边缘微钝，表面具六角形细洼。花期 4 ～ 6 月，果期 5 ～ 7 月。

| 生境分布 | 生于荒地、道旁等。宁夏各地均有分布。

小藜

| 资源情况 | 野生资源丰富。

| 采收加工 | 3～4 月采收，洗净，除去杂质，鲜用或晒干。

| 药材性状 | 本品灰黄色。叶片皱缩破碎，展开后完整叶通常 3 浅裂，裂片具波状锯齿。花序穗状，腋生或顶生。胞果包在花被内，果皮膜质，有明显的蜂窝状网纹，果皮与种皮贴生。

| 功能主治 | 甘、苦，凉。归大肠经。杀虫，祛湿，解毒。用于蛔虫病，绦虫病，蛲虫病。

| 用法用量 | 内服煎汤，9～15 g。外用适量，煎汤洗；或捣敷。

| 附　注 | 《中国植物志》（英文版）将本种由藜科 Chenopodiaceae 修订为苋科 Amaranthaceae，将本种的拉丁学名由 *Chenopodium serotinum* L. 修订为 *Chenopodium ficifolium* Smith。

苋科 Amaranthaceae 腺毛藜属 Dysphania

刺藜

Dysphania aristata (Linnaeus) Mosyakin et Clemants

| 药 材 名 | 刺藜（药用部位：全草。别名：铁扫帚苗、鸡冠冠草、刺穗藜）。 |

| 形态特征 | 一年生草本。茎直立，圆柱形或有棱，具色条，无毛或稍有毛，有多数分枝。叶条形至狭披针形，全缘，先端渐尖，基部收缩成短柄，中脉黄白色。复二歧式聚伞花序生于枝端及叶腋，最末端的分枝针刺状；花两性，几无柄；花被裂片5，狭椭圆形，先端钝或骤尖，背面稍肥厚，边缘膜质，果时开展。胞果顶基扁（底面稍凸），圆形；果皮透明，与种子贴生。种子横生，顶基扁，周边截平或具棱。花期8～9月，果期10月。 |

| 生境分布 | 生于荒漠草原、干旱田埂、路边。分布于宁夏灵武、海原、红寺堡等。 |

| 资源情况 | 野生资源丰富。 |

刺藜

| **采收加工** | 夏、秋季采集，洗净，晒干。

| **药材性状** | 本品灰黄色至黄绿色。叶皱缩破碎，全缘。花序生于枝端及叶腋，最末端的分枝针刺状。胞果圆形，果皮透明，膜质，与种子贴生。种子圆形，黑褐色，长不及 1 mm，有光泽。气微，味微苦。

| **功能主治** | 淡，平。归肺、肝经。活血，祛风止痒。用于月经过多，痛经，闭经，过敏性皮炎，荨麻疹等。

| **用法用量** | 外用，100 g，煎汤洗。

| **附　注** | 《中国植物志》（英文版）将本种由藜科 Chenopodiaceae 修订为苋科 Amaranthaceae，将本种的拉丁学名由 *Chenopodium aristatum* L. 修订为 *Dysphania aristata* (Linnaeus) Mosyakin et Clemants。

苋科 Amaranthaceae 腺毛藜属 Dysphania

菊叶香藜

Dysphania schraderiana (Roemer & Schultes) Mosyakin & Clemants

菊叶香藜

| 药 材 名 |

菊叶香藜（药用部位：全草）。

| 形态特征 |

一年生草本，有强烈气味，全体有具节的疏生短柔毛。茎直立，具绿色色条，通常有分枝。叶片矩圆形，边缘羽状浅裂至羽状深裂，先端钝或渐尖，有时具短尖头，基部渐狭，上面无毛或幼嫩时稍有毛，下面有具节的短柔毛并兼有黄色无柄的颗粒状腺体，很少近无毛；叶柄长 2 ~ 10 mm。复二歧聚伞花序腋生；花两性；花被直径 1 ~ 1.5 mm，5 深裂；裂片卵形至狭卵形，有狭膜质边缘，背面通常有具刺状凸起的纵隆脊并有短柔毛和颗粒状腺体；雄蕊 5，花丝扁平，花药近球形。胞果扁球形，果皮膜质。种子横生，周边钝，直径 0.5 ~ 0.8 mm，红褐色或黑色，有光泽，具细网纹；胚半环形，围绕胚乳。花期 7 ~ 9 月，果期 9 ~ 10 月。

| 生境分布 |

生于山坡草地、河床、田边或村庄附近。分布于宁夏海原、同心、盐池、原州等。

| 资源情况 | 野生资源丰富。

| 采收加工 | 夏、秋季采收，晾干。

| 功能主治 | 微甘，平。归肺经。平喘解痉，止痛。用于支气管喘息，炎症，痉挛，偏头痛。

| 附　　注 | 《中国植物志》（英文版）将本种由藜科 Chenopodiaceae 修订为苋科 Amaranthaceae，将本种的拉丁学名由 *Chenopodium foetidum* Schrad. 修订为 *Dysphania schraderiana* (Roemer & Schultes) Mosyakin & Clemants。

苋科 Amaranthaceae 地肤属 Kochia

地肤 *Kochia scoparia* (L.) Schrad.

| 药 材 名 | 地肤子（药用部位：果实。别名：扫帚菜、扫帚苗、落帚子）。

| 形态特征 | 一年生草本。茎直立，圆柱状，淡绿色或带紫红色，有多数条棱，稍有短柔毛或基部几无毛；分枝稀疏，斜上。叶为平面叶，披针形或条状披针形，无毛或稍有毛，先端短渐尖，基部渐狭入短柄，通常有3明显的主脉，边缘有疏生的锈色绢状缘毛；茎上部叶较小，无柄，1脉。花两性或雌性，通常1～3生于上部叶腋，组成疏穗状圆锥花序，花下有时有锈色长柔毛；花被近球形，淡绿色，花被裂片近三角形，无毛或先端稍有毛；翅端附属物三角形至倒卵形，有时近扇形，膜质，脉不很明显，边缘微波状或具缺刻；花丝丝状，花药淡黄色；柱头2，丝状，紫褐色，花柱极短。胞果扁球形，果皮膜质，与种子离生。种子卵形，黑褐色，稍有光泽；胚环形，胚

地肤

乳块状。花期 6 ~ 9 月，果期 7 ~ 10 月。

| **生境分布** | 生于山野荒地、田野路旁。宁夏各地均有分布。

| **资源情况** | 野生资源丰富。

| **采收加工** | 秋季果实成熟时采收植株，晒干，打下果实，除去杂质。

| **药材性状** | 本品呈扁球状五角星形，直径 1 ~ 3 mm。外被宿存花被，表面灰绿色或浅棕色，周围具膜质小翅 5，背面中心有微凸起的点状果柄痕及放射状脉纹 5 ~ 10；剥离花被，可见膜质果皮，半透明。种子扁卵形，长约 1 mm，黑色。气微，味微苦。

| **功能主治** | 辛、苦，寒。归肾、膀胱经。清热利湿，祛风止痒。用于小便涩痛，阴痒带下，风疹，湿疹，皮肤瘙痒。

| **用法用量** | 内服煎汤，9 ~ 15 g。外用适量，煎汤熏洗。

| **附　　注** | （1）《宁夏中药志》记载宁夏各地尚有栽培变型扫帚菜 *Kochia scoparia* (L.) Schrad. f. *trichophylla* (Hort.) Schinz et Thell.，其与本种的主要区别在于：植株呈卵形或倒卵形，高可达 1.5 m，分枝繁多；叶较狭，晚秋枝叶变红。扫帚菜的果实亦作地肤子药用。

（2）《中国植物志》（英文版）将本种由藜科 Chenopodiaceae 修订为苋科 Amaranthaceae。

苋科 Amaranthaceae 盐角草属 Salicornia

盐角草 *Salicornia europaea* L.

盐角草

| 药 材 名 |

海蓬子（药用部位：全草。别名：草盐角、抽筋菜、盐葫芦）。

| 形态特征 |

一年生草本。茎直立，多分枝；枝肉质，叶不发育，鳞片状，长约 1.5 mm，先端锐尖，基部联合成鞘状，边缘膜质。花序穗状，长 1 ~ 5 cm，有短柄；花腋生，每 1 苞片内有 3 花，集成 1 簇，陷入花序轴内，中间的花较大，位于上部，两侧的花较小，位于下部；花被肉质，倒圆锥状，上部扁平成菱形；雄蕊伸出花被外；花药矩圆形；子房卵形；柱头 2，钻状，有乳头状小突起。果皮膜质；种子矩圆状卵形，种皮近革质，有钩状刺毛，直径约 1.5 mm。花果期 6 ~ 8 月。

| 生境分布 |

生于盐碱地、盐湖旁或海边。分布于宁夏沙坡头、中宁、贺兰、惠农、平罗、永宁、兴庆、灵武等引黄灌区，同心、西吉等也有分布。

| 资源情况 |

野生资源丰富。

| **采收加工** | 夏季采收，洗净，晒干。

| **功能主治** | 归肝、肾、膀胱经。平肝，利尿，降血压。用于高血压，头痛。

| **用法用量** | 内服煎汤，9 ~ 15 g。

| **附　注** | 《中国植物志》（英文版）将本种由藜科 Chenopodiaceae 修订为苋科 Amaranthaceae。

苋科 Amaranthaceae 碱猪毛菜属 Salsola

木本猪毛菜 *Salsola arbuscula* Pall.

| 药 材 名 | 木本猪毛菜（药用部位：地上部分。别名：白木本猪毛菜）。

| 形态特征 | 小灌木。多分枝，老枝淡灰褐色，有纵裂纹，小枝平滑，乳白色。叶互生，老枝上的叶簇生于短枝的顶部，叶片半圆柱形，淡绿色，无毛，先端钝或尖，基部扩展而隆起，乳白色，叶片自缢缩处脱落，枝条上留有明显的叶基残痕。花序穗状；苞片比小苞片长；小苞片卵形，先端尖，基部的边缘为膜质，比花被长或与花被等长；花被片矩圆形，先端有小凸尖，背部有 1 明显的中脉，果时自背面中下部生翅，3 翅半圆形，膜质，有多数细而明显的脉，2 翅较狭窄，花被果时直径为 8 ~ 12 mm，花被片翅以上部分包覆果实，上部膜质，稍反折，呈莲座状；花药附属物狭披针形，先端急尖；柱头钻状，长为花柱的 2 ~ 4 倍。种子横生。花期 7 ~ 8 月，果期

木本猪毛菜

9 ～ 10 月。

| **生境分布** | 生于山麓、砾质荒漠或戈壁滩上。分布于宁夏青铜峡、兴庆、西夏、沙坡头、红寺堡等。

| **资源情况** | 野生资源丰富。

| **采收加工** | 全年均可采收，切段，晒干。

| **功能主治** | 淡，凉。归肝经。平肝，镇静，降血压。用于高血压等。

| **用法用量** | 内服煎汤，15 ～ 60 g。

| **附　　注** | 《中国植物志》（英文版）将本种由藜科 Chenopodiaceae 修订为苋科 Amaranthaceae，由猪毛菜属 *Salsola* 修订为碱猪毛菜属 *Salsola* 。

苋科 Amaranthaceae 碱猪毛菜属 *Salsola*

猪毛菜 *Salsola collina* Pall.

猪毛菜

| 药 材 名 |

猪毛菜（药用部位：地上部分。别名：刺蓬、驴尾巴蒿子、刺沙蓬）。

| 形态特征 |

一年生草本。茎自基部分枝，枝互生，伸展，茎、枝绿色，有白色或紫红色条纹，生短硬毛或近于无毛。叶片丝状圆柱形，伸展或微弯曲，长 2 ~ 5 cm，宽 0.5 ~ 1.5 mm，生短硬毛，先端有刺状尖，基部边缘膜质，稍扩展而下延。花序穗状，生枝条上部；苞片卵形，顶部延伸，有刺状尖，边缘膜质，背部有白色隆脊；小苞片狭披针形，先端有刺状尖，苞片及小苞片与花序轴紧贴；花被片卵状披针形，膜质，先端尖，果时变硬，自背面中上部生鸡冠状突起；花被片在突起以上部分近革质，先端为膜质，向中央折成平面，紧贴果实，有时在中央聚集成小圆锥体；花药长 1 ~ 1.5 mm；柱头丝状，长为花柱的 1.5 ~ 2 倍。种子横生或斜生。花期 7 ~ 9 月，果期 9 ~ 10 月。

| 生境分布 |

生于旱地田边、路旁、荒地戈壁滩或含盐碱的砂壤土上。宁夏各地均有分布。

| **资源情况** | 野生资源丰富。

| **采收加工** | 夏、秋季开花时采割，切段，晒干。

| **功能主治** | 甘、淡，凉。归肝经。平肝潜阳，润肠通便，降血压。用于肝阳上亢，头痛眩晕，高血压，肠燥便秘等。

| **用法用量** | 内服煎汤，15 ~ 30 g。

| **附   注** | 《中国植物志》（英文版）将本种由藜科 Chenopodiaceae 修订为苋科 Amaranthaceae，由猪毛菜属 *Salsola* 修订为碱猪毛菜属 *Salsola*。

苋科 Amaranthaceae 碱猪毛菜属 Salsola

刺沙蓬 *Salsola tragus* Linnaeus

| 药 材 名 | 刺沙蓬（药用部位：全草。别名：大翅猪毛菜、猪毛菜、风滚草）。

| 形态特征 | 一年生草本。茎直立，自基部分枝，茎、枝生短硬毛或近无毛，有白色或紫红色条纹。叶互生，半圆柱形或圆柱形，无毛或有短硬毛，长 1.5 ~ 4 cm，宽 1 ~ 1.5 mm，近基部处扩大，先端刺状锐尖。花序穗状，生于枝条的上部；苞片长卵形，先端具细尖；花被片长卵形，膜质，无毛，背面有 1 脉；花被片果时变硬，自背面中部生翅，3 翅较大，肾形或倒卵形，膜质，无色或淡紫红色，有数粗壮而稀疏的脉，2 翅较狭窄，花被果时直径 7 ~ 10 mm，花被片翅以上部分近革质，先端为薄膜质，向中央聚集，包覆果实；柱头丝状，长为花柱的 3 ~ 4 倍。种子横生，直径约 2 mm。花期 8 ~ 9 月，果期 9 ~ 10 月。

刺沙蓬

| 生境分布 | 生于干旱山坡、河谷沙地、砾质戈壁荒漠。分布于宁夏平罗、大武口、贺兰、惠农、兴庆、灵武、沙坡头、青铜峡、盐池、同心等。 |

| 资源情况 | 野生资源丰富。 |

| 采收加工 | 夏季开花时采收，晒干。 |

| 药材性状 | 本品黄白色。茎有棱，具短硬毛。叶片圆柱形，先端呈尖刺状，基部扩大，边缘膜质。枝上部为穗状花序；苞片、小苞片顶部都呈尖刺状。花被片硬，自背面中部生5翅，3较大，2较窄，向中央聚集。种子直径约2 mm。 |

| 功能主治 | 苦，凉。归肝、肾经。平肝，降血压。用于高血压。 |

| 用法用量 | 内服煎汤，2 ~ 5 g；或用水烫作菜吃。 |

| 附 注 | 《中国植物志》（英文版）将本种由藜科 Chenopodiaceae 修订为苋科 Amaranthaceae，由猪毛菜属 *Salsola* 修订为碱猪毛菜属 *Salsola*，其拉丁学名由 *Salsola ruthenica* Iljin 修订为 *Salsola tragus* Linnaeus。 |

苋科 Amaranthaceae 菠菜属 Spinacia

菠菜
Spinacia oleracea L.

| 药 材 名 | 菠菜（药用部位：全草。别名：菠薐菜、红根菜）、菠菜子（药用部位：种子。别名：菠薐菜子）。

| 形态特征 | 一年生草本。根圆锥状，带红色，较少为白色。茎直立，中空，脆弱多汁，不分枝或有少数分枝。叶戟形至卵形，鲜绿色，柔嫩多汁，稍有光泽，全缘或有少数牙齿状裂片。雄花集成球形团伞花序，再于枝和茎的上部排列成有间断的穗状圆锥花序，花被片通常4，花丝丝形，扁平，花药不具附属物；雌花团集于叶腋，小苞片两侧稍扁，先端残留2小齿，背面通常各具1棘状附属物，子房球形，柱头4或5，外伸。胞果卵形或近圆形，直径约2.5 mm，两侧扁；果皮褐色。

菠菜

| 生境分布 | 栽培种。宁夏各地均有栽培。

| 资源情况 | 栽培资源丰富。

| 采收加工 | 菠菜：冬、春季采收，除去泥土和杂质，洗净，鲜用。
菠菜子：6～7月种子成熟时割取地上部分，打下果实，除去杂质，晒干或鲜用。

| 功能主治 | 菠菜：甘，凉。归胃、小肠、大肠经。开胸膈，通肠胃，润燥活血，止血。用于便秘，痔瘘，衄血，便血，消渴，头痛，目眩，风火目赤，痈肿，高血压。
菠菜子：微辛，微温。归肺、脾、肝、大肠经。疏散风热，利肺润肠。

| 用法用量 | 菠菜：内服适量，煮食；或捣汁。
菠菜子：内服煎汤，9～15 g；或研末。

| 附 注 | （1）《中国植物志》（英文版）将本种由藜科 Chenopodiaceae 修订为苋科 Amaranthaceae。
（2）《宁夏中药志》记载本种的全草或种子作菠菜药用。

苋科 Amaranthaceae 碱蓬属 Suaeda

碱蓬
Suaeda glauca (Bunge) Bunge

| 药 材 名 | 碱蓬（药用部位：全草。别名：盐蓬、碱蒿子、盐蒿子）。

| 形态特征 | 一年生草本。茎直立，粗壮，圆柱形，浅绿色，有条棱，上部多分枝；枝细长，上升或斜伸。叶丝状条形，半圆柱状，灰绿色，光滑无毛，稍向上弯曲，先端微尖，基部稍收缩。花两性或雌性，单生或 2 ~ 5 团集，大多着生于叶的近基部处；两性花花被杯状，长 1 ~ 1.5 mm，黄绿色；雌花花被近球形，直径约 0.7 mm，较肥厚，灰绿色；花被裂片卵状三角形，先端钝，果时增厚，花被略呈五角星状，干后变黑色；雄蕊 5，花药宽卵形至矩圆形，长约 0.9 mm；柱头 2，黑褐色，稍外弯。胞果包在花被内，果皮膜质。种子横生或斜生，双凸镜状，黑色，直径约 2 mm，周边钝或锐，表面具清晰的颗粒状点纹，稍有光泽；胚乳很少。花果期 7 ~ 9 月。

碱蓬

| 生境分布 | 生于荒地、渠岸、田边等含盐碱的土壤中。分布于宁夏平罗、沙坡头、惠农、兴庆、金凤、大武口、灵武等。

| 资源情况 | 野生资源较丰富。

| 采收加工 | 夏季开花时采收，晒干。

| 药材性状 | 本品灰黄色。叶多破碎，完整者为丝状条形，无毛。花多着生于叶基部。果实包在宿存的花被内，果皮膜质。种子黑色，直径约 2 mm，表面有颗粒状小点，稍有光泽。

| 功能主治 | 咸，寒。归肾经。清热，消积。用于瘰疬，痞块，腹胀。

| 用法用量 | 内服煎汤，6 ～ 9 g，鲜品 15 ～ 30 g。

| 附　　注 | 《中国植物志》（英文版）将本种由藜科 Chenopodiaceae 修订为苋科 Amaranthaceae。

苋科 Amaranthaceae 苋属 Amaranthus

凹头苋 *Amaranthus blitum* L.

| 药 材 名 | 野苋菜（药用部位：全草或根。别名：凹头苋、野苋、光苋菜）、野苋子（药用部位：种子。别名：野苋菜、凹头苋、苋菜子）。

| 形态特征 | 一年生草本。全体无毛；茎伏卧而上升，从基部分枝，淡绿色或紫红色，微具条棱。单叶互生；叶柄长 1 ~ 3.5 cm；叶片卵形或菱状卵形，长 1.5 ~ 4.5 cm，宽 1 ~ 3 cm，先端凹缺，基部宽楔形，全缘或稍呈波状。花单性或杂性，花小，簇生叶腋，或生在茎端和枝端，成直立穗状花序或圆锥花序；苞片干膜质，长圆形；花被片 3，矩圆形或披针形，先端急尖，边缘内曲；雄蕊 3；柱头 2 或 3，果实成熟时脱落。胞果扁卵形，不裂，微皱缩而近平滑。种子环形，黑色至黑褐色，边缘具环状边。花期 7 ~ 8 月，果期 8 ~ 9 月。

| 生境分布 | 生于田间、路旁或村舍附近。分布于宁夏沙坡头、中宁、贺兰、惠农、

凹头苋

平罗、永宁、兴庆、灵武等引黄灌区。

| 资源情况 | 野生资源较丰富。

| 采收加工 | 野苋菜：春、夏、秋季采收，洗净，鲜用。

野苋子：秋季采收果实，日晒，揉搓取种子，干燥。

| 药材性状 | 野苋菜：本品主根较直。茎长 10 ～ 30 cm，基部分枝，淡绿色至暗紫色。叶片皱缩，展平后卵形或菱状卵形，长 1.5 ～ 4.5 cm，宽 1 ～ 3 cm，先端凹缺，有 1 芒尖，或不显，基部阔楔形；叶柄与叶片近等长。穗状花序。胞果扁卵形，不裂，近平滑。气微，味淡。

野苋子：本品环形，直径 0.8 ～ 1.5 mm。表面红黑色至黑褐色，边缘具环状边。气微，味淡。

| 功能主治 | 野苋菜：甘，微寒。归大肠、小肠经。清热解毒，利尿。用于痢疾，腹泻，疔疮肿毒，毒蛇咬伤，蜂蜇伤，小便不利，水肿。

野苋子：甘，凉。归肝、膀胱经。清肝明目，利尿。用于肝热目赤，翳障，小便不利。

| 用法用量 | 野苋菜：内服煎汤，9 ～ 30 g；或捣汁。外用适量，捣敷。

野苋子：内服煎汤，6 ～ 12 g。

| 附　　注 | （1）《中国植物志》（英文版）将本种的拉丁学名由 *Amaranthus lividus* L. 修订为 *Amaranthus blitum* L.。

（2）《中华本草》记载野苋子为苋科植物凹头苋 *Amaranthus blitum* L. 或反枝苋 *Amaranthus retroflexus* L. 的种子；野苋菜为凹头苋 *Amaranthus blitum* L. 或反枝苋 *Amaranthus retroflexus* L. 的全草或根。

苋科 Amaranthaceae 苋属 Amaranthus

老鸦谷
Amaranthus cruentus L.

| 药 材 名 | 红粘谷（药用部位：全草。别名：老粘谷、风迎花、红苋菜）、红粘谷子（药用部位：种子）。

| 形态特征 | 一年生草本。茎直立，单一或分枝，具钝棱角，几无毛。叶片卵状长圆形或卵状披针形，先端锐尖或圆钝，具小芒尖，基部楔形。花单性或杂性，圆锥花序腋生和顶生，由多数穗状花序组成，直立，花后期下垂；苞片和小苞片钻形，绿色或紫色，背部中肋突出，先端具长芒；花被片 5，膜质，绿色或紫色，先端有短芒，花被片和胞果等长；雄蕊比花被片稍长；雌花苞片长为花被片的 1.5 倍，花被片先端圆钝。胞果椭圆形，盖裂，先端有 3 齿，和宿存花被等长。种子棕褐色。花期 6 ~ 7 月，果期 8 ~ 9 月。

| 生境分布 | 栽培种。分布于宁夏同心等。

老鸦谷

| **资源情况** | 栽培资源较少。

| **采收加工** | 红粘谷：春、夏季开花前采收，洗净，鲜用。

红粘谷子：夏、秋季种子成熟时采收，日晒，揉搓后取种子，干燥。

| **药材性状** | 红粘谷子：本品近圆形，稍扁平，淡黄色或棕褐色，长与宽约 1 mm，边缘粗厚，有不规则带状突起，种子淤在中央凸出成透镜状，在基部有微凸的种脐。

| **功能主治** | 红粘谷：甘，凉。清热解毒，利湿。用于痢疾，黄疸。

红粘谷子：甘、苦，微寒。归肝、大肠经。清热解毒，活血消肿。用于痢疾，跌打损伤，痈疮肿毒。

| **用法用量** | 红粘谷：内服煎汤，30 ~ 60 g。

红粘谷子：内服煎汤，9 ~ 15 g。外用适量，研末调敷。

| **附　　注** | （1）《中国植物志》（英文版）将繁穗苋 *Amaranthus paniculatus* L. 修订为老鸦谷 *Amaranthus cruentus* L.，即本种与《中华本草》记载的繁穗苋 *Amaranthus paniculatus* L. 为同一植物。

（2）本种的适应性强，具有很强的耐旱性。

苋科 Amaranthaceae　苋属 Amaranthus

反枝苋 *Amaranthus retroflexus* L.

| 药 材 名 | 反枝苋（药用部位：全草。别名：苋菜、西番谷）。

| 形态特征 | 一年生草本。茎直立，粗壮，密生细柔毛，具淡紫色纵条纹。单叶互生，叶柄长 2 ~ 3 cm，有毛，腹面具沟槽；叶片卵形或菱状卵形，长 5 ~ 10 cm，宽 2 ~ 5 cm，先端钝或微凹，具小刺尖，基部楔形，近全缘，略呈波状，两面被柔毛，叶脉隆起。花单性或杂性，绿白色，集成密集的圆锥花序，顶生或腋生；苞片披针状圆锥形，较花被片长，边缘膜质；花被片 5，矩圆形或矩圆状倒披针形，长约 2 mm，先端微凹或钝，具小刺尖，膜质，有绿色隆起的中肋；雄蕊 5；花柱 3。胞果宽倒卵形，环裂。种子扁球形，黑色，有光泽。花期 6 ~ 8 月，果期 8 ~ 9 月。

| 生境分布 | 生于田间、路旁或荒地。宁夏各地均有分布。

反枝苋

| **资源情况** | 野生资源较丰富。

| **采收加工** | 8～9月采收，晒干或鲜用。

| **功能主治** | 甘、淡，微寒。归脾、胃、大肠经。清热祛湿，凉血收敛。用于泄泻，痢疾，痔疮肿痛出血，毒蛇咬伤。

| **用法用量** | 内服煎汤，15～30 g。外用适量。

| **附　　注** | （1）《中华本草》记载反枝苋 *Amaranthus retroflexus* L. 的种子可作野苋子药用，反枝苋 *Amaranthus retroflexus* L. 的全草或根可作野苋菜药用。

（2）《宁夏中药志》记载反枝苋 *Amaranthus retroflexus* L. 和凹头苋的形态相似，其区别如下。

1. 叶先端钝或微凹；花被片5；雄蕊5；果实环状盖裂…………………………………

…………………………………………………………反枝苋 *Amaranthus retroflexus* L.

1. 叶先端钝，有凹缺；花被片3；雄蕊3；果实不裂或环状盖裂………

………………………………………………………………凹头苋 *Amaranthus blitum* L.

苋

Amaranthus tricolor L.

| 药 材 名 | 苋（药用部位：茎叶。别名：苋菜、青香苋、玉米菜）。

| 形态特征 | 一年生草本。茎粗壮，绿色或红色，常分枝，幼时有毛或无毛。叶片卵形、菱状卵形或披针形，绿色或常带红色、紫色或黄色，或部分绿色夹杂其他颜色，先端圆钝或尖凹，具凸尖，基部楔形，全缘或波状缘，无毛；叶柄长 2 ~ 6 cm，绿色或红色。花簇腋生，直到下部叶，或同时具顶生花簇，成下垂的穗状花序；花簇球形，直径 5 ~ 15 mm，雄花和雌花混生；苞片及小苞片卵状披针形，透明，先端有 1 长芒尖，背面具 1 绿色或红色隆起中脉；花被片矩圆形，长 3 ~ 4 mm，绿色或黄绿色，先端有 1 长芒尖，背面具 1 绿色或紫色隆起中脉；雄蕊比花被片长或短。胞果卵状矩圆形，长 2 ~ 2.5 mm，环状横裂，包裹在宿存花被片内。种子近圆形或倒卵形，

苋

直径约 1 mm，黑色或黑棕色，边缘钝。花期 5 ～ 8 月，果期 7 ～ 9 月。

| 生境分布 | 栽培种。生于田间、路旁或荒地。宁夏兴庆等有栽培。

| 资源情况 | 栽培资源较少。

| 采收加工 | 春、夏季采收，洗净，鲜用或晒干。

| 药材性状 | 本品茎长 80 ～ 150 cm，绿色或红色，常分枝。叶互生，叶片皱缩，展平后呈菱状卵形至披针形，长 4 ～ 10 cm，宽 2 ～ 7 cm，先端钝或尖凹，具凸尖，绿色或带红色、紫色、黄色，或绿色带有彩斑；叶柄长 2 ～ 6 cm。穗状花序。胞果卵状矩圆形，盖裂。气微，味淡。

| 功能主治 | 甘，微寒。归大肠、小肠经。清热解毒，通利二便。用于痢疾，蛇虫咬伤，疮毒。

| 用法用量 | 内服煎汤，30 ～ 60 g；或煮粥。外用适量，捣敷；或煎汤熏洗。

苋科 Amaranthaceae 苋属 Amaranthus

皱果苋
Amaranthus viridis L.

| 药 材 名 | 白苋（药用部位：全草或根。别名：细苋、糠苋、野苋）。

| 形态特征 | 一年生草本。全体无毛；茎直立，有不明显棱角，稍有分枝，绿色或带紫色。叶片卵形、卵状矩圆形或卵状椭圆形，先端尖凹或凹缺，少数圆钝，有1芒尖，基部宽楔形或近截形，全缘或微呈波状；叶柄长3～6 cm，绿色或带紫红色。圆锥花序顶生，长6～12 cm，宽1.5～3 cm，有分枝，由穗状花序形成，圆柱形，细长，直立，顶生花穗比侧生花穗长；总花梗长2～2.5 cm；苞片及小苞片披针形，长不及1 mm，先端具凸尖；花被片矩圆形或宽倒披针形，长1.2～1.5 mm，内曲，先端急尖，背部有1绿色隆起中脉；雄蕊比花被片短；柱头3或2。胞果扁球形，直径约2 mm，绿色，不裂，极皱缩，超出花被片。种子近球形，直径约1 mm，黑色或黑褐色，

皱果苋

具薄且锐的环状边缘。花期 6 ~ 8 月，果期 8 ~ 10 月。

| **生境分布** | 生于杂草地上或田野间。分布于宁夏盐池等。

| **资源情况** | 野生资源较少。

| **采收加工** | 春、夏、秋季均可采收，洗净，鲜用或晒干。

| **功能主治** | 甘、淡，寒。归大肠、小肠经。清热利湿，解毒。用于痢疾，泄泻，小便赤涩，疮肿，蛇虫咬伤，牙疳。

| **用法用量** | 内服煎汤，15 ~ 30 g；或鲜品加倍，捣烂绞汁。外用适量，捣敷；或煅研外擦；或煎汤熏洗。

苋科 Amaranthaceae 青葙属 Celosia

鸡冠花
Celosia cristata L.

| 药 材 名 | 鸡冠花（药用部位：花序。别名：鸡髻花、老来红、芦花鸡冠）、鸡冠子（药用部位：种子）、鸡冠苗（药用部位：全草或茎叶）。

| 形态特征 | 一年生草本。茎直立，粗壮，近上部扁平，绿色或带红色，具纵棱纹，无毛，单叶互生，具柄；叶片卵形或卵状披针形，长 5 ~ 13 cm，宽 2 ~ 6 cm，先端渐尖或长渐尖，基部渐狭，全缘，两面无毛。穗状花穗扁平，顶生，呈鸡冠状，中部以下多花，颜色多变，多为紫红色；花两性；苞片、小苞片及花被片干膜质；花被片 5；雄蕊 5，花丝下部结合成杯状。胞果卵形，长约 3 mm，盖裂，含多数扁圆黑色种子。

| 生境分布 | 多庭院栽培。宁夏各地均有栽培。

鸡冠花

| **资源情况** | 栽培资源较少。

| **采收加工** | 鸡冠花：8 ~ 10 月采收，花序充分长大并有部分果实成熟时，剪下花序，晒干。

鸡冠子：夏、秋季种子成熟时割取果序，日晒，取净种子，晒干。

鸡冠苗：夏季采收，鲜用或晒干。

| **药材性状** | 鸡冠花：本品扁平，上宽下窄，长 5 ~ 15 cm，宽 2 ~ 8 cm；上缘呈鸡冠状，多为紫红色；下部花轴扁而渐狭，浅棕褐色，两面密生小花，每花基部有苞片 3，萼片 5，均为干膜质，广披针形，先端锐尖。气微，味淡。

鸡冠子：本品呈扁圆形，直径约 1.5 mm。表面棕红色至黑色，有光泽。置放大镜下观察，可见细密纹理及凹点状种脐。种皮脆，易破裂。偶见胞果上残留的花柱，长 2 ~ 3 mm。气微，味淡。以饱满、色黑、光亮者为佳。

| **功能主治** | 鸡冠花：甘、涩，凉。归肝、大肠经。收敛止血，止带，止痢。用于吐血，崩漏，便血，痔血，赤白带下，久痢不止。

鸡冠子：甘，凉。归肝、大肠经。凉血止血，清肝明日。用于便血，崩漏，赤白痢，目赤肿痛。

鸡冠苗：甘，凉。清热凉血，解毒。用于吐血，衄血，崩漏，痔疮，痢疾，荨麻疹。

| **用法用量** | 鸡冠花：内服煎汤，6 ~ 12 g。

鸡冠子：内服煎汤，4.5 ~ 9 g；或入丸、散剂。

鸡冠苗：内服煎汤，9 ~ 15 g。外用适量，捣敷；或煎汤洗。

紫茉莉 *Mirabilis jalapa* L.

| 药 材 名 | 紫茉莉（药用部位：全草或根。别名：地雷花、胭粉豆、胭脂花）。

| 形态特征 | 一年生草本。根肥粗，倒圆锥形，黑色或黑褐色。茎直立，圆柱形，多分枝，无毛或疏生细柔毛，节稍膨大。叶片卵形或卵状三角形，长3～15 cm，宽2～9 cm，先端渐尖，基部截形或心形，全缘，两面均无毛，脉隆起；叶柄长1～4 cm，上部叶几无柄。花常数朵簇生枝端；花梗长1～2 mm；总苞钟形，长约1 cm，5裂，裂片三角状卵形，先端渐尖，无毛，具脉纹，果时宿存；花被紫红色、黄色、白色或杂色，高脚碟状，筒部长2～6 cm，檐部直径2.5～3 cm，5浅裂；花午后开放，有香气，次日午前凋萎；雄蕊5，花丝细长，常伸出花外，花药球形；花柱单生，线形，伸出花外，柱头头状。瘦果球形，直径5～8 mm，革质，黑色，表面具皱纹；种子胚乳白

紫茉莉

粉质。花期 6 ~ 10 月，果期 8 ~ 11 月。

| **生境分布** | 主要为栽培种，有时逸为野生，作庭院观赏花卉。宁夏各地均有栽培。

| **资源情况** | 栽培资源较少。

| **采收加工** | 夏、秋季采收全草，晾干。秋季采挖根，除去茎叶，洗净，晒干，或切片后晒干。

| **药材性状** | 本品根呈圆锥形或圆柱形，稍弯曲，偶有分枝，长 5 ~ 15 cm，直径 1 ~ 3.5 cm。外皮灰褐色或黑褐色，全体多纵皱，先端常微凹或具木质茎基，下部具支根或支根痕。质坚硬，不易折断，断面灰白色或黄白色，有多数同心环。气微，味微涩、麻。

| **功能主治** | 甘、苦，凉。归肾、肝、膀胱、肺、胃经。祛风活血，清热解毒，利水，通便。用于风湿痹痛，咽喉肿痛，痛经，月经不调，崩漏，带下，水肿，淋浊，便秘，乳痈，痈疖疔疮，跌打损伤，湿疹，粉刺，疥癣，雀斑。

| **用法用量** | 内服煎汤，9 ~ 15 g。外用适量，鲜品捣敷；或煎汤熏洗。

商陆科 Phytolaccaceae 商陆属 Phytolacca

商陆
Phytolacca acinosa Roxb.

| 药 材 名 | 商陆（药用部位：根。别名：土冬瓜、抱母鸡、土母鸡）。

| 形态特征 | 多年生草本，全株无毛。根肥大，肉质，倒圆锥形，外皮淡黄色或灰褐色，内面黄白色。茎直立，圆柱形，有纵沟，肉质，绿色或红紫色，多分枝。叶片薄纸质，椭圆形、长椭圆形或披针状椭圆形，先端急尖或渐尖，基部楔形，渐狭，两面散生细小白色斑点（针晶体），背面中脉凸起；叶柄长 1.5 ~ 3 cm，粗壮，上面有槽，下面半圆形，基部稍扁宽。总状花序顶生或与叶对生，圆柱状，直立，通常比叶短，密生多花；花序梗长 1 ~ 4 cm；花梗基部的苞片线形，长约 1.5 mm，上部 2 小苞片线状披针形，均膜质；花梗细，基部变粗；花两性，直径约 8 mm；花被片 5，白色、黄绿色，先端圆钝，花后常反折；雄蕊 8 ~ 10，与花被片近等长，花丝白色，钻形，

商陆

基部呈片状，宿存，花药椭圆形，粉红色；心皮通常为 8，有时少至 5 或多至 10，分离；花柱短，直立，先端下弯，柱头不明显。果序直立；浆果扁球形，直径约 7 mm，成熟时黑色。种子肾形，黑色，长约 3 mm，具 3 棱。花期 5 ~ 8 月，果期 6 ~ 10 月。

| 生境分布 | 生于沟谷、山坡林下、林缘路旁，亦栽植于房前屋后及园地中。宁夏金凤、兴庆、西夏、彭阳等有栽培。

| 资源情况 | 栽培资源较少。

| 采收加工 | 秋、冬或春季采挖，除去茎叶、须根及泥土，洗净，横切或纵切成片块，晒干或阴干。

| 药材性状 | 本品为横切或纵切的不规则片块，厚薄不等。外皮灰黄色或灰棕色。横切片弯曲不平，边缘皱缩，直径 2 ~ 8 cm；切面浅黄棕色或黄白色，木部隆起，形成数个凸起的同心性环轮。纵切片弯曲或卷曲，长 5 ~ 8 cm，宽 1 ~ 2 cm，木部呈平行条状凸起。质硬。气微，味稍甜，久嚼麻舌。

| 功能主治 | 苦，寒；有毒。归肺、脾、肾、大肠经。逐水消肿，通利二便，解毒散结。用于水肿胀满，二便不利；外用于痈肿疮毒。

| 用法用量 | 内服煎汤，3 ~ 9 g。外用适量，煎汤熏洗。

| 附　　注 | 本种药材药用历史悠久，始载于《神农本草经》，疗效突出，但因作用峻烈、毒性较强而被列为下品。

马齿苋科 Portulacaceae 马齿苋属 Portulaca

马齿苋
Portulaca oleracea L.

| 药 材 名 | 马齿苋（药用部位：地上部分。别名：胖娃娃菜、蚂蚁草）。

| 形态特征 | 一年生草本。茎平卧或斜倚，伏地铺散，多分枝，圆柱形，长10～15 cm，淡绿色或带暗红色。叶互生，有时近对生，叶片扁平，肥厚，倒卵形，马齿状，先端圆钝或平截，有时微凹，基部楔形，全缘，上面暗绿色，下面淡绿色或带暗红色，中脉微隆起；叶柄粗短。花无梗，直径4～5 mm，常3～5簇生枝端，午时盛开；苞片2～6，叶状，膜质，近轮生；萼片2，对生，绿色，盔形，左右压扁，长约4 mm，先端急尖，背部具龙骨状突起，基部合生；花瓣5，稀4，黄色，倒卵形，长3～5 mm，先端微凹，基部合生；雄蕊通常8，或更多，长约12 mm，花药黄色；子房无毛，花柱比雄蕊稍长，柱头4～6裂，线形。蒴果卵球形，长约5 mm，盖

马齿苋

裂。种子细小，多数，偏斜球形，黑褐色，有光泽，直径不及 1 mm，具小疣状突起。花期 5 ~ 8 月，果期 6 ~ 9 月。

| **生境分布** | 生于田边、路旁、水边、荒地或沟边湿地。宁夏各地均有分布。

| **资源情况** | 野生资源丰富。

| **采收加工** | 夏、秋季采收，除去残根及杂质，洗净，置沸水中略烫，晒干，或烫后切段晒干，或鲜品随采随用。

| **药材性状** | 本品皱缩卷曲成团。茎圆柱形，稍扭曲，长可达 25 cm，直径 0.1 ~ 0.2 cm；表面黄褐色，有明显纵沟纹。叶对生或互生，皱缩或卷曲，易破碎或脱落，完整叶片倒卵形，长 1 ~ 2.5 cm，宽 0.5 ~ 1.5 cm；绿褐色，先端钝平或微缺，全缘。花小，花瓣 5，黄色，常 3 ~ 5 簇生于枝端。蒴果圆锥形或长圆形，长约 5 mm，内有多数黑色细小种子。气微，味微酸。以叶多、色绿、整齐不破碎者为佳。

| **功能主治** | 酸，寒。归肝、大肠经。清热解毒，凉血止血。用于热毒血痢，便血，痔血，崩漏下血，痈肿疔疮，湿疹，丹毒，蛇虫咬伤。

| **用法用量** | 内服煎汤，9 ~ 15 g，鲜品 30 ~ 60 g。外用适量，捣敷。

石竹科 Caryophyllaceae 卷耳属 Cerastium

卷耳
Cerastium arvense L.

| 药 材 名 | 卷耳（药用部位：全草）。

| 形态特征 | 多年生草本。茎基部匍匐，上部直立，绿色带淡紫红色，下部被下向的毛，上部混生腺毛。叶片线状披针形或长圆状披针形，先端急尖，基部楔形，抱茎，被疏长柔毛，叶腋具不育短枝。聚伞花序顶生，具 3 ~ 7 花；苞片披针形，草质，被柔毛，边缘膜质；花梗细，长 1 ~ 1.5 cm，密被白色腺柔毛；萼片 5，披针形，长约 6 mm，宽 1.5 ~ 2 mm，先端钝尖，边缘膜质，外面密被长柔毛；花瓣 5，白色，倒卵形，比萼片长 1 倍或更长，先端 2 裂深达 1/4 ~ 1/3；雄蕊 10，短于花瓣；花柱 5，线形。蒴果长圆形，长于宿存萼 1/3，先端倾斜，10 齿裂。种子肾形，褐色，略扁，具瘤状突起。花期 5 ~ 8 月，果期 7 ~ 9 月。

卷耳

| **生境分布** | 生于山坡林缘、草地、沟谷。分布于宁夏泾源、隆德等。

| **资源情况** | 野生资源较少。

| **采收加工** | 6 ～ 7 月采收，洗去泥土，除去根须、残叶，以纸遮蔽，晒干。

| **功能主治** | 淡，凉。滋阴补阳。用于阴阳亏虚证。

| **用法用量** | 内服煎汤，15 ～ 30 g。

石竹科 Caryophyllaceae 卷耳属 Cerastium

缘毛卷耳

Cerastium furcatum Cham. et Schlecht.

| 药 材 名 | 缘毛卷耳（药用部位：全草。别名：高山卷耳）。

| 形态特征 | 多年生草本。茎单生或丛生，近直立，被稀疏或较密长柔毛，上部混生腺毛。基生叶叶片匙形；茎生叶叶片卵状披针形至椭圆形，先端钝或急尖，基部近圆形或楔形，多少被柔毛。聚伞花序具 5 ～ 11花；苞片草质；花梗细，长 1 ～ 3.5 cm，密被柔毛和腺毛，果期弯垂；萼片 5，长圆状披针形，长约 5 mm，先端尖或钝，被柔毛；花瓣 5，白色，倒心形，长于花萼 0.5 ～ 1 倍，先端 2 浅裂，基部被缘毛；雄蕊 10，花丝扁线形，中下部被疏长柔毛；花柱 5，线形，有时被毛。蒴果长圆形，比宿存萼长 1 倍。种子扁圆形，褐色，具细条形疣状突起。花期 5 ～ 8 月，果期 8 ～ 9 月。

| 生境分布 | 生于林缘、路旁、砾石河滩旁。分布于宁夏泾源等。

缘毛卷耳

| **资源情况** | 野生资源较少。 |

| **采收加工** | 6～7月采收，洗去泥土，除去根须、残叶，以纸遮蔽，晒干。 |

| **功能主治** | 解毒消肿。 |

| **附　注** | 卷耳属植物约有100种，我国产17种，其中亚种1，变种3，宁夏产2种（1亚种、1变种）。 |

石竹科 Caryophyllaceae 狗筋蔓属 Cucubalus

狗筋蔓 *Cucubalus baccifer* L.

| **药 材 名** | 狗筋蔓（药用部位：根。别名：白牛膝）。

| **形态特征** | 多年生草本。根茎短，生数条棕黄色或褐黄色根。茎铺散而渐向上，较细弱，分枝对生，疏被短毛。叶对生，叶柄短，基部稍扩展；叶片长椭圆形或卵状披针形，长 2 ~ 5.5 cm，宽 1 ~ 3 cm，先端尖或锐尖，基部宽楔形，全缘，具睫毛，两面淡绿色，具毛。花序聚伞状或花单生于叶腋小枝先端，微下垂；花萼宽钟形，5 齿裂；花瓣 5，白色，线状匙形，先端 2 裂，基部渐狭成长爪，喉部有 2 鳞片；雄蕊 10；子房上位，花柱 3，线形。果实球形。种子肾形，黑色，有光泽。花期 7 ~ 8 月，果期 9 ~ 10 月。

| **生境分布** | 生于林缘、灌丛和草地。分布于宁夏六盘山（泾源）及海原等。

狗筋蔓

| 资源情况 | 野生资源较少。

| 采收加工 | 秋季采挖，除去茎叶和须根，洗净，晒干。

| 药材性状 | 本品呈细长圆柱形，稍扭曲，长 3 ～ 15 cm，直径 3 ～ 6 mm。表面灰黄色或棕黄色，有纵皱纹，偶见分枝，具少数须根痕。质脆，易折断，断面皮部灰白色，木部黄色。无臭，味甜、微苦。

| 功能主治 | 苦、涩，凉。归肝、脾经。接骨生肌，散瘀止痛，祛风除湿，利水消肿，清热解毒，凉血止血。用于跌打损伤，风湿痹痛，经闭，倒经，吐血，衄血，崩漏，淋证，水肿，小儿疳积，疮疡，瘰疬。

| 用法用量 | 内服煎汤，9 ～ 15 g。外用适量，鲜品捣敷。

| 附　注 | 《中国植物志》（英文版）将本种的拉丁学名由 *Cucubalus baccifer* L. 修订为 *Silene baccifera* (Linnaeus) Roth。

石竹科 Caryophyllaceae 石竹属 Dianthus

石竹 *Dianthus chinensis* L.

| 药 材 名 | 瞿麦（药用部位：地上部分。别名：巨麦、绸子花、石柱子花）。

| 形态特征 | 多年生草本，全株粉绿色。茎丛生，直立，不分枝或上部稍分枝，无毛。叶线形或线状披针形，先端渐尖，基部渐狭成短鞘且合生抱茎，全缘，背面中脉隆起，两面无毛，粉绿色。花单生茎顶或 2 ~ 3 集成疏散的聚伞花序；苞片 4，成 2 轮，基部合生，卵状披针形，先端长尾尖，长为花萼的 1/2 或有时与花萼等长；花萼圆筒形，长 1.5 ~ 2 cm，直径约 5 mm，具多数脉纹，先端 5 齿裂，裂齿卵状披针形，长约 4 mm，先端锐尖，边缘膜质，具缘毛；花瓣绛紫色，倒狭三角形，长 3.5 ~ 4 cm，先端不规则齿裂，基部具长爪，喉部具斑纹及疏须毛；雄蕊 10；子房矩圆形，花柱 2，线形，上部被毛。蒴果矩圆状圆筒形，先端 4 齿裂。种子卵形，略扁，边缘具狭翅。

石竹

花期 6 ~ 8 月，果期 7 ~ 9 月。

| **生境分布** | 生于山坡草地、林缘路边。宁夏各地均有分布。

| **资源情况** | 野生资源较少。

| **采收加工** | 夏、秋季均可采收，一般在花期采收，除去杂质，晒干。

| **药材性状** | 本品萼筒长 1.3 ~ 1.8 cm；苞片长约为萼筒的 1/2；花瓣先端浅齿裂。以色黄绿、茎叶完整、无根者为佳。

| **功能主治** | 苦，寒。归心、小肠经。利尿通淋，破血通经。用于热淋，血淋，石淋，小便不利，淋沥涩痛，闭经。

| **附　　注** | 《宁夏中药志》记载，瞿麦来源于石竹科植物瞿麦 *Dianthus superbus* L. 和石竹 *Dianthus chinensis* L.，以地上部分入药。2 种植物的主要区别见检索表。
1. 花瓣先端细裂成流苏状；苞片 4 ~ 6，长为萼的 1/4···瞿麦 *Dianthus superbus* L.
1. 花瓣先端齿裂；苞片常为 4，长为萼的 1/2··············石竹 *Dianthus chinensis* L.

石竹科 Caryophyllaceae 石竹属 *Dianthus*

瞿麦

Dianthus superbus L.

| 药 材 名 | 瞿麦（药用部位：地上部分。别名：巨麦、绸子花、石柱子花）。

| 形态特征 | 多年生草本。茎丛生，直立，不分枝或上部稍分枝，无毛。叶线形或线状披针形，先端锐尖，基部呈短鞘状抱茎，全缘，中脉在背面隆起，两面无毛。疏散的聚伞花序顶生或单生于叶腋，花梗细长，长 3 ~ 6 cm，无毛；苞片 4 ~ 6，倒卵形或椭圆形，先端具突尖，长为花萼的 1/4，无毛，边缘具短缘毛；花萼长圆筒形，长 2.5 ~ 3 cm，直径约 4 mm，粉绿色或淡紫红色，具多数脉纹，无毛，先端 5 裂，裂齿矩圆状披针形，直立，长约 5 mm，先端具尖头，边缘膜质，无毛或被短柔毛；花瓣淡紫红色，长 4 ~ 5.5 cm，先端细裂为流苏状，基部具细长爪，喉部具须毛；雄蕊 10，微露出花冠外；花柱 2，线形。蒴果狭圆筒形，与花萼近等长，先端 4 齿裂。种子扁卵

瞿麦

形，边缘具翅。花期 7 ~ 8 月，果期 8 ~ 9 月。

| **生境分布** | 生于山坡草地、林缘、路边、山谷沟边。宁夏各地均有分布。

| **资源情况** | 野生资源较少。

| **采收加工** | 夏、秋季均可采收，一般在花期采收，除去杂质，晒干。

| **药材性状** | 本品茎呈圆柱形，不分枝或上部分枝，长 20 ~ 50 cm；表面淡绿色或黄绿色，光滑无毛，节明显，略膨大，断面中空。叶多皱缩，展平后呈条形至条状披针形，长 4 ~ 8 cm，宽 3 ~ 4 mm。枝端具花及果实，花萼筒状，长 2 ~ 3 cm，绿色或带紫红色，具多数脉纹；花瓣紫棕色或棕黄色，卷曲，先端深裂成细条状。蒴果长筒状。种子细小，多数。无臭，味淡。

| **功能主治** | 苦，寒。归小肠经。利尿通淋，破血通经。用于热淋，血淋，石淋，小便不通，淋沥涩痛，闭经。

| **用法用量** | 内服煎汤，9 ~ 15 g。

石竹科 Caryophyllaceae 石头花属 *Gypsophila*

细叶石头花

Gypsophila licentiana Hand.-Mazz.

| 药 材 名 | 细叶石头花（药用部位：全草或根）。

| 形态特征 | 多年生草本。茎细，无毛，上部及花梗上有疣状突起，上部多分枝。叶片线形，长 1 ～ 3 cm，宽约 1 mm，先端具骨质尖，边缘粗糙，基部联合成短鞘。聚伞花序顶生，花较密集；花梗长 2 ～ 10 mm，带紫色；苞片三角形，长 1.5 mm，渐尖，边缘白色，膜质，具短缘毛；花萼狭钟形，长 2 ～ 3 mm，膜质，齿裂达 1/3，卵形，渐尖；花瓣白色，三角状楔形，比花萼长，先端微凹；花丝线形，不等长；花柱与花瓣等长。蒴果略长于宿存萼。种子圆肾形，具疣状突起。花期 7 ～ 8 月，果期 8 ～ 9 月。

| 生境分布 | 生于山坡、沙地、田边。分布于宁夏盐池等。

细叶石头花

| **资源情况** | 野生资源较少。

| **采收加工** | 夏、秋季采收，晾干。

| **功能主治** | 全草，止咳化痰。根，清热凉血。用于关节疼痛，头痛，跌打损伤。

| **附　　注** | 石头花属植物有约 140 种，我国产 18 种 1 变种，宁夏产 3 种 1 变种。

石竹科 Caryophyllaceae 薄蒴草属 Lepyrodiclis

薄蒴草

Lepyrodiclis holosteoides (C. A. Meyer) Fenzl. ex Fisher et C. A. Meyer

薄蒴草

| 药 材 名 |

娘娘菜（药用部位：全草）。

| 形态特征 |

一年生草本，全株被腺毛。茎高 40 ~ 100 cm，具纵条纹，上部被长柔毛。叶片披针形，长 3 ~ 7 cm，宽 2 ~ 5 mm，有时达 10 mm，先端渐尖，基部渐狭，上面被柔毛，沿中脉较密，边缘具腺柔毛。圆锥花序开展；苞片草质，披针形或线状披针形；花梗细，密生腺柔毛；萼片 5，线状披针形，长 4 ~ 5 mm，先端尖，边缘狭膜质，外面疏生腺柔毛；花瓣 5，白色，宽倒卵形，与萼片等长或稍长，先端全缘；雄蕊通常 10，花丝基部宽扁；花柱 2，线形。蒴果卵圆形，短于宿存萼，2 瓣裂。种子扁卵圆形，红褐色，具突起。花期 5 ~ 7 月，果期 7 ~ 8 月。

| 生境分布 |

生于山坡草地或林缘。分布于宁夏隆德等。

| 资源情况 |

野生资源较少。

| **采收加工** | 6 ～ 7 月采收，鲜用或晒干。

| **功能主治** | 甘，寒。清热利肺，散瘀托毒。用于肺热咳嗽，痈疽疔疮。

| **用法用量** | 内服煎汤，6 ～ 15 g。外用适量，捣敷。

石竹科 Caryophyllaceae 鹅肠菜属 *Myosoton*

鹅肠菜 *Myosoton aquaticum* (L.) Moench

| 药 材 名 | 鹅肠草（药用部位：全草。别名：抽筋草、伸筋藤、壮筋丹）。

| 形态特征 | 二年生或多年生草本，具须根。茎上升，多分枝，长50～80 cm，上部被腺毛。叶片卵形或宽卵形，先端急尖，基部稍心形，有时边缘具毛；叶柄长5～15 mm，上部叶常无柄或具短柄，疏生柔毛。顶生二歧聚伞花序；苞片叶状，边缘具腺毛；花梗细，长1～2 cm，花后伸长并向下弯，密被腺毛；萼片卵状披针形或长卵形，长4～5 mm，果期长达7 mm，先端较钝，边缘狭膜质，外面被腺柔毛，脉纹不明显；花瓣白色，2深裂至基部，裂片线形或披针状线形，长3～3.5 mm，宽约1 mm；雄蕊10，稍短于花瓣；子房长圆形，花柱短，线形。蒴果卵圆形，稍长于宿存萼。种子近肾形，直径约1 mm，稍扁，褐色，具小疣。花期5～8月，果期6～9月。

鹅肠菜

| **生境分布** | 生于河流两旁冲积沙地的低湿处、灌丛林缘或水沟旁。分布于宁夏大武口、灵武等。

| **资源情况** | 野生资源较少。

| **采收加工** | 春季生长旺盛时采收，鲜用或晒干。

| **药材性状** | 本品长 20 ～ 60 cm。茎光滑，多分枝；表面略带紫红色，节部和嫩枝梢处更明显。叶对生，膜质；完整叶片宽卵形或卵状椭圆形，长 1.5 ～ 5.5 cm，宽 1 ～ 3 cm，先端锐尖，基部心形或圆形，全缘或呈浅波状；上部叶无柄或具极短柄，下部叶叶柄长 5 ～ 15 mm，疏生柔毛。花白色，生于枝端或叶腋。蒴果卵圆形。种子近圆形，褐色，密布显著的刺状突起。气微，味淡。

| **功能主治** | 咸，寒。归肝、肺经。清热解毒，散瘀消肿。用于肺热喘咳，痢疾，痈疽，痔疮，牙痛，月经不调，小儿疳积。

| **用法用量** | 内服煎汤，15 ～ 30 g；或鲜品 60 g，捣汁。外用适量，鲜品捣敷；或煎汤熏洗。

| **附　注** | 《中华本草》记载鹅肠草来源于石竹科牛繁缕 *Myosoton aquaticum* (L.) Moench 的全草，牛繁缕与本种为同一植物。《中国植物志》以"鹅肠菜 *Myosoton aquaticum* (L.) Moench"之名收录本种。

| 石竹科 | Caryophyllaceae | 孩儿参属 | *Pseudostellaria*

蔓孩儿参
Pseudostellaria davidii (Franch.) Pax

| **药 材 名** | 蔓孩儿参（药用部位：全草）。

| **形态特征** | 多年生草本。块根纺锤形。茎匍匐，细弱，长 60 ~ 80 cm，稀疏分枝，被 2 列毛。叶片卵形或卵状披针形，先端急尖，基部圆形或宽楔形，具极短柄，边缘具缘毛。开花受精花单生于茎中部以上叶腋；花梗细，长 3.8 cm，被 1 列毛；萼片 5，披针形，长约 3 mm，外面沿中脉被柔毛；花瓣 5，白色，长倒卵形，全缘，比萼片长 1 倍；雄蕊10，花药紫色，比花瓣短；花柱 3，稀 2。闭花受精花通常 1 ~ 2，匍匐枝多时则花基数 2 以上，腋生；花梗长约 1 cm，被毛；萼片 4，狭披针形，长约 3 mm，宽 0.8 ~ 1 mm，被柔毛；雄蕊退化；花柱2。蒴果宽卵圆形，稍长于宿存萼。种子圆肾形或近球形，直径约1.5 mm，表面具棘凸。花期 5 ~ 7 月，果期 7 ~ 8 月。

蔓孩儿参

| 生境分布 | 生于混交林、杂木林下、溪旁或林缘石质坡。分布于宁夏泾源、原州等。

| 资源情况 | 野生资源较少。

| 采收加工 | 夏季采收，晾干。

| 功能主治 | 清热解毒。

| 附　　注 | 蔓孩儿参属植物有约 15 种，我国产 8 种，宁夏产 2 种。

石竹科 Caryophyllaceae 孩儿参属 Pseudostellaria

孩儿参 *Pseudostellaria heterophylla* (Miq.) Pax

| 药 材 名 |　太子参（药用部位：块根。别名：孩儿参、双批七、四叶参）。

| 形态特征 |　多年生草本。块根长纺锤形，白色，稍带灰黄色。茎直立，单生，被 2 列短毛。茎下部叶常 1 ~ 2 对，叶片倒披针形，先端钝尖，基部渐狭成长柄，上部叶 2 ~ 3 对，叶片宽卵形或菱状卵形，先端渐尖，基部渐狭，上面无毛，下面沿脉疏生柔毛。开花受精花 1 ~ 3，腋生或呈聚伞花序；花梗长 1 ~ 2 cm，有时长达 4 cm，被短柔毛；萼片 5，狭披针形，长约 5 mm，先端渐尖，外面及边缘疏生柔毛；花瓣 5，白色，长圆形或倒卵形，长 7 ~ 8 mm，先端 2 浅裂；雄蕊 10，短于花瓣；子房卵形，花柱 3，微长于雄蕊；柱头头状。闭花受精花具短梗；萼片疏生多细胞毛。蒴果宽卵形，含少数种子，先端不裂或 3 瓣裂；种子褐色，扁圆形，长约 1.5 mm，具疣状突起。

孩儿参

花期 4 ~ 7 月，果期 7 ~ 8 月。

| 生境分布 | 生于林缘或山谷溪边。分布于宁夏泾源、隆德等。

| 资源情况 | 野生资源较少。

| 采收加工 | 夏季茎叶大部分枯萎时采挖，洗净，除去须根，置沸水中略烫后晒干或直接晒干。

| 药材性状 | 本品呈细长纺锤形或细长条形，稍弯曲，长 3 ~ 10 cm，直径 0.2 ~ 0.6 cm。表面黄白色，较光滑，微有纵皱纹，凹陷处有须根痕。先端有茎痕。质硬而脆，断面平坦，淡黄白色，角质样；或类白色，有粉性。气微，味微甘。

| 功能主治 | 甘、微苦，平。归心、脾、肺经。益气健脾，生津润肺。用于脾虚体倦，食欲减退，病后虚弱，气阴不足，自汗口渴，肺燥干咳。

| 用法用量 | 内服煎汤，9 ~ 30 g。

石竹科 Caryophyllaceae 蝇子草属 Silene

女娄菜 *Silene aprica* Turcx. ex Fisch. et Mey.

女娄菜

| 药 材 名 |

女娄菜（药用部位：全草。别名：小猪耳朵、野罂粟）。

| 形态特征 |

一年生或二年生草本。主根圆锥形或圆柱形，具支根。茎直立，多单生，密被短柔毛。叶对生，上部叶无柄，下部叶具短柄；叶片条状披针形至披针形，先端锐尖，基部渐狭，两面被短柔毛，全缘。聚伞花序顶生或腋生，苞片披针形，被短柔毛；花萼筒形，长 1 ～ 1.3 cm，具 10 脉纹，先端 5 齿裂，边缘常呈紫色，被短柔毛及缘毛；花瓣倒披针形，白色或淡红色，先端 2 浅裂，基部渐狭成爪，喉部有 2 鳞片；雄蕊 10；子房上位，卵状长圆形，柱头 3。蒴果椭圆形，长约 1 cm，先端 6 裂，外围宿存萼与果实近等长。种子多数，细小，圆肾形，黑褐色，表面具疣状突起。花期 6 ～ 7 月，果期 7 ～ 8 月。

| 生境分布 |

生于山坡林缘、草地、田边和路旁。分布于宁夏青铜峡、彭阳、西吉、隆德、贺兰、永宁、红寺堡、盐池、西夏、原州等。

资源情况	野生资源较丰富。

采收加工 夏、秋季拔取全草，除去泥土及杂质，晒干。

药材性状 本品密被短柔毛，长 20 ～ 70 cm。根呈细长纺锤形，木质化。茎基部多分枝。叶对生，完整叶片线状披针形至披针形，长 4 ～ 7 cm，宽 4 ～ 8 mm，先端尖锐，基部渐窄；上部叶无柄。花呈粉红色，常 2 ～ 3 生于分枝上。蒴果椭圆形。种子肾形，细小，黑褐色，边缘具瘤状小突起。气微，味淡。

功能主治 辛、甘，平。归肝、脾经。健脾利水，通乳调经。用于产后乳少，月经不调，体虚水肿，小儿疳积。

用法用量 内服煎汤，9 ～ 15 g，大剂量可用至 30 g；或研末。外用适量，鲜品捣敷。

附　　注 《宁夏植物志》记载本种为石竹科 Caryophyllaceae 女娄菜属 *Melandrium* 女娄菜 *Melandrium apricum* (Turcz. ex Fisch. et C. A. Mey.) Rohrb.。

石竹科 Caryophyllaceae 蝇子草属 Silene

麦瓶草 *Silene conoidea* L.

麦瓶草

药材名

麦瓶草（药用部位：全草。别名：米瓦罐、香炉草、梅花瓶）。

形态特征

一年生草本，全株被腺毛。主根长圆锥形或圆柱形。茎直立，节明显膨大，单生或叉状分枝。基生叶匙形；茎生叶长圆形或披针形，先端尖，基部渐狭，全缘，两面被腺毛，边缘具缘毛。聚伞花序顶生或腋生，具花 1 ~ 3；花梗细长；萼筒圆锥形，长 2 ~ 3 cm，上端窄缩，下部膨大，有 30 明显细脉，先端 5 裂，裂片披针形，先端尖，边缘膜质；花瓣三角状倒卵形，粉红色或淡紫红色，先端全缘，具微齿或微凹，基部渐狭成具耳的爪；雄蕊 10，花丝基部被毛；子房上位，长卵形，花柱 3，细长。蒴果卵形，中部以上变细，先端 6 齿裂，包于长圆锥形宿存萼内。种子肾形，红褐色，有疣状突起。花期 5 ~ 6 月，果期 6 ~ 7 月。

生境分布

生于麦田中或低山丘陵草地、田埂、路旁。宁夏各地均有分布。

| 资源情况 | 野生资源较丰富。

| 采收加工 | 夏季采收，洗净，晒干。

| 药材性状 | 本品密生腺毛，长 20 ~ 60 cm。主根细长，略木质。茎中部以上分枝较多。叶对生，基生叶略呈匙形，茎生叶披针形或矩圆形，基部阔，稍抱茎，具毛茸。聚伞花序顶生或腋生，花紫色或粉红色。蒴果卵形，具宿存萼。种子多数，有疣状突起。气微，味淡。

| 功能主治 | 甘、微苦，凉。归心、肺、肝经。清热凉血，止血调经，润肺止咳。用于吐血，衄血，尿血，肺痈，虚劳咳嗽，月经不调。

| 用法用量 | 内服煎汤，9 ~ 15 g。

| 附　　注 | 本种的食用部位为肥嫩的叶片和幼茎。本种被《中国生物多样性红色名录——高等植物卷》评为无危（LC）。

石竹科 Caryophyllaceae 蝇子草属 Silene

山蚂蚱草 *Silene jenisseensis* Willd.

山蚂蚱草

| 药 材 名 |

山蚂蚱草（药用部位：根）。

| 形 态 特 征 |

多年生草本。根粗壮，木质。茎丛生，直立或近直立，不分枝，无毛，基部常具不育茎。基生叶狭倒披针形或披针状线形，基部渐狭成长柄状，先端急尖或渐尖，边缘近基部具缘毛，余均无毛，中脉明显；茎生叶少数，较小，基部微抱茎。假轮伞状圆锥花序或总状花序，花梗长 4 ~ 18 mm，无毛；苞片卵形或披针形，基部微合生，先端渐尖，边缘膜质，具缘毛；花萼狭钟形，后期微膨大，长 8 ~ 10（~ 12）mm，无毛，纵脉绿色，脉端连结，萼齿卵形或卵状三角形，无毛，先端急尖或渐尖，边缘膜质，具缘毛；雌雄蕊柄被短毛，长约 2 mm；花瓣白色或淡绿色，长 12 ~ 18 mm，爪狭倒披针形，无毛，无明显耳，瓣片叉状 2 裂达瓣片的中部，裂片狭长圆形；副花冠长椭圆状，细小；雄蕊外露，花丝无毛；花柱外露。蒴果卵形，长 6 ~ 7 mm，比宿存萼短。种子肾形，长约 1 mm，灰褐色。花期 7 ~ 8 月，果期 8 ~ 9 月。

| **生境分布** | 生于草原、草坡、林缘或固定沙丘。分布于宁夏彭阳、隆德、原州等。

| **资源情况** | 野生资源较少。

| **采收加工** | 春、秋季采挖，除去茎叶及须根，洗净泥土，晒干，切片。

| **功能主治** | 甘，微寒。归肺、胃经。凉血，清虚热。用于阴虚肺痨，骨蒸潮热，盗汗，小儿疳热，久疟不止。

| **用法用量** | 内服煎汤，3～9 g。

| **附　　注** | （1）《宁夏植物志》《宁夏中药志》记载本种的中文学名为旱麦瓶草，《中国植物志》记载本种的中文学名为山蚂蚱草。
（2）山蚂蚱草是部分少数民族传统用药的基原植物，如蒙药及藏药。

石竹科 Caryophyllaceae 蝇子草属 Silene

蔓茎蝇子草 *Silene repens* Patr.

蔓茎蝇子草

药材名

蔓茎蝇子草（药用部位：全草）。

形态特征

多年生草本，高 15 ~ 50 cm，全株被短柔毛。根茎细长，分叉。茎疏丛生或单生，不分枝或有时分枝。叶片线状披针形、披针形、倒披针形或长圆状披针形，基部楔形，先端渐尖，两面被柔毛，边缘基部具缘毛，中脉明显。总状圆锥花序，小聚伞花序常具 1 ~ 3 花；花梗长 3 ~ 8 mm；苞片披针形，草质；花萼筒状棒形，11 ~ 15 mm，直径3 ~ 4.5 mm，常带紫色，被柔毛，萼齿宽卵形，先端钝，边缘膜质，具缘毛；雌雄蕊柄被短柔毛，长 4 ~ 8 mm；花瓣白色，稀黄白色，爪倒披针形，不露出花萼，无耳，瓣片平展，倒卵形，浅 2 裂或分裂深达其中部；副花冠片长圆状，先端钝，有时具裂片；雄蕊微外露，花丝无毛；花柱微外露。蒴果卵形，长 6 ~ 8 mm，比宿存萼短。种子肾形，长约 1 mm，黑褐色。花期 6 ~ 8 月，果期7 ~ 9 月。

生境分布

生于林下、湿润草地、溪岸或石质草坡。分

布于宁夏贺兰、同心、兴庆等。

| **资源情况** | 野生资源较少。

| **采收加工** | 夏、秋季采收，晾干。

| **功能主治** | 生津止渴，清热利咽。用于肺肾阴虚之消渴症，外感风热，咽喉肿痛，声嘶，舌干。

| **附　　注** | 《宁夏植物志》记载本种为毛萼麦瓶草 *Silene repens* Patr.，《中国中药资源志要》记载本种为匍生蝇子草 *Silene repens* Patr.，《中国植物志》记载本种为蔓茎蝇子草 *Silene repens* Patr.，毛萼麦瓶草、匍生蝇子草、蔓茎蝇子草的拉丁学名均一致，为同一植物。本条目以《中国植物志》所载为依据。

石竹科 Caryophyllaceae 蝇子草属 Silene

石生蝇子草
Silene tatarinowii Regel

| 药 材 名 | 石生蝇子草（药用部位：全草）。

| 形 态 特 征 | 多年生草本，高 30 ～ 60 cm。主根圆锥形。茎疏散，斜伸，具分枝，密被倒生短柔毛。叶披针形或卵状披针形，先端渐尖，基部渐狭成短柄，中脉在背面隆起，上面无毛或几无毛，背面被短柔毛。聚伞花序顶生或腋生，苞片及小苞片叶质，披针形，被柔毛；花萼筒状棍棒形，长约 1.5 cm，具 10 脉纹，密被柔毛，先端 5 齿裂，裂齿钝三角形，边缘膜质；花瓣倒卵状矩圆形，比萼筒长出一半，先端 2 裂，两侧各具 1 裂片，基部渐狭成爪，喉部具 2 小鳞片；雄蕊 10，花丝细长；子房卵状长椭圆形，1 室，花柱 3，线形。蒴果长卵形，长约 7 mm，先端 3 齿裂，每个裂齿再 2 裂。种子圆肾形，长约 0.7 mm，具疣状突起。花期 6 ～ 7 月，果期 7 ～ 8 月。

石生蝇子草

| **生境分布** | 生于山坡草地、林缘或石质河滩地。分布于宁夏泾源、海原、原州等。 |

| **资源情况** | 野生资源较少。 |

| **采收加工** | 夏季采集，洗净，晒干。 |

| **功能主治** | 甘，凉。归心、肺、脾经。清热凉血，补虚安神。用于温热病热入营血，身热口干、舌绛或红等症，心神不安，失眠多梦，惊悸健忘。 |

| **用法用量** | 内服煎汤，6 ~ 9 g。 |

石竹科 Caryophyllaceae 牛漆姑属 Spergularia

拟漆姑

Spergularia marina (L.) Grisebach

| **药 材 名** | 拟漆姑（药用部位：全草）。

| **形态特征** | 一年生草本，高 10 ~ 30 cm。茎丛生，铺散，多分枝，上部密被柔毛。叶片线形，先端钝，具凸尖，近平滑或疏生柔毛；托叶宽三角形，长 1.5 ~ 2 mm，膜质。花集生于茎顶或叶腋，呈总状聚伞花序，果时下垂；花梗稍短于萼，果时稍伸长，密被腺柔毛；萼片卵状长圆形，长 3.5 mm，宽 1.5 ~ 1.8 mm，外面被腺柔毛，具白色宽膜质边缘；花瓣淡粉紫色或白色，卵状长圆形或椭圆状卵形，长约 2 mm，先端钝；雄蕊 5；子房卵形。蒴果卵形，长 5 ~ 6 mm，3 瓣裂。种子近三角形，略扁，长 0.5 ~ 0.7 mm，表面有乳头状突起，多数种子无翅，部分种子具翅。花期 5 ~ 7 月，果期 6 ~ 9 月。

| **生境分布** | 生于砂质轻度盐地、盐化草甸或河边、湖畔、水边等湿润处。分布

拟漆姑

于宁夏彭阳、沙坡头等。

| 资源情况 | 野生资源较少。

| 采收加工 | 夏季采集，洗净，晒干。

| 功能主治 | 清热解毒，祛风除湿。

| 附　　注 | 《中国植物志》（英文版）将本种的拉丁学名由 *Spergularia salina* J. et C. Presl 修订为 *Spergularia marina* (L.) Grisebach。

石竹科 Caryophyllaceae 繁缕属 Stellaria

二柱繁缕 *Stellaria bistyla* Y. Z. Zhao

| 药 材 名 | 二柱繁缕（药用部位：根）。

| 形态特征 | 多年生草本，高 10 ~ 30 cm。茎多数，散生，单歧或二歧分枝，被短柔毛。叶椭圆形、狭椭圆形或宽椭圆形，长 1.4 ~ 3 cm，宽 3 ~ 10 mm，先端渐尖，基部渐狭成柄，具狭膜质边缘，有缘毛或无。二歧聚伞花序顶生，具多花；花梗细长，被短柔毛；苞片与叶同形；萼片长倒卵形，先端锐尖，边缘宽膜质；花瓣白色，宽倒卵形或椭圆形，先端浅 2 裂；雄蕊 10，花丝向基部渐变宽，对萼的 5 枚较长，且基部具腺体；子房倒卵形，1 室，花柱 2，稀 3。蒴果倒卵形或矩圆形，先端 4 齿裂。花期 7 月，果期 8 月。

| 生境分布 | 生于林间草地、草甸、山谷岩石缝中。分布于宁夏贺兰山（西夏、

二柱繁缕

大武口、贺兰）等，西夏其他区域也有分布。

| 资源情况 | 野生资源较少。

| 采收加工 | 9～10月茎叶枯萎时采挖，除去残茎、须根及泥沙，晒干。

| 药材性状 | 本品较细瘦，长10～20 cm，直径0.5～1.3 cm，多弯曲、扭曲或显著扭曲。表面颜色较深，呈黄棕色或黄褐色；扭曲的纵皱纹较显著。质较坚实，断面黄白色，致密。气、味均较浓。

| 功能主治 | 甘，凉。清虚热，除疳热。用于阴虚发热，骨蒸劳热，小儿疳积。

| 附　　注 | （1）《宁夏中药志》记载本种植物与银柴胡的主要区别在于：植株矮小，高10～30 cm；根较小，长15～25 cm，直径0.5～1.5 cm，表面颜色较深，呈黄褐色；叶椭圆形、窄椭圆形或宽椭圆形，长14～22（～30）mm，宽3～7（～10）mm，先端渐尖，基部渐狭成柄；雌蕊通常具2花柱，罕3；蒴果4裂，罕6裂。

（2）《中国中药资源志要》记载本种为宁夏特有药用植物。其功能主治仅记为"类似银柴胡"。

（3）《宁夏中药志》记载从贺兰山一带收购的野生银柴胡主要是本种的根。因产量很少，商品少见。

（4）本种被《世界自然保护联盟濒危物种红色名录》评为近危（NT）。

石竹科 Caryophyllaceae 繁缕属 Stellaria

叉歧繁缕 *Stellaria dichotoma* L.

| 药 材 名 | 叉歧繁缕（药用部位：全草或根。别名：银柴胡）。

| 形态特征 | 多年生草本。全株呈扁球形，被腺毛。主根粗壮，圆柱形。茎丛生，
圆柱形，多次二歧分枝，被腺毛或短柔毛。叶片卵形或卵状披针形，
先端急尖或渐尖，基部圆形或近心形，微抱茎，全缘，两面被腺毛
或柔毛，稀无毛。聚伞花序顶生，具多数花；花梗细，长 1 ~ 2 cm，
被柔毛；萼片 5，披针形，长 4 ~ 5 mm，先端渐尖，边缘膜质，外
面多少被腺毛或短柔毛，稀近无毛，中脉明显；花瓣 5，白色，倒
披针形，长 4 mm，2 深裂至 1/3 处或中部，裂片近线形；雄蕊 10，
长仅为花瓣的 1/3 ~ 1/2；子房卵形或宽椭圆状倒卵形，花柱 3，
线形。蒴果宽卵形，长约 3 mm，比宿存萼短，6 齿裂，含 1 ~ 5 种
子。种子卵圆形，褐黑色，微扁，脊具少数疣状突起。花期 5 ~ 6 月，

叉歧繁缕

果期 7 ~ 8 月。

| **生境分布** | 生于向阳石质山坡、石缝间或固定沙丘。分布于宁夏海原等。

| **资源情况** | 野生资源较少。

| **采收加工** | 夏、秋季采集全草或采挖根部，除去泥土，晒干。

| **药材性状** | 本品全草长 60 cm 左右。主根粗壮，圆柱形，多分枝。茎数回分枝，密被腺毛。叶对生，完整叶片卵形、卵状长圆形或卵状披针形，长 2 ~ 2.5 cm，先端急尖，基部圆钝，两面有腺毛或短柔毛，暗绿色，花多数成聚伞花序；萼片 5，披针形；花瓣 5，白色，长圆形，先端 2 裂，雄蕊 10，花柱 3，丝状，子房卵形。蒴果长于宿存萼。种子多数。气微，味淡。

| **功能主治** | 甘，微寒。归肝、肾经。清热凉血，退虚热。用于肺结核发热，久疟发热，盗汗骨蒸。

| **用法用量** | 内服煎汤，6 ~ 12 g。

石竹科 Caryophyllaceae 繁缕属 Stellaria

翻白繁缕
Stellaria discolor Turcz.

| **药 材 名** | 翻白繁缕（药用部位：全草）。 |

| **形态特征** | 多年生草本，高 15 ~ 30 cm，全株无毛。根茎细长，淡黄白色，节上具鳞叶和须根。茎纤细，直立或斜升，四棱形，无毛，单生或上部具分枝。叶片披针形或线状披针形，先端渐尖，基部渐狭或近圆形，全缘，具狭的不透明膜质边缘，两面无毛，近叶片基部边缘具柔毛。二歧聚伞花序顶生或腋生，具细长的总花序梗，长 5 ~ 9 cm，无毛；苞片及小苞片膜质，披针形或卵状披针形，长 2 ~ 4 mm，宽 0.8 ~ 1 mm；萼片披针形，长 5 ~ 6 mm，宽约 1 mm，先端长渐尖，边缘宽膜质，具 3 脉，无毛；花瓣白色，短于花萼或近等长；雄蕊 10，较花瓣短，花药紫色；子房宽卵形，花柱 3，线形。花期 6 ~ 7 月，果期 6 ~ 8 月。 |

翻白繁缕

| 生境分布 | 生于山间草地、林缘或林下湿润处。分布于宁夏西吉等。

| 资源情况 | 野生资源较少。

| 采收加工 | 夏季采收，洗净，晒干。

| 功能主治 | 提脓拔毒。

| 附　注 | 《宁夏植物志》（第 2 版）记载本种为异色繁缕 *Stellaria discolor* Turcz.，《中国植物志》记载本种为翻白繁缕 *Stellaria discolor* Turcz.，异色繁缕和翻白繁缕的拉丁学名一致，为同一植物。本条目以《中国植物志》所载为依据。

石竹科 Caryophyllaceae 繁缕属 Stellaria

繁缕 Stellaria media (L.) Villars

| 药 材 名 | 繁缕（药用部位：全草。别名：鹅肠草、鸡肠菜、合筋草）。

| 形态特征 | 一年生或二年生草本，高 10 ～ 30 cm。茎直立或铺散，多从基部分枝，具 1 列纵向短柔毛。叶卵形或宽卵形，先端渐尖，基部圆楔形或近心形，全缘，两面无毛；植株中部以下的叶具长柄，向上柄渐短或无。花单生叶腋或呈顶生疏散的聚伞花序；花梗长 5 ～ 15 mm，具 1 列纵生短柔毛；萼片 5，披针形，边缘膜质，被柔毛；花瓣 5，白色，短于萼片，2 深裂达近基部；雄蕊 5，短于花瓣；子房卵形，花柱 3。蒴果卵形，先端 6 裂。花果期 7 ～ 9 月。

| 生境分布 | 生于山坡草地、路边湿地。分布于宁夏隆德、同心、沙坡头、兴庆、大武口、灵武等。

繁缕

| 资源情况 | 野生资源较多。

| 采收加工 | 春、夏、秋季采集，洗净泥沙，除去杂质，鲜用或晒干。

| 药材性状 | 本品多扭缠成团。茎呈细圆柱形，直径约 2 mm，多分枝，有纵棱，表面黄绿色，一侧有 1 行灰白色短柔毛，节处有灰黄色细须根，质较韧。叶小，对生，无柄，展平后完整叶片卵形或卵圆形，先端锐尖，灰绿色，质脆，易碎。枝先端或叶腋有 1 或数朵小花，淡棕色，花梗纤细；萼片 5，花瓣 5。有时可见卵圆形小蒴果，内含数粒圆形小种子，黑褐色，表面有疣状小突点。气微，味淡。

| 功能主治 | 微苦、甘、酸，凉。归肝、大肠经。清热解毒，凉血消痈，活血止痛，下乳。用于痢疾，肠痈，肺痈，乳痈，疔疮肿毒，痔疮肿痛，出血，跌打伤痛，产后瘀滞腹痛，乳汁不下。

| 用法用量 | 内服煎汤，15 ~ 30 g，鲜品 30 ~ 60 g；或捣汁。外用适量，捣敷；或烧存性，研末调敷。

| 附　注 | （1）《东北草本植物志》记载本种为有毒植物，家畜食用会引起中毒及死亡。
（2）本种的同属植物泽繁缕 *Stellaria diversiflora* Maxim. 与本种形态相似，分布于贵州，亦作繁缕入药。

石竹科 Caryophyllaceae　麦蓝菜属 Vaccaria

麦蓝菜
Vaccaria hispanica (Miller) Rauschert

| 药 材 名 | 王不留行（药用部位：种子。别名：留行子、麦蓝子、王不留）。

| 形态特征 | 一年生或二年生草本，高 30 ~ 70 cm，全株无毛，微被白粉，呈灰绿色。根为主根系。茎单生，直立，上部分枝。叶片卵状披针形或披针形，基部圆形或近心形，微抱茎，先端急尖，基出脉 3。伞房花序稀疏；花梗细，长 1 ~ 4 cm；苞片披针形，着生于花梗中上部；花萼卵状圆锥形，长 10 ~ 15 mm，宽 5 ~ 9 mm，后期微膨大成球形，棱绿色，棱间绿白色，近膜质，萼齿小，三角形，先端急尖，边缘膜质；雌雄蕊柄极短；花瓣淡红色，长 14 ~ 17 mm，宽 2 ~ 3 mm，爪狭楔形，淡绿色，瓣片狭倒卵形，斜展或平展，微凹缺，有时具不明显的缺刻；雄蕊内藏；花柱线形，微外露。蒴果宽卵形或近圆球形，长 8 ~ 10 mm；种子近圆球形，直径约 2 mm，红褐色至黑色。

麦蓝菜

花期 5 ~ 7 月，果期 6 ~ 8 月。

| 生境分布 | 生于山地、丘陵、草坡、撂荒地或麦田中，尤以麦田中生长较多。分布于宁夏西吉、隆德、金凤等。

| 资源情况 | 野生资源较少。

| 采收加工 | 夏季果实成熟、果皮尚未开裂时采割植株，晒干，打下种子，除去杂质，晒干。

| 药材性状 | 本品呈球形，直径约 2 mm，表面黑色，少数红棕色，略有光泽，有细密颗粒状突起，一侧有 1 凹陷的纵沟。质硬。胚乳白色，胚弯曲成环，子叶 2。气微，味微涩、苦。

| 功能主治 | 苦，平。归肝、胃经。活血调经，利尿通乳，消肿止痛。用于经闭，痛经，乳汁不下，乳痈肿痛，淋证涩痛。

| 用法用量 | 内服煎汤，5 ~ 10 g；或入丸、散剂。外用适量，研末调敷。

| 附　　注 | 《中国植物志》（英文版）将本种的拉丁学名由 *Vaccaria segetalis* (Neck.) Garcke 修订为 *Vaccaria hispanica* (Miller) Rauschert。

金鱼藻科 Ceratophyllaceae 金鱼藻属 Ceratophyllum

金鱼藻
Ceratophyllum demersum L.

| **药 材 名** | 金鱼藻（药用部位：全草。别名：细草、软草、鱼草）。

| **形态特征** | 多年生沉水草本。茎长 40 ~ 150 cm，平滑，具分枝。叶 6 ~ 8 轮生，1 ~ 2 回二叉状分歧，裂片丝状，或丝状条形，先端带白色软骨质，边缘仅一侧有数细齿。花直径约 2 mm；苞片 9 ~ 12，条形，长 1.5 ~ 2 mm，浅绿色，透明，先端有 3 齿及带紫色毛；雄蕊 10 ~ 16，微密集；子房卵形，花柱钻状。坚果宽椭圆形，长 4 ~ 5 mm，宽约 2 mm，黑色，平滑，边缘无翅，有 3 刺，顶生刺（宿存花柱）长 8 ~ 10 mm，先端具钩，基部 2 刺向下斜伸，长 4 ~ 7 mm，先端渐细成刺状。花期 6 ~ 7 月，果期 8 ~ 10 月。

| **生境分布** | 生于淡水池沼、湖泊或河沟中。分布于宁夏沙坡头、中宁、贺兰、

金鱼藻

惠农、平罗、永宁、兴庆、灵武等引黄灌区。

| **资源情况** | 野生资源较少。

| **采收加工** | 全年均可采收，洗净，晒干。

| **药材性状** | 本品呈不规则丝团状，全体绿褐色。茎细柔，长短不一，长达 60 cm，具分枝。叶轮生，每轮 6 ~ 8 叶，叶片常破碎，1 ~ 2 回二歧分叉，裂片线条形，边缘仅一侧具刺状小齿。有时可见暗红色小花，腋生，总苞片钻状。小坚果宽椭圆形，平滑，边缘无翅，有 3 长刺。

| **功能主治** | 甘、淡，凉。凉血止血，清热利水。用于血热吐血，咯血，热淋涩痛。

| **用法用量** | 内服煎汤，3 ~ 6 g；或入散剂。

| **附　　注** | 《中华本草》记载虚寒性出血以及大便溏泄者禁服本种药材。

金鱼藻科 Ceratophyllaceae 金鱼藻属 Ceratophyllum

粗糙金鱼藻 Ceratophyllum muricatum Chamisso subsp. *kossinskyi* Chamisso

| **药 材 名** | 东北金鱼藻（药用部位：全草）。 |

| **形态特征** | 多年生沉水草本。茎分枝。叶常 5 ~ 11 轮生，长 2 ~ 3 cm，3 ~ 4 回二叉状分歧，裂片丝状。花未见。坚果椭圆形，长 4 ~ 5 mm，宽 3 ~ 4 mm，褐色，有疣状突起，边缘稍有翅，有 3 刺，顶生刺长 9 ~ 11 mm，直生；基部 2 刺和顶生刺约等长，微弧曲，基部扁平。果期 9 月。 |

| **生境分布** | 生于池沼、湖泊或排水沟中。分布于宁夏青铜峡、贺兰、兴庆等。 |

| **资源情况** | 野生资源较少。 |

| **采收加工** | 全年均可采收，洗净，晒干。 |

粗糙金鱼藻

| **功能主治** | 凉血止血，清热利水。用于血热吐血，咯血，热淋涩痛。

| **附　　注** | （1）《中国植物志》（英文版）将本种由东北金鱼藻 *Ceratophyllum manschuricum* (Miki) Kitag 修订为粗糙金鱼藻 *Ceratophyllum muricatum* Chamisso subsp. *kossinskyi* Chamisso。

（2）《中国中药资源志要》记载本种与金鱼藻 *Ceratophyllum demersum* L. 的功效相同。

金鱼藻科 Ceratophyllaceae 金鱼藻属 Ceratophyllum

五刺金鱼藻 *Ceratophyllum platyacanthum* Chamisso subsp. *oryzetorum* Chamisso

| 药 材 名 | 五刺金鱼藻（药用部位：全草）。

| 形态特征 | 多年生沉水草本。茎分枝。叶常10轮生，2回二叉状分歧，裂片条形，长1～2 cm，宽0.3～0.5 mm。花未见。坚果椭圆形，长4～5 mm，直径1～1.5 mm，褐色，平滑，边缘无翅，有5尖刺；顶生刺长7～10 mm；2刺生于果实近先端1/3处，且与果实垂直，长2～4 mm，直生或少见弯曲；2刺斜生于果实基部，长6～8 mm。果期9～11月。

| 生境分布 | 生于池沼、湖泊或排水沟中。分布于宁夏永宁、金凤、兴庆等。

| 资源情况 | 野生资源较少。

| 采收加工 | 全年均可采收，洗净，晒干。

五刺金鱼藻

| 功能主治 | 清热。用于腮腺炎。

| 附　　注 | 《中国植物志》（英文版）将本种的拉丁学名由 *Ceratophyllum oryzetorum* Kom. 修订为 *Ceratophyllum platyacanthum* Chamisso subsp. *oryzetorum* Chamisso。

莲科 Nelumbonaceae 莲属 Nelumbo

莲
Nelumbo nucifera Gaertn.

| 药 材 名 | 莲子（药用部位：种子。别名：莲实、莲蓬子、莲肉）、莲子心（药用部位：成熟种子中的幼叶及胚根。别名：薏、苦薏、莲薏）、莲房（药用部位：花托。别名：莲蓬壳、莲壳、莲蓬）、莲须（药用部位：雄蕊）、荷叶（药用部位：叶。别名：莲叶）、荷梗（药用部位：叶柄、花梗。别名：藕秆）、藕节（药用部位：根茎节部。别名：光藕节、藕节巴）。

| 形态特征 | 多年生水生草本。根茎横生，肥厚，节间膨大，内有多数纵行通气孔道，节部缢缩，上生黑色鳞叶，下生须状不定根。节上生叶，露出水面；叶柄粗壮，圆柱形，中空，外面散生小刺；叶圆形，盾状，直径 25 ～ 90 cm，全缘，边缘稍呈波状，上面光滑，具白粉，下面叶脉从中央射出，有 1 ～ 2 回叉状分枝。花单生于花梗先端，花梗

莲

和叶柄等长或稍长，散生小刺；花直径 10 ~ 20 cm，芳香；花瓣红色、粉红色或白色，矩圆状椭圆形至倒卵形，长 5 ~ 10 cm，宽 3 ~ 5 cm，由外向内渐小，有时变成雄蕊，先端圆钝或微尖；花药条形，花丝细长，着生在花托之下；花柱极短，柱头顶生；花托直径 5 ~ 10 cm。坚果椭圆形或卵形，长 1.8 ~ 2.5 cm，果皮革质，坚硬，成熟时黑褐色。种子卵形或椭圆形，种皮红色或白色。花期 6 ~ 8 月，果期 8 ~ 10 月。

| **生境分布** | 生于湖沼或池塘中。宁夏灵武、青铜峡、中宁、平罗、永宁、贺兰、金凤、兴庆、西夏、沙坡头、利通、大武口、惠农等有栽培。

| **资源情况** | 栽培资源较丰富。

| **采收加工** | 莲子：秋季果实成熟时采割莲房，取出果实，除去果皮，干燥，或除去莲子心后干燥。

莲子心：秋季果实成熟时采割莲房，取出果实，从成熟种子中取出幼叶及胚根，晒干。

莲房：秋季果实成熟时采收，除去果实，晒干。

莲须：夏季花开时选晴天采收，盖纸晒干或阴干。

荷叶：夏、秋季采收，晒至七八成干时，除去叶柄，折成半圆形或折扇形，干燥。

荷梗：6 ~ 9 月采收，用刀刮去刺，切段，晒干或鲜用。

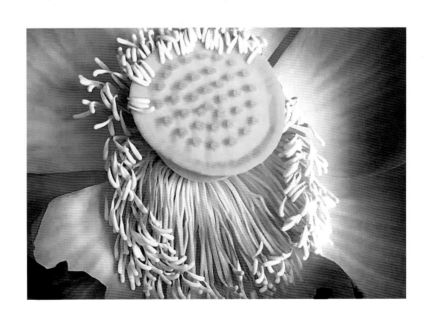

藕节：秋、冬季采挖根茎（藕），切取节部，洗净，晒干，除去须根。

| **药材性状** | 莲子：本品略呈椭圆形或类球形，长 1.2 ~ 1.8 cm，直径 0.8 ~ 1.4 cm。表面红棕色，有细纵纹和较宽的脉纹。一端中心呈乳头状凸起，棕褐色，多有裂口，其周边略下陷。质硬，种皮薄，不易剥离。子叶 2，黄白色，肥厚，中有空隙，具绿色莲子心；或底部具有 1 小孔，不具莲子心。气微，味甘、微涩。

莲子心：本品呈细棒形，长 1 ~ 1.4 cm，直径约 0.2 cm。幼叶绿色，1 长 1 短，卷成箭形，先端向下反折，两幼叶间可见细小胚芽。胚根圆柱形，长约 3 mm，黄白色。质脆，易折断，断面有数个小孔。气微，味苦。

莲房：本品呈倒圆锥状，多撕裂，直径 5 ~ 8 cm，高 4.5 ~ 6 cm。表面灰棕色至紫棕色，具细纵纹和皱纹，顶面有多数圆形孔穴，基部有花梗残基。质疏松，破碎面海绵样，棕色。气微，味微涩。

莲须：本品呈线形。花药扭转，纵裂，长 1.2 ~ 1.5 cm，直径约 0.1 cm，淡黄色或棕黄色。花丝纤细，稍弯曲，长 1.5 ~ 1.8 cm，淡紫色。气微香，味涩。

荷叶：本品呈半圆形或折扇形，展开后呈类圆形，全缘或稍呈波状，直径 20 ~ 50 cm。上表面深绿色或黄绿色，较粗糙；下表面淡灰棕色，较光滑，有粗脉 21 ~ 22，自中心向四周射出；中心有凸起的叶柄残基。质脆，易破碎。稍有清香气，味微苦。

荷梗：本品干燥者呈近圆柱形，长 20 ~ 60 cm，直径 8 ~ 15 mm。表面淡棕黄色，具深浅不等的纵沟及多数刺状突起。折断面淡粉白色，可见数个大小不等的孔道，质轻，易折断，折断时有粉尘飞出。气微弱，味淡。以身干、条长、棕黄色、无泥土及杂质者为佳。

藕节：本品呈短圆柱形，中部稍膨大，长 2 ~ 4 cm，直径约 2 cm。表面灰黄色至灰棕色，有残存的须根和须根痕，偶见暗红棕色的鳞叶残基。两端有残留的藕，表面皱缩有纵纹。质硬，断面有多数类圆形的孔。气微，味微甘、涩。

| **功能主治** | 莲子：甘、涩，平。归脾、肾、心经。补脾止泻，止带，益肾涩精，养心安神。用于脾虚泄泻，带下，遗精，心悸失眠。

莲子心：苦，寒。归心、肾经。清心安神，交通心肾，涩精止血。用于热入心包，神昏谵语，心肾不交，失眠遗精，血热吐血。

莲房：苦、涩，温。归肝经。化瘀止血。用于崩漏，尿血，痔疮出血，产后瘀阻，恶露不尽。

莲须：甘、涩，平。归心、肾经。固肾涩精。用于遗精滑精，带下，尿频。

荷叶：苦，平。归肝、脾、胃经。清暑化湿，升发清阳，凉血止血。用于暑热烦渴，暑湿泄泻，脾虚泄泻，血热吐衄，便血崩漏。

荷梗：微苦，平。归脾、膀胱经。清暑，宽中，理气。用于感受暑湿，胸闷不舒，头重，困倦。

藕节：甘、涩，平。归肝、肺、胃经。收敛止血，化瘀。用于吐血，咯血，衄血，尿血，崩漏。

| **用法用量** | 莲子：内服煎汤，6 ~ 15 g。

莲子心：内服煎汤，2 ~ 5 g。

莲房：内服煎汤，5 ~ 10 g。

莲须：内服煎汤，3 ~ 5 g。

荷叶：内服煎汤，3 ~ 10 g。

荷梗：内服煎汤，3 ~ 9 g。

藕节：内服煎汤，9 ~ 15 g。

| **附 注** | 本种是国家二级保护植物。

■ 睡莲科 ■ Nymphaeaceae ■ 睡莲属 ■ Nymphaea

睡莲
Nymphaea tetragona Georgi

| 药 材 名 | 睡莲（药用部位：根、叶、花。别名：荷花）。

| 形态特征 | 多年生水生草本。根茎粗短，肥厚。纸质二型叶，沉水叶膜质，脆弱；浮水叶圆形或卵状椭圆形，基部约 1/3 深弯缺，长 6 ~ 13 cm，宽 4 ~ 9 cm，裂片先端钝尖或急尖，全缘，正面光亮，下面略带紫红色。花单生，浮于或挺出水面；宿存萼 4，萼片革质，绿色；花瓣通常 8，花瓣白色或粉红色，呈多轮。果实倒卵形。种子椭圆形，长 2 ~ 3 mm，黑色。花果期 6 ~ 9 月。

| 生境分布 | 生于池塘、湖沼中，常为栽培。宁夏平罗、金凤、兴庆等有栽培。

| 资源情况 | 栽培资源较丰富。

| 采收加工 | 夏季采收，洗净，除去杂质，晒干。

睡莲

| 功能主治 | 甘、苦，平。消暑，解酒，定惊。用于中暑，醉酒烦渴，小儿惊风。 |
| 用法用量 | 内服煎汤，6～9 g。 |

银线草

Chloranthus japonicus Sieb.

| **药 材 名** | 银线草（药用部位：全草或根及根茎。别名：四叶草、四块瓦）。

| **形态特征** | 多年生草本。根茎多节，横走，分枝，生多数细长须根，有香气。茎直立，单生或数个丛生，不分枝，下部节上对生2鳞状叶。叶对生，通常4生于茎顶，呈假轮生，纸质，宽椭圆形或倒卵形，先端急尖，基部宽楔形，边缘有牙齿状锐锯齿，齿尖有1腺体，近基部或1/4以下全缘，腹面有光泽，两面无毛，侧脉6～8对，网脉明显；叶柄长8～18 mm；鳞状叶膜质，三角形或宽卵形，长4～5 mm。穗状花序单一，顶生，连总花梗长3～5 cm；苞片三角形或近半圆形；花白色；雄蕊3，药隔基部联合，着生于子房上部外侧；中央药隔无花药，两侧药隔各有1个1室的花药；药隔延伸成线形，长约5 mm，水平伸展或向上弯，药室在药隔的基部；子房卵形，无花

银线草

柱，柱头截平。核果近球形或倒卵形，具长 1 ~ 1.5 mm 的柄，绿色。花期 4 ~ 5 月，果期 5 ~ 7 月。

| 生境分布 | 生于山坡或山谷杂木林下阴湿处或沟边草丛中。分布于宁夏六盘山（泾源）等。

| 资源情况 | 野生资源较少。

| 采收加工 | 夏、秋季采收，洗净，鲜用或晒干。

| 药材性状 | 本品根茎节间较疏，表面暗绿色。根须状，细长圆柱形，稍弯曲，长 5 ~ 20 cm，直径 0.1 ~ 1.5 mm；表面土黄色或灰白色，平滑。质脆，易折断，断面较平整，皮部灰白色，木部黄白色，皮部发达，易与木部分离。气微香，味微苦。

| 功能主治 | 辛、苦，温；有毒。归肺、心、肝经。祛风胜湿，活血理气。用于风湿痛，劳伤，感冒，胃气痛，经闭，带下，跌打损伤，疮肿。

| 用法用量 | 内服煎汤，2.5 ~ 5 g；或浸酒；或研末。外用适量，捣敷。孕妇禁服。

| 附　　注 | 《宁夏中药志》记载银线草 *Chloranthus japonicus* Sieb. 的全草或根、叶作银线草药用。

毛茛科 Ranunculaceae 乌头属 Aconitum

西伯利亚乌头 *Aconitum barbatum* Pers. var. *hispidum* (DC.) Seringe

| 药 材 名 | 西伯利亚乌头（药用部位：根）。

| 形态特征 | 多年生草本植物。根近直立，圆柱形。茎高 55 ~ 90 cm，生 2 ~ 4 叶。叶片肾形或圆肾形，3 全裂，顶生总状花序，具密集的花；下部苞片狭线形，中部苞片披针状钻形，上部苞片三角形，小苞片狭三角形；萼片黄色，上萼片圆筒形。种子倒卵球形，褐色，密生横狭翅。7 ~ 8 月开花。

| 生境分布 | 生于山地草坡或疏林中。分布于宁夏六盘山（泾源、隆德）、南华山（海原）等。

| 资源情况 | 野生资源较少。

| 采收加工 | 秋季采挖，洗净，晾干。

西伯利亚乌头

| **功能主治** | 苦，温。归肝、肾经。祛湿止痛。用于风湿痹痛等痛证。 |

| **用法用量** | 内服煎汤，3 ~ 5 g。 |

| **附　注** | 本种为细叶黄乌头 *Aconitum barbatum* Pers. 的变种，两者的区别在于本种的叶分裂程度较小，中全裂片深裂不近中脉，末回小裂片三角形至狭披针形。本种与牛扁 *Aconitum barbatum* Pers. var. *puberulum* Ledeb. 的形态极为相近，两者的区别在于牛扁的茎和叶柄只有反曲并紧贴的短柔毛，而本种的茎和叶柄除了反曲的短柔毛之外，还有开展的较长柔毛。 |

毛茛科 Ranunculaceae 乌头属 Aconitum

牛扁

Aconitum barbatum Pers. var. *puberulum* Ledeb.

| **药 材 名** | 牛扁（药用部位：根。别名：扁特、扁毒、扁桃叶根）。

| **形态特征** | 多年生草本，具直根。根圆锥形，长达 20 cm，直径 2 ~ 4 cm，棕褐色或黑褐色，疏松。茎直立，不分枝，圆柱形，被反曲紧贴的短柔毛。单叶互生，具长柄，被柔毛；叶片肾形，3 全裂，全裂片无柄，中全裂片菱形或卵状菱形，下部 3 深裂，末回小裂片长三角形至披针形，全缘或具裂片状牙齿，两面被弯曲的短柔毛。总状花序顶生或腋生，长 20 ~ 40 cm，花多数，花序轴及花梗密被反曲的短柔毛，花梗长 1 ~ 3 cm；苞片着生于花梗的中部或下部，线形；萼片 5，花瓣状，黄色，上萼片圆筒状，长约 2.2 cm，直径约 8 mm；蜜叶 2，有长爪，距和瓣片近等长；雄蕊多数；心皮 3。菁葖果。花期 7 ~ 8 月，果期 8 ~ 9 月。

牛扁

| 生境分布 | 生于山地疏林下或较阴湿处。分布于宁夏六盘山（泾源、原州、彭阳）等，彭阳、原州其他区域也有分布。 |

| 资源情况 | 野生资源丰富。 |

| 采收加工 | 春、秋季采挖，除去茎叶，洗净，晒干。 |

| 药材性状 | 本品呈圆锥形，长 10 ~ 15 cm，中部直径 2 ~ 4 cm。表面暗棕色，外皮脱落处深棕色，粗糙，略显网纹；根头部常有多数根茎聚生，其下根分数股，每股有几个裂生根，互相扭结成辫子状。质轻而松脆，易折断，断面不平坦，木心淡黄褐色，气微，味苦、微辛。 |

| 功能主治 | 苦，温；有毒。归肝、肾经。祛风止痛，止咳化痰，平喘。用于风湿关节肿痛，腰腿痛，喘咳，瘰疬，疥癣等。 |

| 用法用量 | 内服煎汤，3 ~ 6 g。外用适量，煎汤洗。 |

| 附　　注 | 本种与细叶黄乌头 *Aconitum barbatum* Pers. 的主要区别在于本种的茎和叶柄均被反曲而紧贴的短柔毛，叶分裂程度较小，中全裂片分裂不近中脉，末回小裂片三角形或狭披针形。 |

毛茛科 Ranunculaceae 乌头属 Aconitum

伏毛铁棒锤 *Aconitum flavum* Hand.-Mazz.

伏毛铁棒锤

药材名

铁棒锤（药用部位：子根。别名：草芽子、一枝蒿）。

形态特征

多年生草本。块根胡萝卜形，长约 4.5 cm，直径约 8 mm。茎高 35 ～ 100 cm，中部以下无毛，在中部或上部被反曲而紧贴的短柔毛，密生多数叶，通常不分枝。茎下部叶在开花时枯萎；中部叶有短柄，叶片宽卵形，基部浅心形，3 全裂，全裂片细裂，末回裂片线形，两面无毛，边缘干时稍反卷，疏被短缘毛；叶柄长 3 ～ 4 mm。顶生总状花序狭长；轴及花梗密被紧贴的短柔毛；下部苞片似叶，中部以上的苞片线形；花梗长 4 ～ 8 mm；小苞片生于花梗顶部，线形，长 3 ～ 6 mm；萼片黄色带绿色，或暗紫色，外面被短柔毛，上萼片盔状船形，具短爪，下缘斜升，上部向下弧状弯曲，外缘斜，侧萼片长约 1.5 cm，下萼片斜长圆状卵形；花瓣疏被短毛，瓣片长约 7 mm，唇长约 3 mm，距长约 1 mm，向后弯曲；花丝无毛或疏被短毛，全缘。膏葖果。种子倒卵状三棱形，光滑，沿棱具狭翅。8 月开花。

| **生境分布** | 生于山地草坡或疏林下。分布于宁夏六盘山（隆德、泾源、原州）、南华山（海原）及西吉等，泾源、隆德、原州、海原其他区域也有分布。 |

| **资源情况** | 野生资源较少。 |

| **采收加工** | 7 ~ 8 月采挖，除去茎苗，洗净，晒干。 |

| **药材性状** | 本品呈纺锤形、圆锥形或圆柱形，长 3 ~ 7 cm，直径 0.5 ~ 1.3 cm。表面暗棕褐色或黑褐色，有纵皱纹或平滑，先端具棕色芽或芽痕。质硬，折断面淡黄棕色或黄白色，角质或少数呈粉性，白色，有棕黑色环，有的中间有裂隙。质较轻，折断面不平坦，裂隙多。气微，味麻。 |

| **功能主治** | 苦、辛，温；有大毒。归肺、心经。祛风除湿，活血止痛。用于风湿痹痛，痛经，胃痛，牙痛，跌打损伤，痈疮肿痛，瘰疬，冻疮，毒蛇咬伤，神经痛，风湿性关节炎，类风湿性关节炎，恶性肿瘤疼痛，创伤疼痛，手术疼痛。 |

| **用法用量** | 内服研末，20 ~ 40 mg。外用适量。孕妇慎用。 |

| **附　　注** | 本种是宁夏六盘山地区使用历史悠久的民间草药，当地群众采挖其块根作药用，因外表黑褐色，形似"棒锤"，俗称"铁棒锤"，主要用于各种疼痛。本种药材已被载入《宁夏中药材标准》（1993 年版、2018 年版）、《现代实用本草》（上册）、《中国民族药志》（第二卷）等药学专著。 |

毛茛科 Ranunculaceae 乌头属 Aconitum

露蕊乌头 *Aconitum gymnandrum* Maxim.

露蕊乌头

| 药 材 名 |

露蕊乌头（药用部位：根、花、叶。别名：泽兰、罗砧巴）。

| 形态特征 |

一年生草本。根一年生，近圆柱形。茎高（6～）25～55（～100）cm，被疏或密的短柔毛，下部有时变无毛，等距地生叶，常分枝。基生叶1～3（～6），与最下部茎生叶通常在开花时枯萎；叶片宽卵形或三角状卵形，3全裂，全裂片2～3回深裂，小裂片狭卵形至狭披针形，表面疏被短伏毛，背面沿脉疏被长柔毛或变无毛；下部叶柄长4～7cm，上部的叶柄渐变短，具狭鞘。总状花序有6～16花；基部苞片似叶，其他下部苞片3裂，中部以上苞片披针形至线形；花梗长1～5（～9）cm；小苞片生花梗上部或顶部，叶状至线形，长0.5～1.5cm；萼片蓝紫色，少有白色，外面疏被柔毛，有较长的爪，上萼片船形，高约1.8cm，爪长约1.4cm，侧萼片长1.5～1.8cm，瓣片与爪近等长；花瓣的瓣片宽6～8mm，疏被缘毛，距短，头状，疏被短毛；花丝疏被短毛；心皮6～13，子房有柔毛。蓇葖果长0.8～1.2cm。种子倒卵球形，密生横狭翅。

6 ～ 8 月开花。

| **生境分布** | 生于山坡草地或石质河滩地。分布于宁夏贺兰山（贺兰、永宁、平罗、大武口）、六盘山（隆德、泾源）、南华山（海原）等，隆德、泾源、海原其他区域也有分布。

| **资源情况** | 野生资源较少。

| **采收加工** | 秋末采挖根，除去茎叶，洗净晒干。夏、秋季采集花、叶，阴干或晒干。

| **功能主治** | 辛，温；有大毒。归肺、脾、肾经。祛风湿，温中祛寒，止痛，杀虫。用于风湿麻木，关节痛，麻风病，胃痛，感冒，流行性感冒发热，肠道寄生虫病。

| **用法用量** | 内服煎汤，1.2 ～ 3 g。外用适量，研末撒。

毛茛科 Ranunculaceae 乌头属 *Aconitum*

花葶乌头 *Aconitum scaposum* Franch.

花葶乌头

药材名

墨七（药用部位：根。别名：活血莲、一口血、独儿七）。

形态特征

多年生草本，高 35 ~ 67 cm。根近圆柱形，长约 10 cm，直径约达 1 cm。茎直立，稍密被反曲（偶尔开展）的淡黄色短毛，不分枝或分枝。基生叶 3 ~ 4，具长柄；叶片肾状五角形，长 5.5 ~ 11 cm，宽 8.5 ~ 22 cm，基部心形，3 裂稍超过中部，中裂片倒梯状菱形，急尖，稀渐尖，不明显 3 浅裂，边缘有粗齿，侧裂片斜扇形，不等 2 浅裂，两面有短伏毛；叶柄长 13 ~ 40 cm，基部有鞘。茎生叶小，2 ~ 4，有时不存在，集中在近茎基部处，长达 7 cm，叶片长达 2 cm，或完全退化；叶柄鞘状。总状花序长（20 ~ ）25 ~ 40 cm，有 15 ~ 40 花；苞片披针形或长圆形；花梗长 1.4 ~ 3.4 cm，被开展的淡黄色长毛；小苞片生花梗基部，似苞片，但较短；萼片蓝紫色，外面疏被开展的微糙毛，上萼片圆筒形，高 1.3 ~ 1.8 cm，外缘近直，与向下斜展的下缘形成尖喙；花瓣 2，距比瓣片长 2 ~ 3 倍，拳卷，疏被短毛或无毛；雄蕊多数，无毛，花丝全缘；心皮 3，子房疏被长毛。蓇葖果不等大，长 0.75 ~ 1.3 cm。种子倒卵形，长约 1.5 mm，白色，密生横狭翅。花期 8 ~ 9 月，果期 9 ~ 10 月。

| **生境分布** | 生于海拔 1 200 ~ 2 300 m 的山地沟谷、草坡、疏林下或林中阴湿处。分布于宁夏六盘山（泾源、隆德、原州）等，泾源其他区域也有分布。

| **资源情况** | 野生资源较少。

| **采收加工** | 夏、秋季采挖，洗净，晒干。

| **药材性状** | 本品呈不规则圆柱形，多弯曲，有时分枝，长 5 ~ 10 cm，直径 0.5 ~ 1 cm。表面黑棕色，有多数纵、横皱纹及须根痕。质坚硬，不易折断，断面不平坦。气微，味辛、苦，微麻。

| **功能主治** | 辛、苦，温；有小毒。活血调经，散瘀止痛。用于月经不调，跌打损伤，骨折疼痛，风湿性关节炎，胃痛，无名肿毒。

| **用法用量** | 内服煎汤，9 ~ 15 g；或浸酒。外用适量，抹涂。

| **附　　注** | （1）《中国植物志》（英文版）将本种中文学名由花葶乌头修订为花莛乌头。
（2）花莛乌头 *Aconitum scaposum* Franch. 在《宁夏植物志》及《宁夏中药志》中均无记载，但《中国植物志》（英文版）记载本种标本分布包括宁夏固原。《宁夏植物志》及《宁夏中药志》均收载了花莛乌头的变种聚叶花莛乌头 *Aconitum scaposum* Franch. var. *vaginatum* (Pritz.) Rapaics，并记载其中文名为鞘柄乌头。聚叶花莛乌头与花莛乌头的区别为：茎生叶 3 ~ 5，最下部的茎生叶距茎基部 6 ~ 20 cm，其他茎生叶在花序之下密集，有发育的叶鞘，最上部的 1 ~ 3 叶的叶片极小，长 0.5 ~ 2 cm 或完全退化；萼片紫色，偶尔黄色。

毛茛科 Ranunculaceae 乌头属 Aconitum

高乌头 *Aconitum sinomontanum* Nakai

| **药 材 名** | 麻布七（药用部位：根。别名：破布七、麻布袋、统天袋）。

| **形态特征** | 多年生草本。根长达 20 cm，圆柱形，直径达 2.5 cm。茎高（60 ~）
95 ~ 150 cm，中部以下几无毛，上部近花序处被反曲的短柔毛，生
4 ~ 6 叶，不分枝或分枝。基生叶 1，与茎下部叶具长柄；叶片肾形
或圆肾形，长 12 ~ 14.5 cm，宽 20 ~ 28 cm，基部宽心形，3 深裂
约至本身长度的 6/7 处，中深裂片较小，楔状狭菱形，渐尖，边缘
有不整齐的三角形锐齿，侧深裂片斜扇形，不等 3 裂稍超过中部，
两面疏被短柔毛或变无毛；叶柄长 30 ~ 50 cm，具浅纵沟，几无毛。
总状花序长（20 ~）30 ~ 50 cm，具密集的花；轴及花梗多少密被
紧贴的短柔毛；苞片比花梗长，下部苞片叶状，其他的苞片不分裂，
线形，长 0.7 ~ 1.8 cm；下部花梗长 2 ~ 5（~ 5.5）cm，中部以上

高乌头

的长 0.5 ～ 1.4 cm；小苞片通常生花梗中部，狭线形，长 3 ～ 9 mm；萼片蓝紫色或淡紫色，外面密被短曲柔毛，上萼片圆筒形，高 1.6 ～ 2（～ 3）cm，直径 4 ～ 7（～ 9）mm，外缘在中部之下稍缢缩，下缘长 1.1 ～ 1.5 cm；花瓣无毛，长达 2 cm，唇舌形，长约 3.5 mm，距长约 6.5 mm，向后拳卷；雄蕊无毛，花丝大多具 1 ～ 2 小齿；心皮 3，无毛。蓇葖果长 1.1 ～ 1.7 cm。种子倒卵形，具 3 棱，长约 3 mm，褐色，密生横狭翅。6 ～ 9 月开花。

| 生境分布 | 生于海拔 1 500 ～ 3 700 m 的山坡草地、林缘、灌丛或山地林中。分布于宁夏六盘山（泾源）、南华山（海原）等。

| 资源情况 | 野生资源较丰富。

| 采收加工 | 夏、秋季采挖，鲜用或除去残茎、须根，洗净泥土，或将根撕开，除去内附黑皮，晒干。

| 药材性状 | 本品呈圆柱形或圆锥形，有的从根头处分枝，长 10 ～ 20 cm，中部直径 1 ～ 2.5 cm。表面暗棕色，粗糙，或因栓化细胞脱落可见多数裂生细根纵向排列或似网状。质坚硬，能折断，断面淡黄棕色，有的根中央枯朽成空洞状。气微，味辛、苦，微麻。

| 功能主治 | 苦、辛，温；有毒。祛风除湿，散瘀止痛。用于风湿痹痛，胃痛，跌打损伤，疮疖肿毒，瘰疬。

| 用法用量 | 内服煎汤，3 ～ 9 g；或浸酒；或入散剂。外用适量，捣敷；或浸酒搽。

松潘乌头 *Aconitum sungpanense* Hand.-Mazz.

| 药 材 名 | 火焰子（药用部位：根。别名：草乌、蔓乌药、羊角七）。

| 形态特征 | 多年生草本。块根长圆形，长达 6 cm。茎缠绕，长达 2.5 m，无毛或几无毛，分枝。茎中部叶有稍长柄；叶片草质，五角形，长 5.8 ~ 10 cm，宽 8 ~ 12 cm，3 全裂，全裂片几无柄或无明显的柄，中央全裂片卵状菱形或近菱形，渐尖，在下部 3 裂，两面有稀疏短柔毛；叶柄比叶片短，无毛或疏生反曲的短毛，无鞘。总状花序有 5 ~ 9 花；轴和花梗无毛或疏被反曲的短柔毛；下部苞片 3 裂，其他苞片线形；花梗长 2 ~ 4 cm，多少弧状弯曲，常排列于花序一侧；小苞片生花梗中部至上部，线状钻形，长 3.5 ~ 4.5 mm；萼片淡蓝紫色，有时带黄绿色，外面无毛或疏被短柔毛，上萼片高盔形，高 1.8 ~ 2.2 cm，中部直径 7 ~ 9 mm，下缘长 1.4 ~ 1.5 cm，稍凹，

松潘乌头

外缘近直或中部稍缢缩，与下缘形成短喙，侧萼片长 1.3 ~ 1.5 cm；花瓣无毛或疏被短毛，唇长 4 ~ 5 mm，微凹，距长 1 ~ 2 mm，向后弯曲；花丝无毛或疏被短毛，全缘；心皮（3 ~）5，无毛或子房疏被紧贴的短毛。蓇葖果长 1 ~ 1.5 cm，无毛或疏被短柔毛。种子三棱形，长约 3 mm，沿棱生狭翅，只在一面密生横膜翅。8 ~ 9 月开花。

| 生境分布 | 生于海拔 1 400 ~ 3 000 m 的山地林中、林边或灌丛中。分布于宁夏六盘山（泾源、隆德、原州）及彭阳等，泾源、原州其他区域也有分布。

| 资源情况 | 野生资源丰富。

| 采收加工 | 秋季采挖，除去残茎及泥土，晒干。

| 药材性状 | 本品呈倒卵形或圆锥形，长 1.5 ~ 6 cm，直径 0.6 ~ 2 cm。表面黄褐色或棕褐色。子根较光滑；母根先端残留茎基，有纵皱纹，具点状突出的侧根痕。质坚硬，不易折断，断面平坦，类白色。气微，味微苦、辛。

| 功能主治 | 辛，热；有大毒。归肝经。祛风散寒，燥湿止痛，败毒消肿。用于风寒湿痹，肢体关节冷痛或麻木，脘腹冷痛，牙痛，跌打损伤，无名肿毒，痈肿，疔疮。

| 用法用量 | 内服煎汤，0.09 ~ 0.15 g；或入散剂；或浸酒。外用适量，水、酒或醋磨汁涂搽；或研末调敷。

毛茛科 Ranunculaceae 类叶升麻属 Actaea

类叶升麻
Actaea asiatica Hara

| 药 材 名 | 绿豆升麻（药用部位：根茎。别名：马尾升麻）。

| 形态特征 | 多年生草本。根茎横走，质坚实，外皮黑褐色，生多数细长的根。茎高 30 ~ 80 cm，微具纵棱，下部无毛，中部以上被白色短柔毛。叶 2 ~ 3。茎下部叶为三回三出近羽状复叶，具长柄；叶片三角形，宽达 27 cm；顶生小叶卵形至宽卵状菱形，长 4 ~ 8.5 cm，宽 3 ~ 8 cm，3 裂，边缘有锐锯齿，侧生小叶卵形至斜卵形，表面近无毛，背面变无毛；叶柄长 10 ~ 17 cm。茎上部叶的形状似茎下部叶，但较小，具短柄。总状花序长 2.5 ~ 6 cm；轴和花梗密被白色或灰色短柔毛；苞片线状披针形，长约 2 mm；花梗长 5 ~ 8 mm；萼片 4，花瓣状，白色，早落，倒卵形，长约 2.5 mm；花瓣 6，匙形，下部渐狭成爪；雄蕊多数，长 4 ~ 6 mm；心皮 1。果序长 5 ~ 17 cm，

类叶升麻

与茎上部叶等长或超出茎上部叶；浆果近球形，紫黑色，直径约 6 mm。种子约6，卵形，有 3 纵棱，长约 3 mm，深褐色。5 ～ 6 月开花，7 ～ 9 月结果。

| 生境分布 | 生于海拔 1 600 ～ 2 500 m 的山地林下、草地或沟边阴处。分布于宁夏贺兰山（贺兰、西夏、平罗、大武口、惠农）和六盘山（泾源、隆德、原州）等。

| 资源情况 | 野生资源较少。

| 采收加工 | 春、秋季采挖，洗净泥土，切片，晒干。

| 功能主治 | 辛、微苦，平。归肺经。散风热，祛风湿，透疹解毒。用于风热头痛，咽喉肿痛，风湿痹痛，风疹，麻疹不透，百日咳，子宫脱垂，犬咬伤。

| 用法用量 | 内服煎汤，3 ～ 9 g。外用适量，捣敷。

| 附　　注 | （1）宁夏六盘山区习称本种为升麻，有时误作升麻采挖。
（2）本种各部位均有毒。根有催吐和致泻作用；果实、种子有强烈局部刺激作用和全身麻醉作用。

毛茛科 Ranunculaceae **银莲花属** *Anemone*

阿尔泰银莲花 *Anemone altaica* Fisch.

药 材 名	九节菖蒲（药用部位：根茎。别名：小菖蒲、外菖蒲、京玄参）。
形态特征	多年生草本，植株高 10 ~ 25 cm。根茎横生，圆柱形，淡黄褐色，长 3 ~ 5 cm，直径 3 ~ 5 mm，多节，与地上茎相接处纤细。无基生叶，稀生 1，具长柄，三出复叶，小叶片长圆形至卵圆形，3 深裂或近全裂，裂片边缘有缺刻或不规则锯齿。花葶单一；总苞片叶状，三出，具柄；顶生花 1；花梗被白色柔毛 1；花白色或微粉红色，直径达 4 cm，萼片 8 ~ 10，长椭圆形或倒卵状长圆形，长 1.5 ~ 1.9 cm，宽 4 ~ 7 mm，先端圆形，无毛；雄蕊多数，花丝近丝状；心皮多数，分离，被白色柔毛。瘦果卵圆形，密被白色柔毛，花柱宿存。种子 1。花期 4 ~ 5 月，果期 5 ~ 6 月。
生境分布	生于海拔 1 900 ~ 2 700 m 的山坡草地或林下湿润腐殖质土壤中。分

阿尔泰银莲花

布于宁夏六盘山（泾源、隆德、原州），泾源、隆德、原州其他区域也有分布。

| **资源情况** | 野生资源丰富。

| **采收加工** | 夏季采挖，除去泥沙，干燥，再除去须根及杂质。

| **药材性状** | 本品略呈纺锤形，稍弯曲，长 1 ~ 5 cm，直径 3 ~ 5 mm。表面淡棕黄色至暗棕黄色，具多数环状凸起的节，斜向排列，节上可见点状须根痕。质坚脆，折断面类白色，粉性。气微，味微酸而稍麻舌。以表面淡棕黄色、断面白色者为佳。

| **功能主治** | 辛，微温。归心、肝、肾经。开窍豁痰，化湿健胃，解毒。用于热病神昏，痰浊蒙窍，癫痫，脘痞腹胀，呕恶，下痢噤口，多梦健忘，气闭耳聋，痈疽疮癣。

| **用法用量** | 内服煎汤，1.5 ~ 6 g。外用适量，鲜品捣敷。

毛茛科 Ranunculaceae 银莲花属 Anemone

疏齿银莲花 Anemone geum H. Léveillé subsp. *ovalifolia* (Bruhl) R. P. Chaudhary

疏齿银莲花

| 药 材 名 |

疏齿银莲花（药用部位：根茎。别名：毛叶干紫花）。

| 形态特征 |

多年生草本。根茎粗短，具多数须根。基生叶 4 ~ 10，叶片卵形或宽卵形，长 1 ~ 2.5 cm，宽 0.8 ~ 2.2 cm，3 全裂，中全裂片菱状倒卵形，先端 3 深裂，上半部具圆钝齿，侧全裂片近圆形或斜宽卵形，两面被伏柔毛；全裂片无柄，叶柄长 3 ~ 6 cm，被长柔毛。花茎被长柔毛，苞片 3，无柄，长 1.5 ~ 2 cm，3 深裂，两面疏被柔毛；花单生，花梗密被柔毛；萼片 5，白色，背面带紫色，倒卵形或倒卵状椭圆形，先端钝，背面疏被伏柔毛；雄蕊多数，花丝宽扁，长约 2.5 mm，宽约 1.2 mm；心皮多数，密被长柔毛。花期 6 ~ 7 月。

| 生境分布 |

生于海拔 2 000 ~ 2 500 m 的山坡林下或山坡草地。分布于宁夏六盘山（泾源、隆德、原州）、南华山（海原）等。

| 资源情况 | 野生资源较丰富。

| 功能主治 | 苦、涩，寒。归肝、脾、膀胱经。清热利湿，敛疮，止血。用于淋病，关节积液，黄水疮，慢性支气管炎。

| 用法用量 | 内服煎汤，6 ～ 18 g。外用适量，煎汤洗。

毛茛科 Ranunculaceae 银莲花属 Anemone

小花草玉梅

Anemone rivularis Buch.-Ham. var. *flore-minore* Maxim.

| 药 材 名 | 破牛膝（药用部位：全草或根。别名：溪畔银莲花、山辣椒）。

| 形态特征 | 多年生草本，高 40 ~ 80 cm。根圆柱形，长 10 ~ 15 cm，直径 0.5 ~
1 cm，暗褐色。茎直立，无毛，基部具枯叶柄纤维。基生叶 3 ~ 6，
具长柄；叶片肾状五角形，长 4 ~ 7 cm，宽 5 ~ 10 cm，3 全裂；
中裂片菱形，基部楔形，上部 3 浅裂至中裂，裂片具不规则粗锯齿；
侧裂片不等 2 裂，两面被柔毛。聚伞花序 1 ~ 3 回分枝；花梗长
5 ~ 20 cm，疏被长柔毛；苞叶通常 3，长达 5 cm，具鞘状柄，叶片
宽菱形，3 深裂，裂片披针形，不再分裂或 2 ~ 3 浅裂；萼片 5，矩
圆形或倒卵形，长 6 ~ 8 mm，宽 2 ~ 3 mm，先端钝圆，外面带紫
色，被柔毛，里面白色，无毛；雄蕊多数；心皮多数。聚合果近球
形；瘦果狭卵形，长约 8 mm，宽约 2 mm，宿存花柱倒钩状弯曲。

小花草玉梅

花期 6 ~ 7 月，果期 7 ~ 8 月。

| **生境分布** | 生于海拔 1 600 ~ 2 700 m 的林缘、沟谷、河畔及湿润草地。分布于宁夏罗山（同心、红寺堡）、南华山（海原）、六盘山（泾源、隆德、原州）及西吉等，隆德、原州、同心、红寺堡其他区域也有分布。

| **资源情况** | 野生资源丰富。

| **采收加工** | 全年均可采收全草，随采随用。秋季挖取根，除去茎及残叶，洗净，晒干。

| **功能主治** | 辛、微苦，寒；有小毒。归肺经。消食截疟，清热消肿。用于疟疾，阴疽，外伤瘀肿，肝炎。

| **用法用量** | 内服研末，3 ~ 5 g。外用适量，捣敷。本品对皮肤有刺激性，不宜直接敷患处，以隔凡士林或纱布敷为好。

毛茛科 Ranunculaceae 银莲花属 Anemone

大火草

Anemone tomentosa (Maxim.) Pei

| 药 材 名 | 大火草根（药用部位：根。别名：打火草、野棉花根、野棉花）、大火草茎叶（药用部位：茎、叶）。

| 形态特征 | 多年生草本，高 40 ～ 150 cm。根茎直径 0.5 ～ 1.8 cm。基生叶 3 ～ 4，有长柄，为三出复叶，有时有 1 ～ 2 叶为单叶；中央小叶有长柄（长 5.2 ～ 7.5 cm），小叶片卵形至三角状卵形，长 9 ～ 16 cm，宽 7 ～ 12 cm，先端急尖，基部浅心形、心形或圆形，3 浅裂至 3 深裂，边缘有不规则小裂片和锯齿，表面有糙伏毛，背面密被白色绒毛；侧生小叶稍斜，叶柄长（6 ～）16 ～ 48 cm，与花葶都密被白色或淡黄色短绒毛。花葶直径 3 ～ 9 mm；聚伞花序长 26 ～ 38 cm，2 ～ 3 回分枝；苞片 3，与基生叶相似，不等大，有时 1 苞片为单叶，3 深裂；花梗长 3.5 ～ 6.8 cm，有短绒毛；萼片 5，淡

大火草

粉红色或白色，倒卵形、宽倒卵形或宽椭圆形，长 1.5 ～ 2.2 cm，宽 1 ～ 2 cm，背面有短绒毛；雄蕊长约为萼片的 1/4；心皮 400 ～ 500，长约 1 mm，子房密被绒毛，柱头斜，无毛。聚合果球形，直径约 1 cm；瘦果长约 3 mm，有细柄，密被绵毛。7 ～ 10 月开花。

| 生境分布 | 生于海拔 1 850 ～ 2 500 m 的山坡、沟谷、田埂、路旁。分布于宁夏六盘山（泾源、隆德、原州）、罗山（同心、红寺堡）、南华山（海原）及彭阳等，泾源、原州其他区域也有分布。

| 资源情况 | 野生资源丰富。

| 采收加工 | 大火草根：春、秋季采挖，除去茎、叶，晒干。
大火草茎叶：夏、秋季采收，晒干或鲜用。

| 药材性状 | 大火草根：本品呈不规则锥形或条形，稍弯曲，长 10 ～ 20 cm，直径 0.8 ～ 1.2 cm；表面棕褐色，粗糙，可见不规则的纵皱纹及少数须根痕；根端常分为数股。质坚脆，易折断，断面棕色。气微，味苦、辛。

| 功能主治 | 大火草根：苦，温；有毒。归肺、大肠经。利湿，驱虫，祛痰。用于痢疾、泄泻，跌扑损伤，蛔虫病。
大火草茎叶：苦、辛，温；有大毒。杀虫。用于顽癣。

| 用法用量 | 大火草根：内服煎汤，1.5 ～ 6 g。
大火草茎叶：外用适量，鲜品捣烂绞汁，涂搽患处。

毛茛科 Ranunculaceae 楼斗菜属 Aquilegia

无距楼斗菜 *Aquilegia ecalcarata* Maxim.

无距楼斗菜

| 药 材 名 |

野前胡（药用部位：全草。别名：千年耗子屎、黄风）。

| 形态特征 |

多年生草本。根粗，圆柱形，外皮深暗褐色。茎 1 ~ 4，高 20 ~ 60（~ 80）cm，直径 2 ~ 2.5 mm，上部常分枝，被稀疏伸展的白色柔毛。基生叶数枚，有长柄，为二回三出复叶；叶片宽 5 ~ 12 cm，中央小叶楔状倒卵形至扇形，长 1.5 ~ 3 cm，宽几与长相等或稍宽，3 深裂或 3 浅裂，裂片有 2 ~ 3 圆齿，侧面小叶斜卵形，不等 2 裂，表面绿色，无毛，背面粉绿色，疏被柔毛或无毛；叶柄长 7 ~ 15 cm。茎生叶 1 ~ 3，形状似基生叶，但较小。花 2 ~ 6，直立或有时下垂，直径 1.5 ~ 2.8 cm；苞片线形，长 4 ~ 6 mm；花梗纤细，长达 6 cm，被伸展的白色柔毛；萼片紫色，近平展，椭圆形，长 1 ~ 1.4 cm，宽 4 ~ 6 mm，先端急尖或钝；花瓣直立，瓣片长方状椭圆形，与萼片近等长，宽 4 ~ 5 mm，先端近截形，无距；雄蕊长约为萼片之半，花药近黑色；心皮 4 ~ 5，直立，被稀疏的柔毛或近无毛。蓇葖果长 8 ~ 11 mm，宿存花柱长 3 ~ 5 mm，疏被长柔毛。种子黑色，倒卵形，长约 1.5 mm，表面有凸起的纵棱，光滑。5 ～ 6 月开花，6 ～ 8 月结果。

| **生境分布** | 生于海拔 2 000 ～ 2 500 m 的山坡草丛或石质河滩。分布于宁夏六盘山（泾源、隆德、原州）及海原等，泾源其他区域也有分布。

| **资源情况** | 野生资源较少。

| **采收加工** | 秋后采收，晒干或鲜用。

| **功能主治** | 平，甘。归肺经。解表退热，生肌拔毒。用于感冒头痛，烂疮，黄水疮。

| **用法用量** | 内服煎汤，3 ～ 6 g。外用适量，研末调敷；或捣敷。

毛茛科 Ranunculaceae 　耧斗菜属 Aquilegia

耧斗菜 *Aquilegia viridiflora* Pall.

| 药 材 名 | 耧斗菜（药用部位：全草。别名：血见愁、漏斗菜、猫爪花）。

| 形态特征 | 多年生草本。根肥大，圆柱形，直径达 1.5 cm，简单或有少数分枝，外皮黑褐色。茎高 15 ~ 50 cm，常在上部分枝，除被柔毛外还密被腺毛。基生叶少数，二回三出复叶；叶片宽 4 ~ 11 cm，中央小叶具 1 ~ 6 mm 的短柄，楔状倒卵形，长 1.5 ~ 3 cm，宽几与长相等或更宽，上部 3 裂，裂片常有 2 ~ 3 圆齿，表面绿色，无毛，背面淡绿色至粉绿色，被短柔毛或近无毛；叶柄长达 18 cm，疏被柔毛或无毛，基部有鞘。茎生叶数枚，为一至二回三出复叶，向上渐变小。花 3 ~ 7，倾斜或微下垂；苞片 3 全裂；花梗长 2 ~ 7 cm；萼片黄绿色，长椭圆状卵形，长 1.2 ~ 1.5 cm，宽 6 ~ 8 mm，先端微钝，疏被柔毛；花瓣瓣片与萼片同色，直立，倒卵形，比萼片稍

耧斗菜

长或稍短，先端近截形，距直或微弯，长 1.2 ~ 1.8 cm；雄蕊长达 2 cm，伸出花外，花药长椭圆形，黄色；退化雄蕊膜质，线状长椭圆形，长 7 ~ 8 mm；心皮密被伸展的腺状柔毛，花柱比子房长或等长。蓇葖果长 1.5 cm。种子黑色，狭倒卵形，长约 2 mm，具微凸起的纵棱。5 ~ 7 月开花，7 ~ 8 月结果。

| 生境分布 | 生于海拔 1 400 ~ 2 600 m 的山坡林缘及疏林下的岩石缝隙中。分布于宁夏贺兰山（贺兰、西夏、平罗、大武口、惠农）及金凤等，贺兰其他区域也有分布。

| 资源情况 | 野生资源较少。

| 采收加工 | 夏季采挖，去净泥土，晒干或鲜用。

| 药材性状 | 本品大多碎断。根黑色单一。叶柄纤细，直径约 0.5 mm，基部扩大，浅黄色；叶皱缩，绿色，二回三出复叶，小叶片狭卵形或倒宽卵形，宽 4 ~ 11 mm，深裂，先端钝，常 2 ~ 3 裂。花皱缩，萼片脱落，苞片 2，淡紫色，花冠黄色，5 瓣，连有细长的花葶。蓇葖果 3 ~ 6（~ 7），绿色至棕黄色，长 0.9 ~ 1.2 cm，先端尖，呈鸟嘴状，上端开裂，具网状脉。种子细小，黑色，卵形至半月形，长 1.5 ~ 2 mm，直径 0.5 ~ 1 mm，表面光滑或具细小突起，一侧边缘微具翅。体轻。气微，味淡、微涩。

| 功能主治 | 苦、微甘，平。归肝、肾经。调经止血，清热解毒。用于月经不调，痛经，崩漏，产后出血过多，痢疾，腹痛。

| 用法用量 | 内服煎汤，3 ~ 9 g。

| 附　注 | 本种的全草亦入蒙药。

驴蹄草 *Caltha palustris* L.

| 药 材 名 | 驴蹄草（药用部位：根及根茎、叶。别名：马蹄叶、马蹄草、驴蹄菜）。

| 形态特征 | 多年生草本，植株高 20 ～ 50 cm。根茎短缩，具多数粗壮须根。茎直立或斜升，单一或上部分枝，无毛。基生叶丛生，具长柄，柄长 10 ～ 20 cm，基部扩展成鞘状；叶片肾形或卵状心形，长 2 ～ 5 cm，宽 3 ～ 9 cm，先端钝圆，基部心形，边缘密生小牙齿，两面无毛或上部沿脉疏生短毛。茎生叶少数，与基生叶同形，较小，具短柄或无柄。单歧聚伞花序生于茎顶或分枝先端，常有 2 花；花梗延长，花直径 1.5 ～ 3 cm；萼片 5，黄色，倒卵形，长 1 ～ 2 cm，宽 6 ～ 12 mm，先端钝圆，基部渐狭；雄蕊多数，花丝线形；心皮 5 ～ 12，无柄，花柱短。蓇葖果长约 1 cm，宽约 3 mm，具横脉，喙长约 1 mm。种子狭卵球形，长 1.5 ～ 2 mm，黑色，有光泽，具少数纵皱

驴蹄草

纹。花期 5 ~ 9 月，果期 6 ~ 10 月。

| 生境分布 | 生于海拔 1 800 ~ 2 700 m 的水沟边或沼泽、草甸。分布于宁夏六盘山（泾源、隆德、原州）等，泾源、原州其他区域也有分布。

| 资源情况 | 野生资源较少。

| 采收加工 | 秋季挖取根及根茎，除去茎叶，洗净，晒干。夏季采集叶，晒干。

| 功能主治 | 辛、微苦，凉。祛风解暑，活血消肿。用于伤风感冒，中暑发痧，跌打损伤，烫火伤。

| 用法用量 | 内服煎汤，3 ~ 6 g。外用适量，鲜品捣敷。

| 附　　注 | 《中华本草》记载驴蹄草来源于驴蹄草 *Caltha palustris* L.、三叶驴蹄草 *Caltha palustris* L. var. *sibirica* Regel、膜叶驴蹄草 *Caltha palustris* L. var. *membranacea* Turcz. 和花葶驴蹄草 *Caltha scaposa* Hook. f. et Thoms. 的全草。

| 毛茛科 | Ranunculaceae | 升麻属 | Cimicifuga |

升麻 *Cimicifuga foetida* L.

升麻

| 药 材 名 |

升麻（药用部位：根茎。别名：周升麻、周麻、鸡骨升麻）。

| 形态特征 |

多年生草本。根茎粗壮，坚实，表面黑色，有许多内陷的圆洞状老茎残迹。茎高 1 ~ 2 m，基部直径达 1.4 cm，微具槽，分枝，被短柔毛。叶为二至三回三出羽状复叶。茎下部叶的叶片三角形，宽达 30 cm；顶生小叶具长柄，菱形，长 7 ~ 10 cm，宽 4 ~ 7 cm，常浅裂，边缘有锯齿；侧生小叶具短柄或无柄，斜卵形，比顶生小叶略小，表面无毛，背面沿脉疏被白色柔毛；叶柄长达 15 cm。上部的茎生叶较小，具短柄或无柄。花序具 3 ~ 20 分枝，长达 45 cm，下部的分枝长达 15 cm；轴密被灰色或锈色的腺毛及短毛；苞片钻形，比花梗短；花两性；萼片倒卵状圆形，白色或绿白色，长 3 ~ 4 mm；退化雄蕊宽椭圆形，长约 3 mm，先端微凹或 2 浅裂，几膜质；雄蕊长 4 ~ 7 mm，花药黄色或黄白色；心皮 2 ~ 5，密被灰色毛，无柄或有极短的柄。蓇葖果长圆形，长 8 ~ 14 mm，宽 2.5 ~ 5 mm，有伏毛，基部渐狭成长 2 ~ 3 mm 的柄，先端有短喙。种子椭圆形，褐色，长 2.5 ~ 3 mm，有横向的膜质鳞翅，四周有鳞翅。7 ~ 9 月开花，8 ~ 10 月结果。

| **生境分布** | 生于海拔 1 800 ~ 2 700 m 的山地林下、林缘及草丛。分布于宁夏泾源、彭阳、西吉、原州等。

| **资源情况** | 野生资源丰富。

| **采收加工** | 秋季采挖，除去泥沙，晒至须根干时，燎去或除去须根，晒干。

| **药材性状** | 本品为不规则的长块状，多分枝，呈结节状，长 10 ~ 20 cm，直径 2 ~ 4 cm。表面黑褐色或棕褐色，粗糙不平，有坚硬的细须根残留，上面有数个圆形空洞的茎基痕，洞内壁显网状沟纹，下面凹凸不平，具须根痕。体轻，质坚硬，不易折断，断面不平坦，有裂隙，纤维性，黄绿色或淡黄白色。气微，味微苦而涩。

| **功能主治** | 辛、微甘，微寒。归肺、脾、胃、大肠经。发表透疹，清热解毒，升举阳气。用于风热头痛，齿痛，口疮，咽喉肿痛，麻疹不透，阳毒发斑，脱肛，子宫脱垂，胃下垂。

| **用法用量** | 内服煎汤，3 ~ 10 g。

| **附　注** | 《中华人民共和国药典》规定，同属植物大三叶升麻 *Cimicifuga heracleifolia* Kom.、兴安升麻 *Cimicifuga dahurica* (Turcz.) Maxim. 的干燥根茎亦作升麻用。

单穗升麻 *Cimicifuga simplex* Wormsk.

单穗升麻

| 药 材 名 |

野升麻（药用部位：根茎）。

| 形态特征 |

多年生草本。根茎粗壮，横走，外皮带黑色。茎直立，单一，高 1 ~ 1.5 m，无毛。下部茎生叶有长柄，为二至三回三出近羽状复叶；叶柄长达 26 cm；叶片卵状三角形，宽达 30 cm；顶生小叶有柄，宽披针形至菱形，长 4.5 ~ 8.5 cm，宽 2 ~ 5.5 cm，常 3 深裂或浅裂，边缘有锯齿；侧生小叶通常无柄，狭斜卵形，比顶生小叶小，表面无毛，背面沿脉疏生白色长柔毛；茎上部叶较小，一至二回羽状三出。总状花序长达 35 cm，不分枝或有时在基部有少数短分枝；苞片钻形，远较花梗为短；花梗长 5 ~ 8 mm，和轴均密被灰色腺毛及柔毛；萼片宽椭圆形，长约 4 mm；退化雄蕊椭圆形至宽椭圆形，先端膜质，2 浅裂；花药黄白色，长约 1 mm；花丝狭线形，长 5 ~ 8 mm，中央有 1 脉；心皮 2 ~ 7，密被灰色短绒毛，具柄。蓇葖果长 7 ~ 9 mm，宽 4 ~ 5 mm，被贴伏的短柔毛。种子 4 ~ 8，椭圆形，长约 3.5 mm，四周被膜质翼状鳞翅。花期 8 ~ 9 月，果期 9 ~ 10 月。

| 生境分布 | 生于海拔 2 000 ~ 2 700 m 的山坡草地、林下、林缘、灌丛。分布于宁夏泾源等。

| 资源情况 | 野生资源较少。

| 采收加工 | 秋季采挖，抖去泥沙，晒干或烘干后，撞掉须根。

| 药材性状 | 本品呈不规则长条形，多分枝，呈结节状，长 4 ~ 8 cm，直径 0.7 ~ 1.2 cm。表面黑褐色，稍具纵向纹理，粗糙，上面具较多的圆洞状茎基，直径 0.5 ~ 1.5 cm，下面有残存须根。体轻，质坚韧，不易折断，断面不平坦，纤维性，褐色，中空。气微，味微苦而涩。

| 功能主治 | 甘、辛、微苦，微寒。归脾、胃、大肠经。发表透疹，清热解毒，升举清阳。用于风热感冒，小儿麻疹，热毒斑疹，咽喉肿痛，痈肿疮疡，阳明经头痛，久泻脱肛，崩漏，带下。

| 用法用量 | 内服煎汤，3 ~ 9 g。

毛茛科 Ranunculaceae 铁线莲属 Clematis

芹叶铁线莲
Clematis aethusifolia Turcz.

| 药 材 名 | 细叶铁线莲（药用部位：地上部分。别名：透骨草、断肠草、狗肚子筋）。

| 形态特征 | 多年生草质藤本。幼时直立，以后匍匐。根细长，棕黑色。茎多分枝，纤细，具纵沟纹，近无毛。叶对生，二至三回羽状复叶，连叶柄长 7 ~ 13 cm；羽片 3 ~ 5 对，长 1.5 ~ 5 cm，末回裂片披针形或椭圆形，宽 1 ~ 2.5 mm，先端钝圆，表面无毛，中脉稍凹，背面中脉隆起，疏被柔毛。聚伞花序腋生，具 1 ~ 3 花；花梗细，长达 11 cm，被柔毛；苞片叶状；花萼钟形，下垂，直径 1 ~ 1.5 cm；萼片 4，淡黄色，矩圆状长椭圆形，先端钝，背面被绒毛，边缘毛较密，具 3 凸起的中脉，里面无毛，先端稍反卷；雄蕊多数，长约为萼片之半；花丝条状披针形，向基部渐宽，疏被柔毛；心皮多数，被短毛；

芹叶铁线莲

花柱被长柔毛。瘦果扁平，倒卵形，成熟后红棕色，长约 4 mm，宽约 3 mm，宿存羽毛状花柱长达 3 cm，呈 "S" 形弯曲。花期 6 ~ 8 月，果期 8 ~ 10 月。

| **生境分布** | 生于海拔 1 100 ~ 2 500 m 的山坡、河谷、草甸及水沟边。分布于宁夏贺兰、盐池、沙坡头、同心等。

| **资源情况** | 野生资源较丰富。

| **采收加工** | 6 ~ 7 月采割，除去枯枝，洗净，晒干。

| **药材性状** | 本品茎细而缠绕，直径 0.5 ~ 2.5 cm，表面灰黄绿色至红棕色，断面灰白色。叶为二至三回羽状复叶；叶柄较短；裂片细小，倒披针形或披针形条状，宽 0.5 ~ 2 mm，全缘。气微香而特异，味淡。

| **功能主治** | 辛，温；有毒。归肝、胃经。祛风通络，止痛，健胃消食，杀虫。用于风湿痹痛，消化不良，呕吐，棘球蚴病，阴囊湿疹，疮痈肿毒。

| **用法用量** | 内服煎汤，3 ~ 9 g。外用适量，煎汤洗；或煎膏敷。

毛茛科 Ranunculaceae 铁线莲属 Clematis

粗齿铁线莲
Clematis grandidentata (Rehder & E. H. Wilson) W. T. Wang

| 药 材 名 | 大木通（药用部位：藤茎。别名：山木通、接骨丹、白头公公）。

| 形态特征 | 多年生木质或草质落叶藤本。茎暗褐色，小枝密生白色短柔毛，老时外皮剥落。一回羽状复叶，有5小叶，有时茎端为三出叶；小叶片卵形或椭圆状卵形，长5～10 cm，宽3.5～6.5 cm，先端渐尖，基部圆形、宽楔形或微心形，常有不明显3裂，边缘有粗大锯齿状牙齿，上面疏生短柔毛，下面密生白色短柔毛至较疏，或近无毛。腋生聚伞花序常有3～7花，或呈顶生圆锥状聚伞花序多花，花序较叶短；花直径2～3.5 cm；萼片4，开展，白色，近长圆形，长1～1.8 cm，宽约5 mm，先端钝，两面有短柔毛，内面较疏至近无毛；雄蕊无毛。瘦果扁卵圆形，长约4 mm，有柔毛，宿存花柱长达3 cm。花期5～6月，果期7～9月。

粗齿铁线莲

| **生境分布** | 生于海拔 1 600 ～ 2 500 m 的山坡林下、林缘、灌丛。分布于宁夏原州、泾源等。

| **资源情况** | 野生资源丰富。

| **采收加工** | 全年均可采收，除去枝、叶及粗皮，切成小段，晒干。

| **药材性状** | 本品呈圆柱形，直径 1.2 ～ 3.5 cm，最大直径可达 4.5 cm。表面有 6 粗大的纵棱和 6 纵槽，每个大纵棱有多个细纵棱，每个槽中有 2 细纵棱。粗皮呈长片状层层纵向脱落。横切面皮部有 6 处内陷，木部黄白色，导管孔较大。鲜品横切面有灰黑色或灰黄色胶质物。气微，味微苦。

| **功能主治** | 微苦，平。利尿，解毒，祛风湿。用于小便不利，淋病，乳汁不通，疮疖肿毒，风湿关节痛，肢体麻木。

| **用法用量** | 内服煎汤，6 ～ 12 g。外用适量，捣敷；或煎汤洗。

| **附　　注** | （1）《中国植物志》（英文版）将本种的拉丁学名由 *Clematis argenfilucida* (Levl. et Vant.) W. T. Wang 修订为 *Clematis grandidentata* (Rehder & E. H. Wilson) W. T. Wang。
（2）《宁夏中药志》记载本种在宁夏曾被作为川木通的基原，现已不用。

毛茛科 Ranunculaceae 铁线莲属 Clematis

短尾铁线莲 *Clematis brevicaudata* DC.

| 药 材 名 | 红钉耙藤（药用部位：藤茎、根。别名：山木通藤、山木通、石通）。

| 形态特征 | 多年生木质或草质藤本。枝有棱，小枝疏生短柔毛或近无毛。一至二回羽状复叶或二回三出复叶，有 5 ~ 15 小叶，有时茎上部为三出叶；小叶片长卵形、卵形至宽卵状披针形或披针形，长（1 ~）1.5 ~ 6 cm，宽 0.7 ~ 3.5 cm，先端渐尖或长渐尖，基部圆形、截形至浅心形，有时楔形，边缘疏生粗锯齿或牙齿，有时 3 裂，两面近无毛或疏生短柔毛。圆锥状聚伞花序腋生或顶生，常比叶短；花梗长 1 ~ 1.5 cm，有短柔毛；花直径 1.5 ~ 2 cm；萼片 4，开展，白色，狭倒卵形，长约 8 mm，两面均有短柔毛，内面毛较疏或近无毛；雄蕊无毛；花药长 2 ~ 2.5 mm。瘦果卵形，长约 3 mm，宽约 2 mm，

短尾铁线莲

密生柔毛，宿存花柱长 1.5 ~ 2（~ 3）cm。花期 7 ~ 9 月，果期 9 ~ 10 月。

| **生境分布** | 生于海拔 1 500 ~ 2 700 m 的山地灌丛或疏林下。分布于宁夏泾源、彭阳、西吉、同心等。

| **资源情况** | 野生资源丰富。

| **采收加工** | 全年均可采收藤茎，夏、秋季采挖根，除去泥土及须根，晒干。

| **药材性状** | 本品藤茎长达数米，缠绕或切成段，细长圆柱形，直径 2 ~ 5 mm，表面绿褐色或褐紫色，具纵棱，嫩藤可见柔毛；质脆，易折断，断面类白色。有的具叶，叶对生，叶柄较长，可达 4 cm，二回三出复叶，完整的小叶先端渐尖，基部圆形，边缘疏生粗锯齿，有时 3 裂，枯绿色。气微，味微苦、涩。

| **功能主治** | 苦，凉。归肝、膀胱经。清热利水，祛风湿，通经下乳。用于湿热淋证，风湿痹痛，产妇乳汁不通。

| **用法用量** | 内服煎汤，6 ~ 10 g。

| **附　　注** | 《宁夏中药志》记载本种在宁夏曾被作为川木通的基原，现已不用。

毛茛科 Ranunculaceae 铁线莲属 *Clematis*

粉绿铁线莲 *Clematis glauca* Willd.

| 药 材 名 | 茸茸草（药用部位：全草。别名：狗肠草、铁线莲、透骨草）。

| 形态特征 | 草质藤本。茎纤细，有棱。叶对生，一至二回羽状复叶；小叶有柄；小叶片 2 ～ 3 全裂或深裂，或浅裂至不裂，中央裂片较大，椭圆形或长圆形或长卵形，长 1.5 ～ 5 cm，宽 1 ～ 2 cm，基部圆形或圆楔形，全缘或有少数牙齿，两侧裂片短小。通常为单聚伞花序，3 花；苞片叶状，全缘或 2 ～ 3 裂；萼片 4，黄色，或外面基部带紫红色，长椭圆状卵形，长 1.3 ～ 2 cm，宽 5 ～ 8 mm，先端渐尖，外面边缘有短绒毛，内面无毛或偶有极稀疏柔毛；花瓣无；雄蕊多数；心皮多数。瘦果卵形或倒卵形，长约 2 mm，宿存花柱羽毛状，长约 4 cm。花期 6 ～ 7 月，果期 8 ～ 10 月。

粉绿铁线莲

| **生境分布** | 生于海拔 1 200 ~ 2 600 m 的山坡、草地、固定沙漠或路旁灌丛。分布于宁夏泾源、沙坡头、隆德、西吉、原州等。 |

| **资源情况** | 野生资源较丰富。 |

| **采收加工** | 夏、秋季采收，去净杂草，晒干。 |

| **功能主治** | 辛，温；有小毒。归心、胃经。祛风湿，解毒散结，疏风止痒。用于风湿性关节炎，关节痛，消化不良，呕吐，肠炎，痢疾，肠痈，疮疖，瘙痒，蛇虫咬伤。 |

| **用法用量** | 内服煎汤，6 ~ 9 g。外用适量，捣敷；或熬膏涂；或煎汤洗。孕妇禁用。 |

| 毛茛科 | Ranunculaceae | 铁线莲属 | *Clematis*

棉团铁线莲 *Clematis hexapetala* Pall.

| **药 材 名** | 威灵仙（药用部位：根及根茎。别名：铁脚威灵仙、灵仙、黑脚威灵仙）。

| **形态特征** | 直立草本。高 30 ~ 100 cm。老枝圆柱形，有纵沟；茎疏生柔毛，后变无毛。叶对生；叶柄长 0.5 ~ 3.5 cm；叶片近革质，绿色，干后常变黑色，1 ~ 2 回羽状深裂，裂片线状披针形、长椭圆状披针形、椭圆形或线形，长 1.5 ~ 10 cm，宽 0.1 ~ 2 cm，先端锐尖或凸尖，有时钝，全缘，两面或沿叶脉疏生长柔毛或近无毛，网脉凸出。聚伞花序顶生或腋生，通常具 3 花，有时花单生；花两性，直径 2.5 ~ 5 cm；萼片 4 ~ 8；通常 6，白色，长椭圆形或狭倒卵形，长 1 ~ 2.5 cm，宽 0.3 ~ 1.5 cm，外面密生绵毛，花蕾时像棉花球，内面无毛；雄蕊无毛；心皮多数，被白色柔毛。瘦果倒卵形，扁平，

棉团铁线莲

密生柔毛，宿存花柱长 1.5 ～ 3 cm，有灰白色长柔毛。花期 6 ～ 8 月，果期 7 ～ 10 月。

| **生境分布** | 生于海拔 1 800 ～ 2 800 m 的山地林缘、向阳山坡草地及疏灌丛中。分布于宁夏原州、泾源等。

| **资源情况** | 野生资源较少。

| **采收加工** | 秋季采挖，除去泥沙，晒干。

| **药材性状** | 本品根长 4 ～ 20 cm，直径 0.1 ～ 0.2 cm；表面棕褐色至棕黑色；断面木部圆形。根茎呈短柱状，长 1 ～ 4 cm，直径 0.5 ～ 1 cm。味咸。

| **功能主治** | 辛、咸，温。归膀胱经。祛风湿，通经络。用于风湿痹痛，肢体麻木，筋脉拘挛，屈伸不利。

| **用法用量** | 内服煎汤，6 ～ 10 g。

毛茛科 Ranunculaceae 铁线莲属 Clematis

黄花铁线莲
Clematis intricata Bunge

| 药 材 名 | 狗肠草（药用部位：茎、叶。别名：铁线透骨草、透骨草）。

| 形态特征 | 多年生木质或草质藤本。茎纤细，多分枝，具细棱，近无毛或有疏短毛。叶对生，灰绿色，略带革质，一至二回羽状复叶，长 4.5 ~ 13.5 cm；小叶 3 ~ 5，有柄，2 ~ 3 全裂或深裂，中裂片线状披针形、披针形或狭卵形，长 1 ~ 5.5 cm，宽 0.2 ~ 1 cm，先端渐尖，基部楔形，全缘或有少数牙齿，侧裂片较短，中下部常 1 ~ 2 浅裂。聚伞花序腋生，通常具 3 花，有时单花；花序梗较粗，长 1 ~ 4 cm，疏被柔毛；中间花梗无小苞片，侧生花梗下部有 1 对小苞片，苞片叶状，倒披针形，全缘或 2 ~ 3 浅裂至全裂；花萼钟状，萼片 4，黄色，狭卵形或长圆形，先端尖，长 1.2 ~ 2.2 cm，宽 4 ~ 8 mm，两面无毛，内面偶有极稀柔毛，外面边缘有短绒毛；无花瓣；雄蕊多

黄花铁线莲

数；花丝线形，有短柔毛；花药无毛；心皮多数，离生；子房及花柱上密生白毛。瘦果扁卵形至椭圆状扁卵形，长约 3 mm，边缘增厚，被柔毛，宿存花柱长约 2.5 cm，被长柔毛，伸长成白色羽毛状。花期 6 ~ 7 月，果期 8 ~ 9 月。

| 生境分布 | 生于海拔 1 200 ~ 2 700 m 的山坡、路旁、灌丛、荒漠或半荒漠草原。分布于宁夏兴庆、灵武、隆德、红寺堡、同心、西吉、原州等。

| 资源情况 | 野生资源丰富。

| 采收加工 | 夏、秋季摘取，随采随用。

| 药材性状 | 本品茎圆柱形，纤细，直径约 1 mm，表皮黄绿色或灰绿色，具纵沟棱，近无毛或有疏短毛，断面中央有白色髓。叶为一至二回羽状复叶，绿色或灰绿色；小叶 3 ~ 5，稍革质，2 ~ 3 全裂或深裂，中间裂片线状披针形、披针形或狭卵形，先端渐尖，基部楔形，全缘或有少数牙齿及浅裂，两侧裂片较短，中下部常1 ~ 2 浅裂；仅主脉及 1 ~ 2 侧脉明显；叶柄较长。气微，味淡。

| 功能主治 | 辛，温；有小毒。归肝经。祛风除湿，解毒止痛。用于风湿痹痛，疮疖肿毒。

| 用法用量 | 内服煎汤，3 ~ 9 g。外用适量，煎汤洗；或捣敷。

| 附　　注 | 《中华本草》记载铁线透骨草药材以本种全草入药。夏、秋季采割，去净杂质，晒干。

毛茛科 Ranunculaceae 铁线莲属 Clematis

长瓣铁线莲

Clematis macropetala Ledeb.

| 药 材 名 |　大瓣铁线莲（药用部位：藤茎、叶）。

| 形态特征 |　多年生木质或草质藤本，长约 2 m。幼枝微被柔毛，老枝光滑无毛。二回三出复叶；小叶片 9，纸质，卵状披针形或菱状椭圆形，长 2 ~ 4.5 cm，宽 1 ~ 2.5 cm，先端渐尖，基部楔形或近圆形，两侧的小叶片常偏斜，边缘有整齐的锯齿或分裂，两面近无毛，脉纹在两面均不明显；小叶柄短；叶柄长 3 ~ 5.5 cm，微被稀疏柔毛。花单生于当年生枝先端；花梗长 8 ~ 12.5 cm，幼时微被柔毛，以后无毛；花萼钟状，直径 3 ~ 6 cm；萼片 4，蓝色或淡紫色，狭卵形或卵状披针形，长 3 ~ 4 cm，宽 1 ~ 1.5 cm，先端渐尖，两面有短柔毛，边缘有密毛，脉纹呈网状，两面均可见；退化雄蕊呈花瓣状，披针形或线状披针形，与萼片等长或微短，外面被密绒毛，内面近无毛；

长瓣铁线莲

雄蕊花丝线形，长 1.2 cm，宽 2 mm，外面及边缘被短柔毛；花药黄色，长椭圆形，内向着生，药隔被毛。瘦果倒卵形，长 5 mm，直径 2 ～ 3 mm，被疏柔毛，宿存花柱长 4 ～ 4.5 cm，向下弯曲，被灰白色长柔毛。花期 5 ～ 6 月，果期 6 ～ 7 月。

| 生境分布 | 生于海拔 1 500 ～ 2 900 m 的山坡灌丛及林缘。分布于宁夏贺兰山（西夏、贺兰、平罗、大武口、惠农）、六盘山（泾源、隆德、原州）、罗山（同心、红寺堡）、南华山（海原）等，原州其他区域也有分布。

| 资源情况 | 野生资源较少。

| 采收加工 | 夏、秋季采收，洗净，除去枯茎叶，晒干或烘干。

| 功能主治 | 辛，温；有小毒。消食健胃，散结，除疮排脓。

| 用法用量 | 内服煎汤，3 ～ 9 g。外用适量，煎汤熏洗；或鲜品捣敷。

| 附 注 | （1）《中华本草·蒙药卷》记载大瓣铁线莲药材的基原为本种。夏、秋季割取地上部分，切段，晒干。其功能为调理胃火，助消化，解痞。用于消化不良，胃胀，嗳气。
（2）白花长瓣铁线莲 *Clematis macropetala* Ledeb. var. *albiflora* (Maxim.) Hand. -Mazz. 为本种的变种。其与本种的区别在于：花白色而较大，萼片先端稍钝，背面密被柔毛，内面无毛。

毛茛科 Ranunculaceae 铁线莲属 Clematis

白花长瓣铁线莲 Clematis macropetala Ledeb. var. albiflora (Maxim.) Hand.-Mazz.

| 药 材 名 | 白花长瓣铁线莲（药用部位：藤茎、叶）。

| 形态特征 | 多年生木质或草质藤本。长约 2 m。幼枝微被柔毛，老枝光滑无毛。二回三出复叶；小叶片 9，纸质，卵状披针形或菱状椭圆形，长 2 ~ 4.5 cm，宽 1 ~ 2.5 cm，先端渐尖，基部楔形或近圆形，两侧的小叶片常偏斜，边缘有整齐的锯齿或分裂，两面近无毛，脉纹在两面均不明显；小叶柄短；叶柄长 3 ~ 5.5 cm，微被稀疏柔毛。花单生于当年生枝先端，白色而大；花梗长 8 ~ 12.5 cm，幼时微被柔毛，以后无毛；花萼钟状，直径 3 ~ 6 cm；萼片先端稍钝，背面密被柔毛，内面无毛；退化雄蕊呈花瓣状，披针形或线状披针形，与萼片等长或微短，外面被密绒毛，内面近无毛；雄蕊花丝线形，长 1.2 cm，宽 2 mm，外面及边缘被短柔毛，花药黄色，长椭圆形，内

白花长瓣铁线莲

向着生，药隔被毛。瘦果倒卵形，长 5 mm，直径 2 ～ 3 mm，被疏柔毛，宿存花柱长 4 ～ 4.5 cm，向下弯曲，被灰白色长柔毛。花期 5 ～ 6 月，果期 6 ～ 7 月。

| 生境分布 | 生于海拔 1 800 ～ 3 000 m 的林缘或松林下。分布于宁夏贺兰山（西夏、贺兰、平罗、大武口、惠农）。

| 资源情况 | 野生资源较少。

| 采收加工 | 夏、秋季采收，洗净，除去枯茎叶，晒干或烘干。

| 功能主治 | 有小毒。消食健胃，散结，除疮排脓。

| 用法用量 | 内服煎汤，3 ～ 9 g。外用适量，煎汤熏洗；或鲜品捣敷。

绣球藤 *Clematis montana* Buch.-Ham. ex DC.

| 药 材 名 | 川木通（药用部位：藤茎。别名：木通、山木通、淮木通）。

| 形态特征 | 木质藤本。茎圆柱形，有纵条纹；小枝有短柔毛，后变无毛；老时外皮剥落。三出复叶，数叶与花簇生或对生；小叶片卵形、宽卵形至椭圆形，长 2 ~ 7 cm，宽 1 ~ 5 cm，边缘缺刻状锯齿由多而锐至粗而钝，先端 3 裂或不明显，两面疏生短柔毛，有时下面较密。花 1 ~ 6，与叶簇生，直径 3 ~ 5 cm；萼片 4，开展，白色或外面带淡红色，长圆状倒卵形至倒卵形，长 1.5 ~ 2.5 cm，宽 0.8 ~ 1.5 cm，外面疏生短柔毛，内面无毛；雄蕊无毛。瘦果扁，卵形或卵圆形，长 4 ~ 5 mm，宽 3 ~ 4 mm，无毛。花期 4 ~ 6 月，果期 7 ~ 9 月。

| 生境分布 | 生于海拔 1 900 ~ 2 700 m 的山坡灌丛或向阳草坡。分布于宁夏原州、西吉、彭阳、隆德、泾源等。

绣球藤

| 资源情况 | 野生资源丰富。

| 采收加工 | 春、秋季采收，除去粗皮，晒干，或趁鲜切厚片，晒干。

| 药材性状 | 本品呈长圆柱形，略扭曲，长 50 ～ 100 cm，直径 2 ～ 3.5 cm。表面黄棕色或黄褐色，有纵向凹沟及棱线；节处多膨大，有叶痕及侧枝痕。残存皮部易撕裂。质坚硬，不易折断。切片厚 2 ～ 4 mm，边缘不整齐，残存皮部黄棕色，木部浅黄棕色或浅黄色，有黄白色放射状纹理及裂隙，其间布满导管孔，髓部较小，类白色或黄棕色，偶有空腔。气微，味淡。

| 功能主治 | 苦，寒。归心、小肠、膀胱经。利尿通淋，清心除烦，通经下乳。用于淋证，水肿，心烦尿赤，口舌生疮，经闭乳少，湿热痹痛。

| 用法用量 | 内服煎汤，3 ～ 6 g。

▓ 毛茛科 ▓ Ranunculaceae ▓ 铁线莲属 ▓ Clematis

甘青铁线莲
Clematis tangutica (Maxim.) Korsh.

| 药 材 名 | 甘青铁线莲（药用部位：地上部分或茎叶。别名：木通、亦蒙）。

| 形态特征 | 多年生落叶藤本。长 1 ～ 4 m（生于干旱沙地的植株高 30 cm 左右）。主根粗壮，木质。茎有明显的棱，幼时被长柔毛，后脱落。一回羽状复叶，有 5 ～ 7 小叶；小叶片基部常浅裂、深裂或全裂，侧生裂片小，中裂片较大，卵状长圆形、狭长圆形或披针形，长（2 ～）3 ～ 4（～ 5.5）cm，宽 0.5 ～ 1.5 cm，先端钝，有短尖头，基部楔形，边缘有不整齐缺刻状的锯齿，上面有毛或无毛，下面有疏长毛；叶柄长（2 ～）3 ～ 4（～ 7.5）cm。花单生，有时为单聚伞花序，有3 花，腋生；花序梗粗壮，长（4.5 ～）6 ～ 15（～ 20）cm，有柔毛；萼片 4，黄色外面带紫色，斜上展，狭卵形、椭圆状长圆形，长1.5 ～ 2.5（～ 3.5）cm，先端渐尖或急尖，外面边缘有短绒毛，中

甘青铁线莲

间被柔毛，内面无毛，或近无毛；花丝下面稍扁平，被开展的柔毛，花药无毛；子房密生柔毛。瘦果倒卵形，长约 4 mm，有长柔毛，宿存花柱长达 4 cm。花期 6 ~ 9 月，果期 9 ~ 10 月。

| **生境分布** | 生于海拔 1 500 ~ 2 700 m 的山坡灌丛及河滩草地。分布于宁夏六盘山（泾源、隆德、原州）、贺兰山（西夏、贺兰、平罗、大武口、惠农）、罗山（同心、红寺堡）、南华山（海原）等。

| **资源情况** | 野生资源较少。

| **采收加工** | 春末至秋季降霜前均可割取，去净泥土、杂质，切段，晒干或阴干。

| **药材性状** | 本品茎藤缠绕或切成段，圆柱形，具纵棱，绿褐色，节部稍膨大。叶对生，羽状复叶；小叶 5 ~ 7，先端小叶较大；叶片披针形或狭长圆形，先端渐尖，基部楔形，边缘有不规则的锐齿，质薄脆，常破碎。气微，味微苦、辛。

| **功能主治** | 甘、苦，平。归脾、胃经。健胃消积，解毒化湿。用于食积不化，腹满痞塞，腹痛腹泻，痈疮，湿疮。

| **用法用量** | 内服煎汤，6 ~ 15 g。外用适量，研末敷。

毛茛科 Ranunculaceae 翠雀属 Delphinium

翠雀
Delphinium grandiflorum L.

翠雀

| 药 材 名 |

飞燕草（药用部位：全草或种子、根。别名：百部草、彩雀、猫眼花）。

| 形态特征 |

多年生草本。高 20 ～ 60 cm。根圆锥形，黑褐色。茎单一或上部分枝，具纵棱，被反曲的短柔毛。基生叶和茎下部叶具长柄，向上渐短，上部叶无柄；叶片近圆肾形，长 2 ～ 6 cm，宽 4 ～ 8 cm，3 全裂，裂片 2 ～ 3 回羽状细裂，最终小裂片条形，宽 1 ～ 3 mm，上面绿色，疏被柔毛，背面淡绿色，密被短柔毛。总状花序顶生或腋生，疏生 3 ～ 15 花；花梗长 2 ～ 6 cm，花序轴及花梗均被反曲微柔毛，花梗中部具披针形小苞片 2；花萼 5，深蓝色，长达 2 cm，上萼片向后伸长成距，距长 1.7 ～ 3 cm，钻形；退化雄蕊 2，瓣片蓝色，宽倒卵形，先端微 2 裂，边缘具腺毛，基部具爪；雄蕊多数；心皮 3，离生，被短柔毛。果实 3，长 1.5 ～ 2 cm，宽 3 ～ 5 mm，密被短毛，具宿存花柱。种子多数，具膜质翅。花期 6 ～ 7 月，果期 7 ～ 8 月。

| 生境分布 | 生于海拔 1 400 ～ 2 800 m 的山坡、林缘、沟旁及草甸。分布于宁夏贺兰山（西夏、贺兰、平罗、大武口、惠农）、罗山（同心、红寺堡）及隆德、海原、彭阳、西吉、盐池等。

| 资源情况 | 野生资源丰富。

| 采收加工 | 全草，夏季茎叶茂盛时采收，洗净，晒干。种子，秋季果实成熟时收集，晒干。根，秋季采挖，除去残茎，洗净，晒干。

| 功能主治 | 辛、苦，温；有毒。归肺、心、胃经。清热泻火，除湿杀虫。用于风热牙痛，牙龈肿痛，头虱，体虱，疥癣。

| 用法用量 | 外用适量，煎汤含漱或泡洗。

| 附　　注 | （1）本种的全草亦作蒙药使用。
（2）本种有毒，种子毒性最大，一般外用。服用全草中毒后表现为呼吸困难，血液循环障碍，肌肉、神经麻痹或痉挛等。

毛茛科 Ranunculaceae 翠雀属 Delphinium

翼北翠雀花
Delphinium siwanense Franch.

翼北翠雀花

| 药 材 名 |

翼北翠雀花（药用部位：全草）。

| 形态特征 |

多年生草本。茎高约 1 m，无毛，多分枝，等距地生叶。茎下部叶在开花时枯萎，中部叶有稍长柄；叶片五角形，长 2.8 ~ 8 cm，宽 4.8 ~ 13 cm，3 全裂近基部，中央全裂片 3 深裂或不裂，侧全裂片扇形，不等 2 深裂，二回裂片不等 2 ~ 3 裂，末回小裂片稀疏，披针形至条形，宽 2.5 ~ 6 mm，两面均被白色短伏毛；叶柄长 4.5 ~ 10 cm。伞房花序有 2 ~ 7 花，先端 5 ~ 6 花常排列成伞状；苞片 3 裂或不裂而呈线形；花梗长 1.5 ~ 3 cm，密被反曲而贴伏的白色短柔毛或黄色伸展的腺毛；小苞片生花梗中部上下，线形或钻形，长 2.5 ~ 5 mm；萼片宿存，蓝紫色，椭圆状卵形，长 1.2 ~ 1.7 cm，外面被短柔毛；距钻形，比萼片稍长，长 1.6 ~ 1.8 cm，直或末端稍向下弯曲；花瓣上部黑褐色，无毛；退化雄蕊的瓣片黑褐色，有时上部蓝色，2 浅裂，腹面中央有淡黄色髯毛；雄蕊无毛；心皮 3；子房有短柔毛。蓇葖果长约 1.2 cm。种子圆锥形，长约 1.5 mm，暗褐色，密生鳞状横翅。8 ~ 9 月开花。

| 生境分布 | 生于海拔 1 800 ~ 2 900 m 的山地草坡、林边或灌丛中。分布于宁夏泾源、原州等。

| 资源情况 | 野生资源较少。

| 采收加工 | 夏季茎叶茂盛时采收，洗净，晒干。

| 功能主治 | 燥湿杀虫。用于姜片虫病、钩虫病、蛔虫病、蛲虫病等多种肠道寄生虫病。

| 用法用量 | 内服煎汤，6 ~ 9 g。

| 附　　注 | 《中国植物志》（英文版）将原细须翠雀花 *Delphinium siwanense* Franch. var. *leptopogon* (Hand.-Mazz.) W. T. Wang 合并入其原变种翼北翠雀花 *Delphinium siwanense* Franch. 中，并将细须翠雀花 *Delphinium siwanense* Franch. var. *leptopogon* (Hand.-Mazz.) W. T. Wang 修订为翼北翠雀花 *Delphinium siwanense* Franch.。

| 毛茛科 | Ranunculaceae | 碱毛茛属 | *Halerpestes*

碱毛茛
Halerpestes sarmentosa (Adams) Komarov & Alissova

| 药 材 名 | 圆叶碱毛茛（药用部位：全草。别名：九百棒）。

| 形态特征 | 多年生草本。须根多数。匍匐茎细长，横走，节上生根和叶。叶多数；叶片纸质，多近圆形，或肾形、宽卵形，长 0.5 ~ 2.5 cm，宽稍大于长，基部圆心形、截形或宽楔形，边缘有 3 ~ 7（~ 11）圆齿，有时 3 ~ 5 裂，无毛；叶柄长 2 ~ 12 cm，稍有毛。花葶 1 ~ 4，高 5 ~ 15 cm，无毛；苞片线形；花小，直径 6 ~ 8 mm；萼片绿色，卵形，长 3 ~ 4 mm，无毛，反折；花瓣 5，狭椭圆形，与萼片近等长，先端圆形，基部有长约 1 mm 的爪，爪上端有点状蜜槽；花药长 0.5 ~ 0.8 mm；花丝长约 2 mm；花托圆柱形，长约 5 mm，有短柔毛。聚合果椭圆状球形，直径约 5 mm；瘦果小而极多，斜倒卵形，长 1.2 ~ 1.5 mm，两面稍鼓起，有 3 ~ 5 纵肋，无毛，喙极短，呈

碱毛茛

点状。花果期 5 ～ 9 月。

| **生境分布** | 生于海拔 1 200 ～ 2 000 m 的低洼草甸、湿地、水田边。分布于宁夏贺兰山（西夏、贺兰、平罗、大武口、惠农）、罗山（同心、红寺堡）及盐池、泾源、海原、隆德、彭阳、永宁、沙坡头等。

| **资源情况** | 野生资源丰富。

| **采收加工** | 7 ～ 9 月采收，洗净，晒干。

| **药材性状** | 本品须根较粗直，簇生。茎圆柱形，纤细伸长，节处生根和叶，质脆。叶多数，基生；叶柄长 2 ～ 10 cm，稍有毛，基部弯宽成鞘；叶片皱缩，易碎，完整者展开呈圆形、肾形或宽卵形，长 5 ～ 25 mm，边缘有圆齿。花葶单一或上部分枝，高 5 ～ 15 cm，无毛；花单朵顶生；萼片绿色，长 3 ～ 4 mm，无毛，反折；花瓣黄色，与萼近等长。聚合果椭圆形，直径约 5 mm；瘦果多数，两面各有 3 ～ 5 纵肋，无毛；果喙呈点状。味微甘。

| **功能主治** | 辛，凉。归肺经。清热解毒，祛风除湿。用于风湿痹痛，关节热痛，热疮。

| **用法用量** | 内服煎汤，15 ～ 30 g。外用适量，鲜品捣敷患处。

| **附　　注** | （1）《中国植物志》（英文版）将本种由水葫芦苗 *Halerpestes cymbalaria* (Pursh) Green 修订为碱毛茛 *Halerpestes sarmentosa* (Adams) Komarov & Alissova。

（2）碱毛茛 *Halerpestes sarmentosa* (Adams) Komarov & Alissova 的全草亦作为藏药入药。其功能为利水消肿，清热止痛。用于关节炎，水肿，肌腱剧痛，"巴木"引起的骨骼刺痛。

毛茛科 Ranunculaceae **碱毛茛属** Halerpestes

长叶碱毛茛

Halerpestes ruthenica (Jacq.) Ovcz.

| 药 材 名 | 长叶碱毛茛（药用部位：全草。别名：黄戴戴）。

| 形态特征 | 多年生草本。须根多数簇生。匍匐茎长达 30 cm 以上。叶簇生；叶片卵状或椭圆状梯形，长 1.5 ~ 5 cm，宽 0.8 ~ 2 cm，基部宽楔形、截形至圆形，不分裂，先端有 3 ~ 5 圆齿，常有 3 基出脉，无毛；叶柄长 2 ~ 14 cm，近无毛，基部有鞘。花葶高 10 ~ 20 cm，单一或上部分枝，有 1 ~ 3 花，生疏短柔毛；苞片线形，长约 1cm；花直径约 1.5 cm；萼片 5，绿色，卵形，长 7 ~ 9 mm，多无毛；花瓣黄色，6 ~ 12，倒卵形，长 0.7 ~ 1 cm，基部渐狭成爪，蜜槽点状；花药长约 0.5 mm；花丝长约 3 mm；花托圆柱形，有柔毛。聚合果卵球形，长 8 ~ 12 mm，宽约 8 mm；瘦果极多，紧密排列，斜倒卵形，长 2 ~ 3 mm，无毛，边缘有狭棱；两面有 3 ~ 5 分歧的纵肋，

长叶碱毛茛

喙短而直。花期 5 ~ 6 月，果期 7 月。

| **生境分布** | 生于海拔 1 100 ~ 1 300 m 的盐碱沼泽、沟渠边、田边及低洼湿地。分布于宁夏永宁、沙坡头、金凤等。

| **资源情况** | 野生资源丰富。

| **采收加工** | 7 ~ 9 月采收，洗净，晒干。

| **功能主治** | 辛，温。解毒，温中止痛。用于咽喉炎，肿痛。

毛茛科 Ranunculaceae 铁筷子属 Helleborus

铁筷子 *Helleborus thibetanus* Franch.

| 药 材 名 | 铁筷子（药用部位：根及根茎。别名：冰凉花、黑毛七、小山桃儿七）。

| 形态特征 | 多年生草本。高 30 ~ 50 cm，全体无毛。根茎粗壮，具多数暗褐色粗壮须根。茎直立，上部分枝。基部与下部具 2 ~ 3 鞘状叶。基生叶常 1，具长柄；叶片心形或肾形，长 8 ~ 16 cm，宽 14 ~ 24 cm，鸡足状全裂，中央全裂片披针形，侧全裂片不等 3 全裂，下面 1 个裂片再 2 ~ 3 深裂，裂片先端渐尖，基部渐狭，边缘下部 1/3 处全缘，上部具不整齐的重锯齿；茎生叶较小。花粉红色至黄绿色，直径 2.5 ~ 4 cm，单生或 2 花生于茎顶，具长梗；萼片 5，卵状椭圆形，长 1.5 ~ 2.5 cm，宽 1 ~ 1.5 cm，宿存；花瓣 8 ~ 10，淡黄绿色，圆筒状漏斗形，长 5 ~ 6 mm，具短柄；雄蕊多数；心皮 2 ~ 3，具纵肋；花柱偏于一侧。蓇葖果稍扁，长圆形，长 1.6 ~ 2.5 cm，具

铁筷子

明显的横纹，喙长 5 ~ 6 mm。花期 4 ~ 5 月，果期 5 ~ 6 月。

| 生境分布 | 生于海拔 1 800 ~ 2 700 m 的疏林下或灌丛中。分布于宁夏六盘山（泾源、隆德），泾源、隆德其他区域也有分布。

| 资源情况 | 野生资源较少。

| 采收加工 | 秋季采收，除去残茎，洗净，晒干或鲜用。

| 药材性状 | 本品略卷曲成团。根茎呈结节状圆柱形，稍扁，略弯曲，长 3 ~ 60 cm，直径 0.4 ~ 0.8 cm；较粗的通常有分枝，分枝先端有凹窝状茎痕或浅褐色干燥的小芽苞；表面黑褐色或灰黑色；质坚硬，折断面不平坦，灰白色至灰棕色。根细圆柱形，长 5 ~ 12 cm，直径 0.1 ~ 0.2 cm；多数簇状集生，略卷曲，呈团状，有的断落；表面灰褐色至黑褐色，平滑或具纵皱纹；质硬脆，易折断，断面平坦，灰白色，显粉性。气微，味苦，微有麻舌感。

| 功能主治 | 苦，凉；有小毒。归心、膀胱经。清热解毒，活血止痛。用于热淋，疮痈肿毒，跌扑损伤。

| 用法用量 | 内服煎汤，3 ~ 6 g。外用适量，鲜品捣敷。

| 附　　注 | 本种的根茎亦作为维药使用。

毛茛科 Ranunculaceae 芍药属 Paeonia

芍药
Paeonia lactiflora Pall.

| 药 材 名 | 赤芍（药用部位：根。别名：赤芍药、红芍药、草芍药）、白芍（药用部位：除去外皮的根。别名：金芍药、白芍药、芍药）。

| 形态特征 | 多年生草本。高 50 ～ 70 cm。根圆柱形，长达 50 cm，直径达 3 cm，外皮紫褐色或棕褐色。茎直立，上部分枝，淡绿色，无毛。叶互生，茎下部者为二回三出复叶，向上渐为单叶；小叶狭卵形、披针形或狭椭圆形，长 7.5 ～ 12 cm，宽 2 ～ 4 cm，先端急尖或渐尖，基部楔形，边缘具白色细密骨质小齿，上面绿色，下面灰绿色，叶脉稍隆起；叶柄长 6 ～ 10 cm，圆柱形。苞片 3 ～ 5，披针形，绿色，长 3 ～ 6 cm；萼片 3 ～ 4，叶状，绿色，宽卵形；花瓣 9 ～ 13，倒卵形，长 3 ～ 5 cm，宽 1 ～ 2.5 cm，白色；雄蕊多数，花药黄色；心皮 3 ～ 5，分离，无毛，柱头淡紫红色。蓇葖果卵状圆锥形，

芍药

长 2.5 ~ 3.5 cm，直径 1.2 ~ 1.5 cm，先端渐狭成喙状。种子近球形，直径约 6 mm，紫黑色或暗褐色，有光泽。花期 5 ~ 7 月，果期 6 ~ 8 月。

| **生境分布** | 生于海拔 1 500 ~ 2 800 m 的山地灌丛、林缘及山坡草地。分布于宁夏泾源、西吉、彭阳、原州、惠农、平罗、青铜峡、兴庆、金凤、大武口等。

| **资源情况** | 栽培资源较丰富。

| **采收加工** | 赤芍：春、秋季采挖，除去根茎、须根及泥沙，晒干。

白芍：夏、秋季采挖，洗净，除去头尾和细根，置沸水中煮后除去外皮或去皮后再煮，晒干。

| **药材性状** | 赤芍：本品呈圆柱形，稍弯曲，长 5 ~ 40 cm，直径 0.5 ~ 3 cm。表面棕褐色，粗糙，有纵沟和皱纹，并有须根痕和横长的皮孔样突起，有的外皮易脱落。质硬而脆，易折断，断面粉白色或粉红色，皮部窄，木部放射状纹理明显，有的有裂隙。气微香，味微苦、酸、涩。

白芍：本品呈圆柱形，平直或稍弯曲，两端平截，长 5 ~ 18 cm，直径 1 ~ 2.5 cm。表面类白色或淡棕红色，光洁或有纵皱纹及细根痕，偶有残存的棕褐色外皮。质坚实，不易折断，断面较平坦，类白色或微带棕红色，形成层环明显，射线放射状。气微，味微苦、酸。

| **功能主治** | 赤芍：苦，微寒。归肝经。清热凉血，散瘀止痛。用于热入营血，温毒发斑，吐血衄血，目赤肿痛，肝郁胁痛，经闭痛经，癥瘕腹痛，跌扑损伤，痈肿疮疡。

白芍：苦、酸，微寒。归肝、脾经。养血调经，敛阴止汗，柔肝止痛，平抑肝阳。用于血虚萎黄，月经不调，自汗，盗汗，胁痛，腹痛，四肢挛痛，头痛眩晕。

| **用法用量** | 赤芍：内服煎汤，6 ~ 12 g。

白芍：内服煎汤，6 ~ 15 g。

| **附　　注** | 《中国植物志》（英文版）将本种由毛茛科 Ranunculaceae 修订为芍药科 Paeoniaceae。

毛茛科 Ranunculaceae 芍药属 Paeonia

牡丹
Paeonia suffruticosa Andr.

| 药 材 名 | 牡丹皮（药用部位：根皮。别名：牡丹根皮、丹皮、丹根）。

| 形态特征 | 落叶小灌木。茎高 1 ~ 1.5 m，分枝多、短粗。二回三出复叶；小叶片倒卵形至宽椭圆形，3 深裂，先端裂片再 3 浅裂或不裂，上面深绿色、无毛，下面淡绿色、无毛；顶生小叶片具柄；侧生小叶具短柄或无柄，腹面具沟槽，无毛。花单生枝顶，大型；萼片 5，绿色，宽卵形，先端具长椭圆形的尾状尖，无毛；花瓣为重瓣，倒卵形，白色、红紫色或黄色，先端形状不规则或近圆形；雄蕊多数，花丝线形；花盘杯状，包被心皮；心皮 5，密被黄色柔毛。菁葖果椭圆形或狭卵形，密被黄色柔毛。花期 5 月，果期 6 月。

| 生境分布 | 栽培种。宁夏各地均有栽培，西吉、原州、惠农、平罗、兴庆等有少量药用种植。

牡丹

| 资源情况 | 栽培资源较少。

| 采收加工 | 秋季采挖，除去细根和泥沙，剥取根皮，晒干；或刮去粗皮，除去木心，晒干。前者习称"连丹皮"，后者习称"刮丹皮"。

| 药材性状 | 本品连丹皮呈筒状或半筒状，有纵剖开的裂缝，略向内卷曲或张开，长 5 ~ 20 cm，直径 0.5 ~ 1.2 cm，厚 0.1 ~ 0.4 cm。外表面灰褐色或黄褐色，有多数横长皮孔样突起和细根痕，栓皮脱落处粉红色；内表面淡灰黄色或浅棕色，有明显的细纵纹，常见发亮的结晶。质硬而脆，易折断，断面较平坦，淡粉红色，粉性。气芳香，味微苦而涩。刮丹皮外表面有刮刀削痕，外表面红棕色或淡灰黄色，有时可见灰褐色斑点状残存外皮。

| 功能主治 | 苦、辛，微寒。归心、肝、肾经。清热凉血，活血化瘀。用于热入营血，温毒发斑，吐血衄血，夜热早凉，无汗骨蒸，经闭痛经，跌扑伤痛，痈肿疮毒。

| 用法用量 | 内服煎汤，6 ~ 12 g。

| 附　　注 | （1）本种的花亦入药，名"牡丹花"。4 ~ 5 月采收，鲜用或干燥。苦、淡，平。归肝经。活血调经。用于妇女月经不调，经行腹痛。

（2）同属植物紫斑牡丹 *Paeonia rockii* (S. G. Haw & Lauener) T. Hong & J. J. Li 与牡丹的区别为：花瓣内面基部具深紫色斑块；叶为二至三回羽状复叶，小叶不分裂，稀不等 2 ~ 4 浅裂；花大，花瓣白色。

（3）《中国植物志》（英文版）将本种由毛茛科 Ranunculaceae 修订为芍药科 Paeoniaceae。

毛茛科 Ranunculaceae　芍药属 Paeonia

紫斑牡丹

Paeonia rockii (S. G. Haw & Lauener) T. Hong & J. J. Li

| 药 材 名 | 西丹皮（药用部位：根皮。别名：牡丹皮、西北牡丹皮）。

| 形态特征 | 落叶灌木。茎皮褐灰色；分枝短而粗。二回或三回羽状复叶；叶柄长 10 ~ 15 cm，小叶卵状披针形，长 2.5 ~ 11 cm，基部圆钝，先端渐尖，多全缘，少数（常常是顶生小叶）3 深裂，上面无毛或主脉上有白色长柔毛，下面多少被白色长柔毛。花单生枝顶，直径达 19 cm；花梗长 4 ~ 6 cm；苞片 5，长椭圆形，大小不等；萼片 5，绿色，宽卵形，大小不等；花瓣 5，或为重瓣，白色，稀淡粉红色，基部内面具一大的紫色斑块，通常变异很大，倒卵形，长 5 ~ 8 cm，宽 4.2 ~ 6 cm，先端呈不规则的波状；雄蕊极多数，长 1 ~ 1.7 cm；花丝黄色，长约 1.3 cm；花药长圆形，黄色，长 4 mm；花盘花期全包心皮，黄色；心皮 5，稀更多，密生柔毛，柱头黄色。蓇葖果（幼）

紫斑牡丹

长椭圆形，密生黄褐色硬毛，长 2.5 cm，直径 1 cm。花期 5 月，果期 6 月。

| 生境分布 | 生于海拔 1 100 ~ 2 800 m 的山坡林下灌丛中。分布于宁夏盐池。宁夏原州、西吉、隆德、泾源、彭阳有少量栽培。

| 资源情况 | 野生及栽培资源均较少。药材主要来源于栽培。

| 采收加工 | 秋季采挖，除去细根和泥沙，剥取根皮，晒干。

| 功能主治 | 苦、辛，微寒。归心、肝、肾经。清热凉血，活血化瘀。用于热入营血，温毒发斑，吐血衄血，夜热早凉，无汗骨蒸，经闭痛经，跌扑伤痛，痈肿疮毒。

| 用法用量 | 内服煎汤，6 ~ 12 g。

| 附　　注 | （1）《中国植物志》（英文版）将本种的拉丁学名由 *Paeonia suffruticosa* Andr. var. *papaveracea* (Andr.) Kerner 修订为 *Paeonia rockii* (S. G. Haw & Lauener) T. Hong & J. J. Li，将本种由毛茛科 Ranunculaceae 修订为芍药科 Paeoniacea。

（2）本种为中国特有种。根据国家林业和草原局农业农村部公告（2021 年第 15 号），本种被列入《国家重点保护野生植物名录》，保护级别为一级。

毛茛科 Ranunculaceae 芍药属 *Paeonia*

川赤芍

Paeonia anomala L. subsp. *veitchii* (Lynch) D. Y. Hong & K. Y. Pan

| 药 材 名 |　赤芍（药用部位：根。别名：赤芍药、红芍药、草芍药）。

| 形态特征 |　多年生草本。根圆柱形，表面暗褐色，里面白色。茎直立，高
30 ~ 80 cm，少有 1 m 以上者，有粗而钝的棱，无毛。叶互生；茎
下部叶为二回三出复叶，叶片宽卵形，长 7.5 ~ 20 cm；小叶呈羽状
分裂，裂片窄披针形或披针形，宽 4 ~ 16 mm，先端渐尖，全缘，
上面深绿色，沿叶脉疏生短柔毛，下面淡绿色，无毛，叶脉明显。
花两性，2 ~ 4，生茎先端和叶腋，常仅 1 花开放，直径 4.2 ~ 10 cm；
苞片 2 ~ 3，披针形，长 3 ~ 7 cm，分裂或不裂；萼片 4，宽卵形，
长 1.7 cm，宽 1 ~ 1.4 cm，绿色，宿存；花瓣 6 ~ 9，倒卵形，长
2.3 ~ 4 cm，宽 1.5 ~ 3 cm，紫红色或粉红色；雄蕊多数，花丝长
5 ~ 10 mm，花药黄色；花盘肉质，仅包裹心皮基部；心皮 2 ~ 5，

川赤芍

离生，密被黄色绒毛，柱头宿存。蓇葖果长 1 ~ 2 cm，密被黄色绒毛，成熟果实开裂，常反卷。花期 5 ~ 6 月，果期 7 ~ 8 月。

| 生境分布 |　生于海拔 2 000 ~ 2 500 m 的灌木林下或阴坡草地。分布于宁夏六盘山（泾源、隆德、原州）、南华山（海原）等，泾源、隆德、原州其他区域也有分布。

| 资源情况 |　野生资源较少。

| 采收加工 |　春、秋季采挖，除去根茎、须根及泥沙，晒干。

| 药材性状 |　本品呈圆柱形，稍弯曲，长 5 ~ 40 cm，直径 0.5 ~ 3 cm。表面棕褐色，粗糙，有纵沟和皱纹，并有须根痕和横长的皮孔样突起，有的外皮易脱落。质硬而脆，易折断，断面粉白色或粉红色，皮部窄，木部放射状纹理明显，有的有裂隙。气微香，味微苦、酸、涩。

| 功能主治 |　苦，微寒。归肝经。清热凉血，散瘀止痛。用于热入营血，温毒发斑，吐血衄血，目赤肿痛，肝郁胁痛，经闭痛经，癥瘕腹痛，跌扑损伤，痈肿疮疡。

| 用法用量 |　内服煎汤，6 ~ 12 g。

| 附　　注 |　（1）《中国植物志》（英文版）将本种的拉丁学名由 *Paeonia veitchii* Lynch 修订为 *Paeonia anomala* L. subsp. *veitchii* (Lynch) D. Y. Hong & K. Y. Pan，将其作为为窄叶芍药 *Paeonia anomala* L. 的变种，并将本种由毛茛科 Ranunculaceae 修订为芍药科 Paeoniaceae。

（2）本种在《宁夏中药志》中被记载为单花芍药 *Paeonia veitchii* Lynch var. *uniflora* K. Y. Pan.，为川赤芍 *Paeonia veitchii* Lynch 的变种。曾主要用于加工成白芍。秋季采挖根，除去残茎和须根，洗净，放入沸水中煮至透心，捞出，刮去外皮，晒干。也有产地将本品带皮晒干，将其作为赤芍使用。

毛茛科 Ranunculaceae 白头翁属 Pulsatilla

白头翁
Pulsatilla chinensis (Bunge) Regel

白头翁

药材名

白头翁（药用部位：根。别名：野丈人、白头公、毛姑朵花）、白头翁茎叶（药用部位：地上部分。别名：白头翁草）、白头翁花（药用部位：花）。

形态特征

多年生草本。植株高 15 ~ 35 cm。根茎直径 0.8 ~ 1.5 cm。基生叶 4 ~ 5，通常在开花时刚刚生出，有长柄；叶片宽卵形，长4.5 ~ 14 cm，宽 6.5 ~ 16 cm，3 全裂；中全裂片有柄或近无柄，宽卵形，3 深裂，中深裂片楔状倒卵形，少有狭楔形或倒梯形，全缘或有齿，侧深裂片不等 2 浅裂；侧全裂片无柄或近无柄，不等 3 深裂，表面变无毛，背面有长柔毛；叶柄长 7 ~ 15 cm，有密长柔毛。花葶 1（~ 2），有柔毛；苞片3，基部合生成长 3 ~ 10 mm 的筒，3 深裂，深裂片线形，不分裂或上部 3 浅裂，背面密被长柔毛；花梗长 2.5 ~ 5.5 cm，结果时长达 23 cm；花直立；萼片蓝紫色，长圆状卵形，长 2.8 ~ 4.4 cm，宽 0.9 ~ 2 cm，背面有密柔毛；雄蕊长约为萼片之半。聚合果直径 9 ~ 12 cm；瘦果纺锤形，扁，长 3.5 ~ 4 mm，有长柔毛，宿存花柱长 3.5 ~ 6.5 cm，有向上斜展的长柔毛。花期 4 ~ 5 月，果期 5 ~ 6 月。

| **生境分布** | 生于海拔 1 850 ~ 2 700 m 的山坡草地、田埂。分布于宁夏六盘山（泾源、隆德、原州）等。

| **资源情况** | 野生资源丰富。

| **采收加工** | 白头翁：春、秋季采挖，除去泥沙，干燥。
白头翁茎叶：秋季采集，切段，晒干。
白头翁花：播种后第 2 年 4 月中旬采收，及时晒干，防止霉变。

| **药材性状** | 白头翁：本品呈类圆柱形或圆锥形，稍扭曲，长 6 ~ 20 cm，直径 0.8 ~ 1.5 cm。表面黄棕色或棕褐色，具不规则纵皱纹或纵沟，皮部易脱落，露出黄色的木部，有的有网状裂纹或裂隙，近根头处常有朽状凹洞。根头部稍膨大，有白色绒毛，有的可见鞘状叶柄残基。质硬而脆，断面皮部黄白色或淡黄棕色，木部淡黄色。气微，味微苦、涩。
白头翁茎叶：本品叶为三出复叶；有长柄，密被长柔毛，基部较宽或呈鞘状；中央小叶有柄或近无柄，3 裂，裂片倒卵形；侧生小叶先端有 1 ~ 3 不规则浅裂，上面绿色，疏被白色柔毛，下面淡绿色，密被白色长柔毛；老叶的裂片倒卵状披针形，先端浅裂，叶片与叶柄均近无毛。气微，味微苦、涩。

白头翁花：本品直径 3 ~ 4 cm；萼片 6，瓣状，排列成内外 2 轮，带紫色，卵状长圆形，长 2.8 ~ 4.4 cm，宽 0.9 ~ 2 cm，背面密被柔毛；雄蕊多数，长约为萼片的 1/2，花丝基着，黄色；雌蕊多数，花柱丝状，密被白色长毛；花梗长短不一，有柔毛。气微，味稍苦。

| **功能主治** | 白头翁：苦，寒。归胃、大肠经。清热解毒，凉血止痢。用于热毒血痢，阴痒带下。

白头翁茎叶：苦，寒。归肝、胃经。泻火解毒，止痛，利尿消肿。用于风火牙痛，四肢关节疼痛，秃疮，水肿。

白头翁花：苦，微寒。归肝、脾经。清热解毒，杀虫。用于疟疾，头疮，白秃疮。

| **用法用量** | 白头翁：内服煎汤，9 ~ 15 g。

白头翁茎叶：内服煎汤，9 ~ 15 g。

白头翁花：内服煎汤，3 ~ 6 g。外用适量，研末调敷。

| **附　注** | 《中华本草·维药卷》记载白头翁 *Pulsatilla chinensis* (Bunge) Regel 的全草和种子入维药。主治湿寒性或黏液质性疾病，如白癜风、白内障、毛发早白、尿闭、经闭、感染性疾病，还可除脓血，愈创伤。

细叶白头翁 *Pulsatilla turczaninovii* Kryl. et Serg.

| 药 材 名 |

白头翁（药用部位：根。别名：野丈人、白
头公、北白头翁）、白头翁茎叶（药用部位：
地上部分。别名：白头翁草）、白头翁花（药
用部位：花）。

| 形态特征 |

多年生草本。植株高 10 ~ 40 cm。根茎直径
0.8 ~ 1.5 cm。基生叶 4 ~ 5，有长柄，为三回
羽状复叶，在开花时开始发育；叶片狭椭圆
形，有时卵形，长 7 ~ 8.5 cm，宽 2.5 ~ 4 cm，
羽片 3 ~ 4 对，下部的有柄，上部的无柄，
卵形，2 回羽状细裂，末回裂片线状披针形
或线形，有时卵形，宽 1 ~ 1.5（~ 2.5）mm，
先端常锐尖，边缘稍反卷，表面变无毛，背
面疏被柔毛；叶柄长 5 ~ 8 cm，有柔毛。花
葶有柔毛；总苞钟形，长 2.8 ~ 3.4 cm，筒
长 5 ~ 6 mm，苞片细裂，末回裂片线形或
线状披针形，宽 1 ~ 1.5 mm，背面有柔毛；
花梗长约 1.5 cm，结果时长达 15 cm；花直
立，萼片蓝紫色，卵状长圆形或椭圆形，长
2.2 ~ 4.2 cm，宽 1 ~ 1.3 cm，先端微尖或钝，
背面有长柔毛。聚合果直径约 5 cm；瘦果纺
锤形，长约 4 mm，密被长柔毛，宿存花柱
长约 3 cm，有向上斜展的长柔毛。花果期

细叶白头翁

5 ～ 6 月。

| 生境分布 | 生于海拔 1 800 ～ 2 900 m 的向阳山坡、草原、山地草坡或林边。分布于宁夏贺兰山（西夏、贺兰、平罗、大武口、惠农）、罗山（同心、红寺堡）。

| 资源情况 | 野生资源丰富。

| 采收加工 | 白头翁：春、秋季采挖，除去茎叶、泥沙，保留根头部白色茸毛，干燥。
白头翁茎叶：秋季采集，切段，晒干。
白头翁花：播种后第 2 年 4 月中旬采收，及时晒干，防止霉变。

| 药材性状 | 白头翁：本品较细，长圆柱形，分枝少，稍扭曲，长 6 ～ 20 cm，直径 0.8 ～ 1.5 cm。表面黄棕色、棕褐色、灰褐色或黑褐色，具不规则纵皱纹或纵沟，皮部不脱落，有的有网状裂纹或裂隙，近根头处常有朽状凹洞。根头部稍膨大，有白色绒毛，有的可见鞘状叶柄残基。质硬而脆，断面皮部黄白色或淡黄棕色，木部淡黄色或淡棕黄色，皮部与木部间有时有空隙。气微，味微苦、涩。
白头翁茎叶：本品叶为三出复叶，有长柄，密被长柔毛，基部较宽或呈鞘状；中央小叶有柄或近无柄，3 裂，裂片倒卵形；侧生小叶先端有 1 ～ 3 不规则浅裂，上面绿色，疏被白色柔毛，下面淡绿色，密被白色长柔毛；老叶的裂片倒卵状披针形，先端浅裂，叶片与叶柄均近无毛。气微，味微苦、涩。
白头翁花：本品直径 3 ～ 4 cm；萼片 6，瓣状，排列成内外 2 轮，带紫色，卵状长圆形，长 3 ～ 4 cm，宽 1 ～ 2 cm，背面密被柔毛；雄蕊多数，长约为萼片

的 1/2，花丝基着，黄色；雌蕊多数，花柱丝状，密被白色长毛；花梗长短不一，有柔毛。气微，味稍苦。

| **功能主治** | 白头翁：苦，寒。归胃、大肠经。清热解毒，凉血止痢。用于热毒血痢，阴痒带下，阿米巴痢疾。

白头翁茎叶：苦，寒。归肝、胃经。泻火解毒，止痛，利尿消肿。用于风火牙痛，四肢关节疼痛，秃疮，水肿。

白头翁花：苦，微寒。归肝、脾经。清热解毒，杀虫。用于疟疾，头疮，白秃疮。

| **用法用量** | 白头翁：内服煎汤，9 ~ 15 g。

白头翁花：内服煎汤，3 ~ 6 g。外用适量，研末调敷。

| **附　注** | 《中华本草》记载本种的根可以作为白头翁药材使用。但是，细叶白头翁非《中华人民共和国药典》（2020 年版　一部）收载的白头翁药材的基原。

毛茛科 Ranunculaceae 毛茛属 Ranunculus

茴茴蒜 *Ranunculus chinensis* Bunge

| 药 材 名 | 回回蒜（药用部位：全草。别名：水胡椒、小回回蒜、蝎虎草）、回回蒜果（药用部位：果实。别名：水杨梅果）。

| 形态特征 | 一年生草本。须根多数簇生。茎直立粗壮，高 20 ~ 70 cm，直径在 5 mm 以上，中空，有纵条纹，分枝多，与叶柄均密生开展的淡黄色糙毛。基生叶与下部叶有长达 12 cm 的叶柄，为三出复叶；叶片宽卵形至三角形，长 3 ~ 8（~ 12）cm；小叶 2 ~ 3 深裂，裂片倒披针状楔形，宽 5 ~ 10 mm，上部有不等的粗齿、缺刻或 2 ~ 3 裂，先端尖，两面伏生糙毛；小叶柄长 1 ~ 2 cm 或侧生小叶柄较短，生开展的糙毛；上部叶较小，叶柄较短，叶片 3 全裂，裂片有粗牙齿或再分裂。花序有较多疏生的花；花梗贴生糙毛；花直径 6 ~ 12 mm；萼片狭卵形，长 3 ~ 5 mm，外面生柔毛；花瓣 5，宽卵

茴茴蒜

圆形，与萼片近等长或稍长，黄色或上面白色，基部有短爪，蜜槽有卵形小鳞片；花药长约 1 mm；花托在果期显著伸长，圆柱形，长达 1 cm，密生白短毛。聚合果长圆形，直径 6 ~ 10 mm；瘦果扁平，长 3 ~ 3.5 mm，宽约 2 mm，为厚的 5 倍以上，无毛，边缘有宽约 0.2 mm 的棱，喙极短，呈点状，长 0.1 ~ 0.2 mm。花期 5 ~ 8 月，果期 6 ~ 9 月。

| **生境分布** | 生于海拔 1 100 ~ 2 500 m 的沟渠边及低洼湿地。宁夏各地均有分布。

| **资源情况** | 野生资源丰富。

| **采收加工** | 回回蒜：夏、秋季采挖，洗净，晒干或鲜用。
回回蒜果：夏季采摘，鲜用或晒干。

| **药材性状** | 回回蒜：本品长 15 ~ 50 cm。茎及叶柄均有伸展的淡黄色糙毛。三出复叶，黄绿色，基生叶及下部叶具长柄；叶片宽卵形，长 3 ~ 12 cm，小叶 2 ~ 3 深裂，上部具少数锯齿，两面被糙毛。花序有疏生的花；花梗贴生糙毛；萼片 5，狭卵形；花瓣 5，宽卵圆形。聚合果长圆形，直径 6 ~ 10 mm；瘦果扁平，长 3 ~ 3.5 mm，无毛。气微，味淡。
回回蒜果：本品聚合果长圆形，直径 6 ~ 10 mm；瘦果扁平，长 3 ~ 3.5 mm，无毛。气微，味淡。

| **功能主治** | 回回蒜：辛、苦，温；有小毒。退黄，消肿，平喘，截疟，止痛，杀虫。用于黄疸，臌胀，哮喘，疟疾，风湿痹痛，胃痛，牙痛，牛皮癣，目翳，肝炎，肝硬化腹水，食管癌，高血压。
回回蒜果：苦，微温。明目，截疟。用于夜盲，疟疾。

| **用法用量** | 回回蒜：内服煎汤，3 ~ 9 g。外用适量，捣敷穴位；或取汁搽。
回回蒜果：内服煎汤，3 ~ 9 g。外用适量，捣敷。

毛茛
Ranunculus japonicus Thunb.

| 药 材 名 | 毛茛（药用部位：全草。别名：水茛、毛建、老虎草）、毛茛实（药用部位：果实）。

| 形态特征 | 多年生草本。须根多数簇生。茎直立，高 30 ~ 70 cm，中空，有槽，具分枝，生开展或贴伏的柔毛。基生叶多数；叶片圆心形或五角形，长、宽均为 3 ~ 10 cm，基部心形或截形，通常 3 深裂不达基部，中裂片倒卵状楔形、宽卵圆形或菱形，3 浅裂，边缘有粗齿或缺刻，侧裂片不等 2 裂，两面贴生柔毛，下面或幼时的毛较密；叶柄长达 15 cm，生开展柔毛。下部叶与基生叶相似，渐向上叶柄变短，叶片较小，3 深裂，裂片披针形，有尖牙齿或再分裂；最上部叶线形，全缘，无柄。聚伞花序有多数花，疏散；花直径 1.5 ~ 2.2 cm；花梗长达 8 cm，贴生柔毛；萼片椭圆形，长 4 ~ 6 mm，生白柔毛；花瓣

毛茛

5，倒卵状圆形，长 6 ~ 11 mm，宽 4 ~ 8 mm，基部有长约 0.5 mm 的爪，蜜槽鳞片长 1 ~ 2 mm；花药长约 1.5 mm；花托短小，无毛。聚合果近球形，直径 6 ~ 8 mm；瘦果扁平，长 2 ~ 2.5 mm，上部最宽处与长近相等，约为厚的 5 倍，边缘有宽约 0.2 mm 的棱，无毛，喙短直或外弯，长约 0.5 mm。花果期 4 ~ 9 月。

| 生境分布 |　生于海拔 1 800 ~ 2 700 m 的山地林缘、沟边、田边及湿草地。分布于宁夏泾源、隆德、原州等。

| 资源情况 |　野生资源丰富。

| 采收加工 |　毛茛：夏、秋季采挖，洗净，晒干，或切段，晒干。鲜品随采随用。
毛茛实：夏季采摘，鲜用或阴干。

| 药材性状 |　毛茛：本品根细柱状。茎与叶柄均有伸展的柔毛，茎中空。叶片多，五角形，长达 6 cm，宽达 7 cm，基部心形，两面具柔毛，皱缩破碎。萼片 5，船状椭圆形，长 4 ~ 6 mm，有白柔毛；花瓣 5，黄色至黄棕色，倒卵形，长 6 ~ 11 mm。聚合果近球形或卵圆形，直径 4 ~ 5 mm。味辛、微苦。
毛茛实：本品聚合果近球形或卵圆形，直径 4 ~ 5 mm。

| 功能主治 |　毛茛：辛，温；有毒。归肝、胆、心、胃经。退黄，定喘，截疟，镇痛，消翳。用于黄疸，哮喘，疟疾，偏头痛，胃痛，牙痛，风湿痹痛，鹤膝风，目生翳膜，瘰疬，痈疮肿毒。
毛茛实：辛，温；有毒。祛寒，止血，截疟。用于肚腹冷痛，外伤出血，疟疾。

| 用法用量 |　毛茛：外用适量，捣敷患处或穴位，局部发赤起泡时取去。
毛茛实：内服煎汤，3 ~ 9 g；或浸酒。外用适量，捣敷。

| 附　　注 |　本品有毒，一般不内服。皮肤有破损者及过敏者禁用，孕妇慎用。

唐松草

毛茛科 Ranunculaceae 唐松草属 Thalictrum

唐松草

Thalictrum aquilegiifolium L. var. *sibiricum* L.

药材名

马尾连（药用部位：根及根茎。别名：马尾黄连、草黄连、金丝黄连）。

形态特征

多年生草本。植株全部无毛。茎粗壮，高 60 ~ 150 cm，直径达 1 cm，分枝。基生叶在开花时枯萎。茎生叶为三至四回三出复叶；叶片长 10 ~ 30 cm；小叶草质，顶生小叶倒卵形或扁圆形，长 1.5 ~ 2.5 cm，宽 1.2 ~ 3 cm，先端圆或微钝，基部圆楔形或不明显心形，3 浅裂，裂片全缘或有 1 ~ 2 牙齿，两面脉平或背面脉稍隆起；叶柄长 4.5 ~ 8 cm，有鞘；托叶膜质，不裂。圆锥花序伞房状，有多数密集的花；花梗长 4 ~ 17 mm；萼片白色或外面带紫色，宽椭圆形，长 3 ~ 3.5 mm，早落；雄蕊多数，长 6 ~ 9 mm；花药长圆形，长约 1.2 mm，先端钝，上部倒披针形，比花药宽或稍窄，下部丝形；心皮 6 ~ 8，有长心皮柄，花柱短，柱头侧生。瘦果倒卵形，长 4 ~ 7 mm，有 3 宽纵翅，基部突变狭，心皮柄长 3 ~ 5 mm，宿存柱头长 0.3 ~ 0.5 mm。花期 7 月，果期 8 月。

| **生境分布** | 生于海拔 1 500 ~ 2 100 m 的草原、山地林边草坡或林中。分布于宁夏泾源、隆德、彭阳、原州、沙坡头等。 |

| **资源情况** | 野生资源较少。 |

| **采收加工** | 春、秋季采挖，除去茎叶，洗去泥土，晒干。 |

| **药材性状** | 本品根茎呈短棒状或不规则块状，簇生多数须状根，表面棕黄色或灰土黄色，断面淡土黄色。气微，味稍苦。 |

| **功能主治** | 苦、寒。归心、肝、胆、大肠经。清热燥湿，解毒。用于痢疾，肠炎，病毒性肝炎，感冒，麻疹，咽喉炎，痈肿疮疖，结膜炎；外用于烫火伤。 |

| **用法用量** | 内服煎汤，3 ~ 9 g；或制成糖浆。外用适量，研末调敷。 |

毛茛科 Ranunculaceae 唐松草属 *Thalictrum*

贝加尔唐松草 *Thalictrum baicalense* Turcz.

| **药 材 名** | 马尾连（药用部位：根及根茎。别名：马尾黄连）。

| **形态特征** | 多年生草本。植株全部无毛。须根多数，棕褐色。茎直立，高
60～100 cm，微具纵棱。茎中部叶有短柄，为三回三出复叶；叶片
长 9～16 cm；小叶草质，顶生小叶宽菱形、扁菱形或菱状宽倒卵
形，长 1.8～4.5 cm，宽 2～5 cm，基部宽楔形或近圆形，3 浅裂，
裂片有圆齿，脉在背面隆起，脉网稍明显；小叶柄长 0.2～3 cm；
叶柄长 1～2.5 cm，基部有狭鞘；托叶狭，膜质。圆锥状复单歧聚
伞花序，长 2.5～4.5 cm；花梗细，长 4～9 mm；萼片 4，绿白色，
早落，椭圆形，长约 3.5 mm，宽约 15 mm，先端钝；雄蕊（10～）
15～20；花药长圆形，长约 0.8 mm；花丝长 4～5 mm，上部狭
倒披针形，与花药近等宽，下部丝形；心皮 3～7；花柱直，长约

贝加尔唐松草

0.5 mm；柱头生花柱先端腹面，椭圆形，长 0.2 ~ 0.3 mm。瘦果椭圆状球形，稍扁，长约 3 mm，有 8 纵肋，具短柄，先端具短喙。花期 6 月，果期 7 月。

| **生境分布** | 生于海拔 1 600 ~ 2 800 m 的石崖下、林下、灌丛、草甸及阴坡草丛中。分布于宁夏六盘山（泾源、隆德、原州）、罗山（同心、红寺堡）等，同心其他区域也有分布。

| **资源情况** | 野生资源丰富。

| **采收加工** | 春、秋季采挖，除去地上茎叶，洗去泥土，晒干。

| **药材性状** | 本品根茎短粗，横生，数节连生，细根数十条密生于根茎，长 5 ~ 10 cm，直径约 1 mm。表面灰棕色，栓皮脱落处呈鲜黄色。质脆，易折断。气微，味苦。

| **功能主治** | 苦，寒。归心、肝、胆、大肠经。清热燥湿，泻火解毒。用于热盛心烦，目赤，湿热泻痢，咽喉肿痛，痈肿疮疖。

| **用法用量** | 内服煎汤，6 ~ 9 g。

| **附　　注** | 宁夏分布有唐松草属植物 8 种 3 变种，其中 4 种 3 变种可作为马尾连药材的基原。这 4 种 3 变种为贝加尔唐松草 *Thalictrum baicalense* Turcz.、唐松草 *Thalictrum aquilegiifolium* L. var. *sibiricum* L.、瓣蕊唐松草 *Thalictrum petaloideum* L.、腺毛唐松草（原名：香唐松草）*Thalictrum foetidum* L.、短梗箭头叶唐松草（原名：箭头唐松草）*Thalictrum simplex* L. var. *brevipes* Hara、展枝唐松草 *Thalictrum squarrosum* Steph. et Willd.、东亚唐松草 *Thalictrum minus* L. var. *hypoleucum* (Sieb. et Zucc.) Miq.。

腺毛唐松草 *Thalictrum foetidum* L.

| 药 材 名 | 香唐松草（药用部位：根及根茎。别名：马尾黄连、土黄连、马尾连）。

| 形态特征 | 多年生草本。根茎短，须根密集。茎高 15 ~ 100 cm，无毛或幼时有短柔毛，长大后脱落无毛。基生叶和茎下部叶在开花时枯萎或不发育；茎中部叶有短柄，三回近羽状复叶；叶片长 5.5 ~ 12 cm；小叶草质，顶生小叶菱状宽卵形或卵形，长 4 ~ 15 mm，宽 3.5 ~ 15 mm，3 浅裂，裂片全缘或有疏齿，沿脉网有短柔毛和腺毛，偶尔无毛；叶柄短，有鞘；托叶膜质，褐色。圆锥花序；花梗细；萼片 5，淡黄绿色，卵形，长 2.5 ~ 4 mm，宽约 1.5 mm，外面常有疏柔毛；雄蕊多数；花药狭长圆形，先端有短尖；花丝丝状；心皮 4 ~ 8；子房常有疏柔毛，无柄；柱头三角状箭头形。瘦果半倒卵形，扁平，长 3 ~ 5 mm，有短柔毛，有 8 纵肋，宿存柱头长约 1 mm。花期 6 月，

腺毛唐松草

果期 7 月。

| **生境分布** | 生于海拔 1 500 ～ 2 500 m 的山坡、草甸或高山多石砾处。分布于宁夏贺兰山（西夏、贺兰、平罗、大武口、惠农）及盐池、沙坡头等。

| **资源情况** | 野生资源丰富。

| **采收加工** | 春、秋季采挖，除去茎叶，洗去泥土，晒干。

| **药材性状** | 本品数十条细根丛生于较小的根茎下面，长 3 ～ 8 cm，直径约 1.5 mm；表面棕色。质脆，易折断，断面略呈纤维性。气微，味略苦。

| **功能主治** | 苦，寒。清热燥湿，解毒。用于湿热痢疾，黄疸，目赤肿痛，痈肿疮疖，风湿热痹。

| **用法用量** | 内服煎汤，3 ～ 10 g。外用适量，研末调敷。

| **附　　注** | 《宁夏中药志》记载腺毛唐松草（原名：香唐松草）*Thalictrum foetidum* L. 可作为马尾连药材的基原。

亚欧唐松草

毛茛科 Ranunculaceae 唐松草属 Thalictrum

亚欧唐松草
Thalictrum minus L.

| 药 材 名 |

亚欧唐松草（药用部位：根）。

| 形态特征 |

多年生草本。植株全部无毛。茎下部叶有稍长柄或短柄，茎中部叶有短柄或近无柄，为四回三出羽状复叶；叶片长达 20 cm；小叶纸质或薄革质，顶生小叶楔状倒卵形、宽倒卵形、近圆形或狭菱形，长 0.7 ~ 1.5 cm，宽 0.4 ~ 1.3 cm，基部楔形至圆形，3 浅裂或有疏牙齿，偶尔不裂，背面淡绿色，脉不明显隆起或只中脉稍隆起，脉网不明显；叶柄长达 4 cm，基部有狭鞘。圆锥花序长达 30 cm；花梗长 3 ~ 8 mm；萼片 4，淡黄绿色，脱落，狭椭圆形，长约 3.5 mm；雄蕊多数，长约 6 mm；花药狭长圆形，长约 2 mm，先端有短尖头；花丝丝形；心皮 3 ~ 5，无柄；柱头正三角状箭头形。瘦果狭椭圆状球形，稍扁，长约 3.5 mm，有 8 纵肋。6 ~ 7 月开花。

| 生境分布 |

生于海拔 1 400 ~ 2 700 m 的山地草坡、田边、灌丛中或林中。分布于宁夏罗山（同心、红寺堡）及海原、西吉、彭阳、隆德等。

| **资源情况** | 野生资源丰富。

| **采收加工** | 春、秋季采挖，除去茎叶，洗去泥土，晒干。

| **功能主治** | 清热凉血，理气消肿。用于痢疾，泄泻。

| **附　　注** | 《宁夏中药资源》记载本种的中文名为欧亚唐松草，药用部位为根，功能为清热燥湿、凉血解毒。

毛茛科 Ranunculaceae 唐松草属 Thalictrum

东亚唐松草 *Thalictrum minus* L. var. *hypoleucum* (Sieb. et Zucc.) Miq.

| 药 材 名 |　烟锅草（药用部位：根及根茎。别名：马尾黄连、金鸡脚下、马尾连）。

| 形 态 特 征 |　多年生草本。植株全部无毛。茎下部叶有稍长柄或短柄，茎中部叶有短柄或近无柄，为四回三出羽状复叶；叶片长达 20 cm；小叶纸质或薄革质，顶生小叶楔状倒卵形、宽倒卵形、近圆形或狭菱形，较大，长和宽均为 1.5 ~ 4（~ 5）cm，基部楔形至圆形，3 浅裂或有疏牙齿，偶尔不裂，背面有白粉，粉绿色，脉隆起，脉网明显；叶柄长达 4 cm，基部有狭鞘。圆锥花序长达 30 cm；花梗长 3 ~ 8 mm；萼片 4，淡黄绿色，脱落，狭椭圆形，长约 3.5 mm；雄蕊多数，长约 6 mm；花药狭长圆形，长约 2 mm，先端有短尖头；花丝丝形；心皮 3 ~ 5，无柄；柱头正三角状箭头形。瘦果狭椭圆状球形，稍扁，长约 3.5 mm，有 8 纵肋，果喙箭头状。花期 7 ~ 8 月，果期 8 ~ 9 月。

东亚唐松草

| **生境分布** | 多生于海拔 1 400 ~ 2 700 m 的山地林缘或山谷沟边。分布于宁夏贺兰山（西夏、贺兰、平罗、大武口、惠农）等。

| **资源情况** | 野生资源较少。

| **采收加工** | 夏、秋季采挖，洗净，晒干。

| **药材性状** | 本品根茎由数个至十数个结节连生，常中空。细根数十至百余条密生于根茎下面，长 10 ~ 20（~ 30）cm，直径 1 ~ 1.5 mm，软而扭曲，常缠绕成团；表面浅棕色，疏松，皮层常脱落，脱落处现棕黄色木心；断面纤维性。气微，味稍苦。

| **功能主治** | 苦，寒；有小毒。清热解毒，燥湿。用于百日咳，痈疮肿毒，牙痛，湿疹。

| **用法用量** | 内服煎汤，6 ~ 9 g。外用适量，焙干，研粉，撒敷；或煎汤洗；或捣敷。

| **附　注** | （1）本种为亚欧唐松草 *Thalictrum minus* L. 的变种，与亚欧唐松草的区别为：小叶较大，长和宽均为 1.5 ~ 4（~ 5）cm，背面有白粉，粉绿色，脉隆起，脉网明显。
（2）《宁夏中药志》记载东亚唐松草 *Thalictrum minus* L. var. *hypoleucum* (Sieb. et Zucc.) Miq.（原拉丁学名 *Thalictrum thunbergii* DC.）的根及根茎可作为马尾连药材用。马尾连为黄连的代用品。

毛茛科 Ranunculaceae 唐松草属 Thalictrum

瓣蕊唐松草 *Thalictrum petaloideum* L.

瓣蕊唐松草

药材名

瓣蕊唐松草（药用部位：根及根茎。别名：唐松草、马尾黄连）。

形态特征

多年生草本。全株无毛。茎高 20 ~ 80 cm，直立，上部分枝。叶互生；叶柄长达 10 cm，基部有鞘；基生叶数个，有短或稍长柄，为三至四回三出或羽状复叶；叶片长 5 ~ 15 cm；小叶草质，形状变异很大，顶生小叶倒卵形、宽倒卵形、菱形或近圆形，长 3 ~ 12 mm，宽 2 ~ 15 mm，先端钝，基部圆楔形或楔形，3 浅裂至 3 深裂，裂片全缘；叶脉平，脉网不明显；小叶柄长 5 ~ 7 mm。复单歧聚伞花序；花两性；花梗长 0.5 ~ 2.5 cm；萼片 4，早落；雄蕊多数，长 5 ~ 12 mm；花药狭长圆形，先端钝；花丝上部倒披针形，比花药宽；心皮 4 ~ 13，无柄；花柱短，腹面密生柱头组织。瘦果卵形，长 4 ~ 6 mm，有 8 纵肋，宿存花柱长约 1 mm。6 ~ 7 月开花。

生境分布

生于海拔 1 500 ~ 2 700 m 的林缘、山麓、山坡草地。分布于宁夏六盘山（泾源、隆德、原州）、南华山（海原）及西吉、同心等，隆德、原州、海原其他区域也有分布。

| **资源情况** | 野生资源丰富。

| **采收加工** | 夏、秋季采挖，除去茎叶及泥土，切段，晒干。

| **药材性状** | 本品根茎短缩，细根数十条密生于较小的根茎下面，长 3 ~ 15 cm，直径 1 ~ 1.5 mm；表面棕褐色，具数条细纵棱；质脆，易折断，断面略呈纤维性。气微，味稍甜，嚼之粘牙。

| **功能主治** | 苦，寒。归肝、胃、大肠经。清热燥湿，解毒。用于湿热泻痢，黄疸，肺热咳嗽，目赤肿痛，痈肿疮疖，渗出性皮炎。

| **用法用量** | 内服煎汤，9 ~ 15 g。外用适量，研末撒；或鲜品捣敷。

| **附　注** | 《宁夏中药志》记载瓣蕊唐松草 *Thalictrum petaloideum* L. 可作为马尾连药材的基原。

| 毛茛科 | Ranunculaceae | 唐松草属 | *Thalictrum* |

短梗箭头叶唐松草 *Thalictrum simplex* L. var. *brevipes* Hara

短梗箭头叶唐松草

药材名

硬水黄连（药用部位：全草或根。别名：水黄连、金鸡脚下黄、硬杆水黄连）。

形态特征

多年生草本。茎直立，不分枝，具纵沟棱，无毛。叶为二回羽状复叶；小叶倒卵状楔形、椭圆状楔形或狭披针形，长 1.5 ~ 4.5 cm，宽 0.3 ~ 2.5 cm，不裂或先端 3 浅裂，小裂片狭三角形，先端锐尖，基部圆形或楔形，边缘反卷，上面绿色，下面灰绿色，两面无毛，脉在背面隆起；叶柄粗短，呈鞘状。圆锥花序顶生，分枝向上直展；花多数；花梗长 1 ~ 4（~ 5）mm，疏被短毛；萼片 4，淡黄绿色，卵状椭圆形或椭圆形，长 3 ~ 4 mm，宽约 1.5 mm，先端尖，边缘膜质；雄蕊多数；花丝丝形，长约 1 mm；花药线形，长约 2 mm，先端具尖头；心皮 5 ~ 8 或较多，椭圆形，长约 0.6 mm，无毛；柱头箭头状。瘦果近卵形，长约 2 mm，具短梗。花期 7 月，果期 8 月。

生境分布

生于海拔 1 500 ~ 2 700 m 的平原、湿润草地、沟边及草甸。分布于宁夏贺兰山（西夏、贺兰、平罗、大武口、惠农）、六盘山（泾源、隆德、原州）及彭阳等，原州其他区域也有分布。

| **资源情况** | 野生资源丰富。

| **采收加工** | 全草，7 ~ 9 月采收，晒干。根，春、秋季采挖，剪去茎叶，洗去泥土，晒干。

| **药材性状** | 本品根茎由数个结节连生。细根数条至数十条密生于根茎下，长 5 ~ 10 cm，直径 1 ~ 2 mm；表面土黄色，外皮脱落处浅黄色；质较软，断面纤维性。气微，味苦。

| **功能主治** | 苦，寒。归肝、肺、大肠经。清热解毒，利湿退黄，止痢。用于黄疸，痢疾，肺热咳嗽，目赤肿痛，鼻疮。

| **用法用量** | 内服煎汤，全草 10 ~ 15 g，根 3 ~ 9 g。外用适量，煎汤熏洗；或研末调涂。

| **附　注** | （1）《宁夏中药志》记载短梗箭头唐松草（原名：箭头唐松草）*Thalictrum simplex* L. var. *brevipes* Hara 可作为马尾连药材的基原。

（2）本种为箭头唐松草 *Thalictrum simplex* L. 的变种，与箭头唐松草的区别在于：小叶多为楔形，小裂片狭三角形，先端锐尖；花梗较短，长 1 ~ 4（ ~ 5）mm。

毛茛科 Ranunculaceae 唐松草属 Thalictrum

展枝唐松草 *Thalictrum squarrosum* Steph.

展枝唐松草

药 材 名

猫爪子（药用部位：全草或根及根茎。别名：展枝白蓬草、歧序唐松草、坚唐松草）。

形态特征

多年生草本。全株无毛。根茎细长，节处生长须根。茎直立，高 60 ～ 600 cm，有细纵槽，通常自中部近二歧状分枝。叶互生；基生叶开花时枯萎；茎下部及中部叶有短柄，二至三回羽状复叶；叶片长 8 ～ 18 cm；小叶坚纸质或薄革质，顶生小叶楔状倒卵形、宽倒卵形、长圆形或圆卵形，长 0.8 ～ 2（～ 3.5）cm，宽 0.6 ～ 1.5（～ 2.6）cm，先端急尖，基部楔形至圆形，通常 3 浅裂，裂片全缘或有 2 ～ 3 小齿，表面脉常稍下陷，背面有白粉，脉网稍明显；叶柄长 1 ～ 4 cm。花序圆锥状，近二歧状分枝；花两性；花梗细，长 1.5 ～ 3 cm；萼片 4，早落；雄蕊 5 ～ 14，长 3 ～ 5 mm；花药长圆形，有短尖头；花丝丝形；心皮 1 ～ 5，无柄；柱头箭头状。瘦果狭倒卵状球形或近纺锤形，稍斜，长 4 ～ 5.2 mm，有 8 粗纵肋，柱头长约 1.6 mm。花期 7 月，果期 8 月。

| 生境分布 | 生于海拔 1 200 ~ 2 000 m 的林缘、草甸或干燥草坡。分布于宁夏盐池、西吉、彭阳等。

| 资源情况 | 野生资源丰富。

| 采收加工 | 全草，秋季采收，洗净泥土，晒干。根及根茎，秋季采挖，除去地上部分和须根，洗净，晒干。

| 药材性状 | 本品根茎横生，结节状。细根数十条密生于根茎下，长 10 ~ 15 cm，直径 0.5 ~ 1 mm；表面浅棕色，外皮常脱落，脱落处黄色；质脆，易折断，断面略呈纤维性；气微，味苦。茎叶黄绿色，光滑无毛，纤细，多碎断；叶柄基部加宽，膜质，呈鞘状；叶片近革质，卵形或广倒卵形，先端具 3 钝牙齿或全缘。

| 功能主治 | 苦，寒；有毒。归肝、大肠经。清热解毒，制酸。用于急性结膜炎，肝炎，痢疾，胃病吐酸。

| 用法用量 | 内服煎汤，3 ~ 10 g。

| 附　　注 | （1）《宁夏中药志》记载展枝唐松草 *Thalictrum squarrosum* Steph.（原拉丁学名 *Thalictrum squarrosum* Steph. et Willd.）可作为马尾连药材的基原。

（2）《中国植物志》记载本种的花药有短尖头，柱头有宽翅且呈正三角形，与亚欧唐松草 *Thalictrum minus* L. 和箭头唐松草 *Thalictrum simplex* L. 的花药、柱头特点相近，但本种的花序分枝近二叉状，向斜上方开展，整个花序较宽而短，不呈塔形，瘦果较大，据此可将本种与亚欧唐松草和箭头唐松草区别开来。

小檗科 Berberidaceae 小檗属 Berberis

黄芦木

Berberis amurensis Rupr.

药材名	小檗皮（药用部位：根皮、茎皮。别名：刺黄檗、三颗针、黄柏）、黄芦木（药用部位：根、茎、枝。别名：狗奶根、刀口药、黄连）、三颗针（药用部位：根。别名：小檗、小檗根、刺黄柏）。
形态特征	落叶灌木。高 2 ~ 3.5 m。老枝淡黄色或灰色，稍具棱槽，无疣点；节间 2.5 ~ 7 cm；茎刺三分叉，稀单一，长 1 ~ 2 cm。叶纸质，倒卵状椭圆形、椭圆形或卵形，长 5 ~ 10 cm，宽 2.5 ~ 5 cm，先端急尖或圆形，基部楔形，上面暗绿色，中脉和侧脉凹陷，网脉不显，背面淡绿色，无光泽，中脉和侧脉微隆起，网脉微显；叶缘平展，每边具 40 ~ 60 细刺齿；叶柄长 5 ~ 15 mm。总状花序具 10 ~ 25 花，长 4 ~ 10 cm，无毛；总梗长 1 ~ 3 cm；花梗长 5 ~ 10 mm；花黄色；萼片 2 轮，外萼片倒卵形，长约 3 mm，宽约 2 mm，内萼片与外萼

黄芦木

片同形，长 5.5 ~ 6 mm，宽 3 ~ 3.4 mm；花瓣椭圆形，长 4.5 ~ 5 mm，宽 2.5 ~ 3 mm，先端浅缺裂，基部稍呈爪状，具 2 分离腺体；雄蕊长约 2.5 mm；药隔先端不延伸，平截；胚珠 2。浆果长圆形，长约 10 mm，直径约 6 mm，红色，先端不具宿存花柱，不被白粉或仅基部微被霜粉。花期 5 月，果期 7 ~ 8 月。

| **生境分布** | 生于海拔 1 800 ~ 2 400 m 的山坡、灌丛中。分布于宁夏六盘山（泾源、隆德、原州）林区。

| **资源情况** | 野生资源丰富。

| **采收加工** | 小檗皮：全年均可采收根皮，春、秋季采收茎皮，除去栓皮、杂质及泥土，干燥。
黄芦木：春、秋季采收，洗净，晒干。
三颗针：春、秋季采挖，除去泥沙和须根，晒干或切片，晒干。

| **药材性状** | 小檗皮：本品呈板状，平坦或褶皱，有的呈对折状，长宽不一，厚 0.5 ~ 2 mm。外表面呈鲜黄色或黄棕色，平坦或具片状撕裂和条纹，具气孔痕及枝痕或须根痕；内表面与外表面同色或较之稍深，具细密的纵条纹。体轻，质松脆，断面纤维性，呈层状分离。气微，味甚苦。以片厚、整齐、色黄者为佳。
三颗针：本品呈类圆柱形，稍扭曲，有少数分枝，长 10 ~ 15 cm，直径 1 ~ 3 cm。根头粗大，向下渐细。外皮灰棕色，有细皱纹，易剥落。质坚硬，不易折断，切面不平坦，鲜黄色，切片近圆形或长圆形，稍显放射状纹理，髓部棕黄色。气微，味苦。

| **功能主治** | 小檗皮：苦，寒。归肝、胃、大肠经。清热燥湿，泻火解毒，散瘀消肿。用于痢疾，泄泻，黄疸，热淋，咽喉肿痛，口疮，目赤，疮疡，湿疹，烫火伤，跌扑损伤。
黄芦木：苦，寒。清热燥湿，解毒。用于肠炎，痢疾，慢性胆囊炎，急、慢性肝炎，无名肿毒，丹毒湿疹，烫火伤，目赤，口疮。
三颗针：苦，寒；有毒。归肝、胃、大肠经。清热燥湿，泻火解毒。用于湿热泻痢，黄疸，湿疹，咽痛目赤，聤耳流脓，痈肿疮毒。

| **用法用量** | 小檗皮：内服煎汤，9 ~ 15 g。外用适量，研末调敷。
黄芦木：内服煎汤，5 ~ 20 g。外用适量，研粉撒布或调敷；或煎汤洗或点眼。
三颗针：内服煎汤，9 ~ 15 g。

| **附　注** | （1）《宁夏中药材标准》（1993 年版）收载的小檗皮的来源为小檗科植物黄芦木 *Berberis amurensis* Rupr. 等同属多种植物的茎皮或根皮；《宁夏中药材标准》（2018 年版）收载的小檗皮的来源为小檗科植物甘肃小檗 *Berberis kansuensis* Schneid. 的干燥茎皮或根皮，其所载基原范围明显缩小，未包括黄芦木。

（2）《宁夏中药志》记载，三颗针（原为"三棵针"）的来源为小檗科植物黄芦木 *Berberis amurensis* Rupr. 等多种植物的茎皮或根皮。这些植物的根可用来提取小檗碱。宁夏产小檗属植物有 13 种 1 变种（见分种检索表），这些植物的根和根皮均可作药用。《宁夏中药志》所载三颗针与《宁夏中药材标准》（1993 年版）收载的小檗皮应为同一种药材。《中华人民共和国药典》（2020 年版　一部）规定，三颗针的来源为小檗科植物假豪猪刺（拟猿猪刺）*Berberis soulieana* Schneid.、金花小檗（小黄连刺）*Berberis wilsoniae* Hemsley、细叶小檗 *Berberis poiretii* Schneid. 或匙叶小檗 *Berberis vernae* Schneid. 等同属数种植物的干燥根，这与《宁夏中药志》所载在药用部位方面有所不同。宁夏产小檗属植物分种检索表如下。

1. 花较大，直径通常 12 ～ 20 mm，单生、簇生或为短总状花序。
    2. 花 2 ～ 5 簇生，花梗长 2 ～ 3 cm⋯⋯⋯⋯⋯秦岭小檗 *Berberis circumserrata* Schneid
    2. 花 3 ～ 5，排列为近总状花序，花梗长 1 ～ 1.5 cm。
1. 花较小，排列为总状伞形或圆锥花序⋯⋯⋯⋯康定小檗 *Berberis kangdingensis* Ying
    3. 花柱长约 0.3 mm⋯⋯⋯⋯⋯⋯⋯⋯⋯陕西小檗 *Berberis shensiana* Ahrendt
    3. 花柱极短或无。
        4. 叶两面无毛。
            5. 花序为正常总状花序。
                6. 叶上面无毛，背面沿叶脉被柔毛⋯⋯⋯毛脉小檗 *Berberis giraldii* Hesse
                6. 叶两面被毛，表面有明显的褶皱⋯短柄小檗 *Berberis brachypoda* Maxim.
            5. 花序簇生总状近伞形或层列伞形，长度不超过 3 cm。
                7. 老枝灰白色或淡黄色⋯⋯⋯⋯⋯细脉小檗 *Berberis dictyoneura* Schneid.
                7. 老枝红色、紫红色或带褐色；总花梗不为红色⋯⋯⋯⋯⋯⋯⋯⋯⋯⋯⋯⋯
                    ⋯⋯⋯⋯⋯⋯⋯⋯⋯⋯⋯⋯显脉小檗 *Berberis delavayi* C. K. Schneid.
        4. 叶两面被毛或至少在背面脉上有毛。
            8. 叶缘具多数锯齿。
                9. 老枝红色、紫红色或褐色。
                    10. 花瓣短于内轮萼片⋯⋯⋯⋯⋯巴东小檗 *Berberis veitchii* Schneid.

10. 花瓣长于或等于内轮萼片。

　　　　11. 叶近圆形，先端圆；刺粗壮，长 2 ～ 3 cm ………………………
　　　　　　………………………… 甘肃小檗 *Berberis kansuensis* Schneid.

　　　　11. 叶长圆形或倒卵状披针形，先端急尖；刺较弱，长 3 ～ 12 mm
　　　　　　………………………… 首阳小檗 *Berberis dielsiana* Feddle

　　9. 老枝灰色或黄色。

　　　　12. 花序通常直立，叶背面网脉不明显，边缘具不带缘毛的锯齿；花
　　　　　　瓣先端不裂或微凹 ………… 直穗小檗 *Berberis dasystachys* Maxim.

　　　　12. 花序下垂，叶背面网脉明显，边缘具带缘毛的细密锯齿；花瓣先
　　　　　　端 2 裂 ………………… 黄芦木 *Berberis amurensis* Rupr.

　　8. 叶全缘或具少数锯齿。

　　　　13. 刺三叉至五叉；叶缘疏生具细刺的粗锯齿；每边锯齿不超过 10 ……
　　　　　　………………………… 西伯利亚小檗 *Berberis sibirica* Pall

　　　　13. 刺单一或三分叉；叶缘锯齿不具刺尖 ………………………………
　　　　　　………………………… 延安小檗 *Berberis purdomii* Schneid.

（3）《中华本草》记载黄芦木药材的来源为小檗科植物黄芦木 *Berberis amurensis* Rupr. 的根和茎、枝，其所载基原仅限于黄芦木，所载药用部位也与《中华人民共和国药典》所载三颗针及《宁夏中药志》所载三颗针［或《宁夏中药材标准》（1993 年版）所载小檗皮］的药用部位不同。

（4）《中华人民共和国卫生部药品标准·蒙药分册》收载了蒙药三颗针，并记载其来源为小檗科植物黄芦木 *Berberis amurensis* Rupr.、细叶小檗 *Berberis Poiretii* Schneid.、匙叶小檗 *Berberis vernae* Schneid. 或同属数种植物的干燥根。

（5）山东、贵州、北京、山西、河南、湖南的地方中药材标准记载的三颗针药材的基原均为小檗属植物，药用部位均为根，这与《中华人民共和国药典》（2020 年版　一部）所载基本相同。

（6）宁夏固原地区曾将本种的根皮和茎皮作黄柏用。

小檗科 Berberidaceae 小檗属 *Berberis*

短柄小檗 *Berberis brachypoda* Maxim.

| 药 材 名 | 小檗皮（药用部位：茎皮、根皮。别名：刺黄檗、三颗针、黄柏）、小檗（药用部位：根和茎、枝。别名：三颗针、黄柏、刺黄柏）。

| 形态特征 | 落叶灌木。高 1 ～ 3 m。老枝黄灰色，幼枝淡褐色具条棱，无毛或被柔毛，具稀疏黑疣点；茎刺三分叉，稀单生，与枝同色，长 1 ～ 3 cm，腹面具槽。叶簇生，厚纸质，倒卵形至椭圆形，长 3 ～ 14 cm，宽 1.5 ～ 5 cm，先端急尖或钝，叶缘有密刺齿，两面均被短柔毛，下面更密。穗状总状花序直立或斜上，与叶等长，通常密生 20 ～ 50 花，具花序梗；花淡黄色；小苞片披针形，常红色，2 轮 4 苞片；萼片 3 轮，边缘具短毛；花瓣椭圆形，长约 5 mm，宽约 3 mm；雄蕊长约 2 mm，药隔不延伸，先端平截；胚珠 1 ～ 2。浆果长圆形，长 6 ～ 9 mm，直径约 5 mm，鲜红色，稍有粉，先端具明显宿存花

短柄小檗

柱，不被白粉。花期5～6月，果期7～9月。

| 生长环境 | 生于海拔1 800～2 500 m的山坡灌丛中、林下、林缘，路边或山谷湿地。分布于宁夏海原、西吉、彭阳、隆德、泾源等。

| 资源情况 | 野生资源丰富。

| 采收加工 | 小檗皮：春、秋季采收茎皮，全年均可采收根皮，剥取皮部，除去栓皮、杂质及泥土，干燥。
小檗：春、秋季采挖，除去叶、须根及泥土，洗净，晒干。

| 药材性状 | 小檗皮：本品呈板状，平坦或褶皱，有的呈对折状，长宽不一，厚0.5～2 mm。外表面鲜黄色或黄棕色，平坦或具片状撕裂和条纹，具气孔痕及枝痕或须根痕；

内表面与外表面同色或较之稍深，具细密的纵条纹。体轻，质松脆，断面纤维性，呈层状分离。气微，味甚苦。以片厚、整齐、色黄者为佳。

| 功能主治 | 小檗皮：苦，寒。归肝、胃、大肠经。清热燥湿，泻火解毒，散瘀消肿。用于痢疾，泄泻，黄疸，热淋，咽喉肿痛，口疮，目赤，疮疡，湿疹，烫火伤，跌扑损伤。

小檗：寒，苦。清热燥湿，泻火解毒。用于细菌性痢疾，胃肠炎，副伤寒，消化不良，黄疸，肝硬化腹水，尿路感染，急性肾炎，扁桃体炎，口腔炎，支气管肺炎；外用于中耳炎，外伤感染。

| 用法用量 | 小檗皮：内服煎汤，9～15 g。外用适量，研末调敷。

小檗：内服煎汤，9～15 g。外用适量，研末调敷。

| 附　　注 | （1）《宁夏中药材标准》（1993 年版）收载的小檗皮的来源为小檗科植物黄芦木 Berberis amurensis Rupr. 等同属多种植物的茎皮或根皮。该书所载基原包括本种。

（2）《宁夏中药资源》记载本种的功用同黄芦木。

（3）《全国中草药汇编》记载本种为小檗药材的基原，其药用部位为根、根皮、茎、茎皮。

小檗科 Berberidaceae 小檗属 Berberis

鄂尔多斯小檗
Berberis caroli Schneid.

鄂尔多斯小檗

药材名

小檗皮（药用部位：茎皮、根皮。别名：刺黄檗、三颗针、黄柏）。

形态特征

落叶灌木。高 1 m。幼枝黄褐色或带红色，具明显的纵条棱，老枝灰褐色，被黑色疣点；刺单一或三分叉，长约 1 cm，与枝同色。叶质厚，倒卵形或倒卵状长椭圆形，长 1 ~ 2 cm，宽 0.5 ~ 1 cm，先端圆，具小尖头，基部渐狭，边缘疏生刺状细锯齿或全缘，上面深绿色，背面黄绿色，两面网脉明显，无毛；近无柄。花序为短总状花序，长 1 ~ 2.5 cm，具 10 ~ 15 花；花梗长 2 ~ 4 mm；花黄色，直径约 6 mm；小苞片长卵形，长 1.5 mm，宽约 1 mm；外轮萼片椭圆形，长约 2 mm，宽约 1.5 mm；内轮萼片宽倒卵形，长约 4 mm，宽约 3 mm；花瓣卵形，长约 3.5 mm，宽约 2.5 mm，先端微 2 裂，基部具短爪；雄蕊长约 2.5 mm，花药与花丝近等长；子房圆柱体形，无花柱，柱头头状，含胚珠 2。5 ~ 6 月开花，8 ~ 9 月结果。

| **生境分布** | 生于海拔 1 100 ～ 2 700 m 的河滩、山坡灌丛、沟谷中。分布于宁夏贺兰山（西夏、贺兰、平罗、大武口、惠农）及同心、沙坡头、中宁等，贺兰其他区域也有分布。

| **资源情况** | 野生资源较少。

| **采收加工** | 春、秋季采收茎皮，全年均可采收根皮，剥取皮部，除去栓皮、杂质及泥土，干燥。

| **药材性状** | 本品呈板状，平坦或褶皱，有的呈对折，长宽不一，厚 0.5 ～ 2 mm。外表面鲜黄色或黄棕色，平坦或具片状撕裂和条纹，具气孔痕及枝痕或须根痕；内表面与外表面同色或较之稍深，具细密的纵条纹。体轻，质松脆，断面纤维性，呈层状分离。气微，味甚苦。以片厚、整齐、色黄者为佳。

| **功能主治** | 苦，寒。归肝、胃、大肠经。清热燥湿，泻火解毒，散瘀消肿。用于痢疾，泄泻，黄疸，热淋，咽喉肿痛，口疮，目赤，疮疡，湿疹，烫火伤，跌扑损伤。

| **附　　注** | （1）《宁夏中药材标准》（1993 年版）收载的小檗皮的来源为小檗科植物黄芦木 Berberis amurensis Rupr. 等同属多种植物的茎皮或根皮。该书所载基原包括本种。
（2）《宁夏中药资源》记载本种的功用同黄芦木。

小檗科 Berberidaceae 小檗属 Berberis

秦岭小檗 *Berberis circumserrata* (Schneid.) Schneid.

秦岭小檗

| 药 材 名 |

小檗皮（药用部位：茎皮、根皮。别名：刺黄檗、三颗针、黄柏）。

| 形态特征 |

落叶灌木。高达 1 m。老枝黄色或黄褐色，具稀疏黑色疣点，具条棱，节间 1.5 ~ 4 cm；茎刺三分叉，长 1.5 ~ 3 cm。叶薄纸质，倒卵状长圆形或倒卵形，偶有近圆形，长 1.5 ~ 3.5 cm，宽 5 ~ 25 mm，先端圆形，基部渐狭，具短柄，边缘密生 15 ~ 40 整齐刺齿；上面暗绿色，背面灰白色，被白粉，两面网脉明显凸起。花黄色，2 ~ 5，簇生；花梗长 1.5 ~ 3 cm，无毛；萼片 2 轮，外萼片长圆状椭圆形，长 7 ~ 8 mm，宽 4 ~ 5 mm，内萼片倒卵状长圆形，长 9 ~ 10 mm，宽 6 ~ 7 mm；花瓣倒卵形，长 7 ~ 7.5 mm，宽 4 ~ 4.5 mm，先端全缘，基部具短爪，具 2 分离腺体；雄蕊长约 4 mm，药隔先端圆钝或平截；胚珠通常 6 ~ 7，有时 3 或 8。浆果椭圆形或长圆形，红色，长 1.3 ~ 1.5 cm，直径 5 ~ 6 mm，具宿存花柱，不被白粉。花期 5 月，果期 7 ~ 9 月。

| 生境分布 | 生于海拔 2 400 ～ 2 900 m 的山坡、灌丛中。分布于宁夏六盘山（泾源、隆德、原州）、贺兰山（西夏、贺兰、平罗、大武口、惠农）等，隆德其他区域也有分布。

| 资源情况 | 野生资源较少。

| 采收加工 | 春、秋季采收茎皮，全年均可采收根皮，剥取皮部，除去栓皮、杂质及泥土，干燥。

| 药材性状 | 本品呈板状，平坦或褶皱，有的呈对折状，长宽不一，厚 0.5 ～ 2 mm。外表面鲜黄色或黄棕色，平坦或具片状撕裂和条纹，具气孔痕及枝痕或须根痕；内表面与外表面同色或较之稍深，具细密的纵条纹。体轻，质松脆，断面纤维性，呈层状分离。气微，味甚苦。以片厚、整齐、色黄者为佳。

| 功能主治 | 苦，寒。归肝、胃、大肠经。清热燥湿，泻火解毒，散瘀消肿。用于痢疾，泄泻，黄疸，热淋，咽喉肿痛，口疮，目赤，疮疡，湿疹，烫火伤，跌扑损伤。

| 用法用量 | 内服煎汤，9 ～ 15 g。外用适量，研末调敷。

| 附　　注 | （1）《宁夏中药材标准》（1993 年版）收载的小檗皮的来源为小檗科植物黄芦木 *Berberis amurensis* Rupr. 等同属多种植物的茎皮或根皮。该书所载基原包括本种。
（2）《宁夏中药资源》记载本种的功用同黄芦木。
（3）本种喜阳，耐干旱瘠薄。

小檗科 Berberidaceae 小檗属 Berberis

直穗小檗 *Berberis dasystachya* Maxim.

| 药 材 名 | 小檗皮（药用部位：茎皮、根皮。别名：刺黄檗、三颗针、黄柏）。

| 形态特征 | 落叶灌木。高 2 ~ 3 m。老枝圆柱形，黄褐色，具稀疏小疣点，幼枝紫红色；茎刺单一，长 5 ~ 15 mm，有时缺如或偶有三分叉，长达 4 cm。叶纸质，叶片长圆状椭圆形、宽椭圆形或近圆形，长 3 ~ 6 cm，宽 2.5 ~ 4 cm，先端钝圆，基部骤缩，稍下延，呈楔形、圆形或心形；上面暗黄绿色，中脉和侧脉微隆起，背面黄绿色，中脉明显隆起，不被白粉，两面网脉显著，无毛；叶缘平展，每边具 25 ~ 50 细小刺齿；叶柄长 1 ~ 4 cm。总状花序直立，具 15 ~ 30 花，长 4 ~ 7 cm，包括总梗长 1 ~ 2 cm，无毛；花梗 4 ~ 7 mm；花黄色；小苞片披针形，长约 2 mm，宽约 0.5 mm；萼片 2 轮，外萼片披针形，长约 3.5 mm，宽约 2 mm，内萼片倒卵形，长约 5 mm，宽

直穗小檗

约 3 mm，基部稍呈爪；花瓣倒卵形，长约 4 mm，宽约 2.5 mm，先端全缘，基部缢缩成爪，具 2 分离长圆状椭圆形腺体；雄蕊长约 2.5 mm，药隔先端不延伸，平截；胚珠 1 ~ 2。浆果椭圆形，长 6 ~ 7 mm，直径 5 ~ 5.5 mm，红色，先端无宿存花柱，不被白粉。花期 4 ~ 6 月，果期 6 ~ 9 月。

| 生境分布 | 生于海拔 1 900 ~ 2 600 m 的向阳山地灌丛、山谷溪旁、林下。分布于宁夏六盘山（泾源、隆德、原州）林区等。

| 资源情况 | 野生资源丰富。

| 采收加工 | 春、秋季采收茎皮，全年均可采收根皮，剥取皮部，除去栓皮、杂质及泥土，干燥。

| 药材性状 | 本品呈板状，平坦或褶皱，有的呈对折状，长宽不一，厚 0.5 ~ 2 mm。外表面鲜黄色或黄棕色，平坦或具片状撕裂和条纹，具气孔痕及枝痕或须根痕；内表面与外表面同色或较之稍深，具细密的纵条纹。体轻，质松脆，断面纤维性，呈层状分离。气微，味甚苦。以片厚、整齐、色黄者为佳。

| 功能主治 | 苦，寒。归肝、胃、大肠经。清热燥湿，泻火解毒，散瘀消肿。用于痢疾，泄泻，黄疸，热淋，咽喉肿痛，口疮，目赤，疮疡，湿疹，烫火伤，跌扑损伤。

| 用法用量 | 内服煎汤，9 ~ 15 g。外用适量，研末调敷。

| 附　　注 | （1）《宁夏中药材标准》（1993 年版）收载的小檗皮的来源为小檗科植物黄芦木 Berberis amurensis Rupr. 等同属多种植物的茎皮或根皮。该书所载基原包括本种。

（2）《宁夏中药资源》记载本种的功用同秦岭小檗。

（3）《中华本草》记载以本种及鲜黄小檗 Berberis diaphana Maxim.、甘肃小檗 Berberis kansuensis Schneid. 的根和枝内皮入药，名为"黄刺皮"。黄刺皮别名黄三刺、黄檗、刺黄檗、三颗针；味苦，性寒；归肺、胃、大肠经；可清湿热，解热毒；用于湿热痢疾，黄疸，带下，热毒痈肿。

（4）《藏药本草》记载以本种及欧洲小檗 Berberis vulgaris L. 等茎或根的内皮入藏药，名"小檗皮"，能清热解毒，燥湿。用于痢疾，尿路感染，肾炎及疮疖，结膜炎等。

（5）本种喜阴湿，耐寒。

鲜黄小檗

Berberis diaphana Maxim.

| 药 材 名 | 小檗皮（药用部位：茎皮、根皮。别名：刺黄檗、三颗针、黄柏）。

| 形态特征 | 落叶灌木。高 1 ~ 3 m。幼枝绿色，老枝灰色，具条棱和疣点；茎刺三分叉，粗壮，长 1 ~ 2 cm，淡黄色。叶坚纸质，长圆形或倒卵状长圆形，长 1.5 ~ 4 cm，宽 5 ~ 16 mm，先端微钝，基部楔形，边缘具 2 ~ 12 刺齿，偶有全缘，上面暗绿色，侧脉和网脉凸起，背面淡绿色，有时微被白粉；具短柄。花 2 ~ 5，簇生，偶有单生，黄色；花梗长 12 ~ 22 mm；萼片 2 轮，外萼片近卵形，长约 8 mm，宽约 5.5 mm，内萼片椭圆形，长约 9 mm，宽约 6 mm；花瓣卵状椭圆形，长 6 ~ 7 mm，宽 5 ~ 5.5 mm，先端急尖，锐裂，基部缢缩成爪，具 2 分离腺体；雄蕊长约 4.5 mm，药隔先端平截；胚珠 6 ~ 10。浆果红色，卵状长圆形，长 1 ~ 1.2 cm，直径 6 ~ 7 mm，先端略斜

鲜黄小檗

弯，有时略被白粉，具明显宿存花柱。花期 5 月，果期 6 ～ 9 月。

| **生境分布** | 生于海拔 2 400 ～ 2 800 m 的山坡、灌丛中。分布于宁夏六盘山（泾源、隆德、原州）林区等。

| **资源情况** | 野生资源丰富。

| **采收加工** | 春、秋季采收茎皮，全年均可采收根皮，剥取皮部，除去栓皮、杂质及泥土，干燥。

| **药材性状** | 本品呈板状，平坦或褶皱，有的呈对折状，长宽不一，厚 0.5 ～ 2 mm。外表面鲜黄色或黄棕色，平坦或具片状撕裂和条纹，具气孔痕及枝痕或须根痕；内表面与外表面同色或较之稍深，具细密的纵条纹。体轻，质松脆，断面纤维性，呈层状分离。气微，味甚苦。以片厚、整齐、色黄者为佳。

| **功能主治** | 苦，寒。归肝、胃、大肠经。清热燥湿，泻火解毒，散瘀消肿。用于痢疾，泄泻，黄疸，热淋，咽喉肿痛，口疮，目赤，疮疡，湿疹，烫火伤，跌扑损伤。

| **用法用量** | 内服煎汤，9 ～ 15 g。外用适量，研末调敷。

| **附　　注** | （1）《宁夏中药材标准》（1993 年版）收载的小檗皮的来源为小檗科植物黄芦木 *Berberis amurensis* Rupr. 等同属多种植物的茎皮或根皮。该书所载基原包括本种。

（2）《宁夏中药资源》记载本种的功用同秦岭小檗。

（3）《中华本草》记载以本种及直穗小檗 *Berberis dasystachya* Maxim.、甘肃小檗 *Berberis kansuensis* Schneid. 的根和枝内皮入药，名为"黄刺皮"。黄刺皮别名黄三刺、黄檗、三颗针；可清湿热，解热毒；用于湿热痢疾，黄疸，带下，热毒痈肿。

（4）本种喜阳，耐干旱瘠薄。

小檗科 Berberidaceae 小檗属 Berberis

松潘小檗 *Berberis dictyoneura* Schneid.

| **药 材 名** | 小檗皮（药用部位：茎皮、根皮。别名：刺黄檗、三颗针、黄柏）。

| **形态特征** | 落叶灌木。高 1 ~ 2 m。老枝暗灰色，具槽，疏生疣点，幼枝淡紫红色；茎刺三分叉或单生，长 1 ~ 2 cm，腹面具浅槽，与枝同色。叶纸质，椭圆形或椭圆状倒卵形，长 1 ~ 3.5 cm，宽 4 ~ 15 mm，先端圆形或钝，基部楔形，上面暗灰绿色，中脉微凹陷，背面黄绿色，中脉明显隆起，两面密网脉明显隆起，无毛，不被白粉；叶缘平展，每边具 7 ~ 15 细密刺齿；叶柄长 2 ~ 8 mm。总状花序，具 7 ~ 14 花，长 2 ~ 3 cm，具短总梗或间杂簇生花；花梗长 4 ~ 6 mm，无毛；苞片卵形，长约 1 mm；花黄色；小苞片长约 2.5 mm，宽约 1.3 mm，先端急尖；萼片 2 轮，外萼片长圆形，长 4 ~ 4.8 mm，宽 2.3 ~ 2.8 mm，内萼片倒卵形，长 5.5 ~ 6.5 mm，宽 3.5 ~ 4 mm；

松潘小檗

花瓣倒卵形，长 5 ~ 5.8 mm，宽 3 ~ 3.5 mm，先端全缘，基部缢缩成爪，具 2 分离的卵形腺体；雄蕊长约 3.5 mm，药隔先端延伸，近突尖；胚珠 1 ~ 2。浆果倒卵状长圆形，长 8 ~ 10 mm，直径 5 ~ 6 mm，粉红色或淡红色，先端无宿存花柱，不被白粉。花期 4 ~ 6 月，果期 7 ~ 9 月。

| **生境分布** | 生于海拔 1 700 ~ 2 600 m 的向阳山地灌丛、山谷溪旁、林下。分布于宁夏贺兰山（西夏、贺兰、平罗、大武口、惠农）及海原等。

| **资源情况** | 野生资源较少。

| **采收加工** | 春、秋季采收茎皮，全年均可采收根皮，剥取皮部，除去栓皮、杂质及泥土，干燥。

| 药材性状 | 本品呈板状，平坦或褶皱，有的呈对折状，长宽不一，厚 0.5 ~ 2 mm。外表面鲜黄色或黄棕色，平坦或具片状撕裂和条纹，具气孔痕及枝痕或须根痕；内表面与外表面同色或较之稍深，具细密的纵条纹。体轻，质松脆，断面纤维性，呈层状分离。气微，味甚苦。以片厚、整齐、色黄者为佳。

| 功能主治 | 苦，寒。归肝、胃、大肠经。清热燥湿，泻火解毒，散瘀消肿。用于痢疾，泄泻，黄疸，热淋，咽喉肿痛，口疮，目赤，疮疡，湿疹，烫火伤，跌扑损伤。

| 用法用量 | 内服煎汤，9 ~ 15 g。外用适量，研末调敷。

| 附　注 | （1）《宁夏中药材标准》（1993 年版）收载的小檗皮的来源为小檗科植物黄芦木 Berberis amurensis Rupr. 等同属多种植物的茎皮或根皮。该书所载基原包括本种。

（2）《宁夏中药资源》记载本种的功用同秦岭小檗。

（3）《中华本草》记载国内有些地方将本种作为三颗针的基原。

（4）本种在《宁夏植物志》《宁夏中药志》《宁夏中药资源》及《宁夏中药材标准》（1993 年版）中均被记载为细脉小檗 Berberis dictyoneura Schneid.。

（5）本种喜光，耐寒。

小檗科 Berberidaceae 小檗属 Berberis

首阳小檗
Berberis dielsiana Fedde

| 药 材 名 | 小檗皮（药用部位：茎皮、根皮。别名：刺黄檗、三颗针、黄柏）。

| 形态特征 | 落叶灌木。高 1 ～ 3 m。老枝灰褐色，具棱槽，疏生疣点，幼枝紫红色；茎刺单一，圆柱形，长 3 ～ 15 mm，幼枝刺长达 2.5 cm；叶薄纸质，椭圆形或椭圆状披针形，长 4 ～ 9 cm，宽 1 ～ 2 cm，先端渐尖或急尖，基部渐狭，上面暗绿色，中脉扁平，侧脉不显，背面初时灰色，微被白粉，后呈绿色，中脉微隆起，侧脉微显，两面无网脉，无毛；叶缘平展，每边具 8 ～ 20 刺齿，幼枝叶全缘；叶柄长约 1 cm。总状花序，具 6 ～ 20 花，长 5 ～ 6 cm，包括总梗长 4 ～ 15 mm，偶有簇生花 1 至数朵，无毛；花梗长 3 ～ 5 mm，无毛；花黄色；小苞片披针形，红色，长 2 ～ 2.5 mm，宽约 0.7 mm；萼片 2 轮，外萼片长圆状卵形，长 2 ～ 2.5 mm，宽 0.8 ～ 1 mm，先端急尖，内萼片倒卵形，长 4 ～ 4.5 mm，宽约 3 mm；花瓣椭圆形，

首阳小檗

长 5 ~ 5.5 mm，宽约 3 mm，先端缺裂，基部具 2 分离腺体；雄蕊长约 3 mm，药隔不延伸，先端平截；胚珠 2。浆果长圆形，红色，长 8 ~ 9 mm，直径 4 ~ 5 mm，先端不具宿存花柱，不被白粉。花期 4 ~ 5 月，果期 8 ~ 9 月。

| **生境分布** | 生于海拔 1 600 ~ 2 700 m 的山谷或阴坡灌丛中。分布于宁夏六盘山（泾源、隆德、原州），泾源其他区域也有分布。

| **资源情况** | 野生资源较少。

| **采收加工** | 春、秋季采收茎皮，全年均可采收根皮，剥取皮部，除去栓皮、杂质及泥土，干燥。

| **药材性状** | 本品呈板状，平坦或褶皱，有的呈对折状，长宽不一，厚 0.5 ~ 2 mm。外表面鲜黄色或黄棕色，平坦或具片状撕裂和条纹，具气孔痕及枝痕或须根痕；内表面与外表面同色或较之稍深，具细密的纵条纹。体轻，质松脆，断面纤维性，呈层状分离。气微，味甚苦。以片厚、整齐、色黄者为佳。

| **功能主治** | 苦，寒。归肝、胃、大肠经。清热燥湿，泻火解毒，散瘀消肿。用于痢疾，泄泻，黄疸，热淋，咽喉肿痛，口疮，目赤，疮疡，湿疹，烫火伤，跌扑损伤。

| **用法用量** | 内服煎汤，9 ~ 15 g。外用适量，研末调敷。

| **附　　注** | （1）《宁夏中药材标准》（1993 年版）收载的小檗皮的来源为小檗科植物黄芦木 *Berberis amurensis* Rupr. 等同属多种植物的茎皮或根皮。该书所载基原包括本种。

（2）《宁夏中药资源》记载本种的功用同秦岭小檗。

（3）《中华本草》记载国内有地方将本种作为三颗针的基原。《河南省中药材标准（二）》（1993 年版）亦记载以本种及秦岭小檗 *Berberis circumserrata* (Schneid.) Schneid.、直穗小檗 *Berberis dasystachya* Maxim. 的根或根皮作为三颗针入药。

（4）《中国植物志》（英文版）、《宁夏植物志》记载本种为首阳小檗 *Berberis dielsiana* Fedde，《宁夏中药资源》记载本种为黄檗刺 *Berberis dielsiana* Fedde。本条目采用首阳小檗 *Berberis dielsiana* Fedde。

小檗科 Berberidaceae 小檗属 Berberis

置疑小檗 *Berberis dubia* Schneid.

| 药 材 名 | 小檗皮（药用部位：茎皮、根皮。别名：刺黄檗、三颗针、黄柏）。

| 形态特征 | 落叶灌木。高 1 ～ 3 m。老枝灰黑色，稍具棱槽和黑色疣点，幼枝紫红色，有光泽，明显具棱槽；茎刺单生或三分叉，长 7 ～ 20 mm，与枝同色。叶纸质，狭倒卵形，长 1.5 ～ 3 cm，宽 5 ～ 18 mm，先端近渐尖，基部渐狭，上面深绿色，中脉和侧脉隆起，背面淡黄色，中脉和侧脉明显隆起，两面网脉显著隆起，无毛，也无白粉；叶缘平展，每边具 6 ～ 14 细刺齿；叶柄长 1 ～ 3 mm。总状花序，由 5 ～ 10 花组成，长 1 ～ 3 cm，总梗长 0.5 ～ 1 cm；花梗长 3 ～ 6 mm，细弱，无毛；花黄色；小苞片披针形，长约 1.5 mm，宽约 1 mm，先端急尖；萼片 2 轮，外萼片卵形，长约 2.5 mm，宽约 1.5 mm，内萼片阔倒卵形，长约 4.5 mm，宽约 3.5 mm；花瓣椭圆形，长约 3.5 mm，

置疑小檗

短于内萼片，先端浅缺裂，基部楔形，具 2 腺体；雄蕊长约 2.5 mm，药隔延伸，先端短突尖；胚珠 2。浆果倒卵状椭圆形，红色，长约 8 mm，直径约 4 mm，先端不具宿存花柱，不被白粉。花期 5 ~ 6 月，果期 8 ~ 9 月。

| 生境分布 | 生于海拔 2 000 ~ 2 200 m 的山坡、林缘及山谷河滩地。分布于宁夏贺兰山（西夏、贺兰、平罗、大武口、惠农）等，贺兰其他区域也有分布。

| 资源情况 | 野生资源较少。

| 采收加工 | 春、秋季采收茎皮，全年均可采收根皮，剥取皮部，除去栓皮、杂质及泥土，干燥。

| 药材性状 | 本品呈板状，平坦或褶皱，有的呈对折状，长宽不一，厚 0.5 ~ 2 mm。外表面鲜黄色或黄棕色，平坦或具片状撕裂和条纹，具气孔痕及枝痕或须根痕；内表面与外表面同色或较之稍深，具细密的纵条纹。体轻，质松脆，断面纤维性，呈层状分离。气微，味甚苦。以片厚、整齐、色黄者为佳。

| 功能主治 | 苦，寒。归肝、胃、大肠经。清热燥湿，泻火解毒，散瘀消肿。用于痢疾，泄泻，黄疸，热淋，咽喉肿痛，口疮，目赤，疮疡，湿疹，烫火伤，跌扑损伤。

| 用法用量 | 内服煎汤，9 ~ 15 g。外用适量，研末调敷。

| 附　注 | 本种喜阳，耐寒。

小檗科 Berberidaceae 小檗属 Berberis

康定小檗
Berberis kangdingensis Ying

| 药 材 名 | 小檗皮（药用部位：茎皮、根皮。别名：刺黄檗、三颗针、黄柏）。

| 形态特征 | 落叶灌木。高约 1 m。茎具密集分枝；枝淡黄褐色，圆柱形或具条棱，被微柔毛，具稀疏黑色疣点；茎刺细弱，五分叉，有时三分叉，淡黄色，长 5 ~ 10 mm。叶纸质，狭椭圆形或倒卵状椭圆形，长 7 ~ 11 mm，宽 2 ~ 4 mm，先端急尖，具 1 刺尖头，基部楔形，上面绿色，中脉隆起，背面黄绿色，不被白粉，中脉明显隆起，两面网脉显著隆起；叶缘平展，全缘，每边偶有 1 ~ 2 刺齿；近无柄。花单生；花梗长 4 ~ 5 mm，无毛；花黄色；萼片 2 轮，外萼片椭圆形，长约 4.5 mm，宽约 3.5 mm，内萼片倒卵状长圆形，长约 5.5 mm，宽约 4.1 mm；花瓣倒卵形，长约 5 mm，宽约 3.1 mm，先端缺裂，基部楔形，具 2 分离的椭圆形腺体；雄蕊长约 3 mm，药隔稍延伸，

康定小檗

先端圆钝；子房含胚珠 6 ~ 7。浆果近球形，长约 9 mm，直径约 8 mm，先端无宿存花柱，密被白粉。花期 6 月，果期 10 ~ 11 月。

| 生境分布 | 生于海拔 2 000 m 左右的山谷阴湿处或阴坡林下。分布于宁夏六盘山(泾源、隆德、原州)。

| 资源情况 | 野生资源较少。

| 采收加工 | 春、秋季采收茎皮，全年均可采收根皮，剥取皮部，除去栓皮、杂质及泥土，干燥。

| 药材性状 | 本品呈板状，平坦或褶皱，有的呈对折状，长宽不一，厚 0.5 ~ 2 mm。外表面鲜黄色或黄棕色，平坦或具片状撕裂和条纹，具气孔痕及枝痕或须根痕；内表面与外表面同色或较之稍深，具细密的纵条纹。体轻，质松脆，断面纤维性，呈层状分离。气微，味甚苦。以片厚、整齐、色黄者为佳。

| 功能主治 | 苦，寒。归肝、胃、大肠经。清热燥湿，泻火解毒，散瘀消肿。用于痢疾，泄泻，黄疸，热淋，咽喉肿痛，口疮，目赤，疮疡，湿疹，烫火伤，跌扑损伤。

| 用法用量 | 内服煎汤，9 ~ 15 g。外用适量，研末调敷。

| 附　注 | 本种喜阴湿，耐寒。

小檗科 Berberidaceae 小檗属 Berberis

甘肃小檗 *Berberis kansuensis* Schneid.

| **药 材 名** | 小檗皮（药用部位：茎皮、根皮。别名：刺黄檗、三颗针、黄柏）。

| **形态特征** | 落叶灌木。高达 3 m。老枝淡褐色，幼枝带红色，具条棱；茎刺弱，单生或三分叉，长 1 ～ 2.4 cm，与枝同色，腹面具槽。叶厚纸质，近圆形或阔椭圆形，长 2.5 ～ 5 cm，宽 2 ～ 3 cm，先端圆形，基部渐狭成柄，上面暗绿色，中脉稍凹陷，背面灰色，微被白粉，中脉明显隆起，两面侧脉和网脉隆起；叶缘平展，每边具 15 ～ 30 刺齿；叶柄长 1 ～ 2 cm，但老枝上的叶常近无柄。总状花序，具 10 ～ 30 花，长 2.5 ～ 7 cm，包括总梗长 0.5 ～ 3 cm；苞片长 1 ～ 1.5 mm；花梗长 4 ～ 8 mm，常轮列；花黄色；小苞片带红色，长约 1.4 mm，先端渐尖；萼片 2 轮，外萼片卵形，长 2.5 mm，宽约 1.5 mm，先端急尖，内萼片长圆状椭圆形，长约 4.5 mm，宽约 2.5 mm；花瓣长圆

甘肃小檗

状椭圆形，长 4.5 mm，宽约 2 mm，先端缺裂，裂片急尖，基部缢缩成短爪，具 2 分离的倒卵形腺体；雄蕊长约 3 mm，药隔稍延伸，先端圆形或平截；胚珠 2，具柄。浆果长圆状倒卵形，红色，长 7 ~ 8 mm，直径 5 ~ 6 mm，先端不具宿存花柱，不被白粉。花期 5 ~ 6 月，果期 7 ~ 8 月。

| 生境分布 | 生于海拔 2 000 ~ 2 500 m 的沟底林缘或山坡灌丛中。分布于宁夏贺兰山（西夏、贺兰、平罗、大武口、惠农）、罗山（同心、红寺堡）、六盘山（泾源、隆德、原州）等。

| 资源情况 | 野生资源丰富。

| 采收加工 | 春、秋季采收茎皮，全年均可采收根皮，剥取皮部，除去栓皮、杂质及泥土，干燥。

| 药材性状 | 本品呈板状，平坦或褶皱，有的呈对折，长宽不一，厚 0.5 ~ 2 mm。外表面鲜黄色或黄棕色，平坦或具片状撕裂和条纹，具气孔痕及枝痕或须根痕；内表面与外表面同色或较之稍深，具细密的纵条纹。体轻，质松脆，断面纤维性，呈层状分离。气微，味甚苦。以片厚、整齐、色黄者为佳。

| 功能主治 | 苦，寒。归肝、胃、大肠经。清热燥湿，泻火解毒，散瘀消肿。用于痢疾，泄泻，黄疸，热淋，咽喉肿痛，口疮，目赤，疮疡，湿疹，烫火伤，跌扑损伤。

| 用法用量 | 内服煎汤，9 ~ 15 g。外用适量，研末调敷。

| 附　注 | （1）《宁夏中药材标准》（1993 年版）收载的小檗皮的来源为小檗科植物黄芦木 *Berberis amurensis* Rupr. 等同属多种植物的茎皮或根皮。该书所载基原包括本种。

（2）《宁夏中药资源》记载本种的功用同秦岭小檗。

（3）《中华人民共和国卫生部药品标准·藏药分册·成方制剂中本标准未收载的主要药材及炮制品》记载藏药小檗皮为小檗科植物甘肃小檗 *Berberis kansuensis* Schneid. 及同属多种植物的干燥皮。

（4）《中华本草》记载国内有些地方将本种作为三颗针的基原。三颗针的基原均为小檗属植物，其药用部位为根。

小檗科 Berberidaceae 小檗属 Berberis

西伯利亚小檗

Berberis sibirica Pall.

西伯利亚小檗

药材名

小檗皮（药用部位：茎皮、根皮。别名：刺黄檗、三颗针、黄柏）。

形态特征

落叶灌木。高 0.5 ~ 1 m。老枝暗灰色，无毛，幼枝被微柔毛，具条棱，带红褐色；茎刺三至七分叉，细弱，长 3 ~ 11 mm，有时刺基部增宽，略呈叶状。叶纸质，倒卵形、倒披针形或倒卵状长圆形，长 1 ~ 2.5 cm，宽 5 ~ 8 mm，先端圆钝，具刺尖，基部楔形，上面深绿色，背面淡黄绿色，不被白粉，两面中脉、侧脉和网脉明显隆起，侧脉 4 ~ 5 对，斜上至近叶缘联结；叶缘有时略呈波状，每边具 4 ~ 7 硬直刺状牙齿；叶柄长 3 ~ 5 mm。花单生；花梗长 7 ~ 12 mm，无毛；萼片 2 轮，外萼片长圆状卵形，长约 4 mm，宽 2 mm，内萼片倒卵形，长约 4.5 mm，宽约 2.5 mm；花瓣倒卵形，长约 4.5 mm，宽约 2.5 mm，先端浅缺裂，基部具 2 分离的腺体；雄蕊长 2.5 ~ 3 mm，药隔先端平截；胚珠 5 ~ 8。浆果倒卵形，红色，长 7 ~ 9 mm，直径 6 ~ 7 mm，先端无宿存花柱，不被白粉。花期 5 ~ 7 月，果期 8 ~ 9 月。

| 生境分布 | 生于海拔 1 400 ～ 3 000 m 的干旱石质山坡或石质坡地。分布于宁夏贺兰山（西夏、贺兰、平罗、大武口、惠农）及盐池等。

| 资源情况 | 野生资源丰富。

| 采收加工 | 春、秋季采收茎皮，全年均可采收根皮，剥取皮部，除去栓皮、杂质及泥土，干燥。

| 药材性状 | 本品呈板状，平坦或褶皱，有的呈对折状，长宽不一，厚 0.5 ～ 2 mm。外表面鲜黄色或黄棕色，平坦或具片状撕裂和条纹，具气孔痕及枝痕或须根痕；内表面与外表面同色或较之稍深，具细密的纵条纹。体轻，质松脆，断面纤维性，呈层状分离。气微，味甚苦。以片厚、整齐、色黄者为佳。

| 功能主治 | 苦，寒。归肝、胃、大肠经。清热燥湿，泻火解毒，散瘀消肿。用于痢疾，泄泻，黄疸，热淋，咽喉肿痛，口疮，目赤，疮疡，湿疹，烫火伤，跌扑损伤。

| 用法用量 | 内服煎汤，9 ～ 15 g。外用适量，研末调敷。

| 附　　注 | （1）《宁夏中药材标准》（1993 年版）收载的小檗皮的来源为小檗科植物黄芦木 *Berberis amurensis* Rupr. 等同属多种植物的茎皮或根皮。该书所载基原包括本种。
（2）《宁夏中药资源》记载本种的功用同秦岭小檗。
（3）《中华本草》记载国内有些地方将本种作为三颗针的基原，并将本种命名为"刺叶小檗"。三颗针的基原均为小檗属植物，药用部位为根。

日本小檗
Berberis thunbergii DC.

| 药 材 名 | 一颗针（药用部位：根、根皮及枝叶。别名：三颗针、刺榴根、子檗）。

| 形态特征 | 落叶灌木。一般高约 1 m，多分枝。枝条开展，具细条棱，幼枝淡红带绿色，无毛，老枝暗红色；茎刺单一，偶三分叉，长 5 ~ 15 mm；节间长 1 ~ 1.5 cm。叶薄纸质，倒卵形、匙形或菱状卵形，长 1 ~ 2 cm，宽 5 ~ 12 mm，先端骤尖或钝圆，基部狭而呈楔形，全缘，上面绿色，背面灰绿色，中脉微隆起，两面网脉不显，无毛；叶柄长 2 ~ 8 mm。2 ~ 5 花组成具总梗的伞形花序，或近簇生的伞形花序或无总梗而呈簇生状的花序；花梗长 5 ~ 10 mm，无毛；小苞片卵状披针形，长约 2 mm，带红色；花黄色；外萼片卵状椭圆形，长 4 ~ 4.5 mm，宽 2.5 ~ 3 mm，先端近钝形，带红色，内萼片阔椭圆形，长 5 ~ 5.5 mm，宽 3.3 ~ 3.5 mm，先端钝圆；花瓣长圆状倒卵

日本小檗

形，长 5.5 ~ 6 mm，宽 3 ~ 4 mm，先端微凹，基部略呈爪状，具 2 近靠的腺体；雄蕊长 3 ~ 3.5 mm，药隔不延伸，先端平截；子房含胚珠 1 ~ 2，无珠柄。浆果椭圆形，长约 8 mm，直径约 4 mm，亮鲜红色，无宿存花柱。种子 1 ~ 2，棕褐色。花期 4 ~ 6 月，果期 7 ~ 10 月。

| **生境分布** | 栽培种。宁夏中宁等有栽培。

| **资源情况** | 栽培资源较丰富。

| **采收加工** | 秋季采挖根，或剥取根皮，夏季采枝叶，洗净，切段，晒干。

| **药材性状** | 本品根呈圆锥形或圆柱形，稍扭曲，直径 0.2 ~ 1.5 cm，根头部稍粗大，有分枝。表面棕色至灰棕色，粗糙，具纵皱，老根外皮部分开裂或剥落。质硬，老根较难折断，折断面纤维性，横切面可见明显年轮环，皮部棕色至黄棕色，木部黄色，中央呈枯朽状。气无，味苦。茎枝圆柱形，长短不一，老枝暗红色，嫩枝淡红色带绿色，有纵棱和针刺，针刺单一，长 0.5 ~ 1.8 cm，质脆。气微，味苦。

| **功能主治** | 苦，寒。清热燥湿，泻火解毒。用于湿热泄泻，痢疾，胃热疼痛，目赤肿痛，口疮，咽喉肿痛，急性湿疹，烫伤。

| **用法用量** | 内服煎汤，15 ~ 20 g。外用适量，煎汤洗眼。

| **附　　注** | 本种原产日本，是小檗属中栽培较广泛的种之一。宁夏广泛栽培紫叶小檗 *Berberis thunbergii* DC. var. *atropurpurea* Chenault（本种的变种）用作绿篱等绿化带。

小檗科 Berberidaceae 红毛七属 Caulophyllum

红毛七
Caulophyllum robustum Maxim.

| 药 材 名 | 红毛七（药用部位：根及根茎。别名：毛黄连、红毛漆、搜山猫）。

| 形态特征 | 多年生草本。植株高达 80 cm。根茎粗短。茎生叶 2，互生，二至三回三出复叶，下部叶具长柄；小叶卵形、长圆形或阔披针形，长 4 ~ 8 cm，宽 1.5 ~ 5 cm，先端渐尖，基部宽楔形，全缘，有时 2 ~ 3 裂，上面绿色，背面淡绿色或带灰白色，两面无毛；顶生小叶具柄，侧生小叶近无柄。圆锥花序顶生；花淡黄色，直径 7 ~ 8 mm；苞片 3 ~ 6；萼片 6，倒卵形，花瓣状，长 5 ~ 6 mm，宽 2.5 ~ 3 mm，先端圆形；花瓣 6，远较萼片小，蜜腺状，扇形，基部缢缩成爪状；雄蕊 6，长约 2 mm，花丝稍长于花药；雌蕊单一，子房 1 室，具 2 基生胚珠，花后子房开裂，露出 2 球形种子。果实成熟时果柄增粗，长 7 ~ 8 mm。种子浆果状，直径 6 ~ 8 mm，微被白粉，成熟

红毛七

后蓝黑色，外被肉质假种皮。花期 5 ~ 6 月，果期 7 ~ 9 月。

| 生境分布 | 生于海拔 1 600 ~ 2 700 m 的山坡、峡谷和林下阴湿处。分布于宁夏泾源、隆德、原州等。

| 资源情况 | 野生资源较少。

| 采收加工 | 8 ~ 9 月采挖，去净泥土，晒干。

| 药材性状 | 本品根茎呈结节状，横生，多扭曲，长 2 ~ 10 cm，直径 0.5 ~ 2 cm，表面棕褐色或红褐色，有环纹；上有凹陷的茎痕，茎痕处稍膨大，常有残留的茎基。质坚硬。须根丛生，细长圆柱形，下部有分枝，棕褐色或红棕色。质韧，断面可抽出黄色木心。气微，味苦、辛，微涩。以须根多、色棕褐、味苦者为佳。

| 功能主治 | 苦、辛，温；有小毒。归肝、肾经。散瘀止血，祛风止痛。用于跌打损伤，风湿痹痛，月经不调，产后瘀滞腹痛，脘腹疼痛。

| 用法用量 | 内服煎汤，3 ~ 9 g。

| 附　　注 | （1）《宁夏植物志》记载本种的根及根茎供药用，能活血化瘀、祛风止痛、清热解毒、降压止血，还可解草乌毒。
（2）湖北、陕西、四川等省的地方中药材标准也收载了红毛七药材。

小檗科 Berberidaceae 山荷叶属 Diphylleia

南方山荷叶 *Diphylleia sinensis* H. L. Li

| 药 材 名 | 窝儿七（药用部位：根及根茎。别名：山荷叶、窝儿参、旱荷）。

| 形态特征 | 多年生草本。高 40 ~ 80 cm。下部叶柄长 7 ~ 20 cm，上部叶柄长（2.5 ~ ）6 ~ 13 cm；叶片盾状着生，肾形或肾状圆形至横向长圆形，下部片长 19 ~ 40 cm，宽 20 ~ 46 cm，上部叶片长 6.5 ~ 31 cm，宽 19 ~ 42 cm，呈 2 半裂，每半裂具 3 ~ 6 浅裂或波状，边缘具不规则锯齿，齿端具尖头，上面疏被柔毛或近无毛，背面被柔毛。聚伞花序顶生，具 10 ~ 20 花，分枝或不分枝，花序轴和花梗被短柔毛；花梗长 0.4 ~ 3.7 cm；外轮萼片披针形至线状披针形，长 2.3 ~ 3.5 mm，宽 0.7 ~ 1.2 mm，内轮萼片宽椭圆形至近圆形，长 4 ~ 4.5 mm，宽 3.8 ~ 4 mm；外轮花瓣狭倒卵形至阔倒卵形，长 5 ~ 8 mm，宽 2.5 ~ 5 mm；内轮花瓣狭椭圆形至狭倒卵形，长 5.5 ~

南方山荷叶

8 mm，宽 2.5 ~ 3.5 mm，雄蕊长约 4 mm；花丝扁平，长 1.7 ~ 2 mm，花药长约 2 mm；子房椭圆形，长 3 ~ 4 mm；胚珠 5 ~ 11，花柱极短，柱头盘状。浆果球形或阔椭圆形，长 10 ~ 15 mm，直径 6 ~ 10 mm，成熟后蓝黑色，微被白粉，果柄淡红色。种子 4，通常三角形或肾形，红褐色。花期 5 ~ 6 月，果期 7 ~ 8 月。

| 生境分布 | 生于海拔 2 000 ~ 2 800 m 的山坡林下、林缘及沟旁阴湿处。分布于宁夏泾源、隆德、原州等。

| 资源情况 | 野生资源较丰富。

| 采收加工 | 秋季采挖，除去残茎，洗净，阴干。

| 药材性状 | 本品根茎呈横长结节状，长 3 ~ 7 cm，直径 1 ~ 3 cm。表面棕色或棕褐色，上面具凹陷的茎痕，下面着生多数细根，根弯曲，长 10 cm。质硬而脆，易折断，断面平坦，颗粒状，皮部浅棕红色，维管束色稍深，稀疏排列，形成层环明显，髓部大，黄白色。气微而特异，味苦。

| 功能主治 | 苦、辛，温；有小毒。归肝、肾经。祛风除湿，活血止痛。用于跌打损伤，风湿痹痛，月经不调，小腹疼痛，肿瘤疼痛；外用于毒蛇咬伤，痈疖肿毒。

| 用法用量 | 内服煎汤，3 ~ 6 g。外用适量，研末调敷。

| 附 注 | （1）窝儿七药材在宁夏、陕西等省的地方中药材标准中均有记载。《宁夏中药材标准》（1998 年版）及《宁夏中药志》均记载窝儿七药材苦，寒，且有毒。《陕西省药材标准》（2015 年版）记载窝儿七药材苦、辛，温；有小毒。《中华本草》记载窝儿七药材苦、辛，平。在对窝儿七药材药性的认识上，上述文献有一定差异。
（2）本种喜阴湿，喜水肥。

小檗科 Berberidaceae 桃儿七属 Sinopodophyllum

桃儿七
Sinopodophyllum hexandrum (Royle) Ying

桃儿七

| 药 材 名 |

小叶莲（药用部位：果实。别名：墨地、八月瓜、鸡嗉台果）、桃儿七（药用部位：根、根茎。别名：桃耳七、鬼臼、铜筷子）。

| 形态特征 |

多年生草本。植株高 20 ～ 50 cm。根茎粗短，节状，多须根；茎直立，单生，具纵棱，无毛，基部被褐色大鳞片。叶 2，薄纸质，非盾状，基部心形，3 ～ 5 深裂几达中部，裂片不裂或有时 2 ～ 3 小裂，裂片先端急尖或渐尖，上面无毛，背面被柔毛，边缘具粗锯齿；叶柄长 10 ～ 25 cm，具纵棱，无毛。花大，单生，先叶开放，两性，整齐，粉红色；萼片 6，早萎；花瓣 6，倒卵形或倒卵状长圆形，长 2.5 ～ 3.5 cm，宽 1.5 ～ 1.8 cm，先端略呈波状；雄蕊 6，长约 1.5 cm，花丝较花药稍短；花药线形，纵裂，先端圆钝，药隔不延伸；雌蕊 1，长约 1.2 cm，子房椭圆形，1 室，侧膜胎座，含多数胚珠；花柱短，柱头头状。浆果卵圆形，长 4 ～ 7 cm，直径 2.5 ～ 4 cm，成熟时橘红色。种子卵状三角形，红褐色，无肉质假种皮。花期 5 ～ 6 月，果期 7 ～ 9 月。

| 生境分布 | 生于海拔 2 000 ～ 2 900 m 的向阳山坡草丛、林下、林缘湿地、灌丛中。分布于宁夏六盘山（泾源、隆德、原州）林区等。

| 资源情况 | 野生资源较少。

| 采收加工 | 小叶莲：秋季果实成熟时采摘，除去杂质，干燥。
桃儿七：春、秋季采挖，除去泥沙，洗净，晒干。

| 药材性状 | 小叶莲：本品呈椭圆形或近球形，多压扁，长 3 ～ 5.5 cm，直径 2 ～ 4 cm。表面红色或紫红色，皱缩，有的可见露出的种子。先端稍尖，果柄黄棕色，多脱落。果皮与果肉粘连成薄片，易碎，内具多数种子。种子近卵形，长约 4 mm；表面红紫色，具细皱纹，一端有小突起；质硬；种仁白色，有油性。气微，味酸甜、涩。种子味苦。
桃儿七：本品根茎呈横走结节状，长 0.5 ～ 8 cm，直径 0.5 ～ 1.5 cm；表面棕褐色或暗灰棕色，具圆凹形茎痕及残留茎基；质硬实，易折断，断面淡黄色。根数十条密生于根茎上，呈圆柱形，长 10 ～ 30 cm，直径 2 ～ 4 mm，上下粗细均匀；表面棕褐色或黄棕色，具纵皱纹及须根痕；质脆，易折断，断面平坦，类白色或黄白色，粉性，木部小，淡黄色或黄色。气微，味苦、微辛。

| 功能主治 | 小叶莲：甘，平；有小毒。调经活血。用于血瘀经闭，难产，死胎，胎盘不下。

桃儿七：苦，寒；有毒。归肺、脾、肝经。祛风除湿，行气活血，止痛，止咳。用于跌扑损伤，风湿痹痛，四肢麻木，月经不调，咳嗽。

| 用法用量 | 小叶莲：多入丸、散剂服，3 ~ 9 g。

桃儿七：内服煎汤，3 ~ 6 g，多配伍用；或浸酒，0.6 ~ 0.9 g。外用适量，研末撒布；或用水、醋调敷。

| 附　注 | （1）本种被列入《中国珍稀濒危保护植物名录》（第一册），等级为"稀有"。根据国家林业和草原局、农业农村部公告（2021 年第 15 号），本种被列入《国家重点保护野生植物名录》，保护级别为二级。

（2）本种在早期文献或药品标准中多以"鬼臼"为名，拉丁学名亦变化较多。如，《中华人民共和国药典》（1995 年版及以前各版）均以"鬼臼"为种名；《中华人民共和国药典》（2000 年版及以后各版）全部使用"桃儿七"作为种名。《中华人民共和国药典》（1977 年版）中本种拉丁学名为 *Podophyllum emodi* Wall. var. *chinensis* Sprague；《中华人民共和国药典》（1985 年版、1990 年版）中本种拉丁学名为 *Podophyllum emodi* Wall.；《中华人民共和国药典》（2000 年版）中本种拉丁学名为 *Sinopodophyllum emodi* (Wall.) Ying；《中华人民共和国药典》（2005 年版）中本种拉丁学名为 *Sinopodophyllum hexandrum* Royle；《中华人民共和国药典》（2010 年版、2015 年版、2020 年版）中本种拉丁学名为 *Sinopodophyllum hexandrum* (Royle) Ying。《中国植物志》中本种正名为桃儿七 *Sinopodophyllum hexandrum* (Royle) Ying。

（3）本种以根、根茎及果实入药。本种作为国家药品标准收载品种，最早见于《中华人民共和国药典》（1977 年版　一部）。其中，本种的根及根茎的药材名为"桃儿七"，果实的药材名为"小叶莲"。此后，历版《中华人民共和国药典》均收载了小叶莲，但没有收载桃儿七。小叶莲系藏族习用药材，在藏医本草书中早有记述。

（4）据《中华本草》记载，710 年桃儿七即以奥莫色（Omose）之名载于《月王药诊》里，这表明桃儿七药用已有较长历史。

（5）《中华本草·藏药卷》收载了藏药桃儿七，并记载其藏语名为"奥毛塞"，药用部位为果实、根和根茎。

（6）本种的根和根茎含鬼臼树脂（podophyllin）。服用鬼臼树脂后的中毒症状通常有呕吐、呼吸兴奋、运动失调和昏迷。

防己科 Menispermaceae 蝙蝠葛属 Menispermum

蝙蝠葛
Menispermum dauricum DC.

蝙蝠葛

药材名

北豆根（药用部位：根茎。别名：山豆根、土常山、北山豆根）、蝙蝠藤（药用部位：藤茎。别名：狗葡萄秧、小葛香、防己藤）、蝙蝠葛叶（药用部位：叶）。

形态特征

草质落叶藤本。根茎褐色，垂直生，茎自位于近顶部的侧芽生出；一年生茎纤细，有条纹，无毛。叶纸质或近膜质，通常为心状扁圆形，长和宽均 3 ~ 12 cm，边缘有 3 ~ 9 角或 3 ~ 9 裂，很少近全缘，基部心形至近截平，两面无毛，下面有白粉；掌状脉 9 ~ 12，其中向基部伸展的 3 ~ 5 脉，很纤细，均在背面凸起；叶柄长 3 ~ 10 cm 或稍长，有条纹。圆锥花序单生或有时双生，有细长的总梗，有花数朵至 20 余朵，花密集或稍疏散；花梗纤细，长 5 ~ 10 mm。雄花萼片 4 ~ 8，膜质，绿黄色，倒披针形至倒卵状椭圆形，长 1.4 ~ 3.5 mm，自外至内渐大；花瓣 6 ~ 8 或多至 9 ~ 12，肉质，凹成兜状，有短爪，长 1.5 ~ 2.5 mm；雄蕊通常 12，有时稍多或较少，长 1.5 ~ 3 mm。雌花退化雄蕊 6 ~ 12，长约 1 mm，雌蕊群具长 0.5 ~ 1 mm 的柄。核果紫黑色；

果核宽约 10 mm，高约 8 mm，基部弯缺深约 3 mm。花期 6 ～ 7 月，果期 8 ～ 9 月。

| 生境分布 | 生于海拔 1 800 ～ 2 800 m 的山地灌丛、林缘及多石砾地。分布于宁夏六盘山（泾源、隆德、原州），泾源其他区域也有分布。

| 资源情况 | 野生资源较少。

| 采收加工 | 北豆根：春、秋季采挖，除去须根和泥沙，干燥。
蝙蝠藤：秋季采割，去枝叶，洗净，切段，晒干。
蝙蝠葛叶：夏、秋季采收，鲜用或晒干。

| 药材性状 | 北豆根：本品呈细长圆柱形，弯曲，有分枝，长可达 50 cm，直径 0.3 ～ 0.8 cm。表面黄棕色至暗棕色，多有弯曲的细根，并可见凸起的根痕和纵皱纹，外皮易剥落。质韧，不易折断，断面不整齐，纤维细，木部淡黄色，呈放射状排列，中心有髓。气微，味苦。
蝙蝠藤：本品为干燥藤茎，圆柱形，直径 2 ～ 10 mm。表面黄棕色至黑棕色，

有明显纵沟，节上有叶痕、侧枝痕或芽痕；质坚硬，折断面纤维性，皮部易剥落，木部导管呈孔洞状，中央有白色髓。有时基部稍带有圆柱状的根茎，直径12 ~ 24 mm，表面灰棕色或棕色，粗糙，具纵纹及支根痕；质坚硬，断面粉性，类白色，木部导管孔洞明显。气无，味淡。以干燥、青棕色、枝条均匀、粗如小指者为佳。

| **功能主治** | 北豆根：苦，寒；有小毒。归肺、胃、大肠经。清热解毒，祛风止痛。用于咽喉肿痛，热毒泻痢，风湿痹痛。

蝙蝠藤：苦，寒。归肝、肺、大肠经。清热解毒，消肿止痛。用于腰痛，瘰疬，咽喉肿痛，腹泻，痢疾，痔疮肿痛。

蝙蝠葛叶：散结消肿，祛风止痛。用于瘰疬，风湿痹痛。

| **用法用量** | 北豆根：内服煎汤，3 ~ 9 g。

蝙蝠藤：内服煎汤，9 ~ 15 g。外用适量，捣敷。

蝙蝠葛叶：外用适量，捣敷；或水煎加酒熏洗。

木兰科 Magnoliaceae 玉兰属 Yulania

玉兰
Yulania denudata (Desr.) D. L. Fu

| 药 材 名 | 辛夷（药用部位：花蕾。别名：迎春、木笔花、毛辛夷）。

| 形态特征 | 落叶乔木。高达 25 m，胸径 1 m，枝广展形成宽阔的树冠；树皮深灰色，粗糙开裂；小枝稍粗壮，灰褐色；冬芽及花梗密被淡灰黄色长绢毛。叶纸质，倒卵形、宽倒卵形或倒卵状椭圆形，基部徒长枝叶椭圆形，长 10 ～ 15（～ 18）cm，宽 6 ～ 10（～ 12）cm，先端宽圆、平截或稍凹，具短突尖，中部以下渐狭成楔形，叶上深绿色，嫩时被柔毛，后仅中脉及侧脉留有柔毛，下面淡绿色，沿脉上被柔毛，侧脉每边 8 ～ 10，网脉明显；叶柄长 1 ～ 2.5 cm，被柔毛，上面具狭纵沟；托叶痕长为叶柄的 1/4 ～ 1/3。花蕾卵圆形；花先叶开放，直立，芳香，直径 10 ～ 16 cm；花梗显著膨大，密被淡黄色长绢毛；花被片 9，白色，基部常带粉红色，近相似，

玉兰

、

长圆状倒卵形，长 6 ~ 8（ ~ 10）cm，宽 2.5 ~ 4.5（ ~ 6.5）cm；雄蕊长 7 ~ 12 mm；花药长 6 ~ 7 mm，侧向开裂；药隔宽约 5 mm，先端伸出成短尖头；雌蕊群淡绿色，无毛，圆柱形，长 2 ~ 2.5 cm；雌蕊狭卵形，长 3 ~ 4 mm，具长 4 mm 的锥尖花柱。聚合果圆柱形（在庭园栽培种常因部分心皮不育而弯曲），长 12 ~ 15 cm，直径 3.5 ~ 5 cm；蓇葖果厚木质，褐色，具白色皮孔。种子心形，侧扁，高约 9 mm，宽约 10 mm，外种皮红色，内种皮黑色。花期 2 ~ 3 月（亦常于 7 ~ 9 月再开一次花），果期 8 ~ 9 月。

| 生境分布 | 栽培种。宁夏贺兰、西夏、兴庆等有栽培。

| 资源情况 | 栽培资源较丰富。

| 采收加工 | 冬末至翌年春初花未开时采收，除去枝梗，阴干。

| 药材性状 | 本品呈长卵形，似毛笔头，长 1.5 ~ 3 cm，直径 1 ~ 1.5 cm。基部枝梗较粗壮，长约 5 mm，梗上有浅棕色点状皮孔。苞片 2 ~ 3 层，每层 2，两层苞片间有小鳞芽，苞片外表面密被灰白色或灰绿色茸毛，内表面类棕色，无毛。花被片 9，棕色，内外轮同型。雄蕊和雌蕊多数，螺旋状排列。体轻，质脆。气芳香，味辛、凉而稍苦。

| **功能主治** | 辛，温。归肺、胃经。散风寒，通鼻窍。用于风寒头痛，鼻塞流涕，鼻鼽，鼻渊。 |

| **用法用量** | 内服煎汤，3 ~ 10 g，包煎。外用适量。 |

| **附　注** | （1）《中国植物志》（英文版）将本种由木兰科 Magnoliaceae 木兰属 *Magnolia* 玉兰亚属 Subgen. *Yulania* 修订为木兰科 Magnoliaceae 玉兰属 *Yulania*，将本种拉丁学名由 *Magnolia denudata* Desr. 修订为 *Yulania denudata* (Desr.) D. L. Fu。 |
| | （2）《中华人民共和国药典》（2020 年版）收载的辛夷药材的基原植物除本种外，还有同属植物望春玉兰 *Yulania biondii* (Pamp.) D. L. Fu（*Magnolia biondii* Pamp.）和武当玉兰 *Yulania sprengeri* (Pamp.) D. L. Fu（*Magnolia sprengeri* Pamp.）。 |

五味子科 Schisandraceae 五味子属 Schisandra

五味子

Schisandra chinensis (Turcz.) Baill.

五味子

| 药 材 名 |

五味子（药用部位：果实。别名：北五味子、
辽五味子、五梅子）。

| 形态特征 |

落叶木质藤本。全株近无毛。茎皮灰褐色，
皮孔明显；小枝褐色，稍有棱；幼枝上单叶
互生，老枝上则丛生于短枝；叶柄细长；叶
片纸质或近膜质，卵形、倒卵形或宽椭圆形，
长 5 ~ 11 cm，宽 3 ~ 5 cm，先端急尖或渐
尖，基部楔形或宽楔形；边缘疏生小牙齿，
齿端具腺体；上面深绿色，有光泽，下面淡
绿色，脉隆起，嫩时有短柔毛。花单性，雌
雄异株，单生或簇生于短枝先端或叶腋间而
下垂，乳白色或粉红色；花被 6 ~ 9，2 轮，
卵状长圆形，长 7 ~ 10 mm；雌花有梗；心
皮多数，分离，螺旋状排列于花托上；子房
倒梨形；花后花托延长，结果时呈长穗状；
雄花具雄蕊 5；花药无柄，着生在细长圆筒
状雄蕊柱上。浆果球形，肉质，成熟时深红
色。种子 1 ~ 2，肾形。花期 6 ~ 7 月，果期
8 ~ 9 月。

| 生境分布 |

生于海拔 1 200 ~ 1 700 m 的向阳山地杂木

林下，缠绕于其他植物上。分布于宁夏泾源等。

| **资源情况** | 野生资源较少。

| **采收加工** | 秋季果实成熟时采摘，晒干或蒸后晒干，除去果柄和杂质。

| **药材性状** | 本品呈不规则的球形或扁球形，直径 5 ~ 8 mm。表面红色、紫红色或暗红色，皱缩，显油润；有的表面呈黑红色或出现"白霜"。果肉柔软；种子 1 ~ 2，肾形，表面棕黄色，有光泽，种皮薄而脆。果肉气微，味酸；种子破碎后，有香气，味辛、微苦。

| **功能主治** | 酸、甘，温。归肺、心、肾经。收敛固涩，益气生津，补肾宁心。用于久嗽虚喘，梦遗滑精，遗尿尿频，久泻不止，自汗盗汗，津伤口渴，内热消渴，心悸失眠。

| **用法用量** | 内服煎汤，2 ~ 6 g。

| **附　注** | （1）《中华本草·藏药卷》记载藏药五味子以本种的果实入药；味酸，性平；能改善血液循环，止吐泻，助消化；用于寒热泄泻，呕吐呃逆，四肢无力，呼吸困难，高血压等。

（2）《中华本草·蒙药卷》记载蒙药五味子以本种及华中五味子 *Schisandra sphenanthera* Rehd. et Wils. 的果实入药；味甘、酸，性平，效燥、轻、固、糙；可止汗，止吐，开胃，平喘；用于腹泻，胃火衰败，呕吐，哮喘，肺痼疾。

樟科 Lauraceae 木姜子属 Litsea

木姜子 *Litsea pungens* Hemsl.

木姜子

| 药 材 名 |

木姜子（药用部位：果实。别名：干橿木、土官桂、山胡椒）、木姜子根（药用部位：根。别名：木椒子根）、木姜子茎（药用部位：茎）、木姜子叶（药用部位：叶）。

| 形态特征 |

落叶小乔木。高 3 ~ 10 m。树皮灰白色。幼枝黄绿色，被柔毛，老枝黑褐色，无毛。顶芽圆锥形，鳞片无毛。叶互生，常聚生于枝顶，披针形或倒卵状披针形，长 4 ~ 15 cm，宽 2 ~ 5.5 cm，先端短尖，基部楔形，膜质，幼叶下面具绢状柔毛，后脱落渐变无毛或沿中脉有稀疏毛，羽状脉，侧脉每边 5 ~ 7，叶脉在两面均凸起；叶柄纤细，长 1 ~ 2 cm，初时有柔毛，后脱落渐变无毛。伞形花序腋生；总花梗长 5 ~ 8 mm，无毛；每一花序有雄花 8 ~ 12，先叶开放；花梗长 5 ~ 6 mm，被丝状柔毛；花被裂片 6，黄色，倒卵形，长 2.5 mm，外面有稀疏柔毛；能育雄蕊 9，花丝仅基部有柔毛，第 3 轮基部有黄色腺体，圆形；退化雌蕊细小，无毛。果实球形，直径 7 ~ 10 mm，成熟时蓝黑色；果柄长 1 ~ 2.5 cm，先端略增粗。花期 3 ~ 5 月，果期 7 ~ 9 月。

生境分布	生于海拔 800 ~ 2 300 m 的山地灌丛或林缘。分布于宁夏泾源等。

资源情况	野生资源丰富。

采收加工	木姜子：秋季果实成熟时采收，除去杂质，鲜用或晒干。
	木姜子根：春、夏季采挖，洗净，晒干。
	木姜子茎：春、夏季采集，洗净，鲜用或晒干。
	木姜子叶：春、夏季采收，鲜用或晒干。

药材性状	木姜子：本品呈类圆球形，直径 4 ~ 5 mm。外表面黑褐色或棕褐色，有网状皱纹，先端钝圆，基部常可见果柄脱落的圆形疤痕，少数残留宿萼及折断的果柄。除去果皮，可见硬脆的果核，表面暗棕褐色。果皮坚脆，有光泽，外有一隆起的纵横纹。破开后，内含种子 1，胚具子叶 2，黄色，富油性。气芳香，味辛辣、微苦而麻。
	木姜子叶：本品呈长卵形至倒长卵形，长 4 ~ 15 cm；先端急尖，基部楔形，全缘；羽状脉，侧脉约 5 对。气芳香，味辛、凉。

功能主治	木姜子：辛、苦，温。归脾、肾经。祛寒温中，行气止痛，燥湿健胃。用于胃寒腹痛，暑湿吐泻，食滞饱胀，痛经，疝痛。

木姜子根：辛，温。归胃、肝经。温中理气，散寒止痛。用于胃脘冷痛，风湿关节痛，疟疾，痛经。

木姜子茎：辛，温。归胃经。散寒止痛，行气消食，透疹。用于胃寒腹痛，食积腹胀，麻疹透发不畅。

木姜子叶：苦、辛，温。归脾经。祛风行气，健脾利湿，解毒。用于腹痛腹胀，暑湿吐泻，关节疼痛，水肿，无名肿毒。

| **用法用量** | 木姜子：内服煎汤，3 ~ 10 g；或研末，1 ~ 1.5 g。外用适量，捣敷；或研末调敷。

木姜子根：内服煎汤，3 ~ 10 g；或浸酒；或研末，0.2 ~ 0.5 g。

木姜子茎：内服煎汤，3 ~ 10 g。外用适量，煎汤熏洗。

木姜子叶：内服煎汤，10 ~ 15 g。外用适量，煎汤熏洗；或捣敷。

罂粟科 Papaveraceae 白屈菜属 Chelidonium

白屈菜

Chelidonium majus L.

| 药 材 名 |
多年生草本。白屈菜（药用部位：全草。别名：牛金花、八步紧、断肠草）、白
屈菜根（药用部位：根。别名：小人血七）。

| 形 态 特 征 |
多年生草本。高 30 ~ 60（~ 100）cm。主根粗壮，圆锥形，侧根多，
暗褐色。茎聚伞状分枝，分枝常被短柔毛，节上较密，后变无毛。
基生叶少，早凋落；叶片倒卵状长圆形或宽倒卵形，长 8 ~ 20 cm，
羽状全裂，全裂片 2 ~ 4 对，倒卵状长圆形，具不规则的深裂或浅
裂，裂片边缘圆齿状，表面绿色，无毛，背面具白粉，疏被短柔毛；
叶柄长 2 ~ 5 cm，被柔毛或无毛，基部扩大成鞘。茎生叶叶片长
2 ~ 8 cm，宽 1 ~ 5 cm；叶柄长 0.5 ~ 1.5 cm，其他同基生叶。伞
形花序多花；花梗纤细，长 2 ~ 8 cm，幼时被长柔毛，后变无毛；
苞片小，卵形，长 1 ~ 2 mm；花芽卵圆形，直径 5 ~ 8 mm；萼片

白屈菜

卵圆形，舟状，长 5 ~ 8 mm，无毛或疏生柔毛，早落；花瓣倒卵形，长约 1 cm，全缘，黄色；雄蕊长约 8 mm；花丝丝状，黄色；花药长圆形，长约 1 mm；子房线形，长约 8 mm，绿色，无毛；花柱长约 1 mm，柱头 2 裂。蒴果狭圆柱形，长 2 ~ 5 cm，直径 2 ~ 3 mm，具通常比果实短的柄。种子卵形，长约 1 mm 或更小，暗褐色，具光泽及蜂窝状小格。花期 5 ~ 8 月，果期 6 ~ 9 月。

| **生境分布** | 生于海拔 1 200 ~ 2 200 m 的林缘草地、山谷湿润地、水沟边、绿林草地或草丛中。分布于宁夏贺兰山（西夏、贺兰、平罗、大武口、惠农）、六盘山（泾源、隆德、原州）及金凤、海原等。

| **资源情况** | 野生资源较少。

| **采收加工** | 白屈菜：夏、秋季采挖，除去泥沙，阴干或晒干。
白屈菜根：夏季采挖，洗净泥沙，阴干。

| **药材性状** | 白屈菜：本品根呈圆锥状，多有分枝，密生须根。茎干瘪中空，表面黄绿色或绿褐色，有的可见白粉。叶互生，多皱缩、破碎，完整者为 1 ~ 2 回羽状分裂，裂片近对生，先端钝，边缘具不整齐的缺刻；上表面黄绿色，下表面绿灰色，具白色柔毛，脉上尤多。花瓣 4，卵圆形，黄色；雄蕊多数，雌蕊 1。蒴果细圆柱形。种子多数，卵形，细小，黑色。气微，味微苦。
白屈菜根：本品主根粗壮，圆锥形，土黄色或暗褐色，密生须根。

| **功能主治** | 白屈菜：苦，凉；有毒。归肺、胃经。解痉止痛，止咳平喘。用于胃脘挛痛，咳嗽气喘，百日咳。
白屈菜根：苦、涩，温。归肝、脾、肾经。散瘀，止血，止痛，解蛇毒。用于劳伤血瘀，胃脘痛，月经不调，痛经，蛇咬伤。

| **用法用量** | 白屈菜：内服煎汤，9 ~ 18 g。
白屈菜根：内服煎汤，3 ~ 6 g。

| **附　　注** | 《中华本草·蒙药卷》记载蒙药白屈菜以本种的带花全草入药；气微，味苦，性寒，效钝、淡、燥；能杀黏，解毒，清热，分清浊，愈伤；用于黏疫热，刀伤，热性眼病。

罂粟科 Papaveraceae 紫堇属 *Corydalis*

灰绿黄堇
Corydalis adunca Maxim.

| 药 材 名 | 黄草花（药用部位：全草。别名：蛇含七）。

| 形态特征 | 多年生灰绿色丛生草本。高 20 ~ 60 cm，多少具白粉。主根具多头根茎，向上发出多茎。茎不分枝至少分枝，具叶。基生叶高为茎的 1/2 ~ 2/3，具长柄；叶片狭卵圆形，3 回羽状全裂，一回羽片 4 ~ 5 对，二回羽片 1 ~ 2 对，近无柄，长 5 ~ 9 cm，宽 5 ~ 6 cm，3 深裂，有时裂片 2 ~ 3 浅裂，末回裂片先端圆钝，具短尖。茎生叶与基生叶同形，上部的具短柄，近 1 回羽状全裂。总状花序长 3 ~ 15 cm，多花，常较密集。苞片狭披针形，约与花梗等长，边缘近膜质，先端渐狭成丝状。花梗长约 5 mm。花黄色，外花瓣先端浅褐色，先近直立，后渐平展。萼片卵圆形，长约 3 mm，渐尖，基部多少具齿。外花瓣先端兜状，具短尖，无鸡冠状突起。上花瓣长约 1.5 cm；距占花瓣全长的 1/4 ~ 1/3，末端圆钝；蜜腺体约占距长的

灰绿黄堇

1/2。下花瓣长约 1 cm，舟状内凹。内花瓣长约 9 mm，具鸡冠状突起，爪约与瓣片等长。雄蕊束披针形；柱头小，近圆形，具 6 短柱状突起。蒴果长圆形，直立或斜伸，长约 1.8 cm，宽 2.5 mm，具长约 5 mm 的花柱和 1 列种子。种子黑亮，具小凹点，直径约 2 mm，种阜大。花期 6 ~ 7 月，果期 8 ~ 9 月。

| **生境分布** | 生于海拔 1 000 ~ 2 400 m 的干旱山坡、石质山沟、河滩或石缝中。分布于宁夏海原、惠农、平罗、西夏、金凤、大武口等。

| **资源情况** | 野生资源较少。

| **采收加工** | 夏季花期采收，切段，阴干。

| **药材性状** | 本品全株长 28 ~ 35 cm 或为长 0.5 ~ 3 cm 小段。茎圆柱形，多分枝；表面灰绿色至绿色，具纵棱及纵向细纹；质脆，断面中空或有髓。叶多皱缩或破碎，基生叶与茎下部叶均具长柄；叶片展平后，完整者倒卵形，长 6 ~ 9 cm，3 回羽状全裂，灰绿色、浅绿色或黄绿色。总状花序位于枝顶，多卷曲或破碎，每花下有披针形苞片 1，浅绿色；花萼 2，膜质，淡褐色；花冠黄色，有短距，长 8 ~ 12 mm。蒴果多开裂，果壳绿褐色。气清香，味微涩。

| **功能主治** | 苦，凉。归肺、肝、胆经。清肺止咳，清肝利胆，止痛。用于肺热咳嗽，发热胸痛，肝胆湿热，胁痛，厌食油腻，黄疸，湿热泄泻。

| **用法用量** | 内服煎汤，3～9g。

| **附　　注** | （1）紫堇属植物我国约有 280 种，且多数可作药用。其中，青藏高原分布的紫堇属植物种类较多且分布广泛。文献记载约有 66 种紫堇属植物被藏医作药用，但不同藏族聚居区使用的药材品种、名称及其基原常有较大差异。

（2）黄草花早在《月王药诊》中就有记载。《四部医典》记载黄草花"生长在灌木林中，叶厚，花黄白色"。其地上部分用于血热引起的头痛、背心痛、出血、肝脏热病、胆病、腹泻等，地下部分具有活血散瘀、止痛的功效。

罂粟科 Papaveraceae 紫堇属 Corydalis

地丁草
Corydalis bungeana Turcz.

| 药 材 名 | 苦地丁（药用部位：全草。别名：地丁、地丁草、苦丁）。

| 形态特征 | 二年生灰绿色草本。高 10 ～ 50 cm，具主根。茎自基部铺散分枝，灰绿色，具棱。基生叶多数，长 4 ～ 8 cm；叶柄约与叶片等长，基部多少具鞘，边缘膜质；叶片上面绿色，下面苍白色，2 ～ 3 回羽状全裂，一回羽片 3 ～ 5 对，具短柄，二回羽片 2 ～ 3 对，先端分裂成短小的裂片，裂片先端圆钝。茎生叶与基生叶同形。总状花序长 1 ～ 6 cm，多花，先密集，后疏离，果期伸长。苞片叶状，具柄至近无柄，明显长于长梗。花梗短，长 2 ～ 5 mm。萼片宽卵圆形至三角形，长 0.7 ～ 1.5 mm，具齿，常早落。花粉红色至淡紫色，平展。外花瓣先端多少下凹，具浅鸡冠状突起，边缘具浅圆齿。上花瓣长 1.1 ～ 1.4 cm；距长 4 ～ 5 mm，稍向上斜伸，末端多少囊

地丁草

状膨大；蜜腺体约占距长的 2/3，末端稍增粗。下花瓣稍向前伸出；爪向后渐狭，稍长于瓣片。内花瓣先端深紫色。柱头小，圆肾形，先端稍下凹，两侧基部稍下延，无乳突而具膜质的边缘。蒴果椭圆形，下垂，长 1.5 ~ 2 cm，宽 4 ~ 5 mm，具 2 列种子。种子直径 2 ~ 2.5 mm，边缘具 4 ~ 5 列小凹点；种阜鳞片状，长 1.5 ~ 1.8 cm，远离。花期 4 ~ 5 月，果期 5 ~ 6 月。

| 生境分布 | 生于海拔 1 100 ~ 2 900 m 的旷野、宅旁草丛中或丘陵、山坡疏林下。分布于宁夏原州、利通等。

| 资源情况 | 野生资源较少。

| 采收加工 | 夏季花果期采收，除去杂质，晒干。

| 药材性状 | 本品皱缩成团，长 10 ~ 30 cm。主根圆锥形，表面棕黄色。茎细，多分枝，表面灰绿色或黄绿色，具 5 纵棱，质软，断面中空。叶多皱缩、破碎，暗绿色或灰绿色，完整叶片 2 ~ 3 回羽状全裂。花少见，花冠唇形，有距，淡紫色。蒴果扁长椭圆形，呈荚果状。种子扁心形，黑色，有光泽。气微，味苦。

| 功能主治 | 苦，寒。归心、肝、大肠经。清热解毒，散结消肿。用于时疫感冒，咽喉肿痛，疔疮肿痛，痈疽发背，痄腮丹毒。

| 用法用量 | 内服煎汤，9 ~ 15 g。外用适量，煎汤洗患处。

罂粟科 Papaveraceae 紫堇属 Corydalis

曲花紫堇 *Corydalis curviflora* Maxim.

| **药 材 名** | 曲花紫堇（药用部位：全草。别名：弯花紫堇）。

| **形态特征** | 多年生草本。须根多数成簇，狭纺锤状肉质增粗，有时粗线形，长
1 ~ 4 cm，具细长柄，末端线状延长，淡黄色或褐色。茎直立，高
15 ~ 30 cm，淡绿色，具纵条棱，无毛，不分枝。茎生叶几无柄，
掌状全裂，裂片 4 ~ 10，线形、狭披针形或狭倒披针形，长 1 ~
2 cm，宽 1 ~ 4 mm，先端钝。总状花序顶生，或花序下部具分枝；
花蓝色；花梗长 0.5 ~ 1 cm；苞片披针形，长达 1 cm，宽约 2 mm；
萼片小，膜质，早落；花冠长约 1.3 cm，距长约为花冠的一半，末端
圆，稍向上伸。上面的花瓣椭圆形，长约 5 mm，宽约 3 mm，先端
尖，边缘具不明显的牙齿，背面前部具膜质翅；下面的花瓣宽倒卵
形，长约 8 mm，宽约 5 mm，先端具尖头，基部狭细；内侧 2 花瓣

曲花紫堇

倒卵状椭圆形，先端稍联合，先端背部具 1 三角状囊状突起，下半部向上的一边具宽三角状囊状突起，基部腹面两侧具 2 耳状囊状突起。雄蕊长约 4 mm；子房线形，长约 5 mm，柱头 2 裂，两侧具鸡冠状突起。蒴果线状长圆形，长 0.5 ～ 1.2 cm，直径 2 ～ 3 mm，先端锐尖，基部渐狭，绿色转褐红色，成熟时自果柄先端反折，有 4 ～ 7 种子。种子近圆形，黑色，具光泽。花果期 5 ～ 8 月。

| **生境分布** | 生于海拔 2 000 ～ 2 700 m 的山坡草地上、灌丛下或草丛中。分布于宁夏六盘山（泾源、隆德、原州），隆德、泾源其他区域也有分布。

| **资源情况** | 野生资源较少。

| **采收加工** | 7 ～ 8 月采收，晒干或阴干。

| **功能主治** | 苦，寒。归肺、肝、胆经。清热毒，利肝胆，凉血止血。用于热病高热，湿热黄疸，衄血，月经过多。

| **用法用量** | 内服研末，1.5 ～ 3 g。

罂粟科 Papaveraceae 紫堇属 Corydalis

条裂黄堇 *Corydalis linarioides* Maxim.

条裂黄堇

药材名

铜棒槌（药用部位：块根。别名：铜棒锤、铜槌紫堇）。

形态特征

多年生草本。高 20 ～ 50 cm。具块根 2 ～ 6，纺锤形或卵形，长 0.5 ～ 1.5 cm，直径 3 ～ 5 mm，黄褐色。茎单生或 2 ～ 3 丛生，具纵条棱，无毛，中部以上疏生数叶。叶互生，羽状全裂，裂片条形，长 2.5 ～ 5 cm，宽 1 ～ 4 mm，先端渐尖，基部渐狭。总状花序顶生，长 7 ～ 18 cm；苞片披针形，长 1 ～ 3 cm，宽 1 ～ 2.5 mm，全缘；花梗长 1 cm；萼片 2，极小，膜质，早落；花冠黄色，长约 2.5 cm，花瓣 4，上面的花瓣背面具膜质翅，末端成距，长 1 ～ 1.5 cm，末端钝圆，稍向下弯；下面的花瓣前端背面具三角状膜质翅；内侧的 2 花瓣先端稍联合，背部具三角状突起。子房线形，柱头 2 裂，先端冠状膨大。蒴果狭长圆形，长 1 ～ 1.5 cm，成熟时斜向下垂。种子 5 ～ 6，排成 1 列，扁球形，亮黑色，平滑。花果期 6 ～ 9 月。

生境分布

生于海拔 2 100 ～ 2 700 m 的林下、林缘、

灌丛、草坡或石缝中。分布于宁夏隆德等。

| 资源情况 | 野生资源较少。

| 采收加工 | 秋季采挖，去净泥土及须根，晒干。

| 药材性状 | 本品呈纺锤形，长 0.5 ~ 1.5 cm，直径 3 ~ 5 mm；表面暗黄棕色至黄褐色，皱缩，略具 3 ~ 5 纵棱，质稍硬，断面较平整，具粉性，黄白色，中心木部色较深。气微，味苦。

| 功能主治 | 辛、微苦，平；有毒。归肺、肝经。活血化瘀，祛风止痛，止痒。用于跌扑损伤，风湿痹痛，皮肤瘙痒。

| 用法用量 | 内服煎汤，1.5 ~ 3 g。

| 附　　注 | （1）《中华本草》收载有铜棒锤，以本种的全草或块根入药。
（2）本种的全草入藏药。地上部分用于血热引起的头痛、背心痛、出血、肝脏热病、胆病、腹泻等，地下部分具有活血散瘀、止痛功效。

罂粟科 Papaveraceae 紫堇属 Corydalis

糙果紫堇 *Corydalis trachycarpa* Maxim.

| 药 材 名 | 糙果紫堇（药用部位：全株）。

| 形态特征 | 多年生草本。具直根及多数深褐色须根。茎直立，柔软，高
20 ~ 40 cm，具纵条棱，无毛，不分枝。基生叶多数，具长柄，
叶柄长 5 ~ 15 cm，2 回羽状全裂；一回裂片具柄，中裂片柄长
约 2 cm，侧裂片柄长约 1 cm，二回裂片几无柄。小叶片卵形，长
15 ~ 2.5 cm，宽 1 ~ 1.5 cm，基部楔形，边缘羽状中裂，裂片椭
圆形，先端急尖。茎生叶渐小，叶柄渐缩短，上部茎生叶无柄。总
状花序顶生；花紫红色；苞片倒卵形，长 0.8 ~ 1.5 cm，具不规则
深裂，裂片线形；花梗长 0.5 ~ 1.5 cm；萼片膜质，长约 1 mm，边
缘具牙齿，早落；花长约 3 cm，距长约为花长之半，末端圆形，向
下弯曲；上面的花瓣菱状倒卵形，长约 1.2 cm，宽约 7 mm，背部先

糙果紫堇

端具向前伸的膜质翅，翅宽约 3 mm；内侧的花瓣椭圆形，背部具翅，基部具 2 囊状突起，先端稍联合，基部具爪；雄蕊长约 9 mm；子房狭长圆柱形；花柱细长，柱头 2 裂，周围具冠状突起。花果期 4 ~ 9 月。

| **生境分布** | 生于海拔 1 800 ~ 2 800 m 的林缘、沟底路旁。分布于宁夏泾源等。

| **资源情况** | 野生资源较少。

| **采收加工** | 6 ~ 7 月采挖，鲜用。

| **功能主治** | 辛、苦，寒。归肺、脾、胆经。解表退热，清热利湿。用于外感风热，胆经湿热所致的寒热往来、口苦、两胁胀满，时行感冒发热，伤寒，胃痛；外用于疮疖肿毒。

| **用法用量** | 内服煎汤，9 ~ 15 g。外用适量，捣敷。

罂粟科 Papaveraceae 紫堇属 Corydalis

齿瓣延胡索
Corydalis turtschaninovii Bess.

| 药 材 名 | 齿瓣延胡索（药用部位：块根。别名：蓝雀花、蓝花菜、元胡）。

| 形态特征 | 多年生草本。高 10 ~ 30 cm。块茎圆球形，直径 1 ~ 3 cm，黄色，有时瓣裂。茎多少直立或斜伸，通常不分枝，基部以上具 1 大而反卷的鳞片；鳞片腋内有时具 1 腋生的块茎或枝条；茎生叶腋通常无枝条，但有时常见于栽培条件下的个体。茎生叶通常 2，二回或近三回三出，末回小叶变异极大，有全缘的，有具粗齿和深裂的，有篦齿分裂的，裂片宽椭圆形、倒披针形或线形，钝或具短尖。总状花序花期密集，具 6 ~ 20（~ 30）花。苞片楔形，篦齿状多裂，稀分裂较少，约与花梗等长。花梗花期长 5 ~ 10 mm，果期长 10 ~ 20 mm。萼片小，不明显。花蓝色、白色或紫蓝色。外花瓣宽展，边缘常具浅齿，先端下凹，具短尖。上花瓣长 2 ~ 2.5 cm；距直或

齿瓣延胡索

先端稍下弯，长 1 ～ 1.4 cm；蜜腺体占距长的 1/3 ～ 1/2，末端钝。内花瓣长 9 ～ 12 mm。柱头扁四方形，先端具 4 乳突，基部下延，成 2 尾状突起。蒴果线形，长 1.6 ～ 2.6 cm，具 1 列种子，多少扭曲。种子平滑，直径约 1.5 mm；种阜远离。花期 5 月。

| 生境分布 | 生于海拔 1 800 ～ 2 800 m 的疏林下或林缘灌丛、山坡稍湿地及腐殖质土壤中。分布于宁夏泾源等。

| 资源情况 | 野生资源较少。

| 采收加工 | 5 月上、中旬茎叶枯萎时采挖，搓去浮皮，按大、中、小分成三档，分别放入 80 ～ 90 ℃的水中煮 4 ～ 5 分钟（小块茎 3 分钟），随时翻动，至内无白心、呈黄色时捞出摊晒，勤翻动，晒 3 ～ 4 天收回，堆放 3 ～ 4 天发汗，再晒干。

| 药材性状 | 本品呈扁球形、宽锥形或细锥形，单一或少数呈分瓣状，直径 0.5 ～ 2.5 cm。表面鲜黄色或黄色，外皮全脱落；底部有不定根痕，上部有少数疙瘩状侧块茎，主、侧块茎上部凹陷处有茎痕及芽。质坚硬，断面鲜黄色，角质，有蜡样光泽。气微，味苦。

| 功能主治 | 辛、苦，温。归肝、胃经。活血散瘀，行气止痛。用于心腹、腰膝痛，痛经，产后瘀阻腹痛，跌打肿痛。

| 用法用量 | 内服煎汤，3 ～ 10 g；或研末，1.5 ～ 3 g；或入丸、散剂。

罂粟科 Papaveraceae 荷包牡丹属 Lamprocapnos

荷包牡丹

Lamprocapnos spectabilis (L.) Fukuhara

| 药 材 名 | 荷包牡丹根（药用部位：根茎。别名：土当归、活血草）。

| 形态特征 | 多年生草本。全株无毛。根茎粗壮，高 30 ~ 60 cm，紫红色。叶对生，二回三出复叶；先端小叶具长柄，柄长 1 ~ 1.5 cm；侧生小叶具短柄，柄长约 3 mm；小叶片宽倒卵形或宽卵形，长 4 ~ 6 cm，宽 3 ~ 4 cm，常 3 深裂，裂片卵形或楔形；全缘或具少数裂片。总状花序顶生和腋生，长 10 ~ 30 cm；花一侧生，下垂；花梗长约 1 cm；苞片细线形，长约 3 mm；花两侧扁平，长约 3 cm，宽约 2 cm；萼片小，鳞片状披针形，早落；外层 2 花瓣粉红色，基部膨大成囊状，基部合生成心形，先端渐狭成尾状向外反曲；内层 2 花瓣长圆形，白色，顶部紫红色，背部具龙骨状突起，中部缢缩；雄蕊 6，花丝合生成 2 束；雌蕊线形，花柱细长，柱头角状，2 裂。蒴果线状圆柱形，长 2 ~

荷包牡丹

3 cm。花期 4 ~ 5 月。

| **生境分布** | 栽培种。宁夏青铜峡等有栽培。

| **资源情况** | 栽培资源丰富。

| **采收加工** | 夏季采挖，洗净，晒干或鲜用。

| **功能主治** | 辛、苦，温。归肝经。祛风活血，镇痛。用于金疮、疮毒及胃痛。

| **用法用量** | 酒煎服；或捣汁，酒冲服。

| **附　　注** | 《中国植物志》（英文版）中，本种所属荷包牡丹属拉丁学名由 *Dicentra* 修订为 *Lamprocapnos*，本种的拉丁学名由 *Dicentra spectabilis* (L.) Lem. 修订为 *Lamprocapnos spectabilis* (L.) Fukuhara。

罂粟科 Papaveraceae 角茴香属 Hypecoum

角茴香 *Hypecoum erectum* L.

| 药 材 名 | 角茴香（药用部位：全草。别名：小臭蒿、山黄连、野茴香）。

| 形态特征 | 一年生草本。高 15 ~ 30 cm。根圆柱形，长 8 ~ 15 cm，向下渐狭，具少数细根。花茎多，圆柱形，二歧状分枝。基生叶多数，叶片倒披针形，长 3 ~ 8 cm，多回羽状细裂，裂片线形，先端尖；叶柄细，基部扩大成鞘。茎生叶同基生叶，但较小。二歧聚伞花序多花；苞片钻形，长 2 ~ 5 mm；萼片卵形，长约 2 mm，先端渐尖，全缘。花瓣淡黄色，长 1 ~ 1.2 cm，无毛；外面 2 花瓣倒卵形或近楔形，先端宽，3 浅裂，中裂片三角形，长约 2 mm；里面 2 花瓣倒三角形，长约 1 cm，3 裂至中部以上，侧裂片较宽，长约 5 mm，具微缺刻，中裂片狭，匙形，长约 3 mm，先端近圆形。雄蕊 4，长约 8 mm；花丝宽线形，长约 5 mm，扁平，下半部加宽；花药狭长圆形，长约

角茴香

3 mm；子房狭圆柱形，长约 1 cm，直径约 0.5 mm；花柱长约 1 mm；柱头 2 深裂，裂片细，向两侧伸展。蒴果长圆柱形，长 4 ~ 6 cm，直径 1 ~ 1.5 mm，直立，先端渐尖，两侧稍压扁，成熟时分裂成 2 果瓣。种子多数，近四棱形，两面均具"十"字形的突起。花果期 5 ~ 8 月。

| 生境分布 | 生于海拔 1 100 ~ 2 600 m 的干燥山坡、草地、沙地、砾质碎石地。分布于宁夏海原、隆德、贺兰、永宁、中宁、红寺堡、盐池、金凤及宁东等。

| 资源情况 | 野生资源丰富。

| 采收加工 | 夏、秋季采挖，除去杂质及泥土，晒干。

| 药材性状 | 本品为长短不一的全草。根圆柱形或圆锥形，表面淡黄色或黄棕色；质硬而脆，断面不平坦。茎圆柱形，多扁缩，直径 1 ~ 2 mm，表面光滑，绿色或黄绿色，具纵棱；质脆易折，断面中空。基生叶多数，皱缩成团，叶片多破碎，完整者展平后呈 2 回羽状全裂。偶见花果，蒴果条形。气微，味苦。以色绿、气微香、味苦者为佳。

| 功能主治 | 苦、辛，凉。归肺、肝、大肠经。清热解毒，止痛，镇咳。用于感冒发热，咳嗽，咽喉肿痛，目赤肿痛，肺热咳嗽，痢疾，肝炎，胆囊炎，关节疼痛。

| 用法用量 | 内服煎汤，6 ~ 9 g。

| **附　　注** | （1）《中华人民共和国卫生部药品标准·藏药分册》及《藏药标准》（西藏、青海、四川、甘肃、云南、新疆卫生局编）记载藏药角茴香为本种及其同属植物细果角茴香（节裂角茴香）*Hypecoum leptocarpum* Hook. f. et Thoms. 的干燥全草；味苦，性寒，有小毒；功用与中药角茴香的功用基本相同。《中华本草·藏药卷》记载藏药角茴香的基原植物仅为细果角茴香（节裂角茴香）*Hypecoum leptocarpum* Hook. f. et Thoms.。

（2）《中华本草·蒙药卷》记载蒙药角茴香以本种及其同属植物细果角茴香（节裂角茴香）*Hypecoum leptocarpum* Hook. f. et Thoms. 的干燥全草入药；味苦，性寒；可杀黏，解毒，清热，止痛；用于黏热，疫热，毒热，高热。

罂粟科 Papaveraceae 角茴香属 *Hypecoum*

细果角茴香 *Hypecoum leptocarpum* Hook. f. et Thoms.

| 药 材 名 | 细果角茴香（药用部位：全草。别名：角茴香、咽喉草、麦黄草）。

| 形态特征 | 一年生草本。略被白粉，高 4 ~ 60 cm。茎丛生，长短不一，铺散而先端向上，多分枝。基生叶多数，蓝绿色，叶柄长 1.5 ~ 10 cm，叶片狭倒披针形，长 5 ~ 20 cm，2 回羽状全裂；裂片 4 ~ 9 对，宽卵形或卵形，长 0.4 ~ 2.3 cm，疏离，近无柄，羽状深裂；小裂片披针形、卵形、狭椭圆形至倒卵形，长 0.3 ~ 2 mm，先端锐尖。茎生叶同基生叶，但较小，具短柄或近无柄。花茎多数，高 5 ~ 40 cm，通常二歧状分枝；苞叶轮生，卵形或倒卵形，长 0.5 ~ 3 cm，2 回羽状全裂，向上渐变小，至最上部者为线形。花小，排列成二歧聚伞花序，花直径 5 ~ 8 mm，花梗细长，每花具数枚刚毛状小苞片；萼片卵形或卵状披针形，长 2 ~ 3（~ 4）mm，宽 1 ~ 1.5

细果角茴香

（～2）mm，绿色，边缘膜质，全缘，稀具小牙齿。花瓣淡紫色；外面2花瓣宽倒卵形，长0.5～1cm，宽4～7mm，先端绿色、全缘、近革质；里面2花瓣较小，3裂几达基部，中裂片匙状圆形，具短柄或无柄，边缘内弯，极全缘，侧裂片较长，长卵形或宽披针形，先端钝且极全缘。雄蕊4，与花瓣对生，长4～7mm；花丝丝状，黄褐色，扁平，基部扩大；花药卵形，长约1mm，黄色。子房圆柱形，长5～8mm，直径约1mm，无毛；胚珠多数；花柱短，柱头2裂，裂片外弯。蒴果直立，圆柱形，长3～4cm，两侧压扁，成熟时在关节处分离成数小节，每节具1种子。种子扁平，宽倒卵形。花果期6～9月。

| **生境分布** | 生于海拔1 500～2 700 m的田边地埂、山坡、沟底、草原、草甸或砂砾地上等。分布于宁夏彭阳、原州等。

| **资源情况** | 野生资源丰富。

| **采收加工** | 夏、秋季采集，晒干。

| **药材性状** | 本品为长短不一的全草。根圆柱形或圆锥形，表面淡黄色或黄棕色；质硬而脆，断面不平坦。茎圆柱形，多扁缩，直径1～2mm，表面光滑，绿色或黄绿色，具纵棱；质脆易折，断面中空。基生叶多数皱缩成团，叶片多破碎，完整者展

平后呈 2 回羽状全裂。偶见花果，蒴果条形。气微，味苦。以色绿、气微香、味苦者为佳。

| **功能主治** | 苦，寒；小毒。归肺、肝、胆经。清热解毒，凉血。用于感冒发热，头痛，咽喉疼痛，目赤肿痛，关节疼痛，肺炎，肝炎，胆囊炎，痢疾，吐血，衄血，便血。

| **用法用量** | 内服煎汤，6～9g；或研末。

野罂粟 *Papaver nudicaule* L.

野罂粟

药材名

野罂粟（药用部位：果实。别名：野大烟、山米壳、山罂粟）、野罂粟壳（药用部位：果壳。别名：野大烟、山米壳、山大烟）。

形态特征

多年生草本。直根圆锥形，生纤细侧根，黄褐色。叶全部基生，卵形或狭卵形，长3～6 cm，宽1.5～3 cm，2回羽状深裂，最终裂片椭圆形、倒卵状椭圆形或披针形，先端圆钝，两面疏被长刚毛；叶柄长3～10 cm，被刚毛。花葶1～6，自叶丛中抽出，高20～40 cm，具纵条棱，被刚毛，花单生花葶先端；萼片2，卵形，长约1.5 cm，宽约1 cm，外面被锈褐色刚毛；早落。花瓣4，橘黄色，2轮排列；外轮2花瓣较大；内轮2花瓣较小，倒卵形，长1.5～2 cm，宽0.8～1.5 cm，边缘微波状。雄蕊长约1.2 cm；花药椭圆形，长约1 mm，花丝细丝状。蒴果倒卵状椭圆形或倒卵形，长1～1.5 cm，宽0.5～1 cm，具纵棱，疏被白色刚毛，柱头宿存，通常具6辐射状裂片。花期7月，果期7～8月。

| 生境分布 | 生于海拔 1 200 ～ 2 500 m 的林下、林缘、山坡草地。分布于宁夏泾源、隆德等。

| 资源情况 | 野生资源丰富。

| 采收加工 | 秋季果实成熟时采收，晒干。

| 功能主治 | 野罂粟：酸、微苦，微寒；有毒。归肝、脾经。敛肺固涩，止痛。用于久泻，久痢，日久咳喘，胃痛，偏头痛，痛经，带下，遗精，脱肛。

野罂粟壳：酸、微苦、涩，凉；有毒。归肺、肾、大肠经。敛肺止咳，涩肠止泻，镇痛。用于久咳喘息，泻痢，便血，脱肛，遗精，带下，头痛，胃痛，痛经。

| 用法用量 | 野罂粟：内服煎汤，3 ～ 6 g。

野罂粟壳：内服煎汤，3 ～ 6 g。

| 附　　注 | （1）宁夏还分布有本种的变种光果野罂粟 *Papaver nudicaule* L. var. *aquilegioides* Fedde，其与本种的区别在于蒴果光滑无毛。

（2）《中华本草》收载的野罂粟药材来源于本种及其变型黑水罂粟 *Papaver nudicaule* L. f. *amurense* (N. Busch) H. Chuang 和罂粟科海罂粟属植物海罂粟 *Glaucium fimbrilligerum* Boiss. 的果实、果壳或带花的全草。

（3）本种的全草亦入蒙药，具有镇痛、凉血之功效，用于胸部刺痛、血热、搏热等。

（4）本种有毒，服用过量可出现头昏、耳鸣、皮疹、痛痒、皮肤青紫等毒副反应。

| 罂粟科 | Papaveraceae | 罂粟属 | Papaver

虞美人 *Papaver rhoeas* L.

| **药 材 名** | 丽春花（药用部位：全草或花、果实。别名：赛牡丹、满园春、仙女蒿）。

| **形态特征** | 一年生草本。全株被伸展的刚毛，稀无毛。茎直立，高 25 ~ 90 cm，具分枝，被淡黄色刚毛。叶互生；叶片披针形或狭卵形，长 3 ~ 15 cm，宽 1 ~ 6 cm，羽状分裂，下部全裂，全裂片披针形，2 回羽状浅裂，上部深裂或浅裂，裂片披针形，最上部粗齿状羽状浅裂，顶生裂片通常较大，小裂片先端均渐尖；两面被淡黄色刚毛；叶脉在背面凸起，在表面略凹；下部叶具柄，上部叶无柄。花单生于茎和分枝先端；花梗长 10 ~ 15 cm，被淡黄色平展的刚毛；花蕾长圆状倒卵形，下垂；萼片 2，宽椭圆形，长 1 ~ 1.8 cm，绿色，外面被刚毛；花瓣 4，圆形、横向宽椭圆形或宽倒卵形，长 2.5 ~ 4.5 cm，全缘，稀圆齿状或先端缺刻状，紫红色，基部通常具深

虞美人

紫色斑点；雄蕊多数；花丝丝状，长约 8 mm，深紫红色；花药长圆形，长约 1 mm，黄色；子房倒卵形，长 7 ~ 10 mm，无毛；柱头 5 ~ 18，辐射状，联合成扁平、边缘圆齿状的盘状体。蒴果宽倒卵形，长 1 ~ 2.2 cm，无毛，具不明显的肋。种子多数，肾状长圆形，长约 1 mm。花果期 3 ~ 8 月。

| **生境分布** | 栽培种。宁夏原州、金凤等有栽培。

| **资源情况** | 栽培资源较丰富。

| **采收加工** | 全草，夏、秋季采集，晒干。花，开时采收，晒干。果实，待蒴果干枯，种子呈褐色时采摘，因成熟期不一致，可分批采收，阴凉处保存。

| **功能主治** | 微苦，微寒。归大肠经。镇咳，镇痛，止泻。用于咳嗽，偏头痛，腹痛，泻痢。

| **用法用量** | 内服煎汤，全草 3 ~ 6 g，花 1.5 ~ 3 g，果实 4 ~ 10 g。

| **附　注** | （1）《宁夏中药志》记载丽春花药材以本种的全草入药。
（2）《中华本草》记载丽春花药材以本种的全草或花、果实入药。
（3）《中华本草·维吾尔药卷》记载维药丽春花以本种的花、种子和全草入药。
（4）本种的花入藏药，用于血瘀疼痛。

十字花科 Brassicaceae 南芥属 Arabis

垂果南芥 *Arabis pendula* L.

垂果南芥

药材名

扁担蒿（药用部位：果实。别名：垂果南芥）。

形态特征

二年生草本。主根圆柱状。茎直立，高50～60 cm，单一或上部分枝，圆柱形，微有纵条棱，密被单硬毛。叶长椭圆形、长卵形或卵状披针形，长3～10 cm，宽0.7～4 cm，先端渐尖，基部心形，抱茎，边缘具牙齿状钝齿或全缘，两面密被分叉毛和单毛；下部叶具短柄，长2～4 cm，被分枝毛和单毛。总状花序顶生和腋生；花梗长2～4 mm，密被星状毛；萼片直立，椭圆形，长约2.5 mm，边缘膜质，背面密被星状毛；花瓣匙形，长约4 mm，宽约1.5 mm，先端圆，基部具长爪；子房圆柱形；花柱短，柱头头状。长角果线形，长7～8 cm，直径约2 mm，无毛。花期6～7月，果期7～8月。

生境分布

生于海拔1 500～2 600 m的山坡、路旁、河边草丛中及高山灌木林下和荒漠地区。分布于宁夏泾源、海原、彭阳等。

| 资源情况 | 野生资源较少。

| 采收加工 | 秋季采收，晒干。

| 药材性状 | 本品呈长柱形，略扁平，长 6 ~ 10 cm，宽 1 ~ 2 mm，稍弯曲。表面绿褐色，光滑无毛，先端可见宿存的短柱基，成熟果实易沿两侧腹缝线开裂，或 2 果爿脱落仅留下假隔膜，每室种子 1 ~ 2 行，或脱落。种子椭圆形，稍扁，直径 1.5 ~ 2 mm，边缘具环状翅。气微，味辛。

| 功能主治 | 辛，平。清热解毒，消肿，杀虫。用于疮痈肿毒，阴道炎。

| 用法用量 | 内服煎汤，3 ~ 10 g。外用适量，煎汤熏洗；或捣敷患处。

| 附 注 | （1）《宁夏植物志》记载宁夏还分布有本种的变种粉绿垂果南芥 *Arabis pendula* L. var. *hypoglauca* Franch.，其与本种的区别在于：茎上疏被三叉状毛；叶表面暗绿色，疏被三叉状毛，背面绿白色,密被三至四叉状毛和星状毛，并混生有单毛；长角果不下垂。
（2）《中华本草》记载扁担蒿药材的基原植物为本种及其变种粉绿垂果南芥。《中国植物志》（英文版）已将粉绿垂果南芥并入本种。

芸苔
Brassica rapa L. var. *oleifera* de Candolle

| 药 材 名 | 芸苔子（药用部位：种子。别名：油菜籽、油菜花籽）、芸苔（药用部位：根、茎和叶。别名：油菜、胡菜、寒菜）。

| 形态特征 | 二年生草本。高 30 ～ 90 cm。茎粗壮，直立，分枝或不分枝，无毛或近无毛，稍带粉霜。基生叶大头羽裂，顶裂片圆形或卵形，边缘有不整齐弯缺牙齿，侧裂片 1 至数对，卵形；叶柄宽，长 2 ～ 6 cm，基部抱茎。下部茎生叶羽状半裂，长 6 ～ 10 cm，基部扩展且抱茎，两面有硬毛及缘毛；上部茎生叶长圆状倒卵形、长圆形或长圆状披针形，长 2.5 ～ 8（～ 15）cm，宽 0.5 ～ 4（～ 5）cm，基部心形，抱茎，两侧有垂耳，全缘或有波状细齿。总状花序在花期呈伞房状，以后伸长；花鲜黄色，直径 7 ～ 10 mm；萼片长圆形，长 3 ～ 5 mm，直立开展，先端圆形，边缘透明，稍有毛；花瓣倒卵形，长

芸苔

7 ～ 9 mm，先端近微缺，基部有爪。长角果线形，长 3 ～ 8 cm，宽 2 ～ 4 mm，果瓣有中脉及网纹，萼直立，长 9 ～ 24 mm；果柄长 5 ～ 15 mm。种子球形，直径约 1.5 mm，紫褐色。花期 3 ～ 4 月，果期 5 月。

| **生境分布** | 栽培种。宁夏各地均有栽培。

| **资源情况** | 栽培资源丰富。

| **采收加工** | 芸苔子：夏季果实成熟时，割取地上部分，晒干，打下种子，除去杂质，晒干。
芸苔：2 ～ 3 月采收，多鲜用。

| **药材性状** | 芸苔子：本品圆球形，直径 1.5 ～ 2 mm。表面棕黑色或暗棕色，少数呈黄色，在放大镜下观察，表面有微细网状纹理，一端有黑色点状的种脐。子叶 2，乳黄色，肥厚，富油性。气微，味淡，微有油样感。以颗粒饱满、表面色黑者为佳。

| **功能主治** | 芸苔子：辛，温。归肝、肾经。行血破气，消肿散结。用于产后血瘀腹痛，血痢，肿毒，痔瘘。
芸苔：辛、甘，平。归肺、肝、脾经。凉血散血，解毒消肿。用于血痢，丹毒，热毒疮肿，乳痈，风疹，吐血。

| **用法用量** | 芸苔子：内服煎汤，5 ～ 10 g；或入丸、散剂。外用适量，研末调敷；或榨油涂。
芸苔：内服煮食，30 ～ 300 g；或捣汁服，20 ～ 100 ml。外用适量，煎汤洗；或捣敷。

| **附　注** | （1）《中国植物志》（英文版）将本种拉丁学名由 *Brassica campestris* L. 修订为 *Brassica rapa* L. var. *oleifera* de Candolle，本种为芜青 *Brassica rapa* L. 的变种。
（2）在《宁夏中药志》等文献中，芸苔被记载为"芸薹"，芸苔子被写作"芸薹子"。
（3）本种耐旱，喜冷凉或较温暖的气候。

青菜

十字花科 Brassicaceae 芸苔属 Brassica

青菜

Brassica rapa L. var. *chinensis* (L.) Kitamura

药材名

菘菜（药用部位：叶。别名：白菜、青菜、夏菘）、菘菜子（药用部位：种子。别名：青菜子）。

形态特征

一年生或二年生草本，高 25 ～ 75 cm。全体无毛，带粉霜。根粗大，坚硬，常呈纺锤形块根，先端常有短根颈。茎直立或上升，有分枝。基生叶长椭圆形或宽卵形，长 6 ～ 8 cm，宽 2 ～ 3 cm，先端圆形，全缘，有宽中脉及明显侧脉；叶柄白色或绿色，长 3 ～ 4.5 cm，稍具边缘；下部茎生叶和基生叶相似，宽卵形，叶柄无边缘，不抱茎；其他茎生叶卵形、披针形或窄长圆形，除顶部叶外皆有叶柄且不抱茎。总状花序顶生，呈圆锥状，花后花序轴渐延长；萼片 4，长圆形，长 3 ～ 4 mm，直立开展，白色或黄色；花瓣 4，淡黄色，瓣片椭圆形或近圆形，长 5 ～ 10 mm，授粉后长达 1.5 cm，基部具短爪；雄蕊 6，2 长 4 短，长雄蕊长 6 ～ 6.5 mm，短雄蕊长 4 ～ 4.5 mm，花丝线形；雌蕊 1，子房圆柱形，花柱细，柱头膨大，头状。长角果细圆柱形，长 2 ～ 6 cm，宽 3 ～ 4 mm，坚硬，无毛，果瓣有明显中脉及网结侧脉；喙细瘦，长 8 ～ 12 mm；果梗长 8 ～ 30 mm。种子球形，紫褐色或黄褐色，直径 1 ～ 1.5 mm。花期 4 ～ 5 月，果期 5 ～ 6 月。

| **生境分布** | 栽培种。宁夏各地均有栽培。

| **资源情况** | 栽培资源丰富。

| **采收加工** | 菘菜：3 ～ 5 月采收，鲜用或晒干。

菘菜子：6 ～ 7 月种子成熟时，于晴天早晨刈取。刈取后置席上干燥 2 天，充分干燥后，打出种子，再干燥 1 ～ 2 天，贮存备用。

| **功能主治** | 菘菜：甘，凉。归肺、胃、大肠经。解热除烦，生津止渴，清肺化痰，通利肠胃。用于肺热咳嗽，消渴，便秘，食积，丹毒，漆疮。

菘菜子：甘，平。归肺、胃经。清肺化痰，消食醒酒。用于痰热咳嗽，食积，醉酒。

| **用法用量** | 菘菜：内服适量，煮食；或捣汁饮。外用适量，捣敷。

菘菜子：内服煎汤，5 ～ 10 g；或入丸、散剂。

| **附　注** | （1）《中国植物志》（英文版）将本种拉丁学名由 *Brassica chinensis* L. 修订为 *Brassica rapa* L. var. *chinensis* (L.) Kitamura，本种为芜青 *Brassica rapa* L. 的变种。

（2）本种喜生长在土壤肥沃疏松、排水良好的向阳地。

十字花科 Brassicaceae 芸苔属 Brassica

芥菜
Brassica juncea (L.) Czernajew

芥菜

药材名

芥子（药用部位：种子。别名：黄芥子、黄盖、芥菜子）、芥菜（药用部位：嫩茎及叶。别名：芥、大芥、雪里蕻）。

形态特征

一年生草本。高 30 ~ 150 cm，常无毛，有时幼茎及叶具刺毛，带粉霜，有辣味。茎直立，有分枝。基生叶宽卵形至倒卵形，长 15 ~ 35 cm，先端圆钝，基部楔形，大头羽裂，具 2 ~ 3 对裂片，或不裂，边缘均有缺刻或牙齿，叶柄长 3 ~ 9 cm，具小裂片；茎下部叶较小，边缘有缺刻或牙齿，有时具圆钝锯齿，不抱茎；茎上部叶窄披针形，长 2.5 ~ 5 cm，宽 4 ~ 9 mm，边缘具不明显疏齿或全缘。总状花序顶生，花后延长；花黄色，直径 7 ~ 10 mm；花梗长 4 ~ 9 mm；萼片淡黄色，长圆状椭圆形，长 4 ~ 5 mm，直立开展；花瓣倒卵形，长 8 ~ 10 mm，爪长 4 ~ 5 mm。长角果线形，长 3 ~ 5.5 cm，宽 2 ~ 3.5 mm；果瓣具 1 突出中脉；喙长 6 ~ 12 mm；果柄长 5 ~ 15 mm。种子球形，直径约 1 mm，紫褐色。花期 3 ~ 5 月，果期 5 ~ 6 月。

生境分布	栽培种。宁夏各地均有栽培。

资源情况 栽培资源丰富。

采收加工 芥子：夏末秋初果实成熟时采割植株，晒干，打下种子，除去杂质。

芥菜：5 ~ 10 月采收，鲜用或晒干。

药材性状 芥子：本品呈球形，直径 1 ~ 2 mm，表面黄色或黄棕色，少为暗红棕色，具细微的网纹，有明显的点状种脐。种皮薄而脆，破开后内有白色折叠的子叶，有油性。气微，味辛辣。研碎后加水浸湿，则产生辛烈的特异臭气。

芥菜：本品嫩茎圆柱形，黄绿色，有分枝，折断面髓部占大部分，类白色，海绵状。叶片常破碎，完整叶片宽披针形，长 3 ~ 6 cm，宽 1 ~ 2 cm，深绿色、黄绿色或枯黄色，全缘或具粗锯齿，基部下延，呈狭翅状；叶柄短，不抱茎。气微，搓之有辛辣气味。

功能主治 芥子：辛，温。归肺经。温肺豁痰利气，散结通络止痛。用于寒痰咳嗽，胸胁胀痛，痰滞经络，关节麻木、疼痛，痰湿流注，阴疽肿毒。

芥菜：辛，温。归肺、肝、肾、胃经。利肺豁痰，消肿散结。用于寒饮咳嗽，痰滞气逆，胸膈满闷，石淋，牙龈肿烂，乳痈，痔疮肿痛，冻疮，漆疮。

用法用量 芥子：内服煎汤，3 ~ 9 g；或入丸、散剂。外用适量，研末调敷。

芥菜：内服煎汤，12 ~ 15 g；或鲜品捣汁。外用适量，煎汤熏洗；或烧存性，研末撒。

附　注 （1）《中国植物志》（英文版）将本种拉丁学名由 *Brassica juncea*(L.) Czern. et Coss. 修订为 *Brassica juncea* (L.) Czernajew。

（2）本种喜生长在肥沃湿润的砂壤土。

芜青

十字花科 Brassicaceae 芸苔属 Brassica

芜青 *Brassica rapa* L.

药材名

芜菁（药用部位：块根及叶。别名：大芥、蔓菁、诸葛菜）、芜菁花（药用部位：花或花蕾。别名：蔓菁花）、芜菁子（药用部位：种子。别名：蔓菁子）。

形态特征

二年生草本。高达 100 cm。块根肉质，球形、扁圆形或长圆形，外皮白色、黄色或红色，根肉质白色或黄色，无辣味。茎直立，有分枝，下部稍有毛，上部无毛。基生叶大头羽裂或为复叶，长 20 ～ 50 cm，顶裂片或小叶很大，边缘波状或浅裂，侧裂片或小叶约 5 对，向下渐变小，上面有少数散生刺毛，下面有白色尖锐刺毛；叶柄长 10 ～ 16 cm，有小裂片。中部及上部茎生叶长圆状披针形，长 3 ～ 12 cm，无毛，带粉霜，基部宽心形，至少半抱茎，无柄。总状花序顶生；花直径 4 ～ 5 mm；花梗长 10 ～ 15 mm；萼片长圆形，长 4 ～ 6 mm；花瓣鲜黄色，倒披针形，长 4 ～ 8 mm，有短爪。长角果线形，长 3.5 ～ 8 cm，果瓣具 1 明显中脉；喙长 10 ～ 20 mm；果柄长达 3 cm。种子球形，直径约 1.8 mm，浅黄棕色，近种脐处黑色，有细网状窠穴。花期 3 ～ 4 月，果期 5 ～ 6 月。

芜青

| 生境分布 | 栽培种。宁夏惠农、平罗等有栽培。

| 资源情况 | 栽培资源丰富。

| 采收加工 | 芜菁：冬季及翌年 3 月采收，鲜用或晒干。
芜菁花：3 ~ 4 月花开时采收，鲜用或晒干。
芜菁子：夏季果实成熟时割取地上部分，晒干，打下种子，除去杂质。

| 药材性状 | 芜菁：本品块根肉质，膨大成球形、扁圆形或长椭圆形，直径 5 ~ 15 cm。上部淡黄棕色，较光滑，下部类白色或淡黄色，两侧各有 1 纵沟，沟中着生多数须状侧根，根头部有环状排列的叶痕。横切面类白色，木部占大部分，主要为薄壁组织。气微，味淡。叶多皱缩成条状；基生叶展平后呈阔披针形，长 20 ~ 50 cm，羽状深裂，裂片边缘波状或浅齿裂，表面蓝绿色，疏生白色糙毛；叶柄长 10 ~ 15 cm，两侧有叶状小裂片。质厚。气微，味淡。
芜菁子：本品呈圆球形，直径 1.2 ~ 1.8 mm，表面棕褐色，少数为深棕色至棕红色。种脐呈卵圆形，光滑，色浅。种皮薄，易用手指压破；子叶 2，鲜黄色。气微，味微辛。

| 功能主治 | 芜菁：辛、甘、苦，温。归胃、肝经。消食下气，解毒消肿。用于宿食不化，心腹冷痛，咳嗽，疔毒痈肿。
芜菁花：辛，平。归肝经。补肝明目，敛疮。用于虚劳目暗，久疮不愈。
芜菁子：苦、辛，寒。归肝经。养肝明目，行气利水，清热解毒。用于青盲目暗，黄疸便结，小便不利，癥瘕积聚，疮疽，面疱。

| 用法用量 | 芜菁：内服煮食；或捣汁饮。外用适量，捣敷。
芜菁花：内服研末，3 ~ 6 g。
外用适量，研末调敷。
芜菁子：内服煎汤，3 ~ 9 g；
或研末。外用适量，研末调敷。

| 附　注 | 《中华本草·维吾尔药卷》记载芜菁、芜菁花、芜菁子药材分别以本种的块根、花、种子入药。

十字花科 Brassicaceae 荠属 Capsella

荠

Capsella bursa-pastoris (L.) Medic.

| **药 材 名** | 荠菜（药用部位：全草。别名：花叶菜、荠荠菜、地菜）、荠菜花（药用部位：花序。别名：地米花、荠花）、荠菜子（药用部位：种子。别名：荠实、荠子、蒫实）。

| **形态特征** | 一年生或二年生草本。高（7～）10～50 cm，无毛、有单毛或分叉毛。茎直立，单一或从下部分枝。基生叶丛生呈莲座状，大头羽状分裂，长可达 12 cm，宽可达 2.5 cm；顶裂片卵形至长圆形，长 5～30 mm，宽 2～20 mm；侧裂片 3～8 对，长圆形至卵形，长 5～15 mm，先端渐尖，浅裂或有不规则粗锯齿或近全缘；叶柄长 5～40 mm。茎生叶窄披针形或披针形，长 5～6.5 mm，宽 2～15 mm，基部箭形，抱茎，边缘有缺刻或锯齿。总状花序顶生及腋生，果期延长达 20 cm；花梗长 3～8 mm；萼片长圆形，长 1.5～

荠

2 mm；花瓣白色，卵形，长 2 ~ 3 mm，有短爪。短角果倒三角形或倒心状三角形，长 5 ~ 8 mm，宽 4 ~ 7 mm，扁平，无毛，先端微凹，裂瓣具网脉；花柱长约 0.5 mm；果柄长 5 ~ 15 mm。种子 2 行，长椭圆形，长约 1 mm，浅褐色。花果期 4 ~ 6 月。

| **生境分布** | 生于海拔 1 100 ~ 2 700 m 的田野、路边及庭园。分布于宁夏隆德、海原、彭阳、西吉、原州、惠农、平罗、永宁、中宁、兴庆、金凤等。宁夏各地均有栽培。

| **资源情况** | 野生资源一般。栽培资源丰富。

| **采收加工** | 荠菜：5 ~ 7 月采挖，除去泥沙，洗净，干燥。
荠菜花：4 ~ 6 月采收，晒干。
荠菜子：6 月果实成熟时，采摘果枝，晒干，揉出种子。

| **药材性状** | 荠菜：本品主根圆柱形或圆锥形，有的有分枝，长 4 ~ 10 cm；表面类白色或淡褐色，有许多须状侧根。茎纤细，黄绿色，易折断。根出叶羽状分裂，多卷缩，展平后呈披针形，先端裂片较大，边缘有粗齿；表面灰绿色或枯黄色，有的棕褐色，纸质，易碎。茎生叶长圆形或线状披针形，基部耳状抱茎。果实倒三角形，扁平，先端微凹，具残存短花柱。种子细小，倒卵圆形，着生在假隔膜上，成 2 行排列。搓之有清香气，味淡。
荠菜花：本品总状花序轴较细，鲜品绿色，干品黄绿色；小花梗纤细，易断；花

小，直径约 2.5 mm；花瓣 4，白色或淡黄棕色。花序轴下部常有小倒三角形的角果，绿色或黄绿色，长 5 ~ 8 mm，宽 4 ~ 6 mm。气微清香，味淡。

荠菜子：本品呈小圆球形或卵圆形，直径约 2 mm。表面黄棕色或棕褐色，一端可见类白色小脐点。种皮薄，易压碎。气微香，味淡。

| 功能主治 | 荠菜：甘、淡，微凉。归肝、心、肺经。凉血止血，清热利水，凉肝明目，健胃消食。用于吐血，咯血，便血，尿血，崩漏，月经过多，水肿，小便不利，热淋，膏淋，感冒发热，痢疾，食积胃痛，目赤，高血压。

荠菜花：甘，凉。归大肠经。凉血止血，清热利湿。用于痢疾，崩漏，尿血，吐血，咯血，衄血，小儿乳积，赤白带下。

荠菜子：甘，平。归肝经。祛风明目。用于目痛，青盲翳障。

| 用法用量 | 荠菜：内服煎汤，15 ~ 30 g，鲜品 60 ~ 120 g；或入丸、散剂。外用适量，捣汁点眼。

荠菜花：内服煎汤，10 ~ 15 g；或研末。

荠菜子：内服煎汤，10 ~ 30 g。

| 附　　注 | 《中华本草·藏药卷》《中华本草·蒙药卷》《中华本草·苗药卷》均记载荠菜药材以本种的全草入药。

十字花科 Brassicaceae 碎米荠属 Cardamine

碎米荠 *Cardamine hirsuta* L.

| 药 材 名 | 白带草（药用部位：全草。别名：碎米荠、雀儿菜、野养菜）。

| 形态特征 | 一年生小草本。高 15 ~ 35 cm。茎直立或斜升，分枝或不分枝，下部有时淡紫色，被较密柔毛，上部毛渐少。基生叶具叶柄，有小叶 2 ~ 5 对；顶生小叶肾形或肾圆形，长 4 ~ 10 mm，宽 5 ~ 13 mm，边缘有 3 ~ 5 圆齿，小叶柄明显；侧生小叶卵形或圆形，较顶生的形小，基部楔形而两侧稍歪斜，边缘有 2 ~ 3 圆齿，有或无小叶柄。茎生叶具短柄，有小叶 3 ~ 6 对，生于茎下部的与基生叶相似，生于茎上部的顶生小叶菱状长卵形，先端 3 齿裂，侧生小叶长卵形至线形，多数全缘；全部小叶两面稍有毛。总状花序生于枝顶；花小，直径约 3 mm；花梗纤细，长 2.5 ~ 4 mm；萼片绿色或淡紫色，长椭圆形，长约 2 mm，边缘膜质，外面有疏毛；花瓣白色，倒卵形，

碎米荠

长 3 ～ 5 mm，先端钝，向基部渐狭；花丝稍扩大；雌蕊柱状，花柱极短，柱头扁球形。长角果线形，稍扁，无毛，长达 30 mm；果柄纤细，直立开展，长 4 ～ 12 mm。种子椭圆形，宽约 1 mm，先端有的具明显的翅。花期 2 ～ 4 月，果期 4 ～ 6 月。

| **生境分布** | 生于海拔 1 100 ～ 1 500 m 的山坡、路旁、荒地和耕地的阴湿处。分布于宁夏大武口、平罗等。

| **生境分布** | 野生资源较少。

| **采收加工** | 2 ～ 5 月采挖，除去泥沙，晒干或鲜用。

| **药材性状** | 本品全草扭曲成团。主根细长，侧根须状，淡黄白色。茎多分枝，黄绿色，下部淡紫色，密被灰白色粗糙毛。奇数羽状复叶，多皱缩；小叶 2 ～ 5 对；顶生小叶肾圆形，长 4 ～ 10 mm，宽 5 ～ 12 mm，边缘有 3 ～ 5 波状浅裂，两面均有毛；侧生小叶较小，卵圆形，基部楔形稍不对称，叶缘有 2 ～ 3 圆齿，无柄。长角果线形而扁，长达 3 cm，每室种子 1 行。种子椭圆形，长 1.2 ～ 1.5 mm，宽 0.6 ～ 0.8 mm，棕色，有小疣点。气微清香，味微甘。

| **功能主治** | 甘、淡，凉。清热利湿，安神，止血。用于湿热泻痢，热淋，白带，心悸，失眠，虚火牙痛，小儿疳积，吐血，便血，疔疮。

| **用法用量** | 内服煎汤，15 ～ 30 g。外用适量，捣敷。

| **附 注** | 本种的全草亦用作藏药，用于各种热病、风湿病。

十字花科 Brassicaceae 碎米荠属 *Cardamine*

弹裂碎米荠 *Cardamine impatiens* L.

弹裂碎米荠

| 药 材 名 |

弹裂碎米荠（药用部位：全草。别名：水菜花、水花菜）。

| 形态特征 |

一年生或二年生草本。高 20 ~ 60 cm。茎直立，不分枝或有时上部分枝，表面有沟棱，有少数短柔毛或无毛，着生多数羽状复叶。基生叶叶柄长 1 ~ 3 cm；两缘通常有短柔毛，基部稍扩大，有 1 对托叶状耳，小叶 2 ~ 8 对；顶生小叶卵形，长 6 ~ 13 mm，宽 4 ~ 8 mm，边缘有不整齐钝齿状浅裂，基部楔形，小叶柄显著；侧生小叶与顶生的相似，自上而下渐小，通常生于最下的 1 ~ 2 对近披针形，全缘，都有显著的小叶柄。茎生叶有柄，基部也有抱茎线形弯曲的耳，长 3 ~ 8 mm，先端渐尖，缘毛显著，小叶 5 ~ 8 对；顶生小叶卵形或卵状披针形；侧生小叶与之相似，但较小。最上部的茎生叶小叶片较狭，边缘少齿裂或近全缘。全部小叶散生短柔毛，有时无毛，边缘均有缘毛。总状花序顶生和腋生，花多数，形小，直径约 2 mm，果期花序极延长；花梗纤细，长 2 ~ 6 mm；萼片长椭圆形，长约 2 mm；花瓣白色，狭长椭圆形，长 2 ~ 3 mm，基部稍狭；雌蕊柱状，无毛，花柱极短，柱头较花柱稍宽。长角果狭条形而扁，长 20～28 mm；果瓣无毛，成熟时自下而上弹性开裂；果柄直立开展，长 10～15 mm，无毛。种子椭圆形，长约 1.3 m，边缘有极狭的翅。花期 4～6 月，果期 5～7 月。

| **生境分布** | 生于海拔 1 250～2 500 m 的山坡、路旁、沟谷、水边或阴湿地。分布于宁夏隆德、大武口等。

| **资源情况** | 野生资源较少。

| **采收加工** | 春季采收，鲜用或晒干。

| **药材性状** | 本品根细长。茎单一或上部分枝，长 20～50 cm；表面黄绿色，具细沟棱；质脆易断。奇数羽状复叶多皱缩，展平后基生叶叶柄基部稍扩大，两侧呈狭披针形耳状抱茎，小叶 2～8 对，小叶椭圆形，边缘有不整齐的钝齿裂，先端锐尖，基部楔形；茎生叶叶柄基部两侧有具缘毛的线形裂片抱茎，先端渐尖，小叶 5～8 对，卵状披针形，具钝齿裂。总状花序，有淡黄白色的小花或长角果。长角果线形而稍扁，长 2～2.8 cm，宽约 1 mm，每室种子 1 行。种子椭圆形，长 1～3 mm，棕黄色，边缘有极狭的翅。气微清香，味淡。

| **功能主治** | 淡，平。活血调经，清热解毒，利尿通淋。用于妇女月经不调，痈肿，淋证。

| **用法用量** | 内服煎汤，15～30 g。外用适量，捣敷。

十字花科 Brassicaceae 碎米荠属 Cardamine

白花碎米荠

Cardamine leucantha (Tausch) O. E. Schulz

| 药 材 名 | 菜子七（药用部位：全草或根及根茎。别名：山芥菜、假芹菜、角蒿）。

| 形态特征 | 多年生草本。高 30 ~ 75 cm。根茎短而匍匐，着生多数粗线状、长短不一的匍匐茎，其上生有须根。茎单一，不分枝，有时上部有少数分枝，表面有沟棱，密被短绵毛或柔毛。基生叶有长柄，小叶 2 ~ 3 对；顶生小叶卵形至长卵状披针形，长 3.5 ~ 5 cm，宽 1 ~ 2 cm，先端渐尖，边缘有不整齐的钝齿或锯齿，基部楔形或阔楔形，小叶柄长 5 ~ 13 mm；侧生小叶的大小、形态和顶生小叶相似，但基部不等、有或无小叶柄。茎中部叶有较长的叶柄，通常有小叶 2 对。茎上部叶有小叶 1 ~ 2 对，小叶阔披针形，较小。全部小叶干后带膜质而半透明，两面均有柔毛，尤以下面较多。总状花序顶生，分枝或不分枝，花后伸长；花梗细弱，长约 6 mm；萼片长椭圆形，长

白花碎米荠

2.5 ～ 3.5 mm，边缘膜质，外面有毛；花瓣白色，长圆状楔形，长 5 ～ 8 mm；花丝稍扩大；雌蕊细长；子房有长柔毛，柱头扁球形。长角果线形，长 1 ～ 2 cm，宽约 1 mm，花柱长约 5 mm；果瓣散生柔毛，毛易脱落；果柄直立开展，长 1 ～ 2 cm。种子长圆形，长约 2 mm，栗褐色，边缘具窄翅或无。花期 4 ～ 7 月，果期 6 ～ 8 月。

| 生境分布 | 生于海拔 1 200 ～ 2 000 m 的林下、林缘、灌丛、湿草地、溪流附近及林区路旁等。分布于宁夏泾源等。

| 资源情况 | 野生资源丰富。

| 采收加工 | 秋季采挖，去除泥土、杂质及须根，晒干。

| 药材性状 | 本品根茎呈细长圆柱形，略弯曲，中间膨大，两端较细，长 2 ～ 4 cm，直径 2 ～ 4 mm；表面黄白色或淡黄棕色，有细纵皱纹及多数交互排列的叶（芽）痕突起；叶（芽）痕周围具较多细小的细根痕。质脆，易折断；断面平切，粉性。气微，味淡。

| 功能主治 | 辛、甘，平。归肺、肝经。化痰止咳，活血止痛。用于百日咳，慢性支气管炎，月经不调，跌打损伤等。

| 用法用量 | 内服煎汤，6 ～ 15 g。

| 附　注 | 土家族医药具有独特的药物体系，其中"七"药是一类具有泻火败毒、活血祛瘀、消肿止痛、除风湿等功效的重要药物，菜子七属于土家族医药中的"七"药之一。

十字花科 Brassicaceae 碎米荠属 Cardamine

大叶碎米荠
Cardamine macrophylla Willd.

| 药 材 名 | 普贤菜（药用部位：全草。别名：大叶碎米荠、丘乳巴、石格菜）。

| 形态特征 | 多年生草本。高 30 ~ 100 cm。根茎匍匐延伸，密被纤维状的须根。茎较粗壮，圆柱形，直立，有时基部倾卧，不分枝或上部分枝，表面有沟棱。茎生叶通常 4 ~ 5，有叶柄，长 2.5 ~ 5 cm，小叶 4 ~ 5 对；顶生小叶与侧生小叶的形状及大小相似，小叶椭圆形或卵状披针形，长 4 ~ 9 cm，宽 1 ~ 2.5 cm，先端钝或短渐尖，边缘具比较整齐的锐锯齿或钝锯齿；顶生小叶基部楔形，无小叶柄；侧生小叶基部稍不等，生于最上部的 1 对小叶基部常下延，生于最下部的 1 对有时有极短的柄；小叶上面毛少、下面散生短柔毛，有时两面均无毛。总状花序多花；花梗长 10 ~ 14 mm；外轮萼片淡红色，长椭圆形，长 5 ~ 6.5 mm，边缘膜质，外面有毛或无毛；内轮萼

大叶碎米荠

片基部囊状；花瓣淡紫色、紫红色，少有白色，倒卵形，长 9 ～ 14 mm，先端圆或微凹，向基部渐狭成爪；花丝扁平；子房柱状，花柱短。长角果扁平，长35 ～ 45 mm，宽 2 ～ 3 mm；果瓣平坦无毛，有时带紫色，花柱很短，柱头微凹；果柄直立开展，长 10 ～ 25 mm。种子椭圆形，长约 3 mm，褐色。花期 5 ～ 6 月，果期 7 ～ 8 月。

| 生境分布 | 生于海拔 1 600 ～ 2 600 m 的河边及林缘潮湿处。分布于宁夏六盘山（泾源、隆德、原州），隆德其他区域也有分布。

| 资源情况 | 野生资源较少。

| 采收加工 | 春、夏季采集，洗净，鲜用或晒干。

| 药材性状 | 本品根茎细长，其上可见须状根。茎圆柱形，具纵棱，直径约 0.5 cm，表面绿色或枯绿色。奇数羽状复叶多皱缩，小叶 4 ～ 5 对，卵状披针形，先端渐尖，基部楔形，边缘有锯齿，主脉明显，黄绿色或棕绿色；无小叶柄。质脆，易破碎。有时可见总状花序或果序，具长角果，紫棕色或棕色。气清香，味淡。

| 功能主治 | 甘、淡，平。健脾利水，消肿，凉血止血。用于脾虚，水肿，小便不利，带下，崩漏，尿血。

| 用法用量 | 内服煎汤，9 ～ 15 g；或炖肉服。

十字花科 Brassicaceae 碎米荠属 Cardamine

唐古碎米荠
Cardamine tangutorum O. E. Schulz

| **药 材 名** | 石芥菜（药用部位：全草。别名：龙骨七、石格菜）。

| **形态特征** | 多年生草本。高 15 ~ 50 cm。根茎细长，呈鞭状，匍匐生长。茎单一，不分枝，基部倾斜，上部直立，表面具沟棱，下部无毛，上部有少数柔毛。基生叶有长叶柄；小叶 3 ~ 5 对；顶生小叶与侧生小叶的形态和大小相似，长椭圆形，长 1.5 ~ 5 cm，宽 5 ~ 20 mm，先端短尖，边缘具钝齿，基部呈楔形或阔楔形，无小叶柄，两面与边缘有少数短毛。茎生叶通常 3，着生于茎的中、上部，有叶柄，长 1 ~ 4 cm，小叶 3 ~ 5 对，与基生的相似，但较狭小。总状花序有 10 余花；花梗长 10 ~ 15 mm；外轮萼片长圆形，内轮萼片长椭圆形，基部囊状，长 5 ~ 7 mm，边缘白色膜质，外面带紫红色，有少数柔毛；花瓣紫红色或淡紫色，倒卵状楔形，长 8 ~ 15 mm，先端截形，

唐古碎米荠

基部渐狭成爪；花丝扁而扩大；花药狭卵形；雌蕊柱状，无毛，花柱与子房近等粗，柱头不显著。长角果线形，扁平，长 3 ~ 3.5 cm，宽约 2 mm，基部具长约 1 mm 的子房柄；果柄直立，长 15 ~ 20 mm。种子长椭圆形，长 2.5 ~ 3 mm，宽约 1 mm，褐色。花期 5 ~ 7 月，果期 6 ~ 8 月。

| **生境分布** | 生于海拔 1 500 ~ 2 500 m 的高山山沟、草地和林下阴湿处。分布于宁夏泾源等。

| **资源情况** | 野生资源较少。

| **采收加工** | 春、夏季采挖，洗净，晒干或鲜用。

| **药材性状** | 本品根茎细长，有较短的须状根。茎长 15 ~ 50 cm；表面黄绿色，有沟棱，下部通常无叶，上部通常有 3 奇数羽状复叶。小叶 3 ~ 5 对，多皱缩，展平后小叶片长椭圆形，长 1.5 ~ 3.5 cm，宽 0.5 ~ 1 cm，先端短尖，边缘有锯齿，基部楔形下延，无柄。总状花序，花紫色。长角果线形而扁，长 3 ~ 3.5 cm，绿褐色。种子长卵形或长椭圆形，长约 3 mm，宽 1 mm，褐色。气微，味微苦。

| **功能主治** | 苦，平。散瘀通络，祛湿，止血。用于跌打损伤，风湿痹痛，黄水疮，外伤出血。

| **用法用量** | 内服浸酒，6 ~ 9 g。外用适量，捣敷。

十字花科 Brassicaceae 播娘蒿属 Descurainia

播娘蒿
Descurainia sophia (L.) Webb ex Prantl

播娘蒿

药材名

葶苈子（药用部位：种子。别名：南葶苈子、甜葶苈子、丁历）、播娘蒿（药用部位：全草。别名：婆婆蒿、翁杠研、麦蒿子）。

形态特征

一年生或二年生草本。高 20 ~ 80 cm。有毛或无毛，毛为叉状毛，以下部茎生叶为多，向上渐少。茎直立，分枝多，常于下部呈淡紫色。叶为 3 回羽状深裂，长 2 ~ 12（~ 15）cm，末端裂片条形或长圆形，裂片长（2 ~）3 ~ 5（~ 10）mm，宽 0.8 ~ 1.5（~ 2）mm，下部叶具柄，上部叶无柄。花序伞房状，果期伸长；萼片直立，早落，长圆条形，背面有分叉细柔毛；花瓣黄色，长圆状倒卵形，长 2 ~ 2.5 mm，或稍短于萼片，具爪；雄蕊 6，比花瓣长 1/3。长角果圆筒状，长 2.5 ~ 3 cm，宽约 1 mm，无毛，稍内曲，与果柄不成一条直线；果瓣中脉明显；果柄长 1 ~ 2 cm。种子每室 1 行，种子形小，多数，长圆形，长约 1 mm，稍扁，淡红褐色，表面有细网纹。花期 4 ~ 5 月。

| 生境分布 | 生于海拔 1 100 ~ 2 700 m 的山坡、荒地及麦田中。宁夏各地均有分布。

| 资源情况 | 野生资源丰富。

| 采收加工 | 葶苈子：夏季果实成熟时采割植株，晒干，搓出种子，除去杂质。
播娘蒿：春、夏季采收，鲜用或晒干。

| 药材性状 | 葶苈子：本品呈长圆形，略扁，长 0.8 ~ 1.2 mm，宽约 0.5 mm。表面棕色或红棕色，微有光泽，具 2 纵沟，其中一条较明显。一端钝圆，另一端微凹或较平截，种脐类白色，位于凹入端或平截处。气微，味微辛、苦，略带黏性。

| 功能主治 | 葶苈子：辛、苦，大寒。归肺、膀胱经。泻肺平喘，行水消肿。用于痰涎壅肺，喘咳痰多，胸胁胀满不得平卧，胸腹水肿，小便不利。
播娘蒿：辛，平。利湿通淋。用于气淋，劳淋，疥癣。

| 用法用量 | 葶苈子：内服煎汤，3 ~ 10 g，包煎。
播娘蒿：内服煎汤，15 ~ 30 g。外用适量，煎汤熏洗。

| 附　注 | 《中华人民共和国药典》（2020 年版　一部）记载葶苈子的来源为十字花科植物播娘蒿 *Descurainia sophia* (L.) Webb ex Prantl 或独行菜 *Lepidium apetalum* Willdenow 的干燥成熟种子。前者习称"南葶苈子"，后者习称"北葶苈子"。

十字花科 Brassicaceae 葶苈属 Draba

葶苈 *Draba nemorosa* L.

葶苈

药材名

葶苈（药用部位：种子）。

形态特征

一年生或二年生草本。茎直立，丛生，单一不分枝，高 15 ~ 30 cm，淡绿色，具纵条棱，上部无毛，下部被单毛、叉状毛和星状毛。基生叶莲座状，倒卵状长圆形、长椭圆形或卵状披针形，长 1.5 ~ 2 cm，宽 4 ~ 8 mm，先端钝，基部渐狭，无柄，全缘或具疏齿，两面密生单毛、叉状毛和星状毛。茎生叶互生，无柄，卵形、狭卵形或椭圆形，长 5 ~ 15 mm，宽 4 ~ 7 mm，先端钝，基部圆形，边缘疏具齿，两面被单毛、叉状毛和星状毛。总状花序顶生；花梗长 1 ~ 3 mm，无毛；萼片椭圆形，长约 1 mm，宽约 0.5 mm，边缘白色，无毛或疏被长毛；花瓣倒卵形，黄色，长约 2 mm，先端微凹。果序极伸长，长达 25 cm，果柄长 1.5 ~ 2 cm，无毛，水平伸展；短角果椭圆形，长约 6 mm，宽约 2 mm，密被平贴短柔毛。花期 5 ~ 6 月，果期 6 ~ 7 月。

生境分布

生于海拔 1 100 ~ 2 700 m 的林缘、路旁、

田边、荒地。分布于宁夏六盘山（泾源、隆德、原州）及海原、同心、贺兰、平罗、惠农等，隆德其他区域也有分布。

| **资源情况** | 野生资源较少。

| **功能主治** | 辛、苦，寒。泻肺定喘，行水消肿。用于咳喘痰多，胸胁胀满，水肿，小便不利。

| **附　　注** | 本种并非《中华人民共和国药典》（2020 年版）记载的葶苈子药材的基原植物。

十字花科 Cruciferae 葶苈属 Draba

光果葶苈
Draba nemorosa L. var. *leiocarpa* Lindbl.

光果葶苈

| 药材名 |

光果葶苈（药用部位：全草或种子）。

| 形态特征 |

本种与葶苈的区别在于本种短角果无毛。

| 生境分布 |

生于林缘、路旁、田边及荒地。分布于宁夏贺兰山（贺兰、西夏、平罗、惠农）、罗山（同心、红寺堡）等。

| 资源情况 |

野生资源较少。

| 采收加工 |

全草，春、夏季采收，鲜用或晒干。种子，夏季果实成熟时采割植株，晒干，搓出种子，除去杂质。

| 功能主治 |

全草，消积，解肉食毒。种子，祛痰平喘，清热利尿。用于水肿，咳逆，喘鸣，肋膜炎。

| 附　　注 | 《中国中药资源志要》记载葶苈 *Draba nemorosa* L. 为历史资料的延伸应用，实际不作葶苈子入药。《宁夏中药志》在"葶苈"条下记载光果葶苈 *Draba nemorosa* L. var. *leiocarpa* Lindbl. 的种子也同等入药。

芝麻菜

| 十字花科 | Cruciferae | 芝麻菜属 | Eruca

芝麻菜

Eruca vesicaria (Linnaeus) Cavanilles subsp. *sativa* (Miller) Thelung

| 药 材 名 |

芝麻菜（药用部位：种子。别名：芸芥、圆圆胡麻、苦葶苈）。

| 形态特征 |

一年生草本。茎直立，高 20 ～ 90 cm，具分枝，无毛或疏被长毛。基生叶具长柄，叶柄长 2 ～ 3 cm，叶片长椭圆形，长 3 ～ 7 cm，宽 1.5 ～ 3 cm，大头羽状深裂，顶裂片近卵形，边缘波状或具不规则的锯齿，侧裂片椭圆形，全缘、波状或具不规则的锯齿，无毛或背面脉上疏被单硬毛；茎生叶羽状深裂，向上渐小，近无柄。总状花序顶生，花后伸长；花梗长约 3 mm，疏被柔毛；萼片直立，倒披针形，长约 1 cm，无毛或背面上部具长柔毛；花瓣三角状倒卵形，长约 1.3 cm，宽约 5 mm，先端截形或圆形，微凹，基部具长爪，黄色，具褐色脉纹；雄蕊离生，长约 1 cm，花丝粗壮。长角果直立，圆柱形，长 2 ～ 3.5 cm，直径约 5 mm，先端具剑形扁平长喙，无毛。

| 生境分布 |

亚麻田中有混生，荒地、路边亦有逸生。宁夏各地普遍栽培。分布于宁夏泾源、西吉、盐池、同心等。

| **资源情况** | 野生资源丰富。

| **采收加工** | 4～6月种子成熟时，割取全株，晒干，打出种子，扬净果壳、灰渣。

| **药材性状** | 本品近球形或卵圆形，直径 1.5～2 mm。表面黄棕色，微有光泽，具细密的纹理和 2 条纵列的浅槽。除去种皮可见肥厚的子叶 2，具油性。气微，味微辛、苦。

| **功能主治** | 辛、苦，寒。归肺、膀胱经。下气行水，祛痰定喘。用于痰壅喘咳，水肿，腹水。

| **用法用量** | 内服煎汤，6～12 g。入丸、散剂时酌减。

十字花科 Cruciferae 糖芥属 Erysimum

小花糖芥 *Erysimum cheiranthoides* L.

| 药 材 名 | 糖芥（药用部位：全草或种子。别名：桂竹糖芥）。

| 形态特征 | 一年生草本，高 15 ~ 50 cm。茎直立，单一或上部分枝，圆柱形，密生"丁"字形毛。叶互生，狭披针形至条形，长（1 ~ ）2 ~ 4 cm，宽 1 ~ 4 mm，先端渐尖，基部渐狭成柄状，全缘或具波状齿，两面密被三叉状毛。总状花序顶生或腋生，花后伸长；花小；萼片 4，直立，外侧 2 长椭圆形，内侧 2 稍狭；花瓣 4，黄色或淡黄色，倒卵形，先端钝圆，基部具爪；雄蕊 6，四强；雌蕊 1，子房圆柱形，柱头头状，微 2 裂，疏被叉状毛。长角果线形，长 2 ~ 4 cm，直径约 1 mm，花柱宿存，被叉状毛；种子小。花期 5 月，果期 6 月。

| 生境分布 | 生于林缘、灌丛、山坡草地、路旁及田埂。分布于宁夏六盘山（泾源、

小花糖芥

隆德、原州）、贺兰山（贺兰、永宁、平罗）、罗山（同心、红寺堡）及西吉、
灵武、金凤等，隆德其他区域也有分布。

| 资源情况 | 野生资源较丰富。

| 采收加工 | 全草，夏季盛花期割取地上部分，晒干。种子，在果实近成熟时，割取全草，
晒干，将种子打落，簸去杂质。

| 药材性状 | 本品茎呈圆柱形，长 10 ～ 45 cm，黄绿色，有纵棱和贴生的毛茸。基生叶莲座
状，条形羽状分裂，无叶柄；茎生叶披针形或条形，全缘或具波状齿，两面有
毛茸。长角果微扁，四角形或近圆柱形，长 2 ～ 2.5 cm。种子椭圆形，略具 3 棱，
长约 0.8 mm，宽约 0.4 mm，先端圆或平截，基部略尖或微凹，有白色短小的种
柄；表面黄褐色，具微细的网状瘤点样纹理及 2 条纵列浅槽；种皮薄，无胚乳，
胚根背倚，子叶 2 片折叠；气微，味苦。

| 功能主治 | 辛、微苦，寒。归脾、胃、心经。强心利尿，和胃消食。用于心力衰竭，心悸，
水肿，脾胃不和，食积不化。

| 用法用量 | 内服煎汤，6 ～ 9 g；或研末，0.3 ～ 1 g。

十字花科 Cruciferae 菘蓝属 Isatis

欧洲菘蓝 *Isatis tinctoria* L.

欧洲菘蓝

| 药 材 名 |

板蓝根（药用部位：根。别名：大青根、蓝靛）、大青叶（药用部位：叶。别名：蓝叶）。

| 形态特征 |

二年生草本，高 30 ~ 120 cm。茎直立，上部多分枝，光滑无毛，稍具粉霜。根深长，直径 1 ~ 2 cm，长 20 ~ 50 cm，外皮浅黄棕色。叶互生；基生叶长圆状椭圆形，具柄，全缘或波状，有时呈不规则齿裂，长 5 ~ 11 cm，宽 2 ~ 3 cm；茎生叶长圆形或长圆状披针形，向上渐小，长 6 ~ 13 cm，宽 2 ~ 3 cm，先端钝或尖，基部垂耳圆形，半抱茎，全缘。花序复总状，花黄色；花梗细长；萼片 4，绿色；花瓣 4，黄色，倒卵形；雄蕊 6，四强；雌蕊 1。角果长圆形，长 1 ~ 1.5 cm，宽 3 ~ 4 mm，扁平，边缘翅状，紫色，先端圆钝或截形，基部渐狭。种子 1。花期 4 ~ 5 月，果期 5 ~ 6 月。

| 生境分布 |

宁夏各地均有栽培，主要分布于宁夏隆德等。

| 资源情况 |

栽培资源丰富。

| **采收加工** | 板蓝根：10 月下旬地上茎叶枯萎时挖根。先在畦沟的一边开 50 cm 的深沟，再顺着深沟向前挖取，去掉茎叶，晒至七八成干时扎成小捆，晒至全干。

大青叶：夏、秋季分 2 ～ 3 次采收，除去杂质，晒干。

| **药材性状** | 板蓝根：本品呈长圆柱形，稍扭曲，长 10 ～ 20 cm，或更长，直径 0.5 ～ 1 cm。表面灰黄色，有纵皱纹及横长皮孔，并有支根及支根痕，根头部略膨大，可见轮状排列的暗绿色叶柄残基、叶柄痕及疣状突起。体实，质略软或脆，断面皮部淡黄白色至淡棕色，木部黄色，粉性。气微，味微甜而后涩。以条长、粗大、体实者为佳。

大青叶：本品多皱缩或卷曲成团，多破碎。完整叶片展平后呈长椭圆形或长圆状倒披针形，长 5 ～ 13 cm，宽 2 ～ 3 cm。上表面暗灰绿色，主脉淡棕黄色。先端钝，全缘或微波状，基部下延。叶柄呈翼状，长 4 ～ 10 cm，淡棕黄色。质脆，易碎。气微弱，味微酸、苦、涩。

| **功能主治** | 板蓝根：苦，寒。归心、胃经。清热解毒，凉血利咽。用于温毒发斑，舌绛紫暗，喉痹，烂喉丹痧，大头瘟疫，痈肿，丹毒。

大青叶：苦，寒。归肝、心、胃、脾经。清热解毒，凉血消斑。用于温邪入营，高热神昏，发斑发疹，黄疸，热痢，喉痹，丹毒，痈肿。

| **用法用量** | 板蓝根：内服煎汤，9 ～ 15 g。

大青叶：内服煎汤，9 ～ 15 g。

十字花科 Cruciferae 独行菜属 Lepidium

独行菜 *Lepidium apetalum* Willd.

| 药 材 名 | 葶苈子（药用部位：种子。别名：苦葶苈、北葶苈子、小辣辣）。

| 形态特征 | 一年生或二年生草本，高 5 ~ 30 cm。茎直立或铺散，长 10 ~ 25 cm，淡绿色，被棒状腺毛，多分枝。基生叶平铺地面，长 4 ~ 8 cm，宽 1 ~ 2 cm，羽状浅裂或深裂，裂片椭圆形或三角状椭圆形，叶片基部渐狭，下延成柄，柄长达 2 cm；茎生叶狭披针形至线形，长 1.5 ~ 3.5 cm，宽 1 ~ 4 mm，先端钝，基部圆形，无柄，全缘或疏具缺刻状锯齿，两面无毛，边缘疏被棒状腺毛。总状花序顶生，花后伸长；花梗被腺毛；萼片卵圆状，长约 0.8 mm，边缘白色膜质，背面疏生柔毛；花瓣小，白色，长圆形，长为萼片的一半；雄蕊 2，位于子房两侧，与萼片近等长。短角果近圆形，扁平，长约 3 mm，光滑，

独行菜

先端凹缺，具狭翅，2 室，每室含有 1 种子；果柄长约 5 mm，向外弯曲，被棒状腺毛。花果期 5 ~ 7 月。

| 生境分布 | 生于山坡、路旁、荒地、田边及村庄附近。宁夏各地均有分布。

| 资源情况 | 野生资源丰富。

| 采收加工 | 夏季果实呈黄色时及时采收，以免过熟种子脱落。割取全株，晒干，打下种子，除去杂质、灰屑。

| 药材性状 | 本品呈扁卵形，长约 1.2 mm，宽约 0.8 mm。表面黄棕色或红棕色，微有光泽，具多数细微颗粒状突起和 2 浅纵沟，其中 1 纵沟较明显。一端钝圆，另一端尖或微凹，类白色，种脐位于凹入处。无臭，味微辛，遇水有黏滑性。以种子饱满、均匀、黄棕色、干燥、无杂质者为佳。

| 功能主治 | 苦、辛，大寒。归肺、膀胱经。泻肺平喘，行水消肿。用于痰涎壅盛，喘咳痰多，胸胁胀满不得平卧，胸腹水肿，小便不利，肺源性心脏病水肿。

| 用法用量 | 内服煎汤，3 ~ 9 g。

| 附　注 | 《宁夏中药志》记载六盘山还分布有独行菜同科植物播娘蒿 *Descurainia sophia* (L.) Webb，其种子称"南葶苈子"，在一些地区被作为葶苈子药用。宁夏地区供药用的葶苈子一般是指"北葶苈子"。

十字花科 Cruciferae 独行菜属 *Lepidium*

宽叶独行菜 *Lepidium latifolium* L.

宽叶独行菜

| 药 材 名 |

宽叶独行菜（药用部位：全草。别名：辣芥）。

| 形态特征 |

多年生草本。根茎粗壮，浅棕色。茎直立，高 20 ~ 50 cm，淡绿色，具纵条纹，无毛或上部微被柔毛，上部分枝。基生叶具柄，椭圆形或卵状长椭圆形，长 3 ~ 6 cm，宽 3 ~ 5 cm，先端钝圆，基部楔形，边缘具粗钝齿，两面疏被短柔毛；茎生叶无柄，椭圆状披针形或披针形，长 2 ~ 5 cm，宽 0.5 ~ 1.5 cm，先端尖，基部渐狭，边缘疏具钝或尖锯齿，两面疏被柔毛。总状花序顶生和腋生，组成圆锥花序状；花小，密集；萼片卵形，长约 1 mm；花瓣倒卵形，长约 2 mm，白色或基部紫红色；雄蕊 6，长 1.5 ~ 3 mm。短角果椭圆形，扁平，直径 2 ~ 3 mm，无毛，柱头宿存，果柄细。花期 5 ~ 7 月，果期 7 ~ 9 月。

| 生境分布 |

生于田边、路旁、村庄附近及含盐的潮湿地。分布于宁夏惠农、平罗、西夏、利通、灵武、兴庆、金凤等。

| **资源情况** | 野生资源丰富。

| **采收加工** | 夏季采收，洗净，晒干或鲜用。

| **药材性状** | 本品茎直立，中上部有分枝。叶长圆状披针形或广椭圆形，先端短尖，基部楔形，边缘具稀锯齿，基部叶具长柄，茎上部叶无柄，苞片状。总状花序排列成圆锥状。果实扁椭圆形。种子宽椭圆形，扁平，光滑。以干燥、无杂质者为佳。

| **功能主治** | 微苦、涩，凉。清热燥湿。用于细菌性痢疾，肠炎。

| **用法用量** | 内服煎汤，15 ～ 30 g，鲜品 60 ～ 80 g。

十字花科 Cruciferae 独行菜属 Lepidium

北美独行菜 *Lepidium virginicum* L.

| 药 材 名 | 大叶香荠菜（药用部位：全草。别名：北美独行菜、辣菜）。

| 形态特征 | 一年生或二年生草本，高 20～50 cm。茎单一，直立，上部分枝，具柱状腺毛。基生叶倒披针形，长 1～5 cm，羽状分裂或大头羽裂，裂片大小不等，卵形或长圆形，边缘有锯齿，两面有短伏毛，叶柄长 1～1.5 cm；茎生叶有短柄，倒披针形或线形，长 1.5～5 cm，宽 2～10 mm，先端急尖，基部渐狭，边缘有尖锯齿或全缘。总状花序顶生；萼片椭圆形，长约 1 mm；花瓣白色，倒卵形，与萼片等长或稍长；雄蕊 2 或 4。短角果近圆形，长 2～3 mm，宽 1～2 mm，扁平，有窄翅，先端微缺，花柱极短；果柄长 2～3 mm。种子卵形，长约 1 mm，光滑，红棕色，边缘有窄翅；子叶缘倚胚根。花期 4～5 月，果期 6～7 月。

北美独行菜

| 生境分布 | 生于田野、荒地及路旁。分布于宁夏金凤等。

| 资源情况 | 野生资源较丰富。

| 采收加工 | 春、夏季采收全草，鲜用或晒干。

| 功能主治 | 甘，平。驱虫消积。用于小儿虫积腹胀。

| 用法用量 | 内服煎汤，9 ~ 15 g。

| 附　　注 | 据《中华本草》记载，琴叶葶苈 *Lepidium virginicum* L. 为药材大叶香荠菜的基原，其拉丁学名与《中国植物志》记载的北美独行菜 *Lepidium virginicum* L. 的拉丁学名相同，二者应为同一物种。

十字花科 Cruciferae 涩荠属 Malcolmia

涩荠 *Malcolmia africana* (L.) R. Br.

| 药 材 名 | 紫花芥子（药用部位：种子）。

| 形态特征 | 二年生草本，高 8 ~ 35 cm，密生单毛或叉状硬毛。茎直立或近直立，多分枝，有棱角。叶长圆形、倒披针形或近椭圆形，长 1.5 ~ 8 cm，宽 5 ~ 18 mm，先端圆形，有小短尖，基部楔形，边缘有波状齿或全缘；叶柄长 5 ~ 10 mm 或近无柄。总状花序有花 10 ~ 30，疏松排列，果期长达 20 cm；萼片长圆形，长 4 ~ 5 mm；花瓣紫色或粉红色，长 8 ~ 10 mm。长角果（线细状）圆柱形或近圆柱形，长 3.5 ~ 7 cm，宽 1 ~ 2 mm，近 4 棱，倾斜、直立或稍弯曲，密生短或长分叉毛，或二者间生，或具刚毛，少数几无毛或完全无毛；柱头圆锥状；果柄加粗，长 1 ~ 2 mm。种子长圆形，长约 1 mm，浅棕色。花果期 6 ~ 8 月。

涩荠

| 生境分布 | 生于山坡、荒地及农田中。分布于宁夏原州、海原、西吉、隆德等。 |

| 资源情况 | 野生资源较少。 |

| 采收加工 | 7～9月果实成熟时，割取全草，晒干，打下种子，除去杂质。 |

| 药材性状 | 本品呈长圆形，稍压扁状，长约1 mm。表面浅褐色，一端可见种脐。去掉种皮可见肥厚的子叶2，油质，相互折叠，子叶背倚胚根。气微，味苦、辛。 |

| 功能主治 | 苦、辛，寒。祛痰定喘，泻肺行水。用于咳逆痰多，胸腹积水，胸胁胀满，肺痈。 |

| 用法用量 | 内服煎汤，3～9 g。 |

十字花科 Cruciferae 沙芥属 Pugionium

沙芥 *Pugionium cornutum* (L.) Gaertn.

沙芥

药材名

沙芥（药用部位：全草。别名：沙芥菜、沙萝卜）、沙芥根（药用部位：根。别名：山萝卜）。

形态特征

一年生或二年生草本，高 50 ~ 100 cm。茎直立，多分枝，无毛。基生叶较大，具长柄，完整的叶片长 10 ~ 20 cm，宽 3 ~ 4.5 cm，羽状全裂，先端裂片较大，全缘或有 1 ~ 2 齿，侧裂片长圆形，具 2 ~ 3 齿；茎生叶较小，羽状全裂，茎上部叶呈条状披针形。总状花序。短角果横肾形，两侧具 2 细剑状翅，上翘起成钝角状；果皮革质，不易开裂，表面具网纹和 6 ~ 8 尖刺；含种子 1。

生境分布

生于半固定沙丘上或流动沙丘间低地上。分布于宁夏沙坡头、盐池、灵武、平罗等。

资源情况

野生资源较少。

| **采收加工** | 沙芥：夏、秋季采收全草，切段，阴干，或放入开水内微烫后，晒干。
沙芥根：秋季采收根，除去地上残茎、沙土，晒干。

| **药材性状** | 沙芥：本品缠绕成团。根呈长圆柱形，黄棕色。茎多分枝，表面黄绿色，微具纵棱。基生叶较大，具长柄，完整的叶片长 10 ～ 20 cm，宽 3 ～ 4 cm，羽状全裂，先端裂片较大，全缘或有 1 ～ 2 齿，侧裂片长圆形，具 2 ～ 3 齿；茎生叶较小，羽状全裂，茎上部叶呈条状披针形。总状花序。短角果横肾形，两侧具 2 细剑状翅，上翘起成钝角状；果皮革质，不易开裂，表面具网纹和 6 ～ 8 尖刺。种子长圆形，长约 1 mm，黄棕色，富油性。具辛辣味。
沙芥根：本品呈长圆柱形，黄棕色。

| **功能主治** | 沙芥：辛，温。归肺、肝经。行气止痛，消食解毒。用于胸腹胀满，消化不良，食物中毒。
沙芥根：辛，凉。清肺热，止咳。用于支气管炎。

| **用法用量** | 沙芥：内服煎汤，30 g，鲜品 60 g；或研末服，3 ～ 5 g。
沙芥根：内服煎汤。

十字花科 Cruciferae 萝卜属 Raphanus

萝卜 *Raphanus sativus* L.

| 药 材 名 | 莱菔子（药用部位：成熟种子。别名：萝卜子）、萝卜缨（药用部位：基生叶）。

| 形态特征 | 一年生或二年生草本。根肥大，肉质，长圆形、球形或圆锥形，根皮白色、绿色或红色。茎直立，高可达 1 m，多分枝，少被蜡粉。基生叶和茎下部叶大头羽状分裂，长达 30 cm，顶裂片卵形，侧裂片 4 ~ 6 对，向基渐小，边缘具锯齿或缺刻，稀全缘，无毛或疏生单硬毛；茎生叶与基生叶同形而渐小，茎上部叶有柄或近无柄。总状花序顶生，常组成圆锥状；萼片 4，线状长圆形；花瓣 4，宽倒卵形，淡紫色或白色，具爪，有显著脉纹；雄蕊 6，4 长 2 短；雌蕊 1。长角果圆柱形，长 3 ~ 6 cm，肉质，种子间常缢缩，先端渐尖成喙，有种子 1 ~ 6。种子近圆形，稍扁，直径约 3 mm，红褐色或灰褐色。

萝卜

花期 4 ~ 5 月，果期 5 ~ 6 月。

| 生境分布 | 宁夏各地均有栽培。

| 资源情况 | 栽培资源丰富。

| 采收加工 | 莱菔子：夏季种子成熟时，割取地上部分，晒干，搓出种子，除去杂质，再晒干。
萝卜缨：夏、秋季收取萝卜的基生嫩叶，挂通风处，晾干。

| 药材性状 | 莱菔子：本品呈卵圆形或椭圆形，略扁，长 2.5 ~ 4 mm，宽 2 ~ 3 mm；表面红棕色、黄棕色或灰棕色，一侧有数条纵沟，一端有黑褐色凸起的种脐；种皮薄而脆，放大镜下可见全体密布网状纹理；子叶 2，乳黄色，显油性。气微，味微辛。以粒大、饱满、坚实、表面红棕色者为佳。

| 功能主治 | 莱菔子：辛、苦，平。归肺、脾、胃经。消食除胀，降气化痰。用于饮食停滞，脘胀腹痛，大便秘结，积滞泻痢，痰壅喘咳。
萝卜缨：甘，平。消食理气，清利咽喉。

| 用法用量 | 莱菔子：内服煎汤，5 ~ 12 g。
萝卜缨：内服煎汤，15 ~ 60 g。

十字花科 Cruciferae 蔊菜属 Rorippa

风花菜 *Rorippa globosa* (Turcz.) Hayek

风花菜

| 药 材 名 |

风花菜（药用部位：全草。别名：蔊菜、叶香）。

| 形态特征 |

一年生或二年生草本。无毛。茎直立，多分枝，高 20 ~ 80 cm，具纵条纹，有时呈紫色。基生叶与茎下部叶具长柄，提琴状羽状深裂，长 5 ~ 15 cm，宽 1 ~ 2 cm，先端裂片较大，卵形或卵圆形，侧裂片 3 ~ 6 对，较小，狭长椭圆形，边缘具不整齐的牙齿状锯齿；茎上部叶向上渐小，羽状深裂或具牙齿，具短柄或无柄，先端渐尖，基部具耳状裂片，抱茎。总状花序顶生，花小，直径约 2 mm；花梗纤细，长 1 ~ 2 mm；萼片直立，长圆形，长约 2 mm，宽约 0.5 mm；花瓣黄色，倒卵形，与萼片等长。短角果圆柱状长椭圆形，稍弯曲，长 4 ~ 8 mm，直径约 2 mm，两端钝圆，果柄长 4 ~ 6 mm，花柱长约 1 mm。种子 2 列，近卵形，稍扁，淡褐色。花期 4 ~ 6 月，果期 7 ~ 9 月。

| 生境分布 |

生于田边、路旁及潮湿地。宁夏各地均有分布。

| **资源情况** | 野生资源较丰富。 |

| **采收加工** | 夏、秋季采收全草，洗净，切段，晒干。 |

| **功能主治** | 清热解毒，利尿，消肿。用于黄疸，水肿，淋病，咽痛，痈肿，烫火伤。 |

十字花科 Cruciferae 蔊菜属 Rorippa

沼生蔊菜
Rorippa palustris (L.) Besser

| 药 材 名 | 水前草（药用部位：全草。别名：水萝卜、蔊菜、叶香）。

| 形态特征 | 一年生或二年生草本。植株高（10～）20～50 cm，光滑无毛或稀有单毛。茎直立，单一或多分枝，具棱，下部常带紫色。基生叶多数，莲座状着生，叶片羽状深裂或大头状羽裂，具柄，长5～10 cm，宽1～3 cm，侧裂片3～7对，裂片宽披针形或条形，边缘具不等大的疏齿，叶片基部扩大，耳状抱茎，有时具缘毛；茎生叶向上渐小，羽状深裂或具齿，基部耳状抱茎。总状花序顶生或腋生，果期延长，花多数；萼片4，长圆形或椭圆形，长1.2～2 mm；花瓣4，黄色，楔形或长倒卵形，等于或稍短于萼片；雄蕊6，4长2短，长雄蕊长约2 mm，短雄蕊长1.5 mm；雌蕊1，子房长椭圆形，长约2 mm，花柱短，柱头头状。短角果圆柱形或椭圆形，有时稍弯曲，

沼生蔊菜

长 3 ~ 8 mm，果瓣肿胀，无脉。种子每室 2 行，多数，细小，褐色，近卵形而扁或心形，表面具凹陷的细网纹。花期 4 ~ 7 月，果期 6 ~ 8 月。

| 生境分布 | 生于田边、路旁、溪岸、山坡及湿草场。分布于宁夏隆德、彭阳、兴庆、金凤、大武口等。

| 资源情况 | 野生资源丰富。

| 采收加工 | 7 ~ 8 月采收全草，洗净，切段，晒干。

| 药材性状 | 本品茎表面黄绿色，基部带紫色，具数条棱线；断面髓部类白色。叶多皱缩破碎；完整的基生叶羽状深裂，侧裂片 3 ~ 7 对，裂片宽披针形或条形，边缘具疏齿，表面黄绿色，有长柄；茎生叶稍小，基部耳状抱茎。短角果圆柱形或椭圆形，稍弯曲，长 4 ~ 6 mm，果爿肿胀，绿褐色。种子近卵圆形而扁，长 0.8 ~ 1 mm，褐色，具细网纹。

| 功能主治 | 辛、苦，凉。归肝、膀胱经。清热解毒，利水消肿。用于风热感冒，咽喉肿痛，黄疸，淋病，水肿，关节炎，痈肿，烫火伤。

| 用法用量 | 内服煎汤，6 ~ 15 g。外用适量，捣敷。

十字花科 Cruciferae 大蒜芥属 Sisymbrium

垂果大蒜芥
Sisymbrium heteromallum C. A. Mey.

垂果大蒜芥

药材名

垂果大蒜芥（药用部位：全草或种子。别名：弯果蒜芥）。

形态特征

一年生或二年生草本。茎直立，高 30 ~ 90 cm，单一或上部分枝，圆柱形，具纵条棱，无毛。茎生叶和基生叶均为大头羽状深裂，长 5 ~ 15 cm，宽 2 ~ 4 cm，先端裂片较宽大，卵状长椭圆形，侧生裂片 2 ~ 6 对，椭圆形或披针形，先端锐尖，全缘或具疏齿，两面无毛，叶柄长 2 ~ 5 cm。茎上部叶披针形或线形，羽状浅裂或全缘。总状花序顶生，花后伸长；花梗长 3 ~ 10 mm，无毛；花瓣黄色，倒卵状披针形，长约 3.5 mm，宽约 0.8 mm，先端圆形，基部具爪；雄蕊离生，与花瓣近等长；子房圆柱形，花柱短，柱头头状；微 2 裂。长角果线形，长 4 ~ 8 cm，宽约 1 mm，无毛，中脉明显，种子 1 列。花果期 5 ~ 6 月。

生境分布

生于山坡、路旁及田边等。分布于宁夏贺兰山（贺兰、西夏、平罗）及原州、青铜峡、灵武等，西夏其他区域也有分布。

| **资源情况** | 野生资源较丰富。

| **采收加工** | 5 ～ 6 月采收全草或种子，晒干。

| **药材性状** | 本品茎圆柱形，上部有分枝，长可达 80 cm；表面黄绿色或绿棕色，断面髓部类白色；叶皱缩多破碎，完整叶展平后呈长圆状披针形，羽状深裂或全裂，全缘或具齿，侧裂片 2 ～ 6 对；总状花序，花梗纤细，花黄色或黄棕色，萼片 4，花瓣 4；长角果圆柱形，稍扁而弯曲，长 4 ～ 7 cm，宽约 0.8 mm，先端有极短的宿存花柱；种子多数，气微。种子长椭圆形或长圆形，长约 1 mm，宽 0.5 mm；黄棕色，放大镜下可见颗粒状纹理，子叶 2，肥厚，纵折，有油性；破碎后香气浓，味辛辣刺鼻。

| **功能主治** | 甘，凉。全草，解毒消肿。用于淋巴结结核；外用于肉瘤。种子，止咳化痰，清热。用于急、慢性支气管炎，百日咳。

| **用法用量** | 内服煎汤，10 ～ 15 g。外用适量，鲜品捣敷。

十字花科 Cruciferae 菥蓂属 Thlaspi

菥蓂
Thlaspi arvense L.

菥蓂

| 药 材 名 |

菥蓂（药用部位：带果实的地上部分。别名：
遏蓝菜、南败酱）。

| 形态特征 |

一年生草本，高 9 ~ 60 cm。茎直立，稍分
枝或不分枝，淡绿色，具纵条棱。基生叶椭
圆形，长 3 ~ 5 cm，宽 1 ~ 1.5 cm，先端钝
圆，基部楔形，全缘，叶柄长 1 ~ 3 cm，
早枯萎。总状花序顶生和腋生；花梗纤
细，长 5 ~ 10 mm；萼片斜升，卵形，长
约 2 mm，先端钝，边缘白色膜质；花瓣白
色，矩圆形，长 2 ~ 4 mm，先端圆形或微
凹，基部具爪。短角果圆形或宽倒卵形，长
13 ~ 16 mm，宽 9 ~ 13 mm，周围有翅，
先端凹缺，扁平，每室含种子 2 ~ 8。花期
3 ~ 4 月，果期 5 ~ 6 月。

| 生境分布 |

生于平地路旁、沟边或村落附近。分布于
宁夏罗山（同心、红寺堡）及泾源、海原、
隆德、彭阳、贺兰、西夏、青铜峡、沙坡头、
兴庆等。

| **资源情况** | 野生资源丰富。

| **采收加工** | 夏季果实成熟时，割取全草，晒干。

| **药材性状** | 本品茎呈圆柱形，长 20 ~ 30 cm，直径 2 ~ 5 cm；表面黄绿色或灰黄色，光滑无毛，有细棱线；质脆，易折断，断面中部有白色髓。叶互生，多脱落、皱缩或破碎。总状果序生于茎枝先端，短角果卵圆形而扁平，直径 0.5 ~ 1.2 cm，表面灰绿色或灰黄色，中心稍隆起，边缘有翅，两面中央各有 1 条隆起的纵棱，先端凹陷，基部有细果柄；果实 2 室，每室有种子 2 ~ 8；种子细小，扁卵形，表面黄褐色至棕黑色。气微，味淡。

| **功能主治** | 苦、甘，平。归肺、肾经。清热解毒，利水消肿，清肝明目，和中开胃。用于阑尾炎，肺脓肿，痈疖肿毒，丹毒，子宫内膜炎，带下，肾炎，肝硬化腹水，小儿消化不良。

| **用法用量** | 内服煎汤，9 ~ 30 g。

| **附　注** | 菥蓂始载于《神农本草经》，被列为上品，之后历代本草对其多有记载。明代《救荒本草》所载的"遏蓝菜"和《滇南本草》所载的"甜葶子"与今之菥蓂的特征一致。历代本草对菥蓂的名称记述并不统一，《中华人民共和国药典》（1977 年版　一部）以"菥蓂"为正名，以"苏败酱"为异名载入。

景天科 Crassulaceae 八宝属 *Hylotelephium*

长药八宝 *Hylotelephium spectabile* (Bor.) H. Ohba

药 材 名	石头菜（药用部位：叶。别名：蝎子掌）。
形态特征	多年生草本。茎直立，高可达 70 cm。叶对生或 3 叶轮生，叶片卵形至宽卵形或长圆状卵形，全缘或有波状牙齿。花序大型，伞房状，顶生，花密生；萼片线状披针形至宽披针形；花瓣淡紫红色至紫红色，披针形至宽披针形；花药紫色；鳞片长方形，心皮狭椭圆形，蓇葖果直立。花期 8 ~ 9 月，果期 9 ~ 10 月。
生境分布	生于低山多石山坡及山顶岩石上。分布于宁夏盐池等。
资源情况	野生资源稀少。
采收加工	春、夏季采收，鲜用或晒干。

长药八宝

| **功能主治** | 微苦，凉。清热解毒，消肿止痛。用于疔疮痈肿，烫火伤，蜂蜇伤。 |

| **用法用量** | 内服煎汤，3～9 g。外用适量，捣敷；或捣汁外搽。 |

景天科 Crassulaceae 八宝属 *Hylotelephium*

轮叶八宝

Hylotelephium verticillatum (L.) H. Ohba

| **药 材 名** | 轮叶八宝（药用部位：全草。别名：轮叶景天、还魂草、岩三七）。

| **形态特征** | 多年生草本，高 40 ~ 100 cm，全株无毛。茎直立，纤细，不分枝。叶 3 枚轮生，卵形或长圆形，长 4 ~ 8 cm，宽 2.5 ~ 3.5 cm，先端钝，基部近圆形，边缘具浅齿，几无柄。伞房花序顶生，着生多数花；花为 5 基数；花梗长 2 ~ 6 mm；萼片三角状卵形，长 0.5 ~ 1 mm，先端稍锐；花瓣淡绿白色，长圆状披针形，长 3.5 ~ 5 mm，先端尖；雄蕊 10，2 轮，外轮的较花瓣长，内轮的着生于距花瓣基部约 0.2 mm 处；心皮近直立，倒卵形，长 2.5 ~ 5 mm，先端狭为花柱，基部渐狭而离生；鳞片近线状长方形，先端凹，长约 1 mm。种子狭长圆形，长约 0.7 mm，淡褐色。花期 7 ~ 8 月，果期 9 月。

轮叶八宝

| 生境分布 | 生于山坡草丛中和沟边阴湿处。分布于宁夏六盘山（泾源、隆德、原州）等，泾源其他区域也有分布。

| 资源情况 | 野生资源较少。

| 采收加工 | 夏、秋季采收，鲜用或晒干。

| 药材性状 | 本品须根细。茎直立，不分枝。叶轮生或对生；有柄；叶片长圆状披针形至卵状披针形。雄蕊 10，2 轮，与花萼对生的稍长于花瓣，与花瓣对生的稍短；鳞片 5，线状楔形，长约 1 mm，先端微缺；心皮 5，倒卵形至长圆形，长 2.5 ～ 5 mm，花柱短。蓇葖果。

| 功能主治 | 苦，凉。活血化瘀，解毒消肿。用于劳伤腰痛，金疮出血，无名肿痛，蛇虫咬伤。

| 用法用量 | 内服煎汤，6 ～ 12 g；或浸酒。外用适量，捣敷；或绞汁涂。

景天科 Crassulaceae 瓦松属 Orostachys

晚红瓦松 *Orostachys japonica* A. Berger

| 药 材 名 | 瓦松（药用部位：全草。别名：吊吊草、石松、瓦花）。

| 形态特征 | 多年生草本。莲座叶披针形，肉质，长 1.5 ~ 3 cm，宽 4 ~ 7 mm，先端长渐尖，具刺尖。花茎高 17 ~ 25 cm，下部生叶。茎生叶线形至线状披针形，长 2 ~ 6 cm，先端长渐尖，不具刺尖，具红色斑点。总状花序紧密，长 8 ~ 20 cm，苞片与叶同形较小；萼片 5，卵形，长约 2 mm；花瓣 5，白色，披针形，长约 6 mm，先端具红色斑点；雄蕊 10，较花瓣短；鳞片 5，小，近方形，先端微凹；心皮 5，直立，花柱细，分离。花期 9 ~ 10 月。

| 生境分布 | 生于屋顶、山坡石缝中。分布于宁夏泾源、隆德、原州、彭阳、西吉、

晚红瓦松

海原、中宁、沙坡头、同心、盐池等。

| 资源情况 | 野生资源较少。

| 采收加工 | 夏、秋季花开时采收，除去根及杂质，晒干。

| 药材性状 | 本品茎黄褐色或暗棕褐色，长 12 ~ 20 cm，残留多数叶脱落后的疤痕，交互连接成棱形花纹。叶灰绿色或黄褐色，皱缩卷曲，长 12 ~ 15 mm，宽约 3 mm。茎上部叶间带有小花，呈红褐色，小花梗长短不一。质轻脆，易碎。气微，味酸。

| 功能主治 | 酸、苦，凉。归肝、肺经。凉血止血，清热解毒，收湿敛疮。用于吐血，鼻衄，便血，血痢，热淋，月经不调，疔疮痈肿，痔疮，湿疹，烫伤，肺炎，宫颈糜烂，乳糜尿。

| 用法用量 | 内服煎汤，5 ~ 15 g；或捣汁入丸剂。外用适量，捣敷；或煎水熏洗；或烧存性，研末调敷。

| 附　注 | 《中华本草》记载瓦松来源于景天科植物瓦松 *Orostachys fimbriatus* (Turcz.) A. Berger、晚红瓦松 *Orostachys japonica* A. Berger、钝叶瓦松 *Orostachys malacophyllus* (Pall.) Fish. 及黄花瓦松 *Orostachys spinosus* (L.) C. A. Mey.；《宁夏中药志》记载瓦松来源于景天科植物瓦松 *Orostachys fimbriatus* (Turcz.) A. Berger。

景天科 Crassulaceae 瓦松属 Orostachys

瓦松
Orostachys fimbriata (Turcz.) A. Berger

| 药 材 名 | 瓦松（药用部位：全草。别名：吊吊草、瓦松花）。

| 形态特征 | 二年生草本。高 15 ~ 30 cm，全株无毛。茎直立，单生。基生叶莲座状，匙状线形，长 3 ~ 4 cm，先端具白色软骨质的刺；茎生叶散生，无柄，线形，长 2 ~ 5 cm，先端具突尖头。总状花序紧密，有时下部分枝，呈塔形；花梗长约 1 cm；萼片 5，卵状长圆形，长 1 ~ 3 mm；花瓣 5，披针形，长 5 ~ 6 mm，先端具突尖头，淡红色，具红色斑点，基部合生约 0.9 mm；雄蕊 10，较花瓣稍短或等长，花药心形，带黑色；鳞片 5，近方形，长约 0.3 mm，先端微凹；心皮微开展，花柱纤细。种子多数，卵形，细小。花期 7 ~ 8 月，果期 9 月。

| 生境分布 | 生于屋顶、墙头及石上。分布于宁夏贺兰山（贺兰、平罗、西夏、

瓦松

永宁）及原州、隆德、海原、同心、兴庆等，西夏其他区域也有分布。

| 资源情况 | 野生资源较少。

| 采收加工 | 夏、秋季花开时采收，除去根及杂质，晒干。

| 药材性状 | 本品茎细长，圆柱形，长 7 ~ 20 cm，直径 3 ~ 6 cm，表面灰棕色至紫棕色，具多数凸起的残留叶基，叶基间有棱形相连。叶多脱落、破碎或卷曲，灰绿色。圆锥花序穗状，花梗长约 5 mm，花萼小，绿色，花冠白色或淡红色，尖端略带棕色。质轻脆，易碎。气微，味酸。

| 功能主治 | 酸、苦，凉。归肝、肺经。凉血止血，清热解毒，收湿敛疮。用于鼻衄，便血，赤痢，热淋，月经不调，疔疮痈肿，痔疮，湿疹，烫火伤，肺炎，肝炎，宫颈糜烂，乳糜尿。

| 用法用量 | 内服煎汤，3 ~ 6 g。外用适量，研末调敷。

| 附　　注 | （1）《宁夏植物志》记载了 2 种瓦松属植物，具体见分种检索表。

1. 莲座叶先端中央具软骨质刺尖，两侧有流苏状齿；花红色；二年生草本……
……………………………………………………… 瓦松 *Orostachys fimbriatus* Berger

1. 莲座叶先端具刺尖，但不为软骨质；花白色；多年生草本…………………
………………………………………………晚红瓦松 *Orostachys erubescens* Ohwi

（2）《宁夏中药资源》《中国中药资源志要》记载宁夏贺兰山亦有黄花瓦松 *Orostachys spinosus* (L.) C. A. Mey. 分布。

■景天科■ Crassulaceae ■红景天属■ Rhodiola

小丛红景天
Rhodiola dumulosa (Franch.) S. H. Fu

| **药 材 名** | 红景天（药用部位：全草。别名：凤尾七、凤凰草、香景天）。

| **形态特征** | 亚灌木，高 15 ~ 25 cm，全株无毛。主轴粗壮，分枝，地上部分常有残留的老枝；一年生枝聚生于主轴先端，直立或斜升，淡绿白色。叶互生，较密集，线形，长 7 ~ 10 mm，宽 1 ~ 2 mm，先端稍尖，全缘，无柄。头状伞房花序顶生，具花 4 ~ 7；花具短柄；萼片 5，线状披针形，长 4 mm，先端具长尖头；花瓣 5，披针形，长 8 ~ 11 mm，近直立，上部向外弯曲，白色或淡红色；雄蕊 10，较花瓣短，2 轮排列，内轮的着生于距花瓣基部约 3 mm 处，外轮的着生于子房基部，花丝下部扩展，花药卵圆形，褐色；鳞片 5，半长圆形，长 0.4 mm；心皮 5，卵状矩圆形，长 6 ~ 9 mm，先端渐尖成花柱。蓇葖果直立或上部稍开展。种子长圆形，长约 1.2 mm。花期 6 ~ 7 月，

小丛红景天

果期 8 月。

| **生境分布** | 生于向阳山坡及岩石裂隙中。分布于宁夏六盘山（泾源、隆德、原州）、贺兰山（贺兰、平罗、西夏、永宁）等，隆德其他区域也有分布。

| **资源情况** | 野生资源较少。

| **采收加工** | 夏、秋季采挖全草，洗净，晒干。

| **功能主治** | 甘、苦，平。归肺、心经。滋阴补肾，养心安神，活血调经。用于虚劳，骨蒸劳热，干血痨，头晕目眩，心悸，失眠，月经不调。

| **用法用量** | 内服煎汤，6 ~ 12 g。外用适量，鲜品捣敷；或研末调敷。

景天科 Crassulaceae 费菜属 Phedimus

费菜

Phedimus aizoon L.

| 药 材 名 | 土三七（药用部位：全草或根。别名：景天三七、养心草）。

| 形态特征 | 多年生草本。根近木质块状。茎直立，高 20 ~ 50 cm，不分枝，圆柱形，基部紫褐色。叶互生，椭圆状披针形至倒卵状披针形，长 3.5 ~ 8 cm，宽 1.2 ~ 2 cm，先端钝尖，基部楔形，边缘有不整齐的锯齿，无柄。聚伞花序顶生，多花，分枝；无花梗；萼片 5，线形至卵状线形，不等长，长 3 ~ 5 mm；花瓣 5，黄色，长圆形至椭圆状披针形，长 6 ~ 10 mm，具短尖；雄蕊 10，2 轮，均较花瓣短；鳞片横长方形或半圆形，长约 0.3 mm；心皮 5，基部合生，卵状长圆形，腹面凸出，花柱长钻形。蓇葖果呈星芒状排列，具直喙。种子长圆形，长约 1 mm，具狭翅。花期 6 ~ 7 月，果期 8 ~ 9 月。

费菜

| **生境分布** | 生于山谷阴湿处、草丛及石崖、墙头上。分布于宁夏六盘山（泾源、隆德、原州）、贺兰山（西夏）、罗山（同心、红寺堡）及海原、彭阳、西吉、沙坡头等，泾源、隆德、原州、同心其他区域也有分布。 |

| **资源情况** | 野生资源丰富。 |

| **采收加工** | 全草，夏、秋季采挖，晒干。根，秋季采挖，除去须根，洗净，晒干。 |

| **药材性状** | 本品根茎短小。根 2 ~ 4 簇生于根茎上，呈圆锥形，长 4 ~ 10 cm，直径 0.5 ~ 1.5 cm；表面灰棕色；质硬，断面呈暗棕色或类白色。茎圆柱形，长 15 ~ 30 cm，直径 2 ~ 5 mm；表面暗棕色或紫棕色，有纵棱；质脆，易折断，断面常中空。叶互生，几无柄；叶片皱缩或破碎，完整者展平后呈倒披针形，长 3 ~ 5 cm，宽 0.8 ~ 1.5 cm；先端钝或尖，基部楔形，边缘上部有锯齿，下部全缘。聚伞花序顶生，花黄色。气微，味微涩。 |

| **功能主治** | 甘、微酸，平。归心、肝、脾经。散瘀止血，安神定痛。用于吐血，衄血，便血，尿血，崩漏，紫斑，外伤出血，跌打损伤。 |

| **用法用量** | 内服煎汤，15 ~ 30 g。外用适量。 |

| **附　注** | 据《宁夏中药志》记载，土三七来源于费菜 *Phedimus aizoon* L.、乳毛费菜 *Phedimus aizoon* L. var. *scabrus* (Maximo-wicz) H. Ohba et al. 的全草或根。 |

■景天科■ Crassulaceae ■费菜属■ *Phedimus*

乳毛费菜
Phedimus aizoon L. var. *scabrus* (Maximowicz) H. Ohba et al.

| 药 材 名 | 土三七（药用部位：全草或根。别名：景天三七）。

| 形态特征 | 本种与费菜的区别在于本种茎、叶及花序上有乳头状微毛。

| 生境分布 | 生于山坡、林缘、灌丛及石质沙地。分布于宁夏贺兰山（贺兰、西夏）、罗山（同心、红寺堡）及泾源、隆德、盐池等。

| 资源情况 | 野生资源丰富。

| 采收加工 | 全草，随用随采，或夏季采挖后晒干。根，春、秋季采挖，洗净，晒干。

| 功能主治 | 甘、微酸，辛。归心、肝、脾经。散瘀止血，宁心安神，解毒。用于吐血，衄血，便血，尿血，崩漏，紫斑，外伤出血，跌打损伤，

乳毛费菜

心悸，失眠。

| 用法用量 |　内服煎汤，15 ～ 30 g。外用适量。

| 附　　注 |　《中国植物志》（英文版）将本种的拉丁学名由 *Sedum aizoon* L. var. *scabrum*
Maxim. 修订为 *Phedimus aizoon* L. var. *scabrus* (Maximowicz) H. Ohba et al.。

堪察加费菜
Phedimus kamtschaticus (Fischer) 't Hart

| 药 材 名 | 景天三七（药用部位：全草或根。别名：石板菜、黄菜子、北景天）。

| 形态特征 | 多年生草本。根茎长匍匐状。茎斜上，高 15 ~ 40 cm，常分枝。叶互生，有时对生，倒披针形、倒卵形或匙形，长 2.5 ~ 7 cm，宽 0.5 ~ 3 cm，先端圆钝，基部狭楔形，上部边缘疏具钝锯齿，几无柄。聚伞花序顶生，疏松；萼片 5，披针形，长 3 ~ 4 mm，基部宽，卵形，上半部线形，先端钝；花瓣 5，黄色，披针形，长 6 ~ 8 mm，先端渐尖，有短尖头，背面具龙骨状突起；雄蕊 10，较花瓣稍短；鳞片 5，近方形；心皮 5，直立，基部合生。蓇葖果水平开展。花期 6 ~ 7 月，果期 8 ~ 9 月。

| 生境分布 | 生于海拔 2 600 m 左右的沟谷及山谷草坡上。分布于宁夏罗山（同

堪察加费菜

心、红寺堡）等，同心其他区域也有分布。

| **资源情况** | 野生资源较少。

| **采收加工** | 全草，随用随采，或秋季采后晒干。根，春、秋季采挖，洗净，晒干。

| **药材性状** | 本品根茎横走，木质，较细长；茎簇生；叶匙形至倒卵形；花橘黄色。

| **功能主治** | 甘、微酸，平。归心、肝经。用于吐血，咯血，牙龈出血，便血，尿血，崩漏，血小板减少性紫癜，外伤出血，心悸，烦躁，失眠等；外用于跌打损伤，外伤出血，烫火伤，疮疖痈肿等。

| **用法用量** | 内服煎汤，15 ~ 30 g；或鲜用绞汁，30 ~ 60 g。外用适量，鲜品捣敷；或研末撒敷。

| **附　　注** | （1）据《中华本草》记载，景天三七来源于费菜 *Phedimus aizoon* L. 和横根费菜 *Sedum kamtschaticum* Fisch. 的全草或根。植物横根费菜又名堪察加费菜。
（2）本种喜光，抗寒耐旱，较耐阴。

▌景天科▌ Crassulaceae ▌景天属▌ *Sedum*

佛甲草 *Sedum lineare* Thunb.

| 药 材 名 | 佛甲草（药用部位：全草。别名：佛指甲、铁指甲、狗牙菜）。

| 形态特征 | 多年生草本。茎高 10 ～ 20 cm。3 叶轮生，少有 4 叶轮生或对生的，叶线形，长 20 ～ 25 mm，宽约 2 mm，先端钝尖，基部无柄，有短距。花序聚伞状，顶生，疏生花，宽 4 ～ 8 cm，中央有 1 具短梗的花，另有 2 ～ 3 分枝，分枝常再 2 分枝，花无梗；萼片 5，线状披针形，长 1.5 ～ 7 mm，不等长，有时有短距，先端钝；花瓣 5，黄色，披针形，长 4 ～ 6 mm，先端急尖，基部稍狭；雄蕊 10，较花瓣短；鳞片 5，宽楔形至近四方形，长 0.5 mm，宽 0.5 ～ 0.6 mm。蓇葖果略叉开，长 4 ～ 5 mm，花柱短；种子小。花期 4 ～ 5 月，果期 6 ～ 7 月。

佛甲草

| 生境分布 | 宁夏各地均有栽培。

| 资源情况 | 栽培资源较丰富。

| 采收加工 | 鲜用，随用随采；或夏、秋季拔出全株，洗净，放入开水中烫一下，捞起，晒干或炕干。

| 药材性状 | 本品根细小。茎弯曲，长 7 ~ 12 cm，直径约 1 mm；表面淡褐色至棕褐色，有明显的节，偶有残留的不定根。叶轮生，无柄；叶片皱缩卷曲，多脱落，展平后呈条形或条状披针形，长 1 ~ 2 cm，宽约 1 mm。聚伞花序顶生；花小，浅棕色。果实为蓇葖果。气微，味淡。以叶多者为佳。

| 功能主治 | 甘、微酸，凉。清热解毒，消肿排脓，止痛，退黄。用于咽喉肿痛，目赤肿毒，热毒痈肿，疔疮，丹毒，蛇串疮，烫火伤，毒蛇咬伤，黄疸，湿热泻痢，便血，崩漏，外伤出血，扁平疣。

| 用法用量 | 内服煎汤，9 ~ 15 g，鲜品 20 ~ 30 g；或捣汁。外用捣敷；或捣汁含漱、滴眼。

| 附　　注 | 本种喜阴凉、湿润环境，怕严寒。

虎耳草科 Saxifragaceae 落新妇属 Astilbe

落新妇 *Astilbe chinensis* (Maxim.) Franch. et Savat.

落新妇

| 药 材 名 |

落新妇（药用部位：根茎。别名：红升麻）。

| 形态特征 |

多年生草本，高 50 ～ 100 cm。根茎暗褐色，粗壮，须根多数。茎无毛。基生叶为二至三回三出羽状复叶；顶生小叶片菱状椭圆形，侧生小叶片卵形至椭圆形，长 1.8 ～ 8 cm，宽 1.1 ～ 4 cm，先端短渐尖至急尖，边缘有重锯齿，基部楔形、浅心形至圆形，腹面沿脉生硬毛，背面沿脉疏生硬毛和小腺毛；叶轴仅于叶腋部具褐色柔毛。茎生叶 2 ～ 3，较小。圆锥花序长 8 ～ 37 cm，宽 3 ～ 4（～ 12）cm；下部第一回分枝长 4 ～ 11.5 cm，通常与花序轴成 15° ～ 30° 角斜上；花序轴密被褐色卷曲长柔毛；苞片卵形，几无花梗；花密集；萼片 5，卵形，长 1 ～ 1.5 mm，宽约 0.7 mm，两面无毛，边缘中部以上生微腺毛；花瓣 5，淡紫色至紫红色，线形，长 4.5 ～ 5 mm，宽 0.5 ～ 1 mm，单脉；雄蕊 10，长 2 ～ 2.5 mm；心皮 2，仅基部合生，长约 1.6 mm。蒴果长约 3 mm；种子褐色，长约 1.5 mm。花果期 6 ～ 9 月。

| 生境分布 | 生于林缘草地或山谷溪旁。分布于宁夏六盘山（泾源、隆德、原州）、罗山（同心、红寺堡）等。 |

| 资源情况 | 野生资源较少。 |

| 采收加工 | 夏、秋季采挖根部，除去地上茎、须根、鳞片和绒毛，洗净泥土，晒干。 |

| 药材性状 | 本品呈不规则的块状或长块状，上有数个圆形茎痕，有棕黄色绒毛。外皮棕色或黑棕色，凹凸不平，有多数须根痕。质硬，不易折断，断面不平坦，白色、微红色或棕红色。气微辛，味涩、苦。 |

| 功能主治 | 辛、苦，凉。归肺经。祛风清热，祛痰止咳，活血止痛。用于风热感冒，头痛，身痛，咳嗽，风湿痹痛，跌扑损伤。 |

| 用法用量 | 内服煎汤，6 ~ 12 g。 |

虎耳草科 Saxifragaceae 金腰属 Chrysosplenium

中华金腰
Chrysosplenium sinicum Maxim.

| 药 材 名 | 金腰子（药用部位：全草。别名：华金腰子）。

| 形态特征 | 多年生草本，高（3～）10～20（～33）cm。不育枝发达，出自茎基部叶腋，无毛，其叶对生，叶片通常阔卵形、近圆形或稀倒卵形，长0.52～1.7（～7.8）cm，宽0.85～1.7（～4.5）cm，先端钝，边缘具11～29钝齿（稀为锯齿），基部宽楔形至近圆形，两面无毛，有时顶生叶背面疏生褐色乳头突起，叶柄长（0.5～）2～8（～17）mm，顶生叶腋部具长0.2～2.5mm的褐色卷曲髯毛。花茎无毛。叶通常对生，叶片近圆形至阔卵形，长6～10.5mm，宽7.5～11.5mm，先端钝圆，边缘具12～16钝齿，基部宽楔形，无毛；叶柄长6～10mm；近叶腋部有时具褐色乳头突起。聚伞花序长2.2～3.8cm，具花4～10；花序分枝无毛；苞叶阔卵形、卵形

中华金腰

至近狭卵形，长 4 ~ 18 mm，宽 9 ~ 10 mm，边缘具 5 ~ 16 钝齿，基部宽楔形至偏斜形，无毛，柄长 1 ~ 7 mm，近苞腋部具褐色乳头突起；花梗无毛；花黄绿色；萼片在花期直立，阔卵形至近阔椭圆形，长 0.8 ~ 2.1 mm，宽 1 ~ 2.4 mm，先端钝；雄蕊 8，长约 1 mm；子房半下位，花柱长约 0.4 mm；无花盘。蒴果长 7 ~ 10 mm，2 果瓣明显不等大，叉开，喙长 0.3 ~ 1.2 mm；种子黑褐色，椭球形至阔卵球形，长 0.6 ~ 0.9 mm，被微乳头突起，有光泽。花果期 4 ~ 8 月。

| **生境分布** | 生于沟底林下阴湿处。分布于宁夏六盘山（泾源、隆德、原州）等。

| **资源情况** | 野生资源稀少。

| **采收加工** | 8 ~ 9 月采收，洗净，晒干或鲜用。

| **功能主治** | 苦，寒。归心、脾、膀胱经。清热利尿，退黄排石。用于黄疸性肝炎，膀胱炎，胆道结石。

| **用法用量** | 内服煎汤，6 ~ 9 g。外用适量，捣敷。

虎耳草科 Saxifragaceae 绣球属 *Hydrangea*

挂苦绣球
Hydrangea xanthoneura Diels

挂苦绣球

| 药 材 名 |

挂苦绣球（药用部位：根、树皮。别名：六蛾戏珠）。

| 形态特征 |

灌木至小乔木，高 1 ~ 7 m。叶纸质至厚纸质，椭圆形、长椭圆形、长卵形或倒长卵形，长 8 ~ 18 cm，宽 3 ~ 10 cm；先端短渐尖或急尖，基部阔楔形或近圆形，边缘有密而锐尖的锯齿；上面绿色，叶脉淡黄色，无毛，仅中脉和侧脉上被小糙伏毛，下面淡绿色，面上常无毛，脉上被稍密的灰白色短柔毛，脉腋间常有髯毛；侧脉 7 ~ 8 对；叶柄长 1.5 ~ 5 cm，新鲜时紫红色，干后黑褐色，被疏毛。伞房状聚伞花序顶生，直径 10 ~ 20 cm，先端常弯拱；不育花萼片 4，偶有 5，淡黄绿色；孕性萼筒浅杯状，长约 1 mm，萼齿三角形，与萼筒近等长；花瓣白色或淡绿色，长卵形，长约 2.5 mm，先端风帽状；雄蕊 10 ~ 13，不等长，短的长约等于花瓣，长的长 3 ~ 4.5 mm，花药近圆形，长和宽均约 0.5 mm；子房大半下位，花柱 3 ~ 4，上部略尖，基部联合，直立或稍扩展，柱头稍增大，狭椭圆状。蒴果卵球形；种子褐色或淡褐色，椭圆形或纺锤形，不连翅长约 1 mm，扁平，具纵脉纹。花期 7 月，果期 9 ~ 10 月。

| 生境分布 | 生于山地灌丛中或荒地上。分布于宁夏泾源等。

| 资源情况 | 野生资源较少。

| 采收加工 | 根，夏、秋季采挖，除去茎叶，洗净，切段，晒干。树皮，夏、秋季剥取树皮，晒干或鲜用。

| 药材性状 | 本品根圆柱形，扭曲，长约 8 cm 或更长，直径约 2 mm；表面灰褐色，有纵皱纹及细根或根痕；外皮易脱落，脱落处显淡黄色。质韧，难折断，断面黄白色，纤维性。气微，味辛。

| 功能主治 | 根，辛，温。活血化瘀，接骨续筋。用于骨折，风湿腰痛。树皮，苦，凉。清热解毒。用于无名肿毒，恶疮。

| 用法用量 | 根，内服煎汤，15 ~ 30 g；或浸酒。外用适量，捣敷。树皮，外用适量，鲜品捣敷；或干品研细末，用醋调敷。

虎耳草科 Saxifragaceae 梅花草属 *Parnassia*

细叉梅花草 *Parnassia oreophila* Hance

| **药 材 名** | 细叉梅花草（药用部位：全草）。

| **形态特征** | 多年生小草本，高 17 ~ 30 cm。根茎粗壮，常呈长圆形或块状，其上有残存褐色鳞片。基生叶 2 ~ 8，具柄；叶片卵状长圆形或三角状卵形，长 2 ~ 3.5 cm，宽 1 ~ 1.8 cm，先端圆，基部常截形或微心形，有时下延于叶柄，全缘，上面深绿色，有 3 ~ 5 条明显凸起的脉；叶柄长 2 ~ 5（~ 10）cm，扁平，两侧均为窄膜质；托叶膜质，边缘疏生褐色流苏状毛，早落。茎（1 ~ ）2 ~ 9 或更多，在中部或中部以下具 1 叶（苞叶），茎生叶卵状长圆形，长 2.5 ~ 4.5 cm，宽 1 ~ 2.5 cm，先端急尖，在基部常有数条锈褐色的附属物，较早脱落，无柄，半抱茎。花单生于茎顶，直径 2 ~ 3 cm；萼筒钟状；

细叉梅花草

萼片披针形，长 6～7 mm，宽约 2 mm，先端钝，全缘，具明显 3 条脉；花瓣白色，宽匙形或倒卵长圆形，长 1～1.5 cm，宽 6～8 mm，先端圆，基部渐窄成长约 2 mm 之爪，有 5 条紫褐色之脉；雄蕊 5，长约 6.5 mm，向基部逐渐加宽，花药长圆形，长约 1.5 mm，顶生；退化雄蕊 5，全长约 5 mm，子房半下位，长卵球形，花柱短，长约 1 mm，柱头 3 裂，裂片长圆形，长约 1 mm，花后开展。蒴果长卵球形，直径 5～7 mm；种子多数，沿整个缝线着生，褐色，有光泽。花期 7～8 月，果期 9 月。

| 生境分布 | 生于河滩地、沟谷及高山草地。分布于宁夏六盘山（泾源、隆德、原州）、南华山（海原）及西吉等，海原、隆德其他区域也有分布。

| 资源情况 | 野生资源较少。

| 采收加工 | 夏、秋季采收，洗净，晒干或鲜用。

| 功能主治 | 清热利湿，止咳。

虎耳草科 Saxifragaceae 山梅花属 Philadelphus

山梅花 *Philadelphus incanus* Koehne

| 药 材 名 | 白花杆（药用部位：根皮。别名：山梅花、银盘盘花）、山梅花（药用部位：茎、叶。别名：毛叶山梅花）。

| 形态特征 | 灌木，高 1.5 ~ 3.5 m。二年生小枝灰褐色，表皮呈片状脱落，当年生小枝浅褐色或紫红色，被微柔毛或有时无毛。叶卵形或阔卵形，长 6 ~ 12.5 cm，先端急尖，基部圆形；花枝上叶较小，卵形、椭圆形至卵状披针形，先端渐尖，基部阔楔形或近圆形，边缘具疏锯齿，上面被刚毛，下面密被白色长粗毛；叶脉离基出 3 ~ 5；叶柄长 5 ~ 10 mm。总状花序有花 5 ~ 7（~ 11），下部分枝有时具叶；花序轴长 5 ~ 7 cm，疏被长柔毛或无毛；花梗长 5 ~ 10 mm，上部密被白色长柔毛；花萼外面密被紧贴糙伏毛；萼筒钟形，裂片卵形，长约 5 mm，先端骤渐尖；花冠盘状，直径 2.5 ~ 3 cm；花瓣白色，

山梅花

卵形或近圆形，基部急收狭，长 13 ~ 15 mm，宽 8 ~ 13 mm；雄蕊 30 ~ 35，最长的达 10 mm；花盘无毛；花柱长约 5 mm，无毛，近先端稍分裂，柱头棒形，长约 1.5 mm，较花药小。蒴果倒卵形，长 7 ~ 9 mm，直径 4 ~ 7 mm；种子长 1.5 ~ 2.5 mm，具短尾。花期 5 ~ 6 月，果期 7 ~ 8 月。

| **生境分布** | 生于山地灌丛或林下。分布于宁夏六盘山（泾源、隆德、原州）、罗山（同心、红寺堡）及银川等，泾源其他区域也有分布。

| **资源情况** | 野生资源较少。

| **采收加工** | 白花杆：夏、秋季采收根皮，洗净，晒干或鲜用。
山梅花：夏、秋季采集，扎把，晒干。

| **药材性状** | 山梅花：本品茎呈圆柱形，棕褐色，长短不一，直径 0.5 ~ 1 cm，有节，节部稍膨大，有叶及小枝的脱落痕，节间长 3 ~ 8 cm，皮孔稀疏；质脆，易折断，断面较平坦，黄白色，纤维性；气微，味淡。叶片多卷曲皱缩，完整者展平后呈长卵形，长 2 ~ 10 cm，宽 1 ~ 5 cm，先端尖，边缘具锯齿，表面深灰色至灰褐色，两面及叶柄均被白色小柔毛，主脉 3 ~ 5 出；叶柄长 1 ~ 3 mm，扁平；纸质，质脆，易破碎；气微，味甘、淡。

| **功能主治** | 白花杆：苦，平。活血定痛。用于挫伤，腰腿疼痛，胃痛，头痛。
山梅花：甘、淡，平。清热利湿。
用于膀胱炎，黄疸性肝炎。

| **用法用量** | 白花杆：内服煎汤，15 ~ 24 g。
山梅花：内服煎汤，3 ~ 6 g。

虎耳草科 Saxifragaceae 山梅花属 Philadelphus

太平花
Philadelphus pekinensis Rupr.

太平花

药材名

白花杆（药用部位：根皮。别名：山梅花、银盘盘花）。

形态特征

灌木，高 1 ~ 2 m。分枝较多，二年生小枝无毛，表皮栗褐色，当年生小枝无毛，表皮黄褐色，不开裂。叶卵形或阔椭圆形，长 6 ~ 9 cm，宽 2.5 ~ 4.5 cm，先端长渐尖，基部阔楔形或楔形，边缘具锯齿，稀近全缘，两面无毛，稀仅下面脉腋被白色长柔毛；叶脉离基出 3 ~ 5；花枝上叶较小，椭圆形或卵状披针形，长 2.5 ~ 7 cm，宽 1.5 ~ 2.5 cm；叶柄长 5 ~ 12 mm，无毛。总状花序有花 5 ~ 7（~ 9）；花序轴长 3 ~ 5 cm，黄绿色，无毛；花梗长 3 ~ 6 mm，无毛；花萼黄绿色，外面无毛，裂片卵形，长 3 ~ 4 mm，宽约 2.5 mm，先端急尖，干后脉纹明显；花冠盘状，直径 2 ~ 3 mm；花瓣白色，倒卵形，长 9 ~ 12 mm，宽约 8 mm；雄蕊 25 ~ 28，最长的达 8 mm；花盘和花柱无毛；花柱长 4 ~ 5 mm，纤细，先端稍分裂，柱头棒形或槌形，长约 1 mm，常较花药小。蒴果近球形或倒圆锥形，直径 5 ~ 7 mm，宿存萼裂片近顶生；种子长 3 ~ 4 mm，具短尾。花期 5 ~ 7 月，果期 8 ~ 10 月。

| **生境分布** | 生于海拔 1 700 ~ 2 200 m 的山地灌丛或林下。分布于宁夏六盘山（泾源、隆德、原州）、罗山（同心、红寺堡）及彭阳、西吉等，泾源、隆德、原州其他区域也有分布。

| **资源情况** | 野生资源较少。

| **采收加工** | 夏、秋季采集，晒干或鲜用。

| **功能主治** | 甘、淡，平。活血定痛。用于挫伤，腰腿疼痛，胃痛，头痛。

| **用法用量** | 内服煎汤，15 ~ 24 g。

虎耳草科 Saxifragaceae 山梅花属 Philadelphus

绢毛山梅花 Philadelphus sericanthus Koehne

| **药 材 名** | 白花杆根皮（药用部位：根皮）。

| **形态特征** | 灌木，高 1 ~ 3 m。二年生小枝黄褐色，表皮纵裂，片状脱落，当年生小枝褐色，无毛或疏被毛。叶纸质，椭圆形或椭圆状披针形，长 3 ~ 11 cm，宽 1.5 ~ 5 cm，先端渐尖，基部楔形或阔楔形，边缘具锯齿，齿端具角质小圆点，上面疏被糙伏毛，下面仅沿主脉和脉腋被长硬毛；叶脉稍离基 3 ~ 5 条；叶柄长 8 ~ 12 mm，疏被毛。总状花序有花 7 ~ 15（~ 30），下面 1 ~ 3 对分枝先端具花 3 ~ 5 呈聚伞状排列；花序轴长 5 ~ 15 cm，疏被毛；花梗长 6 ~ 14 mm，被糙伏毛；花萼褐色，外面疏被糙伏毛，裂片卵形，长 6 ~ 7 mm，宽约 3 mm，先端渐尖，尖头长约 1.5 mm；花冠盘状，直径 2.5 ~

绢毛山梅花

3 cm；花瓣白色，倒卵形或长圆形，长 1.2 ~ 1.5 cm，宽 8 ~ 10 mm，外面基部常疏被毛，先端圆形，有时不规则齿缺；雄蕊 30 ~ 35，最长的达 7 mm，花药长圆形，长约 1.5 mm；花盘和花柱均无毛或稀疏被白色刚毛；花柱长约 6 mm，上部稍分裂，柱头桨形或匙形，长 1.5 ~ 2 mm。蒴果倒卵形，长约 7 mm，直径约 5 mm；种子长 3 ~ 3.5 mm，具短尾。花期 5 ~ 6 月，果期 8 ~ 9 月。

| 生境分布 | 生于山坡灌丛、林缘、溪谷两旁。分布于宁夏隆德等。

| 资源情况 | 野生资源较少。

| 采收加工 | 夏、秋季采挖根，洗净，晒干或鲜用。

| 功能主治 | 苦，平。活血止痛，截疟。用于疟疾，挫伤，腰肋疼痛，胃气痛。

| 用法用量 | 内服煎汤，9 ~ 24 g。外用适量，捣敷。

虎耳草科 Saxifragaceae 茶藨子属 Ribes

细枝茶藨子
Ribes tenue Jancz.

| 药 材 名 | 三升米（药用部位：根。别名：细枝茶藨子）。

| 形态特征 | 落叶灌木，高 1 ~ 4 m。枝细瘦，小枝灰褐色或灰棕色，皮长条状或薄片状撕裂，幼枝暗紫褐色或暗红褐色，无柔毛，常具腺毛，无刺；芽卵圆形或长卵圆形，长 4 ~ 6 mm，先端急尖，具数枚紫褐色鳞片。叶长卵圆形，稀近圆形，长 2 ~ 5.5 cm，宽 2 ~ 5 cm，基部截形至心形；上面无毛或幼时具短柔毛和紧贴短腺毛，成长过程中逐渐脱落，下面幼时具短柔毛，老时近无毛；掌状 3 ~ 5 裂，顶生裂片菱状卵圆形，先端渐尖至尾尖，比侧生裂片长 1 ~ 2 倍，侧生裂片卵圆形或菱状卵圆形，先端急尖至短渐尖，边缘具深裂或缺刻状重锯齿，或混生少数粗锐单锯齿；叶柄长 1 ~ 3 cm，无柔毛或具稀疏腺毛。花单性，雌雄异株，组成直立总状花序；雄

细枝茶藨子

花序长 3 ~ 5 cm，生于侧生小枝先端，具花 10 ~ 20；雌花序较短，长 1 ~ 3 cm，具花 5 ~ 15；花序轴和花梗具短柔毛和疏腺毛，花梗长 2 ~ 6 mm；苞片披针形或长圆状披针形，长 4 ~ 7 mm，宽 1 ~ 2.5 mm，先端急尖，褐色，边缘常具短腺毛，老时脱落，具单脉；花萼近辐状，红褐色，外面无毛，萼筒碟形，长 1 ~ 1.5 mm，宽大于长，萼片舌形或卵圆形，长 2 ~ 3.5 mm，先端钝，直立；花瓣楔状匙形或近倒卵圆形，长约 1 mm 或稍长，先端圆钝，暗红色；雄蕊短，几与花瓣等长或稍短，花丝约与花药等长，花药近圆形，白色带粉红色，雌花的花药不发育；子房光滑无毛，花柱先端 2 裂；雄花中花柱退化成短棒状，子房败育。果实球形，直径 4 ~ 7 mm，暗红色，无毛。花期 5 ~ 6 月，果期 8 ~ 9 月。

| **生境分布** | 生于海拔 1 100 ~ 2 100 m 的林缘或灌木林中。分布于宁夏六盘山（泾源、隆德、原州）等。

| **资源情况** | 野生资源较少。

| **采收加工** | 夏、秋季采挖，洗净，切段，晒干。

| **功能主治** | 辛、甘，平。归肝、脾经。清虚热，调经止痛。用于虚热，乏力，月经不调，痛经。

| **用法用量** | 内服煎汤，15 ~ 30 g。

虎耳草科 Saxifragaceae 鬼灯檠属 Rodgersia

七叶鬼灯檠
Rodgersia aesculifolia Batalin

| 药材名 | 索骨丹（药用部位：根茎。别名：黄药子、牛角七）。

| 形态特征 | 多年生草本，高 0.8 ~ 1.2 m。根茎圆柱形，横生，直径 3 ~ 4 cm，内部微紫红色。茎具棱，近无毛。掌状复叶具长柄，柄长 15 ~ 40 cm，基部扩大呈鞘状，具长柔毛，腋部和近小叶处毛较多；小叶片 5 ~ 7，草质，倒卵形至倒披针形，长 7.5 ~ 30 cm，宽 2.7 ~ 12 cm，先端短渐尖，基部楔形，边缘具重锯齿，腹面沿脉疏生近无柄之腺毛，背面沿脉具长柔毛，基部无柄。多歧聚伞花序圆锥状，长约 26 cm，花序轴和花梗均被白色膜片状毛，并混有少量腺毛；花梗长 0.5 ~ 1 mm；萼片 5（~ 6），开展，近三角形，长 1.5 ~ 2 mm，宽约 1.8 mm，先端短渐尖，腹面无毛或具极少近无柄之腺毛，背面和边缘具柔毛和短腺毛，具羽状脉和弧曲脉，脉于先端不汇合、半

七叶鬼灯檠

汇合至汇合（同时存在）；雄蕊长 1.2 ~ 2.6 mm；子房近上位，长约 1 mm，花柱 2，长 0.8 ~ 1 mm。蒴果卵形，具喙；种子多数，褐色，纺锤形，微扁，长 1.8 ~ 2 mm。花果期 5 ~ 10 月。

| 生境分布 | 生于海拔 1 800 ~ 2 600 m 的阴坡乔木林下或灌丛中。分布于宁夏泾源、隆德、原州等。

| 资源情况 | 野生资源较少。

| 采收加工 | 秋季挖取根茎，除去茎叶、粗皮、泥土及须根，洗净，切片，晒干或烘干。

| 药材性状 | 本品呈圆柱形，略弯曲，长 8 ~ 25 cm，直径 1.5 ~ 3 cm；表面红棕色或灰棕色，有横沟及纵皱纹，上端有棕黄色鳞毛及多数细根及根痕；质坚硬，难折断。商品多切成薄片，表面棕色，皱缩，有点状根痕，有的有棕黄色鳞毛，切面红棕色或暗黄色，有多数白色亮晶小点，并可见棕色或黑色维管束小点。气微，清香，味微苦、涩。以片薄、色红棕、质坚实者为佳。

| 功能主治 | 苦、涩，凉。清热解毒，凉血止血，收敛。用于泻痢，白浊，带下，衄血，吐血，咯血，崩漏，便血，外伤出血，咽喉肿痛，疮毒，烫火伤，脱肛，子宫脱垂。

| 用法用量 | 内服煎汤，5 ~ 10 g；或研末，3 ~ 6 g。外用适量，捣敷；或煎汤洗；或研末撒。

| 附　　注 | （1）据《宁夏中药志》记载，红药子来源于鬼灯檠 *Rodgersia aesculifolia* Batal. 的根茎，该植物的拉丁学名与《中国植物志》中记载的七叶鬼灯檠 *Rodgersia aesculifolia* Batalin 的拉丁学名一致。
（2）据《中华本草》记载，七叶鬼灯檠 *Rodgersia aesculifolia* Batalin 的药材名为索骨丹。
（3）本种喜阴湿。

虎耳草科 Saxifragaceae 黄水枝属 Tiarella

黄水枝
Tiarella polyphylla D. Don

| 药 材 名 | 黄水枝（药用部位：全草）。

| 形态特征 | 多年生草本，高 20 ~ 45 cm。根茎横走，深褐色，具多数须根。茎不分枝，被白色粗毛。基生叶具长柄，叶片心形，长 2 ~ 8 cm，宽 2.5 ~ 10 cm，先端急尖，基部心形，掌状 3 ~ 5 浅裂，边缘具不规则的浅齿，两面密被腺毛；叶柄长 2 ~ 12 cm，基部扩大成鞘状，密被腺毛；托叶褐色。茎生叶通常 2 ~ 3，与基生叶同型，叶柄较短。总状花序长 8 ~ 25 cm，密被腺毛；花梗长达 1 cm，被腺毛；萼片在花期直立，卵形，长约 1.5 mm，宽约 0.8 mm，先端稍渐尖，腹面无毛，背面和边缘具短腺毛，3 至多脉；无花瓣；雄蕊长约 2.5 mm，花丝钻形；心皮 2，不等大，下部合生，子房近上位，

黄水枝

花柱 2。蒴果长 7 ~ 12 mm；种子黑褐色，椭圆球形，长约 1 mm。花果期 4 ~ 11 月。

| 生境分布 | 生于林下或林缘阴湿处。分布于宁夏六盘山（泾源、隆德、原州）等。

| 资源情况 | 野生资源较少。

| 采收加工 | 夏、秋季采挖全草，洗净，晒干。

| 功能主治 | 苦，寒。归肺经。清热解毒，活血祛瘀，消肿止痛。用于咳嗽气喘，耳聋，痈疖肿毒，跌扑损伤。

| 用法用量 | 内服煎汤，6 ~ 12 g。外用适量，鲜品捣碎。

杜仲科 Eucommiaceae 杜仲属 Eucommia

杜仲

Eucommia ulmoides Oliver

杜仲

| 药 材 名 |

杜仲（药用部位：树皮。别名：扯丝皮、思仲、丝棉皮）、杜仲叶（药用部位：叶）。

| 形态特征 |

落叶乔木，高达 20 m。小枝光滑，黄褐色或较淡，具片状髓。皮、枝及叶均含胶质。单叶互生，椭圆形或卵形，长 6 ~ 15 cm，宽 3.5 ~ 6.5 cm，先端渐尖，基部广楔形，边缘有锯齿；幼叶上面疏被柔毛，下面毛较密，老叶上面光滑，下面叶脉处疏被毛；叶柄长 1 ~ 2 cm。花单性，雌雄异株，与叶同时开放或先叶开放，生于一年生枝基部苞片的腋内，有花梗；无花被；雄蕊 5 ~ 10；雌花有一裸露而延长的子房，子房 1 室，先端有二叉状花柱。翅果卵状长椭圆形而扁，先端下凹，内有种子 1。花期 4 月，果期 10 月。

| 生境分布 |

生于海拔 1 300 ~ 1 500 m 的低山、谷底或疏林中。宁夏彭阳、青铜峡等少有栽培。

| 资源情况 |

栽培资源较少。

| 采收加工 | 杜仲：4 ～ 6 月剥取树皮，刮去粗皮，堆置发汗至内皮呈紫褐色，晒干。

杜仲叶：夏、秋季枝叶茂盛时采收，晒干或低温烘干。

| 药材性状 | 杜仲：本品呈板片状或两边稍向内卷，大小不一，厚 3 ～ 7 mm。外表面淡棕色或灰褐色，有明显的皱纹或纵裂槽纹，有的树皮较薄，未去粗皮，可见明显的皮孔。内表面暗紫色，光滑。质脆，易折断，断面有细密、银白色、富弹性的橡胶丝相连。

杜仲叶：本品多破碎，完整叶片展平后呈椭圆形或卵形，长 7 ～ 15 cm，宽 3.5 ～ 6.5 cm。表面黄绿色或黄褐色，微有光泽，先端渐尖，基部圆形或广楔形，边缘有锯齿，具短叶柄。质脆，搓之易碎，折断面有少量银白色橡胶丝相连。气微，味微苦。

| 功能主治 | 杜仲：甘，温。归肝、肾经。补肝肾，强筋骨，安胎。用于肝肾不足，腰膝酸痛，筋骨无力，头晕目眩，胎漏，胎动不安。

杜仲叶：微辛，温。归肝、肾经。补肝肾，强筋骨。用于肝肾不足，头晕目眩，腰膝酸痛，筋骨痿软。

| 用法用量 | 杜仲：内服煎汤，6 ～ 10 g。

杜仲叶：内服煎汤，10 ～ 15 g。

蔷薇科 Rosaceae 龙芽草属 Agrimonia

龙芽草 *Agrimonia pilosa* Ledebour

龙芽草

| 药 材 名 |

仙鹤草（药用部位：全草）。

| 形态特征 |

多年生草本。根多呈块茎状。茎高 30 ～ 120 cm，被疏柔毛及短柔毛，稀下部被稀疏长硬毛。叶为间断奇数羽状复叶，通常有小叶 3 ～ 4 对，叶柄被稀疏柔毛或短柔毛；小叶片无柄或有短柄，倒卵形、倒卵状椭圆形或倒卵状披针形，长 1.5 ～ 5 cm，宽 1 ～ 2.5 cm，先端急尖至圆钝，稀渐尖，基部楔形至宽楔形，边缘有急尖到圆钝锯齿，上面被疏柔毛，下面通常脉上伏生疏柔毛，有显著腺点；托叶草质，绿色，镰形，边缘有尖锐锯齿或裂片。花序穗状总状顶生，花序轴被柔毛，花梗长 1 ～ 5 mm，被柔毛；苞片通常深 3 裂，小苞片对生，卵形，全缘或边缘分裂；花瓣黄色，长圆形；雄蕊 5 ～ 15；花柱 2，丝状，柱头头状。果实倒卵状圆锥形，外面有 10 肋，被疏柔毛，先端有数层钩刺。花果期 5 ～ 12 月。

| 生境分布 |

生于山谷湿地或山坡路边。分布于宁夏六盘山（泾源、隆德、原州）、南华山（海原）及彭阳、西吉等，泾源、隆德、原州、海原其他区域也有分布。

| 资源情况 | 野生资源较少。

| 采收加工 | 夏、秋季茎叶茂盛时采割，除去杂质，干燥。

| 药材性状 | 本品茎长 50 ～ 100 cm，全体被白色柔毛；茎下部圆柱形，直径 4 ～ 6 mm，红棕色，上部方柱形，四面略凹陷，绿褐色，有纵沟和棱线，有节；体轻，质硬，易折断，断面中空。奇数羽状复叶互生，暗绿色，皱缩卷曲；质脆，易碎；叶片有大小 2 种，相间生于叶轴上，先端小叶较大，完整小叶片展平后呈卵形或长椭圆形，先端尖，基部楔形，边缘有锯齿；托叶 2，抱茎，斜卵形。总状花序细长，花萼下部呈筒状，萼筒上部有钩刺，先端 5 裂，花瓣黄色。气微，味微苦。

| 功能主治 | 苦、涩、平。归心、肝经。收敛止血，截疟止痢，解毒，补虚。用于咯血，吐血，崩漏下血，疟疾，血痢，痈肿疮毒，阴痒带下，脱力劳伤。

| 用法用量 | 内服煎汤，6 ～ 12 g。外用适量，捣敷；或熬膏涂敷。

蔷薇科 Rosaceae 羽衣草属 Alchemilla

羽衣草
Alchemilla japonica Nakai & Hara

| 药 材 名 |　羽衣草（药用部位：全草）。

| 形态特征 |　多年生草本，高 10 ~ 13 cm。具肥厚木质根茎。茎单生或丛生，直立或斜展，密被白色长柔毛。基生叶有长叶柄，叶片心状圆形，长 2 ~ 3 cm，宽 3 ~ 7 cm，基部深心形，先端有 7 ~ 9 浅裂片，边缘有细锯齿，两面均被稀疏柔毛，沿叶脉较密；叶柄长 3 ~ 10 cm，密被开展长柔毛；托叶膜质，棕褐色，外被长柔毛。茎生叶小形，叶柄短或近于无柄；托叶边缘有锯齿，基部合生，外被长柔毛。伞房状聚伞花序较紧密；花直径 3 ~ 4 cm，黄绿色；花梗长 2 ~ 3 cm，无毛或近于无毛；萼筒外被稀疏柔毛；副萼片长圆状披针形，外被稀疏柔毛；萼片三角卵形，长 1 ~ 1.5 mm，较副萼片稍长而宽，外

羽衣草

被稀疏柔毛；雄蕊长约为萼片之半；花柱线形，较雄蕊稍长。瘦果卵形，长约1.5 mm，先端稍尖，无毛，全部包在膜质花托内。

| **生境分布** | 生于海拔 2 000 ~ 2 600 m 的半阳坡高山草地上。分布于宁夏六盘山（泾源、隆德、原州）等，隆德其他区域也有分布。

| **资源情况** | 野生资源较少。

| **采收加工** | 夏、秋季茎叶茂盛时采割，除去杂质，洗净，稍润，切段，干燥。

| **功能主治** | 收敛止血，清热止痛。用于月经过多，外伤。

薔薇科 Rosaceae 桃属 Amygdalus

蒙古扁桃 *Amygdalus mongolica* (Maxim.) Ricker

| 药 材 名 | 蒙古扁桃（药用部位：种仁）。

| 形态特征 | 灌木，高 1 ~ 2 m。枝条开展，多分枝，小枝先端转变成枝刺；嫩枝红褐色，被短柔毛，老时灰褐色。短枝上叶多簇生，长枝上叶常互生；叶片宽椭圆形、近圆形或倒卵形，长 8 ~ 15 mm，宽 6 ~ 10 mm，先端圆钝，有时具小尖头，基部楔形，两面无毛，叶边有浅钝锯齿，侧脉约 4 对，下面中脉明显凸起；叶柄长 2 ~ 5 mm，无毛。花单生，稀数朵簇生于短枝上；花梗极短；萼筒钟形，长 3 ~ 4 mm，无毛；萼片长圆形，与萼筒近等长，先端有小尖头，无毛；花瓣倒卵形，长 5 ~ 7 mm，粉红色；雄蕊多数，长短不一致；子房被短柔毛，花柱细长，几与雄蕊等长，具短柔毛。果实宽卵球

蒙古扁桃

形，长 12 ～ 15 mm，宽约 10 mm，先端具急尖头，外面密被柔毛；果柄短；果肉薄，成熟时开裂，离核；核卵形，长 8 ～ 13 mm，先端具小尖头，基部两侧不对称，腹缝压扁，背缝不压扁，表面光滑，具浅沟纹，无孔穴；种仁扁宽卵形，浅棕褐色。花期 5 月，果期 8 月。

| **生境分布** | 生于干旱石质山坡、干河床。分布于宁夏贺兰山（西夏）、南华山（海原）及同心、大武口、金凤等，海原其他区域也有分布。

| **资源情况** | 野生资源较丰富。

| **采收加工** | 果实成熟时采收，去净果肉，将核壳砸碎，取出种仁，晾干。

| **功能主治** | 苦，平。润肠通便，止咳。用于肠燥便秘，咽喉干燥，咳嗽少痰。

| **用法用量** | 内服煎汤，3 ～ 9 g。

蔷薇科 Rosaceae 桃属 *Amygdalus*

长梗扁桃
Amygdalus pedunculata Pall.

药材名	郁李仁（药用部位：种仁。别名：郁子、郁里仁）。
形态特征	落叶灌木，高 1 ~ 2 m。枝开展，具大量短枝；小枝浅褐色至暗灰褐色，幼时被短柔毛；冬芽短小，在短枝上常 3 个并生，中间为叶芽，两侧为花芽。短枝上叶密集簇生，一年生枝上叶互生；叶片椭圆形、近圆形或倒卵形，长 1 ~ 4 cm，宽 0.7 ~ 2 cm，先端急尖或圆钝，基部宽楔形，上面深绿色，下面浅绿色，两面疏生短柔毛，叶边具不整齐粗锯齿，侧脉 4 ~ 6 对；叶柄长 2 ~ 5（~ 10）mm，被短柔毛。花单生，稍先于叶开放，直径 1 ~ 1.5 cm；花梗长 4 ~ 8 mm，具短柔毛；萼筒宽钟形，长 4 ~ 6 mm，无毛或微具柔毛；萼片三角状卵形，先端稍钝，有时边缘疏生浅锯齿；花瓣近圆形，

长梗扁桃

直径7～10 mm，有时先端微凹，粉红色；雄蕊多数；子房密被短柔毛，花柱稍长或几与雄蕊等长。果实近球形或卵球形，直径10～15 mm，先端具小尖头，成熟时暗紫红色，密被短柔毛；果柄长4～8 mm；果肉薄而干燥，成熟时开裂，离核；核宽卵形，直径8～12 mm，先端具小突尖头，基部圆形，两侧稍扁，浅褐色，表面平滑或稍有皱纹；种仁宽卵形，棕黄色。花期5月，果期7～8月。

| 生境分布 | 生于向阳石质山坡或沟谷边。分布于宁夏南华山（海原）、西华山（海原）及泾源、隆德、原州、西吉、彭阳、金凤等。

| 资源情况 | 野生资源较少。

| 采收加工 | 夏、秋季采收成熟果实，除去果肉和核壳，取出种仁，干燥。

| 药材性状 | 本品长6～10 mm，直径5～7 mm，表面黄棕色。

| 功能主治 | 辛、苦、甘，平。归脾、大肠、小肠经。润肠通便，下气利水。用于津枯肠燥，食积气滞，腹胀便秘，水肿，脚气，小便不利。

| 用法用量 | 内服煎汤，6～10 g。

蔷薇科 Rosaceae 桃属 Amygdalus

桃
Amygdalus persica L.

桃

药 材 名

桃仁（药用部位：种子。别名：核桃仁）。

形态特征

乔木，高 3 ～ 8 m。叶片长圆状披针形、椭圆状披针形或倒卵状披针形，长 7 ～ 15 cm，宽 2 ～ 3.5 cm，先端渐尖，基部宽楔形，叶边具细锯齿或粗锯齿，齿端具腺体或无腺体；叶柄粗壮，长 1 ～ 2 cm，常具 1 至数枚腺体，有时无腺体。花单生，先于叶开放，直径 2.5 ～ 3.5 cm；花梗极短或几无梗；萼筒钟形，被短柔毛，绿色，具红色斑点；萼片卵形至长圆形，先端圆钝，外被短柔毛；花瓣长圆状椭圆形至宽倒卵形，粉红色，罕为白色；雄蕊 20 ～ 30，花药绯红色；花柱几与雄蕊等长或稍短；子房被短柔毛。果实卵形、宽椭圆形或扁圆形，直径（3 ～）5 ～ 7（～ 12）cm，开始为淡绿白色，成熟时橙黄色，外面密被短柔毛，腹缝明显，果柄短而深入果洼；核大，离核或粘核，椭圆形或近圆形，表面具纵、横沟纹和孔穴；种仁味苦，稀味甜。花期 3 ～ 4 月，果期因品种而异，通常为 8 ～ 9 月。

| 生境分布 | 宁夏各地均有栽培。

| 资源情况 | 栽培资源丰富。

| 采收加工 | 果实成熟后采收，除去果肉和核壳，取出种子，晒干。

| 药材性状 | 本品呈扁长卵形，长 1.2 ~ 1.8 cm，宽 0.8 ~ 1.2 cm，厚 0.2 ~ 0.4 cm。表面黄棕色至红棕色，密布颗粒状突起。一端尖，中部膨大，另一端钝圆稍偏斜，边缘较薄。尖端一侧有短线形种脐，圆端有颜色略深、不甚明显的合点，自合点处分散出多数纵向维管束。种皮薄，子叶 2，类白色，富油性。气微，味微苦。

| 功能主治 | 苦、甘，平。归心、肝、大肠经。活血祛瘀，润肠通便，止咳平喘。用于经闭，痛经，癥瘕痞块，肺痈，肠痈，跌扑损伤，肠燥便秘，咳嗽气喘。

| 用法用量 | 内服煎汤，5 ~ 10 g。

蔷薇科 Rosaceae 桃属 *Amygdalus*

榆叶梅 *Amygdalus triloba* (Lindl.) Ricker

| **药 材 名** | 郁李仁（药用部位：种仁。别名：大李仁）。

| **形态特征** | 灌木，稀小乔木，高 2 ~ 3 m。枝条开展，具多数短小枝；小枝灰色，一年生枝灰褐色，无毛或幼时微被短柔毛；冬芽短小，长 2 ~ 3 mm。短枝上的叶常簇生，一年生枝上的叶互生；叶片宽椭圆形至倒卵形，长 2 ~ 6 cm，宽 1.5 ~ 3（~ 4）cm，先端短渐尖，常 3 裂，基部宽楔形，上面具疏柔毛或无毛，下面被短柔毛，叶边具粗锯齿或重锯齿；叶柄长 5 ~ 10 mm，被短柔毛。花 1 ~ 2，先于叶开放，直径 2 ~ 3 cm；花梗长 4 ~ 8 mm；萼筒宽钟形，长 3 ~ 5 mm，无毛或幼时微具毛；萼片卵形或卵状披针形，无毛，近先端疏生小锯齿；花瓣近圆形或宽倒卵形，长 6 ~ 10 mm，先端圆钝，有时微凹，粉

榆叶梅

红色；雄蕊 25 ～ 30，短于花瓣；子房密被短柔毛，花柱稍长于雄蕊。果实近球形，直径 1 ～ 1.8 cm，先端具短小尖头，红色，外被短柔毛；果柄长 5 ～ 10 mm；果肉薄，成熟时开裂；核近球形，具厚硬壳，直径 1 ～ 1.6 cm，两侧几不压扁，先端圆钝，表面具不整齐的网纹。花期 4 ～ 5 月，果期 5 ～ 7 月。

| **生境分布** | 宁夏各地的公园及庭院中有栽培。分布于宁夏平罗、永宁、利通、青铜峡、沙坡头、兴庆、灵武、大武口等。

| **资源情况** | 栽培资源较少。

| **采收加工** | 5 月中旬至 6 月初当果实呈鲜红色后采收，将果实堆放在阴湿处，待果肉腐烂后，取其果核，清除杂质，稍晒干，将果核压碎去壳，即得种仁。

| **药材性状** | 本品呈圆锥形，长 7 ～ 8 mm，直径约 6 mm。种皮红棕色，具皱纹。

| **功能主治** | 辛、苦、甘，平。润燥滑肠，下气行滞，利水消肿。用于腹胀便秘。

| **用法用量** | 内服煎汤，3 ～ 10 g；或入丸、散剂。

蔷薇科 Rosaceae 杏属 Armeniaca

杏
Armeniaca vulgaris Lam.

| **药 材 名** | 杏仁（药用部位：种子。别名：苦杏仁）。

| **形态特征** | 乔木，高 5 ~ 8（~ 12）m。树冠圆形、扁圆形或长圆形；树皮灰褐色，纵裂。多年生枝浅褐色，皮孔大而横生，一年生枝浅红褐色，有光泽，无毛，具多数小皮孔。叶片宽卵形或圆卵形，长 5 ~ 9 cm，宽 4 ~ 8 cm，先端急尖至短渐尖，基部圆形至近心形，叶边有圆钝锯齿，两面无毛或下面脉腋间具柔毛；叶柄长 2 ~ 3.5 cm，无毛，基部常具 1 ~ 6 腺体。花单生，直径 2 ~ 3 cm，先于叶开放；花梗短，长 1 ~ 3 mm，被短柔毛；花萼紫绿色，萼筒圆筒形，外面基部被短柔毛，萼片卵形至卵状长圆形，先端急尖或圆钝，花后反折；花瓣圆形至倒卵形，白色或带红色，具短爪；雄蕊 20 ~ 45，稍短

杏

于花瓣；子房被短柔毛，花柱稍长或几与雄蕊等长，下部具柔毛。果实球形，稀倒卵形，直径 2.5 cm 以上，白色、黄色至黄红色，常具红晕，微被短柔毛；果肉多汁，成熟时不开裂；核卵形或椭圆形，两侧扁平，先端圆钝，基部对称，稀不对称，表面稍粗糙或平滑，腹棱较圆，常稍钝，背棱较直，腹面具龙骨状棱；种仁味苦或甜。花期 3 ~ 4 月，果期 6 ~ 7 月。

| **生境分布** | 宁夏各地均有栽培。

| **资源情况** | 栽培资源丰富。

| **采收加工** | 夏季采收成熟果实，除去果肉及核壳，取出种子，晒干。

| **药材性状** | 本品呈扁心形，先端尖，基部钝圆而厚，左右略不对称，长 1.2 ~ 1.7 cm，宽 1 ~ 1.3 cm，厚 0.4 ~ 0.6 cm。表面黄棕色至暗棕色，有细密的颗粒状突起。尖端一侧有深色线形种脐，基部有一椭圆形合点，自合点处分散出多条深棕色凹陷的维管束脉纹，形成纵向不规则凹纹，布满种皮。种皮薄，子叶肥厚，白色。气微，加水共研，发出苯甲醛的香气。

| **功能主治** | 苦，温；有毒。归肺、大肠经。降气化痰，止咳平喘，润肠通便。用于外感咳嗽，肠燥便秘。

| **用法用量** | 内服煎汤，5 ~ 10 g，后下。

蔷薇科 Rosaceae 假升麻属 *Aruncus*

假升麻 *Aruncus sylvester* Kostel.

| 药 材 名 | 棣棠升麻（药用部位：全草或根）。

| 形态特征 | 多年生草本，基部木质化，高达 1 ～ 3 m。茎圆柱形，无毛，带暗紫色。大型羽状复叶，通常二回，稀三回，总叶柄无毛；小叶片 3 ～ 9，菱状卵形、卵状披针形或长椭圆形，长 5 ～ 13 cm，宽 2 ～ 8 cm，先端渐尖，稀尾尖，基部宽楔形，稀圆形，边缘有不规则的尖锐重锯齿，近于无毛或沿叶边具疏生柔毛；小叶柄长 4 ～ 10 mm，或近于无柄；不具托叶。大型穗状圆锥花序，长 10 ～ 40 cm，直径 7 ～ 17 cm，外被柔毛与稀疏星状毛，逐渐脱落，果期较少；花梗长约 2 mm；苞片线状披针形，微被柔毛；花直径 2 ～ 4 mm；萼筒杯状，微具毛，萼片三角形，先端急尖，全缘，近于无毛；花瓣倒卵形，

假升麻

先端圆钝，白色；雄花具雄蕊 20，着生于萼筒边缘，花丝比花瓣长约 1 倍，有退化雌蕊；花盘盘状，边缘有 10 圆形突起；雌花心皮 3 ～ 4，稀 5 ～ 8，花柱顶生，微倾斜于背部，雄蕊短于花瓣。蓇葖果并立，无毛；果柄下垂；萼片宿存，开展，稀直立。花期 6 月，果期 8 ～ 9 月。

| 生境分布 | 生于海拔 1 800 ～ 2 200 m 的山坡林下或山谷林缘。分布于宁夏六盘山（泾源、隆德、原州）、贺兰山（贺兰、平罗）等。

| 资源情况 | 野生资源稀少。

| 采收加工 | 夏季采收全草，晒干。秋季采挖根，洗净，晒干。

| 功能主治 | 补虚，收敛，清热。用于劳损，筋骨疼痛。

| 用法用量 | 内服煎汤，5 ～ 10 g。

蔷薇科 Rosaceae 樱属 Cerasus

毛叶欧李

Cerasus dictyoneura (Diels) Yu

| 药 材 名 | 毛叶欧李（药用部位：种仁、根皮）。

| 形态特征 | 灌木，高 0.3 ～ 1 m，高大者可达 2 m。小枝灰褐色，嫩枝密被短柔毛；冬芽卵形，密被短茸毛。叶片倒卵状椭圆形，通常长 2 ～ 4 cm，宽 1 ～ 2.5 cm，中部以上最宽，先端圆形或急尖，基部楔形，边有单锯齿或重锯齿，上面深绿色、无毛或被短柔毛，常有皱纹，下面淡绿色，密被褐色微硬毛，网脉明显突出，侧脉 5 ～ 8 对；叶柄通常长 2 ～ 3 mm，密被短柔毛；托叶线形，长 3 ～ 4 mm，边有腺齿。花单生或 2 ～ 3 簇生，先叶开放；花梗长 4 ～ 8 mm，密被短柔毛；萼筒钟状，长、宽近相等，约 3 mm，外被短柔毛，萼片卵形，长约 3 mm，先端急尖；花瓣粉红色或白色，倒卵形；雄蕊 30 ～ 35；花

毛叶欧李

柱与雄蕊近等长，无毛。核果球形，红色，直径 1 ~ 1.5 cm；核表面除棱背部两侧外无棱纹。花期 4 ~ 5 月，果期 7 ~ 9 月。

| 生境分布 | 生于林缘、山坡。分布于宁夏六盘山（泾源、隆德、原州）及沙坡头等，泾源、隆德其他区域也有分布。

| 资源情况 | 野生资源较少。

| 采收加工 | 7 ~ 8 月采收成熟果实，除去果肉及核壳，取出种子，干燥。

| 药材性状 | 本品种子呈卵形至长卵形，少数圆球形，长 6 ~ 7 mm，直径 3 ~ 4 mm；种皮黄棕色；合点深棕色，直径约 0.7 mm。

| 功能主治 | 辛、苦、甘，平。润燥清肠，下气利水。用于大便秘结，水肿，尿少。

| 用法用量 | 内服煎汤，3 ~ 9 g。

蔷薇科 Rosaceae 樱属 Cerasus

欧李

Cerasus humilis (Bge.) Sok.

欧李

| 药 材 名 |

郁李仁（药用部位：种仁）。

| 形态特征 |

灌木，高 0.4 ~ 1.5 m。小枝灰褐色或棕褐
色，被短柔毛；冬芽卵形，疏被短柔毛或几
无毛。叶片倒卵状长椭圆形或倒卵状披针
形，长 2.5 ~ 5 cm，宽 1 ~ 2 cm，中部以上最
宽，先端急尖或短渐尖，基部楔形，边有单
锯齿或重锯齿，上面深绿色，无毛，下面浅
绿色，无毛或被稀疏短柔毛，侧脉 6 ~ 8 对；
叶柄长 2 ~ 4 mm，无毛或被稀疏短柔毛；
托叶线形，长 5 ~ 6 mm，边有腺体。花单
生或 2 ~ 3 花簇生，花、叶同开；花梗长
5 ~ 10 mm，被稀疏短柔毛；萼筒长、宽近
相等，约 3 mm，外面被稀疏柔毛，萼片三
角状卵圆形，先端急尖或圆钝；花瓣白色或
粉红色，长圆形或倒卵形；雄蕊 30 ~ 35；
花柱与雄蕊近等长，无毛。核果成熟后近球
形，红色或紫红色，直径 1.5 ~ 1.8 cm；核
表面除背部两侧外无棱纹。花期 4 ~ 5 月，
果期 6 ~ 10 月。

| 生境分布 |

生于海拔 100 ~ 1 800 m 阳坡山地、山坡灌

丛中。分布于宁夏隆德、沙坡头、原州、金凤等。宁夏各地的庭园中有栽培。

| 资源情况 | 栽培资源较少。

| 采收加工 | 夏、秋季采收成熟果实，除去果肉和核壳，取出种子，干燥。

| 药材性状 | 本品呈卵形，长 5 ~ 8 mm，直径 3 ~ 5 mm。表面黄白色或浅棕色。一端尖，另一端钝圆，尖端一侧有线形种脐，圆端中央有深色合点，自合点处向上具多条纵向维管束脉纹。种皮薄，子叶 2，乳白色，富油性。气微，味微苦。

| 功能主治 | 辛、苦、甘，平。归脾、大肠、小肠经。润肠通便，下气利水。用于津枯肠燥，食积气滞，腹胀便秘，水肿，脚气，小便不利。

| 用法用量 | 内服煎汤，3 ~ 10 g；或入丸、散剂。

| 附　　注 | 《中华人民共和国药典》规定，药材郁李仁来源于蔷薇科植物欧李 *Prunus humilis* Bge.、郁李 *Prunus japonica* Thunb. 或长柄扁桃 *Prunus pedunculata* Maxim. 的干燥成熟种子。前二种习称"小李仁"，后一种习称"大李仁"。

■ 蔷薇科 Rosaceae ■ 樱属 *Cerasus*

毛樱桃
Cerasus tomentosa (Thunb.) Wall.

| 药 材 名 | 毛樱桃（药用部位：果实。别名：山樱桃、梅桃）。

| 形态特征 | 落叶灌木，高 0.3 ～ 1 m。小枝灰褐色或紫褐色，嫩枝密被绒毛或
无毛。叶片卵状椭圆形或倒卵状椭圆形，长 2 ～ 7 cm，宽 1 ～ 3.5 cm，
先端尾状突尖或急尖，基部宽楔形，边缘有不规则的单锯齿或粗锐
锯齿，上面深绿色或暗绿色，被疏短柔毛，背面灰绿色，密被灰色
绒毛或以后变为稀疏；托叶线形，长 3 ～ 6 mm，被短柔毛。花生于
叶腋，单生或 2 簇生，先于叶开放或与叶同开；花梗长 2.5 mm，被
短柔毛；萼筒管形或杯形，长 4 ～ 5 mm，无毛，萼裂片卵状三角形，
两侧无毛或被短柔毛；花瓣倒卵形，白色或淡粉色，先端圆钝；雄
蕊多数，短于花瓣；花柱伸出，与雄蕊近等长或稍长于雄蕊；子房

毛樱桃

被柔毛。核果椭圆形，近球形，红色。花期 4 ~ 5 月，果期 6 ~ 9 月。

| **生境分布** | 生于海拔 2 200 m 的山谷、林缘灌丛中。分布于宁夏六盘山（泾源、隆德、原州）、贺兰山（贺兰、平罗、西夏、永宁、大武口）及西吉、金凤等，大武口其他区域也有分布。

| **资源情况** | 野生资源较少。

| **采收加工** | 6 ~ 9 月果实成熟时采摘，晒干。

| **功能主治** | 甘、辛，平。补中益气，健脾祛湿。用于食积泻痢，便秘，脚气，遗精滑泄。

| **用法用量** | 内服煎汤，100 ~ 300 g。

蔷薇科 Rosaceae 木瓜属 Chaenomeles

贴梗海棠 *Chaenomeles speciosa* (Sweet) Nakai

| 药 材 名 | 木瓜（药用部位：果实。别名：川木瓜、宣木瓜）、木瓜核（药用部位：种子）、木瓜花（药用部位：花）、木瓜根（药用部位：根）、木瓜枝（药用部位：枝）、木瓜皮（药用部位：皮）。

| 形态特征 | 落叶灌木，高达 2 m。枝条直立开展，有刺；小枝圆柱形，微屈曲，无毛，紫褐色或黑褐色，疏生浅褐色皮孔；冬芽三角状卵形，先端急尖，近于无毛或在鳞片边缘具短柔毛，紫褐色。叶片卵形至椭圆形，稀长椭圆形，长 3 ~ 9 cm，宽 1.5 ~ 5 cm，先端急尖，稀圆钝，基部楔形至宽楔形，边缘具有尖锐锯齿，齿尖开展，无毛或在萌蘖上沿下面叶脉有短柔毛；叶柄长约 1 cm；托叶大形，草质，肾形或半圆形，稀卵形，长 5 ~ 10 mm，宽 12 ~ 20 mm，边缘有尖锐重锯

贴梗海棠

齿，无毛。花先叶开放，3～5簇生于二年生老枝上；花梗短粗，长约3 mm，或近于无梗；花直径3～5 cm；萼筒钟状，外面无毛，萼片直立，半圆形，稀卵形，长3～4 mm，宽4～5 mm，长约为萼筒之半，先端圆钝，全缘或有波状齿及黄褐色睫毛；花瓣倒卵形或近圆形，基部延伸成短爪，长10～15 mm，宽8～13 mm，猩红色，稀淡红色或白色；雄蕊45～50，长约为花瓣之半；花柱5，基部合生，无毛或稍有毛，柱头头状，不明显分裂，约与雄蕊等长。果实球形或卵球形，直径4～6 cm，黄色或带黄绿色，有稀疏不明显斑点，味芳香；

萼片脱落，果柄短或近于无柄。花期 3 ~ 5 月，果期 9 ~ 10 月。

| 生境分布 | 宁夏多有栽培。分布于宁夏惠农、平罗、利通、青铜峡、沙坡头、中宁、兴庆、灵武、金凤、大武口等。

| 资源情况 | 栽培资源较丰富。

| 采收加工 | 木瓜：夏、秋季果实呈绿黄色时采收，置沸水中烫至外皮呈灰白色，对半纵剖，晒干。

木瓜核：9 ~ 10 月间采收成熟的果实，剖开，取出种子，鲜用或晒干。

木瓜花：3 ~ 4 月间采花，晒干，研粉。

木瓜根：全年均可采收，将根挖出，洗净，切片，晒干。

木瓜枝：全年均可采收，切段，晒干。

木瓜皮：春、秋季剥取树皮，鲜用或晒干。

| 药材性状 | 木瓜：本品呈长圆形，多纵剖成两半，长 4 ~ 9 cm，宽 2 ~ 5 cm，厚 1 ~ 2.5 cm。外表面紫红色或红棕色，有不规则的深皱纹；剖面边缘向内卷曲。果肉红棕色，中心部分凹陷，棕黄色；种子扁长三角形，多脱落。质坚硬。气微清香，味酸。

| 功能主治 | 木瓜：酸，温。归肝、脾经。舒筋活络，和胃化湿。用于湿痹拘挛，腰膝关节酸重疼痛，暑湿吐泻，转筋挛痛，脚气水肿。

木瓜核：祛湿舒筋。用于霍乱。

木瓜花：养颜润肤。用于面黑粉滓。

木瓜根：酸、涩，温。祛湿舒筋。用于霍乱，脚气，风湿痹痛，肢体麻木。

木瓜枝：酸、涩，温。祛湿舒筋。用于霍乱吐下，腹痛转筋。

木瓜皮：酸、涩，温。祛湿舒筋。用于霍乱转筋，脚气。

| **用法用量** | 木瓜：内服煎汤，6 ~ 9 g。

木瓜核：内服适量，生嚼。

木瓜花：外用适量，研末，盥洗手面。

木瓜根：内服煎汤，10 ~ 15 g；或浸酒。外用适量，煎水洗。

木瓜枝：内服煎汤，10 ~ 15 g。

木瓜皮：内服煎汤，10 ~ 15 g。

| **附　注** | 据《中华本草》记载，皱皮木瓜 *Chaenomeles speciosa* (Sweet) Nakai 又名贴梗海棠。

薔薇科 Rosaceae 地蔷薇属 Chamaerhodos

地蔷薇
Chamaerhodos erecta (L.) Bge.

地蔷薇

| 药 材 名 |

地蔷薇（药用部位：全草。别名：追风蒿）。

| 形态特征 |

一年生或二年生草本。具长柔毛及腺毛。根木质。茎直立或弧曲上升，高 20 ~ 50 cm，单一，少有多茎丛生，基部稍木质化，常在上部分枝。基生叶密生，莲座状，长 1 ~ 2.5 cm，二回羽状 3 深裂，侧裂片 2 深裂，中央裂片常 3 深裂，二回裂片具缺刻或 3 浅裂，小裂片条形，长 1 ~ 2 mm，先端圆钝，基部楔形，全缘，果期枯萎；叶柄长 1 ~ 2.5 cm；托叶形状似叶，3 至多深裂。茎生叶似基生叶，3 深裂，近无柄。聚伞花序顶生，具多花，二歧分枝形成圆锥花序，直径 1.5 ~ 3 cm；苞片及小苞片 2 ~ 3 裂，裂片条形；花梗细，长 3 ~ 6 mm；花直径 2 ~ 3 mm；萼筒倒圆锥形或钟形，长 1 mm，萼片卵状披针形，长 1 ~ 2 mm，先端渐尖；花瓣倒卵形，长 2 ~ 3 mm，白色或粉红色，无毛，先端圆钝，基部有短爪；花丝比花瓣短；心皮 10 ~ 15，离生，花柱侧基生，子房卵形或长圆形。瘦果卵形或长圆形，长 1 ~ 1.5 mm，深褐色，无毛，平滑，先端具尖头。花果期 6 ~ 8 月。

| 生境分布 | 生于干旱山坡及砂石质地。分布于宁夏贺兰山（贺兰、平罗、西夏、永宁）、南华山（海原）及同心、红寺堡等，海原其他区域也有分布。 |

| 资源情况 | 野生资源稀少。 |

| 采收加工 | 夏、秋季采收，晒干。 |

| 药材性状 | 本品根木质。茎直立或弧曲上升，高 20 ～ 50 cm，单一，少有多茎丛生，常在上部分枝。基生叶密生，莲座状，长 1 ～ 2.5 cm，叶柄长 1 ～ 2.5 cm，托叶形状似叶，3 至多深裂；茎生叶似基生叶，3 深裂，近无柄。聚伞花序顶生，具多花，二歧分枝形成圆锥花序；苞片及小苞片 2 ～ 3 裂，裂片条形；花梗细，长 3 ～ 6 mm；花瓣倒卵形，长 2 ～ 3 mm，白色或粉红色，无毛，先端圆钝，基部有短爪。瘦果卵形或长圆形，深褐色，先端具尖头。 |

| 功能主治 | 苦、辛，温。祛风湿。用于风湿性关节炎。 |

| 用法用量 | 外用适量，煎汤洗。 |

| 附　　注 | 据《宁夏中药志》记载，地蔷薇 *Chamaerhodos erecta* (L.) Bge. 的全草作地蔷薇药用。据《中华本草》记载，来源于地蔷薇 *Chamaerhodos erecta* (L.) Bge. 的药材名为追风蒿。 |

薔薇科 Rosaceae 栒子属 Cotoneaster

灰栒子

Cotoneaster acutifolius Turcz.

| 药 材 名 | 灰栒子（药用部位：枝、叶、果实）。

| 形态特征 | 落叶灌木，高 2 ~ 4 m。枝条开张，小枝细瘦，圆柱形，棕褐色或红褐色，幼时被长柔毛。叶片椭圆状卵形至长圆卵形，长 2.5 ~ 5 cm，宽 1.2 ~ 2 cm，先端急尖，稀渐尖，基部宽楔形，全缘，幼时两面均被长柔毛，下面较密，老时逐渐脱落，最后常近无毛；叶柄长 2 ~ 5 mm，具短柔毛；托叶线状披针形。花 2 ~ 5 组成聚伞花序，总花梗和花梗被长柔毛；苞片线状披针形，微具柔毛；花梗长 3 ~ 5 mm；花直径 7 ~ 8 mm；萼筒钟状或短筒状，外面被短柔毛，内面无毛，萼片三角形，先端急尖或稍钝，外面具短柔毛，内面先端微具柔毛；花瓣直立，宽倒卵形或长圆形，长 3 ~ 4.5 mm，白色外带红晕；雄蕊 10 ~ 15，比花瓣短；花柱通常 2，离生，短于雄

灰栒子

蕊，子房先端密被短柔毛。果实椭圆形，稀倒卵形，直径 7～8 mm，黑色，内有小核 2～3。花期 5～6 月，果期 9～10 月。

| **生境分布** | 生于海拔 2 200～2 400 m 的灌丛中。分布于宁夏六盘山（泾源、隆德、原州）、贺兰山（贺兰、平罗、西夏）、罗山（同心、红寺堡）等，同心、隆德其他区域也有分布。

| **资源情况** | 野生资源较丰富。

| **采收加工** | 6～8 月采收枝条、叶，洗净，切段，晒干。9～10 月采摘果实，晒干。

| **药材性状** | 本品枝条开展，圆柱形，棕褐色或红褐色，幼时被长柔毛。单叶互生；叶柄长 2～5 mm，具短柔毛；托叶线状披针形，脱落；叶片椭圆卵形至长圆卵形，长 2.5～5 cm，宽 1.2～2 cm，先端急尖，基部宽楔形，全缘，幼时两面均被长柔毛，下面较密，老时逐渐脱落。果实椭圆形，稀倒卵形，直径 7～8 mm，黑色，内有小核 2～3。

| **功能主治** | 苦、涩，平。凉血，止血。用于鼻衄，牙龈出血，月经过多。

| **用法用量** | 内服煎汤，3～9 g。外用适量，火烤，取油涂。

蔷薇科 Rosaceae 枸子属 *Cotoneaster*

川康枸子

Cotoneaster ambiguus Rehd. et Wils.

| 药 材 名 | 川康枸子（药用部位：枝条、叶、果实）。

| 形态特征 | 落叶灌木，高达 2 m。枝条弯曲，小枝细瘦，灰褐色，幼时被糙伏毛，不久即脱落至无毛或近无毛。叶片椭圆卵形至菱状卵形，长 2.5 ~ 6 cm，宽 1.5 ~ 3 cm，先端渐尖至急尖，基部宽楔形，全缘，上面幼嫩时具疏生柔毛，不久脱落，下面具柔毛，老时具稀疏柔毛；叶柄长 2 ~ 5 mm，微有柔毛；托叶线状披针形，多数脱落，有稀疏柔毛。聚伞花序有花 5 ~ 10，总花梗和花梗疏生柔毛；苞片披针形，稍具柔毛，早落；花梗长 4 ~ 5 mm；萼筒钟状，外面无毛或稍有柔毛，内面无毛，萼片三角形，先端急尖，外面无毛或仅沿边缘微具柔毛，内面常无毛；花瓣直立，宽卵形或近圆形，长与宽均为 3 ~

川康枸子

4 mm，先端圆钝，基部具短爪，白色带粉红色；雄蕊 20，稍短于花瓣；花柱 2 ~ 5，离生，较雄蕊稍短，子房先端密生柔毛。果实卵形或近球形，长 8 ~ 10 mm，直径 6 ~ 7 mm，黑色，先端微具柔毛，常具 2 ~ 3 小核，稀为 4 ~ 5 小核。花期 5 ~ 6 月，果期 9 ~ 10 月。

| 生境分布 | 生于海拔 1 800 ~ 2 200 m 的山坡灌丛或林缘。分布于宁夏六盘山（泾源、隆德、原州）及海原等。

| 资源情况 | 野生资源较少。

| 采收加工 | 6 ~ 8 月采收枝条、叶，洗净，切段，晒干。9 ~ 10 月采摘果实，晒干。

| 功能主治 | 清热解毒，消肿止痛。

蔷薇科 Rosaceae 枸子属 Cotoneaster

水枸子

Cotoneaster multiflorus Bunge

| 药 材 名 | 水枸子（药用部位：枝叶、根、果实）。

| 形态特征 | 落叶灌木，直立，高达 4 m。枝条细，常呈弓形弯曲，小枝圆柱形，幼时带紫色，具柔毛，不久脱落。叶卵形或宽卵形，长 2 ~ 5 cm，先端尖或钝圆，基部宽楔形或圆形，上面无毛，下面幼时稍有柔毛，后渐脱落；叶柄长 3 ~ 8 mm，幼时有柔毛，后脱落；托叶线形，疏生柔毛。疏散聚伞状伞房花序具花 5 ~ 20，无毛，稀微具柔毛；花梗长 4 ~ 6 mm，无毛；苞片线形，无毛或微具柔毛；花直径 1 ~ 1.2 cm；花萼常无毛，萼筒钟状，萼片三角形；花瓣平展，近圆形，直径 4 ~ 5 mm，内面基部有白色柔毛；雄蕊约 20，稍短于花瓣；花柱通常 2，离生，比雄蕊短，子房先端有柔毛。果实近球形或倒

水枸子

卵圆形，直径 8 mm，成熟时红色，有 1 个由 2 心皮合生成 1 的小核。花期 5 ~ 6 月，果期 8 ~ 9 月。

| 生境分布 | 生于林缘及灌丛中。分布于宁夏六盘山（泾源、隆德、原州）、贺兰山（贺兰、平罗、西夏）、罗山（同心、红寺堡）、南华山（海原）及西吉、利通、沙坡头、金凤等，泾源、原州其他区域也有分布。

| 资源情况 | 野生资源较多。

| 采收加工 | 6 ~ 8 月采收枝叶，洗净，切段，晒干。春、秋季采挖根，除去茎叶和泥沙，晒干。9 ~ 10 月采摘果实，晒干。

| 功能主治 | 枝叶，止血，生肌。用于烫火伤，刀伤。根，活血调经。用于妇科疾病。果实，祛风除湿，健胃消食，降压，化瘀，清热。用于风湿性关节炎，关节积黄水，肝病，高血压，腹泻，肉食积滞，月经不调。

薔薇科 Rosaceae 山楂属 Crataegus

甘肃山楂 *Crataegus kansuensis* Wils.

| 药 材 名 | 野山楂（药用部位：果实）。

| 形态特征 | 灌木或乔木，高 2.5 ~ 8 m。枝刺多，锥形，长 7 ~ 15 mm；小枝细，圆柱形，无毛，绿带红色，二年生枝光亮，紫褐色；冬芽近圆形，先端钝，无毛，紫褐色。叶片宽卵形，长 4 ~ 6 cm，宽 3 ~ 4 cm，先端急尖，基部截形或宽楔形，边缘有尖锐重锯齿和 5 ~ 7 对不规则的羽状浅裂片，裂片三角卵形，先端急尖或短渐尖，上面有稀疏柔毛，下面中脉及脉腋有髯毛，老时减少，近于无毛；叶柄细，长 1.8 ~ 2.5 cm，无毛；托叶膜质，卵状披针形，边缘有腺齿，早落。伞房花序，直径 3 ~ 4 cm，具花 8 ~ 18，总花梗和花梗均无毛；花梗长 5 ~ 6 mm；苞片与小苞片膜质，披针形，长 3 ~ 4 mm，

甘肃山楂

边缘有腺齿，早落；花直径 8 ~ 10 mm；萼筒钟状，外面无毛，萼片三角状卵形，长 2 ~ 3 mm，约为萼筒之半，先端渐尖，全缘，内外两面均无毛；花瓣近圆形，直径 3 ~ 4 mm，白色；雄蕊 15 ~ 20；花柱 2 ~ 3，子房先端被绒毛，柱头头状。果实近球形，直径 8 ~ 10 mm，红色或橘黄色，萼片宿存；果柄细，长 1.5 ~ 2 cm；小核 2 ~ 3，内面两侧有凹痕。花期 5 月，果期 7 ~ 9 月。

| 生境分布 | 多生于山坡灌丛或林缘。分布于宁夏六盘山（泾源、隆德、原州）、南华山（海原）及西吉等，泾源、海原其他区域也有分布。

| 资源情况 | 野生资源较少。

| 采收加工 | 秋后果实为红色、果点明显时采收，用剪刀剪断果柄或直接摘下，横切成两半或切片，晒干。

| 药材性状 | 本品呈球形，直径 0.8 ~ 1 cm，表面红色。种子 2 ~ 3 颗，内面两侧有凹痕。

| 功能主治 | 酸、甘，微温。归胃、肝经。消食健胃，活血化瘀。用于肉食积滞，胃脘胀满，产后瘀痛，漆疮，冻疮。

| 用法用量 | 内服煎汤，3 ~ 10 g；或入丸、散剂。外用煎汤洗；或捣敷。

蔷薇科 Rosaceae 山楂属 Crataegus

毛山楂
Crataegus maximowiczii Schneid.

| 药 材 名 | 野山楂（药用部位：果实）。

| 形态特征 | 灌木或小乔木，高达 7 m。无刺或有刺，长刺 1.5 ~ 3.5 cm；小枝粗壮，圆柱形，嫩时密被灰白色柔毛，二年生枝无毛，紫褐色，多年生枝灰褐色，有光泽，疏生长圆形皮孔；冬芽卵形，先端圆钝，无毛，有光泽，紫褐色。叶片宽卵形或菱状卵形，长 4 ~ 6 cm，宽 3 ~ 5 cm，先端急尖，基部楔形，边缘每侧各有 3 ~ 5 浅裂和疏生重锯齿，上面散生短柔毛，下面密被灰白色长柔毛，沿叶脉处较密；叶柄长 1 ~ 2.5 cm，被稀疏柔毛；托叶膜质，半月形或卵状披针形，先端渐尖，边缘有深锯齿，长 4 ~ 5 mm，脱落很早。复伞房花序，多花，直径 4 ~ 5 cm，总花梗和花梗均被灰白色柔毛；花梗长 3 ~ 8 mm；

毛山楂

苞片膜质，线状披针形，长约 5 mm；花直径约 1.2 cm；萼片三角状卵形或三角状披针形，外被灰白色柔毛，内面较少；花瓣近圆形，直径约 5 mm，白色；雄蕊 20，比花瓣短；花柱（2 ~）3 ~ 5，基部被柔毛，柱头头状。果实球形，直径约 8 mm，红色，幼时被柔毛，以后脱落无毛；萼片宿存，反折；小核 3 ~ 5，两侧有凹痕。花期 5 ~ 6 月，果期 7 ~ 9 月。

| 生境分布 | 生于向阳山坡灌丛中或路边。分布于宁夏六盘山（泾源、隆德、原州）、贺兰山（西夏）等，泾源其他区域也有分布。

| 资源情况 | 野生资源较少。

| 采收加工 | 秋后果实变为红色、果点明显时采收，剪断果柄或直接摘下，横切成两半或切片，晒干。

| 药材性状 | 本品呈球形，直径约 0.8 cm，表面红色；萼片宿存，小核 3 ~ 5，两侧有凹痕。

| 功能主治 | 酸、甘，微温。归脾、胃、肝经。健脾消食，活血化瘀。用于食滞肉积，脘腹胀痛，产后瘀痛，漆疮，冻疮。

| 用法用量 | 内服煎汤，3 ~ 10 g；或入丸、散剂。外用煎汤洗；或捣敷。

薔薇科 Rosaceae 山楂属 Crataegus

山楂
Crataegus pinnatifida Bge.

山楂

药材名

山楂（药用部位：果实。别名：面梨子、石枣子、模糊茶）、山楂叶（药用部位：叶）。

形态特征

落叶乔木，高达 6 m。树皮粗糙，暗灰色或灰褐色；刺长 1 ~ 2 cm，有时无刺。小枝圆柱形，当年生枝紫褐色，无毛或近于无毛，疏生皮孔，老枝灰褐色；冬芽三角卵形，先端圆钝，无毛，紫色。叶片宽卵形或三角状卵形，稀菱状卵形，长 5 ~ 10 cm，宽 4 ~ 7.5 cm，先端短渐尖，基部截形至宽楔形，通常两侧各有 3 ~ 5 羽状深裂片，裂片卵状披针形或带形，先端短渐尖，边缘有尖锐稀疏不规则的重锯齿，上面暗绿色，有光泽，下面沿叶脉有疏生短柔毛或在脉腋有髯毛，侧脉 6 ~ 10 对，有的达到裂片先端，有的达到裂片分裂处；叶柄长 2 ~ 6 cm，无毛；托叶草质，镰形，边缘有锯齿。伞房花序具多花，直径 4 ~ 6 cm，总花梗和花梗均被柔毛，花后脱落，减少；花梗长 4 ~ 7 mm；苞片膜质，线状披针形，长 6 ~ 8 mm，先端渐尖，边缘具腺齿，早落；花直径约 1.5 cm；萼筒钟状，长 4 ~ 5 mm，外面密被灰白色柔毛，萼片三角状卵形至披针形，先端渐尖，全缘，约与萼筒等长，内外两面均无毛或在内面先端有髯毛；花瓣倒卵形或近圆形，长 7 ～ 8 mm，宽 5 ～ 6 mm，白色；雄蕊 20，短于花瓣，花药粉红色；花柱 3 ～ 5，基部被柔毛，柱头头状。果实近球形或梨形，直径 1 ～ 1.5 cm，深红色，有浅色斑点；小核 3 ～ 5，外面稍具棱，内面两侧平滑；萼片脱落很迟，先端留一圆形深洼。花期 5 ～ 6 月，果期 9 ～ 10 月 。

| 生境分布 | 多生于山坡灌丛或林缘。分布于宁夏六盘山（泾源、隆德、原州）、南华山（海原）及彭阳、青铜峡、金凤等，原州其他区域也有分布。

| 资源情况 | 野生资源较少。

| 采收加工 | 山楂：秋季果实成熟时采收，切片，干燥。
山楂叶：夏、秋季采收，晾干。

| 药材性状 | 山楂：本品为圆形片，皱缩不平，直径 1 ～ 1.5 cm，厚 0.2 ～ 0.4 cm。外皮红色，具皱纹，有灰白色小斑点；果肉深黄色至浅棕色。中部横切片具 5 浅黄色果核，但核多脱落而中空。有的圆形片上可见短而细的果柄或花萼残迹。气微清香，味酸、微甜。
山楂叶：本品多已破碎，完整者展开后呈宽卵形，长 5 ～ 10 cm，宽 4 ～ 7.5 cm，绿色至棕黄色，先端渐尖，基部宽楔形，具 2 ～ 6 羽状裂片，边缘具尖锐重锯齿；叶柄长 2 ～ 6 cm；托叶卵圆形至卵状披针形。气微，味涩、微苦。

| 功能主治 | 山楂：酸、甘，微温。归脾、胃、肝经。消食健胃，行气散瘀，化浊降脂。用于肉食积滞，胃脘胀满，泻痢腹痛，瘀血经闭，产后瘀阻，心腹刺痛，胸痹心痛，疝气疼痛，高脂血症。
山楂叶：酸，平。归肝经。活血化瘀，理气通脉，化浊降脂。用于气滞血瘀，胸痹心痛，胸闷憋气，心悸，健忘，眩晕，耳鸣，高脂血症。

| 用法用量 | 山楂：内服煎汤，9 ～ 12 g；或入丸、散剂。外用煎汤洗；或捣敷。
山楂叶：内服煎汤，3 ～ 10 g；或泡茶饮。

蔷薇科 Rosaceae 蛇莓属 Duchesnea

蛇莓
Duchesnea indica (Andrews) Focke

| 药 材 名 | 蛇莓（药用部位：全草。别名：麦子蔓、蔓儿）。

| 形态特征 | 多年生草本。根茎短，粗壮；匍匐茎多数，长 30 ~ 100 cm，有柔毛。小叶片倒卵形至菱状长圆形，长 2 ~ 3.5（~ 5）cm，宽 1 ~ 3 cm，先端圆钝，边缘有钝锯齿，两面皆有柔毛，或上面无毛，具小叶柄；叶柄长 1 ~ 5 cm，有柔毛；托叶窄卵形至宽披针形，长 5 ~ 8 mm。花单生于叶腋，直径 1.5 ~ 2.5 cm；花梗长 3 ~ 6 cm，有柔毛；萼片卵形，长 4 ~ 6 mm，先端锐尖，外面有散生柔毛，副萼片倒卵形，长 5 ~ 8 mm，比萼片长，先端常具 3 ~ 5 锯齿；花瓣倒卵形，长 5 ~ 10 mm，黄色，先端圆钝；雄蕊 20 ~ 30；心皮多数，离生；花托在果期膨大，海绵质，鲜红色，有光泽，直径 10 ~ 20 mm，外面

蛇莓

有长柔毛。瘦果卵形，长约 1.5 mm，光滑或具不明显突起，鲜时有光泽。花期 6 ~ 8 月，果期 8 ~ 10 月。

| 生境分布 | 生于海拔 2 000 m 左右的山坡、河岸、草地及潮湿地。分布于宁夏六盘山（泾源、隆德、原州）、罗山（同心、红寺堡）及沙坡头等。

| 资源情况 | 野生资源丰富。

| 采收加工 | 夏、秋季花未开或初开时采收全草，鲜用，或洗净，晒干。

| 药材性状 | 本品多缠绕成团，被白色毛茸，具匍匐茎。叶互生，三出复叶，基生叶的叶柄长 6 ~ 10 cm，小叶多皱缩，完整者倒卵形，长 1.5 ~ 4 cm，宽 1 ~ 3 cm，基部偏斜，边缘有钝齿，表面黄绿色，上面近无毛，下面被疏毛。花单生于叶腋，具长柄。聚合果红色，瘦果小，花萼宿存。气微，味微涩。

| 功能主治 | 微苦，寒。归肺、肝、大肠经。清热解毒，止咳止血，活血消肿。用于咽喉肿痛，白喉，痈肿疔毒，瘰疬，湿疹，烫火伤，风热咳嗽，崩漏，痢疾，黄疸，疟疾，跌扑损伤，蛇虫咬伤，肿瘤。

| 用法用量 | 内服煎汤，9 ~ 30 g。外用适量。

蔷薇科 Rosaceae 草莓属 Fragaria

草莓
Fragaria×ananassa Duch.

| 药 材 名 | 草莓（药用部位：果实）。

| 形态特征 | 多年生草本，高 10 ~ 40 cm。茎低于叶或近相等，密被开展黄色柔毛。叶三出，小叶具短柄，质地较厚，倒卵形或菱形，稀几圆形，长 3 ~ 7 cm，宽 2 ~ 6 cm，先端圆钝，基部阔楔形，侧生小叶基部偏斜，边缘具缺刻状锯齿，锯齿急尖，上面深绿色，几无毛，下面淡白绿色，疏生毛，沿脉较密；叶柄长 2 ~ 10 cm，密被开展黄色柔毛。聚伞花序，有花 5 ~ 15，花序下面具一有短柄的小叶；花两性，直径 1.5 ~ 2 cm；萼片卵形，比副萼片稍长，副萼片椭圆状披针形，全缘，稀深 2 裂，果时扩大；花瓣白色，近圆形或倒卵状椭圆形，基部具不显的爪；雄蕊 20，不等长；雌蕊极多。聚合果大，直径达

草莓

3 cm，鲜红色，宿存萼片直立，紧贴于果实；瘦果尖卵形，光滑。花期 4 ~ 5 月，果期 6 ~ 7 月。

| 生境分布 | 宁夏银川、中卫、石嘴山及彭阳、隆德、原州、西吉等有栽培。

| 资源情况 | 栽培资源丰富。

| 采收加工 | 果实在开花后约 30 天即可成熟，在果面着色 75% ~ 80% 时即可采收，每隔 1 ~ 2 天采收 1 次，可连续采摘 2 ~ 3 周。采摘时不要伤及花萼，必须带有果柄，轻采轻放。

| 药材性状 | 本品聚合果大，直径达 3 cm，鲜红色；瘦果多数，嵌生在肉质膨大的花托上。气清香，味甜、酸。

| 功能主治 | 酸、甘，凉。清暑解热，生津止渴。用于口渴，食欲不振，消化不良。

| 用法用量 | 内服，鲜品适量。

| 附　注 | 据《宁夏中药志》记载，草莓药材来源于蔷薇科植物东方草莓 *Fragaria orientalis* Lozinsk. 的果实，其全草或叶也供药用。

蔷薇科 Rosaceae 草莓属 *Fragaria*

东方草莓 *Fragaria orientalis* Lozinsk.

| 药 材 名 | 草莓（药用部位：果实。别名：飘儿、东方草莓）。

| 形态特征 | 多年生草本，高 5 ~ 30 cm。茎被开展柔毛，上部较密，下部有时脱落。三出复叶，小叶几无柄，倒卵形或菱状卵形，长 1 ~ 5 cm，宽 0.8 ~ 3.5 cm，先端圆钝或急尖，顶生小叶基部楔形，侧生小叶基部偏斜，边缘有缺刻状锯齿，上面绿色，散生疏柔毛，下面淡绿色，有疏柔毛，沿叶脉较密；叶柄被开展柔毛，有时上部较密。花序聚伞状，有花（1 ~）2 ~ 5（~ 6），基部苞片淡绿色或具一有柄的小叶；花梗长 0.5 ~ 1.5 cm，被开展柔毛；花两性，稀单性，直径 1 ~ 1.5 cm；萼片卵圆状披针形，先端尾尖，副萼片线状披针形，偶有 2 裂；花瓣白色，几圆形，基部具短爪；雄蕊 18 ~ 22，近

东方草莓

等长；雌蕊多数。聚合果半圆形，成熟后紫红色，宿存萼片开展或微反折；瘦果卵形，宽 0.5 mm，表面脉纹明显或仅基部具皱纹。花期 5 ～ 7 月，果期 7 ～ 9 月。

| **生境分布** | 生于林缘、灌丛、草地、田边及山路旁。分布于宁夏六盘山（泾源、隆德、原州）及海原、同心等，泾源其他区域也有分布。

| **资源情况** | 野生资源丰富。

| **采收加工** | 7 ～ 8 月采集成熟或未成熟果实，晒干。

| **药材性状** | 本品聚合果呈半球形，黄绿色至紫红色，直径 1 ～ 2 cm，宿萼平展或微反折。瘦果卵圆形，宽约 0.5 mm，表面有明显的脉纹。质坚硬。气微香，味酸、微甜。

| **功能主治** | 苦，凉。清热解毒，利湿。用于石淋。

| **用法用量** | 内服煎汤，9 ～ 30 g。外用适量。

路边青 *Geum aleppicum* Jacq.

| **药 材 名** | 蓝布正（药用部位：全草。别名：水杨梅）。 |

| **形态特征** | 多年生草本。须根簇生。茎直立，高 30 ~ 100 cm，被开展粗硬毛，稀几无毛。基生叶为大头羽状复叶，通常有小叶 2 ~ 6 对，连叶柄长 10 ~ 25 cm；叶柄被粗硬毛；小叶大小极不相等，顶生小叶最大，菱状广卵形或宽扁圆形，长 4 ~ 8 cm，宽 5 ~ 10 cm，先端急尖或圆钝，基部宽心形至宽楔形，边缘常浅裂，有不规则的粗大锯齿，锯齿急尖或圆钝，两面绿色，疏生粗硬毛。茎生叶为羽状复叶，有时重复分裂，向上小叶逐渐减少，顶生小叶披针形或倒卵状披针形，先端常渐尖或短渐尖，基部楔形；托叶大，绿色，叶状，卵形，边缘有不规则的粗大锯齿。花序顶生，疏散排列；花梗被短柔 |

路边青

毛或微硬毛；花直径 1 ~ 1.7 cm；花瓣黄色，几圆形，比萼片长；萼片卵状三角形，先端渐尖，副萼片狭小，披针形，先端渐尖，稀 2 裂，比萼片短 1 倍多，外面被短柔毛及长柔毛；花柱顶生，在上部 1/4 处扭曲，成熟后自扭曲处脱落，脱落部分下部被疏柔毛。聚合果倒卵球形，瘦果被长硬毛，花柱宿存部分无毛，先端有小钩；果托被短硬毛，长约 1 mm。花果期 7 ~ 10 月。

| 生境分布 | 生于山谷、草地或沟边。分布于宁夏六盘山（泾源、隆德、原州）及海原、彭阳、西吉等，泾源、隆德其他区域也有分布。

| 资源情况 | 野生资源较丰富。

| 采收加工 | 夏、秋季采收，洗净，晒干。

| 药材性状 | 本品长 20 ~ 100 cm。主根短，有多数细根，褐棕色。茎圆柱形，被毛或近无毛。基生叶有长柄，羽状全裂或近羽状复叶，顶裂片较大，卵形或宽卵形，边缘有大锯齿，两面被毛或几无毛，侧生裂片小，边缘有不规则的粗齿；茎生叶互生，卵形，3 浅裂或羽状分裂。花顶生，常脱落。聚合瘦果近球形。气微，味辛、微苦。

| 功能主治 | 甘、微苦，凉。归肝、脾、肺经。益气健脾，补血养阴，润肺化痰。用于气血不足，虚劳咳嗽，脾虚带下。

| 用法用量 | 内服煎汤，9 ~ 30 g。

| 附　注 | 据《宁夏中药资源》记载，水杨梅 *Geum aleppicum* Jacq. 与路边青 *Geum aleppicum* Jacq. 的拉丁学名相同，二者应为同一物种。

蔷薇科 Rosaceae 路边青属 Geum

柔毛路边青

Geum japonicum Thunb. var. *chinense* F. Bolle

柔毛路边青

| 药 材 名 |

蓝布正（药用部位：全草。别名：追风七、红心草、水杨梅）。

| 形态特征 |

多年生草本，高 40 ~ 70 cm，通体密生白色长毛。根茎粗短，根多条，纤细。基生叶丛生，为不整齐的羽状复叶，具长柄和明显的托叶，两侧小叶 7 ~ 13，大小不等，先端裂片最大，常再 3 ~ 5 深裂，基部宽楔形，边缘有粗锯齿；茎生叶互生，具短柄，向上渐小。夏季开黄花，单生茎顶或侧枝先端；花梗长；花萼 5 裂，裂片卵状三角形，裂片之间各有卵状披针形小裂片 1，密被长毛；花瓣 5，宽椭圆形，短钝或平截；雄蕊及雌蕊均多数。聚合果近球形，直径约 1.5 cm，瘦果窄长，密被长毛，花柱宿存，先端钩状。

| 生境分布 |

生于阴坡湿处、岩脚沟边、灌丛或疏林下。分布于宁夏泾源等。

| 资源情况 |

野生资源较少。

| **采收加工** | 夏、秋季采收，洗净，晒干。

| **药材性状** | 本品长 20 ~ 100 cm。主根短，有多数细根，褐棕色。茎圆柱形，被毛或近无毛。基生叶有长柄，羽状全裂或近羽状复叶，先端裂片较大，卵形或宽卵形，边缘有大锯齿，两面被毛或几无毛，侧生裂片小，边缘有不规则的粗齿；茎生叶互生，卵形，3 浅裂或羽状分裂。花顶生，常脱落。聚合瘦果近球形。气微，味辛、微苦。

| **功能主治** | 甘、微苦。归肝、脾、肺经。益气健脾，补血养阴，润肺化痰。用于气血不足，虚劳咳嗽，脾虚带下，头晕头痛，高血压，小腹痛，月经不调，小儿惊风，风湿腰腿痛；外用于痈疖肿毒，跌打损伤。

| **用法用量** | 内服煎汤，9 ~ 15 g。外用适量，鲜品捣敷。

| **附 注** | 据《宁夏中药资源》记载，柔毛水杨梅 *Geum japonicum* Thunb. var. *chinense* F. Bolle 与柔毛路边青 *Geum japonicum* Thunb. var. *chinense* F. Bolle 的拉丁学名相同，二者应为同一物种。

蔷薇科 Rosaceae 棣棠花属 Kerria

棣棠花 *Kerria japonica* (L.) DC.

| 药 材 名 | 棣棠枝叶（药用部位：枝叶）、棣棠花（药用部位：花。别名：金钱花、地团花）、棣棠根（药用部位：根）。

| 形态特征 | 落叶灌木，高 1 ~ 2 m。小枝绿色，无毛，圆柱形，常拱垂，嫩枝有棱角。单叶互生，三角状卵形或卵圆形，先端长渐尖，基部圆形或微心形，边缘有尖锐重锯齿，叶下面沿脉或脉腋有柔毛；托叶膜质，带状披针形，早落。花两性，大而单生，着生于当年生侧枝先端；萼筒短，碟形，萼片 5，全缘，覆瓦状排列，果时宿存；花瓣黄色，宽椭圆形，先端下凹；雄蕊多数；雌蕊 5 ~ 8，离生，生于萼筒内。瘦果倒卵形至半球形，褐色或黑褐色，无毛。花期 4 ~ 6 月，果期 6 ~ 8 月。

棣棠花

| **生境分布** | 生于山谷、灌丛中。分布于宁夏六盘山（泾源、隆德、原州）及金凤等。

| **资源情况** | 野生资源稀少。

| **采收加工** | 棣棠枝叶：7 ～ 8 月采收枝叶，晒干。

棣棠花：4 ～ 5 月采收花，晒干。

棣棠根：7 ～ 8 月采挖根，洗净，切段，晒干。

| **药材性状** | 棣棠枝叶：本品茎枝绿色，表面粗糙；质硬脆，折断，断面不整齐。叶多皱缩，展平后卵形或卵状披针形，长 5 ～ 10 cm，宽 1.5 ～ 4 cm，边缘有锯齿，上面无毛，下面叶脉间疏生短毛。

棣棠花：本品呈扁球形，直径 0.5 ～ 1 cm，黄色；萼片先端 5，深裂，裂片卵形，筒部短广；花瓣 5，金黄色，广椭圆形，钝头，萼筒内有环状花盘；雄蕊多数；雌蕊 5。气微，味苦、涩。

| **功能主治** | 棣棠枝叶：微苦、涩，平。祛风除湿，解毒消肿。用于风湿关节痛，荨麻疹，湿疹，痈疽肿毒。

棣棠花：微苦、涩，平。化痰止咳，利湿消肿，解毒。用于咳嗽，风湿痹痛，产后劳伤痛，水肿，小便不利，消化不良，痈疽肿毒，湿疹，荨麻疹。

棣棠根：涩、微苦，平。祛风止痛，解毒消肿。用于关节疼痛，痈疽肿毒。

| **用法用量** | 棣棠枝叶：内服煎汤，9 ～ 15 g。外用适量，煎汤熏洗。

棣棠花：内服煎汤，6 ～ 15 g。外用适量，煎汤洗。

棣棠根：内服煎汤，9 ～ 15 g；或浸酒。

蔷薇科 Rosaceae 苹果属 Malus

山荆子
Malus baccata (L.) Borkh.

| 药 材 名 | 山荆子（药用部位：果实。别名：山丁子）。

| 形态特征 | 乔木，高 10 ~ 14 m。枝紫褐色，无毛。叶片椭圆形或卵形，长 3 ~ 8 cm，宽 2 ~ 3.5 cm，先端渐尖或尾状渐尖，基部楔形或圆形，边缘具细锐锯齿；嫩时近无毛；叶柄无毛；托叶披针形，膜质，长约 7 mm，具腺齿或全缘。花序近伞形，具花 4 ~ 6；花梗无毛；萼筒外面光滑，萼裂片狭披针形，外面无毛，里面密被白色绒毛；花瓣白色或淡红色，长圆形或卵形，基部具短爪；雄蕊 15 ~ 20，不等长；花柱 5 或 4，基部合生，有柔毛，较雄蕊长。梨果近球形，直径 8 ~ 10 mm，红色或黄色，萼片脱落。花期 4 ~ 6 月，果期 9 ~ 10 月。

山荆子

| 生境分布 | 生于海拔 2 200 m 左右的林下、林缘及灌丛中。分布于宁夏六盘山（泾源、隆德、原州）及金凤等。

| 资源情况 | 野生资源较少。

| 采收加工 | 秋季果实成熟时采摘，切片，晾干。

| 药材性状 | 本品呈不规则扁球形，直径约 1 cm，先端有萼洼，稍凹陷，基部偶有果柄，果柄长 2 ~ 3 cm。表面红棕色，剖开后分 5 室，偶有扁三角形种子，内果皮稍革质，质较重。味酸、微涩。

| 功能主治 | 止泻痢。用于痢疾，吐泻等。

| 用法用量 | 内服煎汤，15 ~ 30 g；或研末；或酿酒。

蔷薇科 Rosaceae 苹果属 Malus

垂丝海棠 *Malus halliana* Koehne

| 药 材 名 | 垂丝海棠（药用部位：花）。

| 形态特征 | 落叶小乔木，高达 5 m。树冠开展。小枝细弱，微弯曲，紫色或紫褐色。叶片卵形或椭圆形至长椭卵形，长 3.5 ~ 8 cm，宽 2.5 ~ 4.5 cm，先端长渐尖，基部楔形至近圆形，边缘有圆钝细锯齿，上面深绿色，有光泽并常带紫晕，嫩叶均带紫红色；托叶小，早落。伞房花序，具花 4 ~ 6，花直径 3 ~ 3.5 cm；花梗细弱，下垂，紫色；萼片三角状卵形，先端圆钝，与萼筒等长或稍短；花瓣粉红色，倒卵形，基部有短爪；雄蕊 20 ~ 25，花丝长短不齐，约等于花瓣之半；花柱 4 或 5，较雄蕊为长，基部有长绒毛，顶花有时缺少雌蕊。果实梨形或倒卵形，直径 6 ~ 8 mm，略带紫色，成熟很迟，萼片脱

垂丝海棠

落。花期 3 ~ 4 月，果期 9 ~ 10 月。

| 生境分布 | 生于山坡丛林中或山溪边。分布于宁夏兴庆等。

| 资源情况 | 野生资源较少。

| 采收加工 | 3 ~ 4 月花开时采收，晒干。

| 药材性状 | 本品呈暗红色，下垂；萼筒紫红色，5 裂，裂片卵形，边缘有毛，外表面无毛，内面密生白色绒毛。花瓣 10 余片，倒卵形，表面光滑无毛，内面疏生白色绒毛；雄蕊多数，花柱 5，基部密生绒毛；花梗细长，紫色，长 2 ~ 4 cm，疏生绒毛。气微，味微苦、涩。

| 功能主治 | 苦，平。调经和血。用于血崩。

| 用法用量 | 内服煎汤，6 ~ 15 g。

薔薇科 Rosaceae 苹果属 Malus

西府海棠 *Malus micromalus* Makino

西府海棠

药材名

海红（药用部位：果实。别名：海棠、赤棠、海棠梨）。

形态特征

落叶小乔木，高 2.5 ~ 5 m。树枝直立性强，小枝嫩时被短柔毛，老时脱落，紫红色或暗褐色，具稀疏皮孔。叶片长椭圆形或椭圆形，长 5 ~ 10 cm，宽 2.5 ~ 5 cm，先端急尖或渐尖，基部楔形，边缘有尖锐锯齿；托叶早落；叶柄细长。伞形总状花序，有花 4 ~ 7，集生于小枝先端；萼筒外面密被白色长绒毛，萼片三角状卵形、三角状披针形至长卵形，全缘，被白色绒毛；花粉红色，直径约 4 cm；雄蕊约 20，花丝长短不等；花柱 5。梨果近球形，直径 1 ~ 1.5 cm，红色，萼片无毛，部分宿存或脱落。花期 4 ~ 5 月，果期 8 ~ 9 月。

生境分布

生于海拔 1 200 ~ 2 400 m 处。分布于宁夏灵武、金凤、大武口等。

资源情况

栽培资源较少。

| **采收加工** | 8 ~ 9 月果实成熟时采摘，鲜用，或切成纵横切片，晒干。 |

| **药材性状** | 本品近球形，直径 1 ~ 1.5 cm，表面红色带黄色，无斑点，光亮，基部凹陷，花萼脱落或宿存，内果皮革质，形似苹果。气清香，味微酸、甜。 |

| **功能主治** | 酸、甘，平。归大肠经。涩肠止痢。用于泄泻，痢疾。 |

| **用法用量** | 内服煎汤，15 ~ 30 g；或生食。 |

蔷薇科 Rosaceae 苹果属 Malus

苹果 *Malus pumila* Mill.

| 药材名 | 苹果（药用部位：果实）、苹果叶（药用部位：叶）。

| 形态特征 | 乔木，高 10 ~ 15 m。幼枝粗壮，密被绒毛，老枝紫褐色，无毛；冬芽卵形，密被短绒毛。叶片椭圆形、宽椭圆形或卵圆形，长 4.5 ~ 10 cm，宽 3 ~ 5.5 cm，先端急尖，基部宽楔形或近圆形，边缘具圆钝齿或重锯齿；叶柄粗，被短柔毛；托叶早落。伞形花序，具花 3 ~ 7，花梗长 1 ~ 2.5 cm，花梗与花萼均被绒毛；萼裂片三角状披针形，稍长于萼筒，两面均被绒毛；花瓣倒卵圆形或椭圆形，白色具红晕，基部具短爪；雄蕊约 20，不等长，短于花瓣；花柱 5，较雄蕊长，中部以下密被灰白色绒毛，基部合生。果实扁圆形或圆形，直径在 2 cm 以上，梗洼与萼洼均下陷，萼裂片宿存。花期 5 月，

苹果

果期 7 ～ 10 月 。

| 生境分布 | 普遍栽培于宁夏各处的山坡、平原旷野等。分布于宁夏惠农、平罗、青铜峡、兴庆、金凤、大武口等。

| 资源情况 | 栽培资源丰富。

| 采收加工 | 苹果：早熟品种 7 ～ 8 月采收，晚熟品种 9 ～ 10 月采收，保鲜，包装贮藏。
苹果叶：夏季盛叶期采收，阴干。

| 药材性状 | 苹果：本品呈扁圆形或圆形，直径 5 ～ 10 cm，或更大，顶部及基部均凹陷；外皮薄，革质，果肉肉质，内果皮坚韧，分为 5 室，每室有种子 2。气清香，味甜、微酸。

| 功能主治 | 苹果：益胃，生津，除烦，醒酒。用于津少口渴，脾虚泄泻，食后腹胀，过度饮酒。
苹果叶：凉血解毒。用于产后血晕，月经不调，发热，热毒疮疡，烫伤。

| 用法用量 | 苹果：内服适量，生食；或捣汁；或熬膏。
苹果叶：内服煎汤，30 ～ 60 g。外用适量，鲜叶贴敷。

蔷薇科 Rosaceae 绣线梅属 Neillia

中华绣线梅
Neillia sinensis Oliv.

| 药 材 名 | 中华绣线梅（药用部位：全株）、钓杆柴（药用部位：根。别名：华南梨）。

| 形态特征 | 灌木，高 1 ~ 2 m。树皮灰褐色，呈片状剥落。小枝细长，紫褐色，幼时疏被柔毛或无毛。单叶互生，叶片卵形或狭卵形，先端长渐尖或尾尖，基部圆形或微心形，边缘不规则浅裂；托叶长椭圆形，全缘。总状花序顶生，具两性花 7 ~ 15；花梗长 3 ~ 10 mm，疏被腺毛；萼筒筒状，长 7 ~ 9 mm，无毛或下半部疏被腺毛，萼裂片直立或斜升，三角状长卵形，长约 2 mm，先端长渐尖，内面密被柔毛；花瓣倒卵形，长约 3 mm，宽约 2 mm，先端钝圆，粉红色；雄蕊 20，着生于萼筒边缘及内壁上，花丝短；心皮 1 ~ 2，子房先端

中华绣线梅

有毛，花柱直立，内含 4 ~ 5 胚珠。蓇葖果长椭圆形，萼筒宿存，外被疏生长腺毛。花期 5 ~ 6 月，果期 8 ~ 9 月。

| 生境分布 | 多生于山坡灌丛中。分布于宁夏六盘山（泾源、隆德、原州）等，泾源其他区域也有分布。

| 资源情况 | 野生资源较少。

| 采收加工 | 中华绣线梅：全年均可采收，鲜用或晒干。
钓杆柴：夏、秋季采挖，除去茎枝，洗净，切片，晒干。

| 功能主治 | 中华绣线梅：辛，平。祛风解表，和中止泻。用于感冒，泄泻。
钓杆柴：苦、酸、甘，凉。利水消肿，清热止血。用于水肿，咯血。

| 用法用量 | 中华绣线梅：内服煎汤，30 ~ 60 g。
钓杆柴：内服煎汤，30 ~ 60 g。

| 附　　注 | 据《中华本草》记载，药材钓杆柴的植物来源除中华绣线梅 *Neillia sinensis* Oliv. 外，还有毛叶绣线梅 *Neillia ribesioides* Rehd.。

蔷薇科 Rosaceae 稠李属 Padus

毛叶稠李
Padus avium Miller var. *pubescens* (Regel & Tiling) T. C. Ku & B. Bartholomew

| 药 材 名 | 樱额（药用部位：果实。别名：樱额梨、稠梨子、臭李子）。

| 形态特征 | 落叶乔木，高可达 15 m。小枝棕褐色，密被棕褐色长柔毛。单叶互生；叶片倒卵形或倒卵状椭圆形，长 5 ~ 10 cm，宽 2.5 ~ 6 cm，先端突尖，基部楔形或圆形，叶片下面密被棕褐色长柔毛，边缘为开展或贴生重锯齿，或为不规则的重锯齿；叶柄长 1 ~ 1.5 cm，被长柔毛，先端两侧各具 1 腺体。总状花序具多花，长 5 ~ 13 cm，基部具叶 3 ~ 5，叶片与枝生叶同形，通常较小；花直径 1 ~ 1.6 cm；萼筒钟状，比萼片稍长，萼片三角状卵形，先端急尖或圆钝，边有带腺的细锯齿；花瓣白色，长圆形，先端波状，基部楔形，有短爪，比雄蕊长近 1 倍；雄蕊多数，花丝长短不等，排成紧密不规则

毛叶稠李

2 轮；雌蕊 1，心皮无毛，柱头盘状，花柱比长雄蕊短近 1 倍。核果卵球形，先端有尖头，直径 8 ~ 10 mm，红褐色至黑色，光滑，果柄无毛，萼片脱落；核有折皱。花期 4 ~ 6 月，果期 6 ~ 10 月。

| 生境分布 | 生于海拔 1 500 ~ 2 400 m 的山坡杂木林中。分布于宁夏六盘山（泾源、隆德、原州）、贺兰山（西夏）等。

| 资源情况 | 野生资源较少。

| 采收加工 | 夏、秋季采收，晒干。

| 药材性状 | 本品呈类球形或卵球形，直径 4 ~ 8 mm，表面褐色。果肉内有果核 1，质坚硬，表面有不规则皱纹。种仁淡黄色，富油质。气微，味甜、微涩。

| 功能主治 | 甘、涩，温。归脾经。健脾止泻。用于脾虚泄泻。

| 用法用量 | 内服煎汤，9 ~ 15 g。

| 附　　注 | 本种为稠李 *Padus avium* Miller [*Padus racemosa* (L.) Gilib.] 的变种。

蔷薇科 Rosaceae 委陵菜属 Potentilla

星毛委陵菜 *Potentilla acaulis L.*

| 药 材 名 | 星毛委陵菜（药用部位：全草。别名：无茎委陵菜）。

| 形态特征 | 多年生草本，高 2 ~ 15 cm。植株灰绿色。根圆柱形，多分枝。花茎丛生，密被星状毛和疏长毛。基生叶掌状三出复叶，连叶柄长1.5 ~ 7 cm，叶柄密被星状毛及开展微硬毛，小叶常有短柄或几无柄，小叶片倒卵状椭圆形或菱状倒卵形，先端圆钝，基部楔形，每边有4 ~ 6 圆钝锯齿，两面灰绿色，密被星状毛及开展微硬毛，下面沿脉较密；茎生叶 1 ~ 3，小叶与基生小叶相似；托叶下部与叶柄合生，上部 2 裂，裂片狭线形。顶生花 1 ~ 2 或 2 ~ 5 成聚伞花序，密生星状毛；副萼片长椭圆形，先端钝，两面被星状毛及绒毛，萼裂片卵形，背面密被星状毛及柔毛；花瓣黄色，倒卵圆形，先端微

星毛委陵菜

凹，基部楔形。瘦果肾形，表面具皱纹。花果期 4 ~ 8 月 。

| **生境分布** | 生于向阳山坡。分布于宁夏南华山（海原）、月亮山（西吉）及同心、盐池等。

| **资源情况** | 野生资源较少。

| **采收加工** | 夏季割取地上部分，除去杂质，晒干。

| **功能主治** | 清热解毒，止血止痢。

蔷薇科 Rosaceae 委陵菜属 Potentilla

莓叶委陵菜 *Potentilla fragarioides* L.

| 药 材 名 | 雉子筵（药用部位：地上部分。别名：瓢子、满山红、菜瓢子）、
雉子筵根（药用部位：根及根茎）。

| 形态特征 | 多年生草本，高 15 ～ 25 cm。茎常丛生，茎直立或倾斜，疏被长柔毛。奇数羽状复叶；基生叶具小叶 5 ～ 9，先端 3 小叶较大；小叶片无柄或有时顶生小叶有短柄，亚革质，椭圆形、长椭圆形或椭圆状卵形，长 0.5 ～ 7 cm，宽 0.4 ～ 3 cm，先端急尖或圆钝，基部楔形或宽楔形，边缘有急尖锯齿，齿常粗大，三角状卵形，上面绿色或暗绿色，通常有明显折皱，伏生疏柔毛，下面灰色或灰绿色，网脉通常较突出，密生柔毛，沿脉伏生长柔毛；茎生叶 2 ～ 3，有小叶 1 或 3；基生叶托叶膜质，褐色，外被长柔毛；茎生叶托叶草质，绿色，

莓叶委陵菜

卵状披针形或披针形，边缘有 1 ~ 3 齿，稀全缘。伞房状聚伞花序顶生，疏散；花梗长 1.5 ~ 2 cm，密被长柔毛和腺毛；花直径 1 ~ 1.7 cm；萼片三角状卵形，先端尾尖，副萼片狭披针形，先端锐尖，与萼片近等长，外面常带紫色，被疏柔毛；花瓣黄色，倒卵状长圆形，先端圆形，长 5 ~ 6 mm；花柱近顶生，丝状，柱头不扩大，子房脐部密被长柔毛。成熟瘦果表面有脉纹，脐部有长柔毛。花期 4 ~ 6 月，果期 6 ~ 8 月。

| 生境分布 | 生于山坡、草地及林下。分布于宁夏六盘山（泾源、隆德、原州）等。

| 资源情况 | 野生资源较多。

| 采收加工 | 雉子筵：夏季割取地上部分，除去杂质，晒干。

雉子筵根：夏季采挖，洗净，晒干。

| 功能主治 | 雉子筵：甘，温。归肺、脾经。益气养阴，止血。用于疝气，干血痨，月经过多，崩漏，产后出血。

雉子筵根：微甘、微苦，平。止血。用于月经过多，功能性子宫出血，子宫肌瘤出血，产后出血，避孕药引起的出血。

| 用法用量 | 雉子筵：内服煎汤，9 ~ 15 g。

雉子筵根：内服煎汤，3 ~ 6 g；或入丸、散剂。

蔷薇科 Rosaceae 委陵菜属 Potentilla

蕨麻
Potentilla anserina L.

| 药 材 名 | 蕨麻（药用部位：块根。别名：人参果、延寿果）、蕨麻草（药用部位：全草）。

| 形态特征 | 多年生草本。根向下延长，有时根的下部膨大成纺锤形或椭圆形块根。茎匍匐，在节处生根，常着地长出新植株，外被伏生或半开展疏柔毛，或脱落几无毛。基生叶为间断羽状复叶，有小叶6～11对，连叶柄长2～20 cm；叶柄被伏生或半开展疏柔毛，有时脱落几无毛；小叶对生或互生，无柄或顶生小叶有短柄，最上面1对小叶基部下延与叶轴汇合，基部小叶渐小，呈附片状；小叶片通常椭圆形、倒卵状椭圆形或长椭圆形，先端圆钝，基部楔形或阔楔形，边缘有多数尖锐锯齿或呈裂片状，上面绿色，被疏柔毛或脱落几无毛，

蕨麻

下面密被紧贴银白色绢毛，叶脉明显或不明显。茎生叶与基生叶相似，唯小叶对数较少。基生叶和下部茎生叶托叶膜质，褐色，与叶柄连成鞘状，外面被疏柔毛或脱落几无毛；上部茎生叶托叶草质，多分裂。单花腋生；花梗长2.5 ~ 8 cm，被疏柔毛；花直径 1.5 ~ 2 cm；萼片三角状卵形，先端急尖或渐尖，副萼片椭圆形或椭圆状披针形，常 2 ~ 3 裂；花瓣黄色，倒卵形，先端圆形，比萼片长 1 倍；花柱侧生，小枝状，柱头稍扩大。

| 生境分布 | 生于沟渠旁、田边、路旁、低山草地及村庄附近。分布于宁夏泾源、海原、永宁、兴庆等。

| 资源情况 | 野生资源较丰富。

| 采收加工 | 蕨麻：夏季采挖，洗净，晒干。
蕨麻草：夏、秋季采挖全草，除去杂质，扎成把，晒干。

| 药材性状 | 蕨麻：本品呈纺锤形、圆球形、圆柱形或不规则形，微弯曲，长 0.5 ~ 3.5 cm，直径 2 ~ 7 mm；表面棕褐色，有纵皱纹。质坚硬而脆，断面平坦，类白色，有黄白相间的同心环纹。

| 功能主治 | 蕨麻：甘、微苦，平。归脾、胃经。补气血，健脾胃，生津止渴，利湿。用于病后血虚，营养不良，脾虚腹泻，风湿痹痛。
蕨麻草：甘、苦，凉。凉血止血，解毒利湿。用于各种出血证，痢疾，泄泻，疮疡疖肿。

| 用法用量 | 蕨麻：内服煎汤，15 ~ 30 g。
蕨麻草：内服煎汤，15 ~ 30 g。

| 附　　注 | 《中国植物志》记载的蕨麻 *Potentilla anserina* L. 的拉丁学名与《宁夏中药志》《宁夏中药资源》记载的鹅绒委陵菜 *Potentilla anserina* L. 的拉丁学名相同，二者当为同一物种。

蔷薇科 Rosaceae 委陵菜属 Potentilla

二裂委陵菜 *Potentilla bifurca* L.

| 药 材 名 | 鸡冠草（药用部位：紫红色变态植株。别名：鸡冠菜、痔疮草）。

| 形态特征 | 多年生矮小草本。根茎粗壮，木质。茎多平铺，稀直立，自基部多分枝，被长柔毛。羽状复叶，基生叶具小叶 5 ~ 8 对，小叶无柄，对生，椭圆形或倒卵状矩圆形，先端常 2 裂或圆钝，基部楔形，全缘，上面微被柔毛，下面密生柔毛，上部小叶的基部下延与总叶柄联合；托叶膜质，与叶柄连合成鞘状。茎生叶通常具小叶 3 ~ 7，叶柄短或无；托叶草质，卵状披针形，全缘。聚伞花序顶生，具花 3 ~ 5；花梗被柔毛；副萼片狭长椭圆形，外被柔毛，萼裂片长圆状卵形，较副萼稍长，外被柔毛；花瓣黄色，宽倒卵形，基部具短爪；雄蕊长约 2 mm；花柱侧生；花托具长柔毛。瘦果小，光滑无毛。

二裂委陵菜

花果期 5 ~ 9 月。

| 生境分布 | 生于山坡、草地、田野及路旁。宁夏各地均有分布。

| 资源情况 | 野生资源较丰富。

| 采收加工 | 夏、秋季采集紫红色变态植株，除去绿色茎叶及杂质，晒干。

| 药材性状 | 本品植株疏散或呈垫状，为长、宽均为 3 ~ 5 cm 的疣状团块，紫红色，形如鸡冠花。根茎及茎基木质，棕褐色。垫状团块均为幼芽密集丛生而成，在短缩茎上，单叶互生，无叶柄；叶片椭圆状披针形，具尾尖，无毛，紫红色；叶腋生长幼芽，嫩叶排列密集，上部幼芽几成珠状，呈淡紫红色。气微，味涩、微苦。以珠芽密集、色紫红者为佳。

| 功能主治 | 甘，凉。归肝、大肠经。止血止痢。用于崩漏，痢疾。

| 用法用量 | 内服煎汤，15 ~ 30 g。

| 附　注 | 《宁夏中药志》记载："本品为宁夏灵武、盐池等地的民间草药，用以治疗子宫出血和胃出血。当地有'家有鸡冠草，不怕血山倒'的谚语。载于《宁夏中草药手册》和《宁夏中药资源》。陕西称本品为'痔疮草'，用于子宫出血、痢疾、痔疮等。"

薔薇科 Rosaceae 委陵菜属 Potentilla

委陵菜 *Potentilla chinensis* Ser.

| 药 材 名 | 委陵菜（药用部位：全草。别名：翻白草、白头翁）。

| 形态特征 | 多年生草本，高 20 ~ 70 cm。根圆柱形，紫褐色。茎丛生，直立或斜升，被白色柔毛。奇数羽状复叶，基生叶多数，丛生，具小叶 9 ~ 25，叶柄长 4 ~ 25 cm；小叶无柄，长椭圆形或长椭圆状披针形，边缘羽状深裂，裂片三角状披针形，先端尖，边缘稍反卷，上面无毛或疏生短毛，中脉凹陷，下面密生灰白色绒毛，沿叶脉被长柔毛，顶生小叶片较大，向下渐次变小；托叶膜质，线状披针形，下部与叶柄合生成鞘状抱茎，上部分离。茎生叶与基生叶同形，较基生叶小，小叶数较少；托叶草质，三角状卵形或卵状披针形，先端尖，不等 2 裂或全缘，背面疏生长毛和绒毛。聚伞花序顶生，具多数花，

委陵菜

花梗及总花梗均被灰白色长柔毛；副萼片线形，萼裂片卵状披针形或狭卵形，两面疏生长柔毛；花瓣黄色，宽倒卵形或近圆形，先端微凹，基部具短爪；雄蕊约20；花柱近顶生；花托被柔毛。瘦果卵形，有肋纹。花果期4～10月。

| 生境分布 | 生于山坡、荒地、沟边及路旁。分布于宁夏六盘山（泾源、隆德、原州）及盐池、海原、彭阳、西吉、沙坡头、中宁、红寺堡、同心等，隆德、原州其他区域也有分布。

| 资源情况 | 野生资源丰富。

| 采收加工 | 春季未抽茎时，采挖全草，除去泥沙，晒干。

| 药材性状 | 本品根呈圆柱形或类圆锥形，稍扭曲，少分枝，长5～17 cm，直径5～15 mm；表面暗棕色或暗紫红色，具纵沟纹，栓皮粗糙，呈片状剥落，根头部膨大；质硬脆，易折断，折断面皮部薄，暗棕色，常与木部分离，木部黄白色，可见淡紫红色放射状纹理。叶基生，单数羽状复叶，皱缩，具柄，展平后小叶呈狭长椭圆形，边缘羽状深裂，下表面和叶柄均密生灰白色柔毛。气微，味涩、微苦。

| 功能主治 | 苦，寒。归肝、大肠经。清热解毒，凉血止痢。用于赤痢腹痛，久痢不止，痔疮出血，痈肿疮毒。

| 用法用量 | 内服煎汤，9～15 g。外用适量，鲜品煎汤洗；或捣敷。

| 附　注 | （1）《宁夏中药志》记载："委陵菜始载于《救荒本草》。《植物名实图考》载：'生田野中苗，初塌地生，后分茎叉，茎节稠密，上有白毛……开五瓣黄花，其叶味微辣。'……宁夏还分布同属植物腺毛委陵菜 Potentilla viscosa Donn.，其根和全草也同等入药。"
（2）本种的根也可作为药用。

蔷薇科 Rosaceae 委陵菜属 Potentilla

大萼委陵菜 *Potentilla conferta* Bge.

大萼委陵菜

药材名

大萼委陵菜（药用部位：根。别名：白毛委陵菜、大头委陵菜）。

形态特征

多年生草本。根圆柱形，木质化。花茎直立或上升，高 20 ~ 45 cm，外被短柔毛及开展白色绢状长柔毛，毛长可达 3 ~ 4 mm。基生叶为羽状复叶，有小叶 3 ~ 6 对，间隔 0.3 ~ 0.5 cm，连叶柄长 6 ~ 20 cm；叶柄被短柔毛及开展白色绢状长柔毛；小叶片对生或互生，披针形或长椭圆形，长 1 ~ 5 cm，宽 0.5 ~ 2 cm，边缘羽状中裂或深裂，但不达中脉，裂片通常三角状长圆形、三角状披针形或带状长圆形，先端圆钝或呈舌形，基部常扩大，边缘向下反卷或有时不明显，上面绿色，伏生短柔毛或脱落几无毛，下面被灰白色绒毛，沿脉被开展白色绢状长柔毛。茎生叶与基生叶相似，唯小叶对数较少。基生叶托叶膜质，褐色，外面被疏柔毛，有时脱落；茎生叶托叶草质，绿色，常牙齿状分裂或不分裂，先端渐尖。聚伞花序多花至少花，春季时常密集于先端，夏、秋季时花梗常伸长疏散，花梗长 1 ~ 2.5 cm，密被短柔毛；花直径

1.2 ～ 1.5 cm；萼片三角状卵形或椭圆状卵形，先端急尖或渐尖，副萼片披针形或长圆状披针形，先端圆钝或急尖，比萼片稍短或近等长，在果时显著增大；花瓣黄色，倒卵形，先端圆钝或微凹，比萼片稍长；花柱圆锥形，基部膨大，柱头微扩大。瘦果卵形或半球形，直径约 1 mm，具皱纹，稀不明显。花期 6 ～ 9 月。

| 生境分布 | 生于山坡草地、灌丛和沟谷。分布于宁夏贺兰山（贺兰、西夏）等。

| 资源情况 | 野生资源稀少。

| 采收加工 | 夏季采挖，洗净，切片，晒干。

| 功能主治 | 苦、酸，凉。清热凉血，止血。用于功能性子宫出血，鼻衄。

| 用法用量 | 内服煎汤，10 ～ 15 g；或研末，3 ～ 6 g。血热重者凉服，轻者温服。

薔薇科 Rosaceae 委陵菜属 Potentilla

匍枝委陵菜
Potentilla flagellaris Willd. ex Schlecht.

| 药 材 名 | 匍枝委陵菜（药用部位：全草。别名：鸡儿头苗、蔓委陵菜）。

| 形态特征 | 多年生匍匐草本。根细而簇生。匍匐枝被伏生短柔毛或疏柔毛。基生叶掌状五出复叶，叶柄被伏生柔毛或疏柔毛，小叶无柄，披针形，卵状披针形或长椭圆形，先端急尖或渐尖，基部楔形，边缘有 3 ~ 6 缺刻状大小不等的急尖锯齿，下部 2 小叶有时 2 裂，两面绿色，伏生稀疏短毛，以后脱落或在下面沿脉伏生疏柔毛；匍匐枝上叶与基生叶相似。基生叶托叶膜质，褐色，外面被稀疏长硬毛。单花与叶对生，花梗长 1.5 ~ 4 cm，被短柔毛；花直径 1 ~ 1.5 cm；萼片卵状长圆形，先端急尖，外面被短柔毛及疏柔毛；花瓣黄色，先端微凹或圆钝，比萼片稍长；花柱近顶生，基部细，柱头稍微扩大。

匍枝委陵菜

成熟瘦果长圆状卵形，表面呈泡状凸起。花果期 5 ～ 9 月。

| 生境分布 | 生于林缘草地、田边、路旁。分布于宁夏南华山（海原）等。

| 资源情况 | 野生资源较少。

| 采收加工 | 夏季未抽茎时采挖全草，除去泥沙，切段，洗净，晒干。

| 功能主治 | 清热解毒。

蔷薇科 Rosaceae 委陵菜属 Potentilla

金露梅 *Potentilla fruticosa* L.

| **药 材 名** | 金露梅（药用部位：叶、花、根。别名：金老梅、金腊梅、药王茶）。

| **形态特征** | 小灌木，高 0.5 ~ 2 m，多分枝。树皮纵向剥离，浅灰褐色。小枝红褐色，幼时被长柔毛。羽状复叶，小叶通常 5，长椭圆形或卵状披针形，长 7 ~ 20 mm，宽 4 ~ 10 mm，先端急尖，基部宽楔形或近圆形，全缘，上面绿色，背面灰白色，两面有丝状长柔毛，背面中脉凸起，叶轴被细柔毛；托叶膜质，浅棕色，卵圆状披针形，基部与叶柄合生。花单生或数朵成伞房状，花梗与萼筒均被丝状长柔毛；萼片 5，三角状长卵形，副萼片 5，披针形或卵状披针形，与萼片等长；花瓣 5，黄色，宽倒卵形或近圆形，长出萼片近 1 倍，外被长柔毛。瘦果卵圆形，成熟时褐棕色，密被长柔毛。花果期 6 ~ 9 月。

金露梅

| 生境分布 | 生于向阳山坡、灌丛、路旁及石崖上。分布于宁夏六盘山（泾源、隆德、原州）、贺兰山（贺兰）及中卫等，隆德其他区域也有分布。

| 资源情况 | 野生资源较少。

| 采收加工 | 叶，夏季采集，洗净，晒干。花，夏季花初开时采集，阴干。根，春、秋季采挖，洗净，晒干。

| 功能主治 | 叶，微甘，平。清暑热，清心益脑，调经，健胃。用于暑热眩晕，两眼不清，胃气不和，饮食停滞，月经不调。花，苦，凉。归心、肝、胃经。健脾化湿。用于赤白带下，消化不良，水肿。根，微甘，平。止血，解毒利咽。用于崩漏，口疮，咽喉肿痛。

| 用法用量 | 叶，内服煎汤，5 ~ 10 g。花，内服煎汤，3 ~ 6 g。根，内服煎汤，6 ~ 9 g。

| 附　注 | （1）金露梅枝可作收敛剂，用于腹泻、痢疾；全草浸剂用于腹绞痛及其他疼痛；根浸剂用于子宫出血，水煎后含漱可治疗口腔炎及喉炎；叶或花浸剂、水煎剂治疗肺结核有疗效。
（2）宁夏还分布有本种同属植物银露梅 *Potentilla glabra* Lodd.，亦同等入药。其植物形态与金露梅相似，但花瓣呈白色。

蔷薇科 Rosaceae 委陵菜属 Potentilla

银露梅

Potentilla glabra Lodd.

| 药 材 名 | 银老梅（药用部位：茎叶、花。别名：白花棍儿茶）。

| 形态特征 | 小灌木，高 0.3 ~ 2 m。多分枝；小枝棕褐色，纵向条状剥落，疏被柔毛。奇数羽状复叶，有小叶 2 对，稀 3 小叶，上面 1 对小叶基部下延与叶轴合生；小叶椭圆形或倒卵状长圆形，先端圆钝，具小突尖，基部近圆形，全缘，平坦或微反卷，表面绿色，疏被长柔毛，背面灰绿色，密被白色长柔毛；托叶膜质，外被疏柔毛或近无毛。花单生叶腋或成伞房花序，花白色；花梗细长，疏被柔毛；副萼片披针形、倒卵状披针形或卵形，比萼片短或近等长，外面被疏柔毛；花瓣白色，倒卵形；雄蕊 20 ~ 22；花柱近基生，棒状，基部较细，在柱头下缢缩，柱头扩大，子房密被长柔毛。花果期 6 ~ 11 月。

银露梅

| 生境分布 | 生于山地灌丛、路旁。分布于宁夏六盘山（泾源、隆德、原州）、贺兰山（贺兰）、罗山（同心、红寺堡）、南华山（海原）及西吉、沙坡头、金凤等，泾源、隆德、同心其他区域也有分布。

| 资源情况 | 野生资源较少。

| 采收加工 | 秋季采收，切段，晒干。

| 功能主治 | 甘，温。行气止痛，利水消肿。用于风热牙痛，牙齿松动，胸腹胀满，水湿停聚。

| 用法用量 | 内服煎汤，6 ~ 9 g。外用适量，涂擦患处。

蔷薇科 Rosaceae 委陵菜属 Potentilla

腺毛委陵菜 *Potentilla longifolia* Willd. ex Schlecht.

腺毛委陵菜

| 药 材 名 |

粘委陵菜（药用部位：全草。别名：委陵菜）。

| 形态特征 |

多年生草本，高 30 ~ 90 cm。根粗壮，木质，黑褐色。茎直立或稍斜升，密被弯曲的腺毛及长柔毛。基生叶羽状复叶，有小叶 4 ~ 5 对，连叶柄长 10 ~ 30 cm，叶柄被短柔毛、长柔毛及腺体，小叶无柄，最上面 1 ~ 3 对小叶基部下延与叶轴汇合，小叶长圆状披针形或倒披针形，长 1.5 ~ 8 cm，有缺刻状锯齿，上面被柔毛或脱落无毛，下面被短柔毛及腺体，沿脉疏生长柔毛；茎生叶与基生叶相似。基生叶托叶膜质，褐色，外被短柔毛及长柔毛；茎生叶托叶草质，绿色，全缘或分裂，外被短柔毛及长柔毛。花茎直立或微上升，高达 90 cm，被短柔毛、长柔毛及腺体；伞房状聚伞花序；花梗长 5 ~ 10 mm，密被柔毛及少量腺毛；花瓣黄色，宽倒卵形，长约 8 mm，先端微凹；副萼片狭卵形，与萼片近等长，萼裂片卵状披针形，背面密被腺毛，沿脉和边缘被柔毛；花柱近顶生，子房卵形，无毛；花托被柔毛。瘦果白色，近肾形或卵圆形，光滑，直径约 1 mm。花果期 7 ~ 9 月。

| **生境分布** | 生于草地、林缘。分布于宁夏六盘山（泾源、隆德、原州）、贺兰山（贺兰、西夏）等，隆德其他区域也有分布。

| **资源情况** | 野生资源较少。

| **采收加工** | 夏季未抽茎时采挖全草，除去泥沙，切段，洗净，晒干。

| **功能主治** | 涩、微苦，平。归大肠经。清热解毒，收敛固脱。用于肠炎，痢疾，肺炎，子宫脱垂。

| **用法用量** | 内服煎汤，9 ～ 15 g。

蔷薇科 Rosaceae 委陵菜属 Potentilla

多茎委陵菜 *Potentilla multicaulis* Bge.

| 药 材 名 | 多茎委陵菜（药用部位：地上部分、根。别名：委陵菜）。

| 形态特征 | 多年生草本。根圆柱形，褐紫色。茎丛生，斜升，长 7 ~ 35 cm，带紫红色，被柔毛。基生叶多数，丛生，羽状复叶，具小叶 4 ~ 6 对，稀达 8 对；小叶无柄，长椭圆形，羽状深裂，裂片 5 ~ 13，先端尖，边缘反卷，上面暗绿色，下面密被白色柔毛；托叶膜质，呈鞘状抱茎。茎生叶较小，小叶片较少。聚伞花序，花梗密生灰白色柔毛；萼片 5，卵状三角形，长约 3.5 mm，宽约 1.5 mm，背面疏被柔毛，副萼片稍狭，呈长卵形；花瓣黄色，宽倒卵形或近圆形，先端微凹，长约 4 mm；雄蕊 20，不等长；花柱短，近顶生；花托被柔毛。瘦果褐色，无毛，具皱纹。花果期 4 ~ 9 月。

多茎委陵菜

| **生境分布** | 生于向阳山坡、草地或路旁。分布于宁夏六盘山（泾源、隆德、原州）、贺兰山（贺兰、平罗、大武口、惠农）、罗山（同心、红寺堡）及盐池、西吉等，原州其他区域也有分布。 |

| **资源情况** | 野生资源较丰富。 |

| **采收加工** | 地上部分，夏、秋季花初开时或盛开期割取全草，晒干。根，春、秋季挖取，洗净，晒干。 |

| **功能主治** | 苦，寒。归大肠经。清热解毒，凉血止痢。用于痢疾，泄泻，各种出血证。 |

| **用法用量** | 内服煎汤，9 ~ 15 g。 |

蔷薇科 Rosaceae 委陵菜属 Potentilla

小叶金露梅 *Potentilla parvifolia* Fisch. ap. Lehm.

| 药 材 名 | 小叶金老梅（药用部位：花、叶。别名：柏拉）。

| 形态特征 | 小灌木，高 0.3 ~ 1.5 m，多分枝，小枝灰色或灰褐色，幼时被灰白色柔毛或绢毛。奇数羽状复叶，小叶 2 对，常混生有 3 对，无柄，先端 3 小叶基部下延，下面 2 对小叶密集，呈轮生状；小叶片倒披针形、倒卵状披针形至长椭圆形，长 0.7 ~ 1 cm，宽 2 ~ 4 mm，先端尖，基部楔形，全缘，反卷，上面疏生长柔毛，背面沿脉疏生柔毛；叶轴有长柔毛；托叶膜质，浅棕色。花单生或成伞房花序；花瓣 5，黄色，宽倒卵形，长约 6 mm；副萼片线状披针形，长约 3 mm，先端尖，萼片 5，卵形，黄绿色，长 4 ~ 5 mm，先端锐尖，背面疏被毛；子房密被长柔毛，花柱侧生，长约 2 mm，无毛。花果

小叶金露梅

期 6 ~ 8 月。

| 生境分布 | 生于干旱山坡。分布于宁夏贺兰山（贺兰）、南华山（西吉）及西夏、金凤等，贺兰、西吉其他区域也有分布。

| 资源情况 | 野生资源较少。

| 采收加工 | 6 ~ 7 月采花，7 ~ 9 月采叶，鲜用或晒干。

| 药材性状 | 本品花黄色，直径 1 ~ 2 cm，用水浸润后可见花萼 5，有副萼，花冠 5 瓣，花梗长 5 ~ 8 mm，有柔毛；气微，味淡。叶多卷缩，展平后呈披针形、带状披针形或倒卵状披针形，长 7 ~ 10 mm，宽 2 ~ 4 mm，先端急尖，基部楔形，边缘向下反卷，全缘，上面有稀疏柔毛，下面密生灰白色丝状柔毛，小叶近无柄；托叶膜质，鞘状；叶轴有长柔毛；气微、味淡。

| 功能主治 | 甘，平。利尿消肿。用于寒湿脚气，痒疹；外用于乳腺炎。

| 用法用量 | 内服煎汤，6 ~ 15 g。外用适量，鲜品捣敷。

蔷薇科 Rosaceae 委陵菜属 Potentilla

匍匐委陵菜 *Potentilla reptans* L.

| 药 材 名 | 匍匐委陵菜（药用部位：全草或块根。别名：金棒槌）。

| 形态特征 | 多年生匍匐草本。匍匐枝长达 1 m，节上生不定根，被稀疏柔毛或几无毛。基生叶为足状五出复叶，连叶柄长 7 ~ 12 cm，叶柄被疏柔毛或几无毛，小叶有短柄或几无柄，小叶倒卵形或倒卵圆形，有急尖或圆钝锯齿，两面绿色，上面几无毛，下面被疏柔毛；纤匍枝上叶与基生叶相似；基生叶托叶膜质，褐色，外面几无毛；匍匐枝上托叶草质，绿色，卵状长圆形或卵状披针形，全缘，稀有 1 ~ 2 齿。单花自叶腋生或与叶对生；花梗长 6 ~ 9 cm，被稀柔毛；花直径 1.5 ~ 2.2 cm；萼片卵状披针形，副萼片长椭圆形或椭圆状披针形，与萼片近等长，外面被疏柔毛，果时增大；花瓣黄色，宽倒卵形，

匍匐委陵菜

先端下凹，比萼片稍长；花柱近顶生，基部细，柱头扩大。瘦果卵圆形，成熟时黄褐色，外被点纹。花果期 6 ~ 8 月。

| **生境分布** | 生于林缘、草地、田边及路旁。分布于宁夏六盘山（泾源、隆德、原州）、罗山（同心、红寺堡）及盐池等，泾源、隆德其他区域也有分布。

| **资源情况** | 野生资源较少。

| **采收加工** | 全草，夏季采割，晒干。块根，秋季采挖，去掉须根，洗净，晒干。

| **功能主治** | 全草，发表，止咳。外用于疮疖。块根，甘，平。生津止渴，补阴除虚热。用于虚劳，带下，虚喘。

| **用法用量** | 全草，鲜品适量，捣敷。块根，内服煎汤，9 ~ 30 g。

蔷薇科 Rosaceae 委陵菜属 Potentilla

绢毛匍匐委陵菜 Potentilla reptans L. var. sericophylla Franch.

| 药 材 名 | 金金棒（药用部位：块根。别名：五金棒、金棒槌、五爪龙）、匍匐委陵菜（药用部位：全草。别名：小五爪龙）。

| 形态特征 | 本种与原变种匍匐委陵菜的区别在于本种叶为三出掌状复叶，边缘2小叶浅裂至深裂，有时混生有不裂者，小叶下面及叶柄伏生绢状柔毛，稀脱落。花果期4～9月。

| 生境分布 | 生于林缘、草地、田边及路旁。分布于宁夏六盘山（泾源、隆德、原州）、罗山（同心、红寺堡）及盐池、西吉、彭阳、利通、沙坡头等，隆德、泾源、原州其他区域也有分布。

| 资源情况 | 野生资源稀少。

绢毛匍匐委陵菜

| 采收加工 | 金金棒：秋季采挖根部，晒干。
| | 匍匐委陵菜：夏季采收全草，洗净，鲜用或晒干。

| 功能主治 | 金金棒：甘，平。滋阴除热，生津止渴。用于虚劳发热，虚喘，热病伤津，口渴咽干，妇女带浊。
| | 匍匐委陵菜：辛，平。发表止咳，止血，解毒。用于外感风热，咳嗽，崩漏，疮疖。

| 用法用量 | 金金棒：内服煎汤，15 ~ 30 g。
| | 匍匐委陵菜：内服煎汤，9 ~ 15 g。外用适量，捣敷。

| 附　注 | 据《中国药用植物志》记载，本种亦作藏药、彝药。藏药以全草入药，治疗肺瘀血、子宫出血、黄水病、血热性化脓症、肺胃瘀血；彝药以根和叶入药，治疗咽炎、扁桃体炎，外用于毒蛇咬伤。

蔷薇科 Rosaceae 委陵菜属 Potentilla

朝天委陵菜

Potentilla supina L.

| **药 材 名** | 朝天委陵菜（药用部位：全草。别名：铺地委陵菜、鸡毛菜、伏委陵菜）。

| **形态特征** | 一年生或二年生草本，高 20 ~ 50 cm。茎平卧或斜升，叉状分枝，疏生柔毛。奇数羽状复叶，基生叶具小叶 2 ~ 5，小叶倒卵形或矩圆形，长 1 ~ 2.5 cm，宽 0.5 ~ 1.5 cm，先端圆钝，基部楔形，边缘具圆钝或缺刻状锯齿，上面无毛，下面沿叶脉疏生柔毛，最上面 1 ~ 2 对小叶基部下延与叶轴合生；茎生叶与基生叶相似，托叶长卵形，常 3 浅裂，基部与叶柄合生。花茎上多叶，下部花自叶腋生，先端呈伞房状聚伞花序；花直径 0.6 ~ 0.8 cm，黄色；花梗长 0.8 ~ 1.5 cm，被长柔毛，副萼片椭圆状披针形，长约 6 mm，背面被长

朝天委陵菜

柔毛，萼片三角状宽卵形，长约 5 mm，背面被长柔毛；花瓣倒卵形，先端微凹，稍短于萼片；花柱近顶生；花托被柔毛。瘦果卵形，黄褐色，有纵皱纹，具圆锥状突起。花果期 3 ~ 10 月。

| 生境分布 | 生于山坡、路边、田边及村庄附近。宁夏各地均有分布。

| 资源情况 | 野生资源丰富。

| 采收加工 | 夏季枝叶茂盛时采割，除去杂质，扎成把，晒干。

| 药材性状 | 本品茎圆柱形，直立中空，直径约 0.3 cm；表面灰绿色或黄绿色，有的带淡紫色，有时可见黄褐色的细长根部。叶皱缩破碎，灰绿色，背面疏生细毛，完整叶基生者为单数羽状复叶，茎生叶多为三出复叶，小叶边缘具不规则深裂。花单生于叶腋，多数已成果实，具长柄，长 0.8 ~ 1.2 cm，聚合果扁圆球形，直径 0.3 ~ 0.5 cm，基部有宿萼。小瘦果卵圆形，直径约 0.1 cm，黄绿色或淡黄棕色。气微，味淡。

| 功能主治 | 甘、酸，寒。收敛止泻，凉血止血，滋阴益肾。用于泄泻，吐血，尿血，便血，血痢，须发早白，牙齿不固。

| 用法用量 | 内服煎汤，6 ~ 15 g。外用适量，煎汤熏洗。

蔷薇科 Rosaceae 委陵菜属 Potentilla

菊叶委陵菜

Potentilla tanacetifolia Willd. ex Schlecht.

| 药 材 名 | 菊叶委陵菜（药用部位：全草）。

| 形态特征 | 多年生草本，高 15 ~ 65 cm。根圆柱形，木质，紫红色。茎直立或上升，被灰白色长柔毛。基生叶奇数羽状复叶，有小叶 5 ~ 8 对，小叶互生或对生，顶生小叶有短柄或无柄，最上面 1 ~ 3 对小叶基部下延与叶轴汇合，小叶片长圆形、长圆状披针形或长圆状倒卵披针形，长 1 ~ 5 cm，宽 0.5 ~ 1.5 cm，先端圆钝，基部楔形，边缘有缺刻状锯齿，上面伏生疏柔毛或密被长柔毛或脱落几无毛；下面被短柔毛，叶脉伏生柔毛，或被稀疏腺毛，茎生叶与基生叶相似，唯小叶对数较少。基生叶托叶膜质，褐色，外被疏柔毛；茎生叶托叶革质，绿色，边缘深撕裂状，下面被短柔毛或长柔毛，叶柄被长

菊叶委陵菜

柔毛、短柔毛或卷曲柔毛。伞房状聚伞花序具多花；花梗长 0.5 ~ 2 cm，被短柔毛；花黄色，直径 1 ~ 1.5 cm，副萼片线状披针形，长约 4 mm，外面被长柔毛及短腺毛，萼裂片三角状卵形，与副萼片近等长，外面被长柔毛及腺毛；花瓣黄色，宽倒卵形或近圆形，长约 5 mm，先端微凹；雄蕊 20，不等长；花柱近顶生，淡褐色；花托被柔毛。瘦果矩圆状卵形，黄绿色，具脉纹。花果期 5 ~ 10 月。

| **生境分布** | 生于向阳山坡或草地。分布于宁夏六盘山（泾源、隆德、原州）、南华山（海原）等。

| **资源情况** | 野生资源较少。

| **采收加工** | 秋季采挖，洗净，晾干。

| **功能主治** | 清热解毒，消炎止血。

蔷薇科 Rosaceae 扁核木属 Prinsepia

蕤核
Prinsepia uniflora Batal.

| 药 材 名 | 蕤仁（药用部位：果核。别名：扁核木、马茹子、芮仁）。

| 形态特征 | 落叶灌木，高 1 ~ 2 m。茎多分枝，外皮棕色，髓心片状；小枝细瘦，开展，灰绿色，无毛；叶腋处有短刺，刺长 5 ~ 10 mm，先端微带红色。单叶互生或簇生，叶片条状矩圆形或卵状披针形，长 2 ~ 5.5 cm，宽 6 ~ 8 mm，先端圆钝，有小突尖或微凹，基部楔形，全缘或具疏锯齿，上面深绿色，有光泽，背面淡绿色，无毛，侧脉不明显；叶柄短或近无。花单生或 2 ~ 3 簇生于叶腋，直径 8 ~ 10 mm；花梗长 3 ~ 5 mm；萼筒杯状，先端 5 裂，裂片三角状卵形，绿色，全缘或具浅齿，果期反折；花瓣 5，白色，有紫色脉纹，近圆形，有爪；雄蕊 10，离生，2 列，花丝短，着生于萼筒上；心皮 1，

蕤核

无毛，花柱侧生，柱头头状。核果球形，红褐色或黑褐色，直径 8 ~ 12 mm，无毛，有光泽；萼片宿存，反折；核为左右压扁的卵球形，长约 7 mm，有沟纹。花期 4 ~ 5 月，果期 8 ~ 9 月。

| **生境分布** | 生于向阳山坡、林下及稀疏灌丛中。分布于宁夏六盘山（泾源、隆德、原州）及同心、彭阳、西吉、金凤等，隆德、原州其他区域也有分布。

| **资源情况** | 野生资源丰富。

| **采收加工** | 夏、秋季间采摘成熟果实，除去果肉，洗净，晒干。

| **药材性状** | 本品呈类卵圆形，稍扁，长 7 ~ 10 mm，宽 6 ~ 8 mm，厚 3 ~ 5 mm。表面淡黄棕色或深棕色，有明显的网状沟纹，间有棕褐色果肉残留。先端尖，两侧略不对称。质坚硬。种子扁平卵圆形，种皮薄，浅棕色或红棕色，易剥落；子叶 2，乳白色，有油脂。气微，味微苦。

| **功能主治** | 甘，微寒。归肝经。疏风散热，养肝明目。用于目赤肿痛，睑弦赤烂，目暗羞明。

| **用法用量** | 内服煎汤，5 ~ 9 g。

蔷薇科 Rosaceae 李属 Prunus

樱桃李
Prunus cerasifera Ehrhart

| **药 材 名** | 樱桃李（药用部位：果实）。

| **形态特征** | 灌木或小乔木，高可达 8 m。多分枝，枝条细长，开展，暗灰色，有时有棘刺；小枝暗红色，无毛；冬芽卵圆形，先端急尖，有数枚呈覆瓦状排列的鳞片，紫红色，有时鳞片边缘有稀疏缘毛。叶片椭圆形、卵形或倒卵形，极稀椭圆状披针形，长（2～）3～6 cm，宽2～4（～6）cm，先端急尖，基部楔形或近圆形，边缘有圆钝锯齿，有时混有重锯齿，上面深绿色，无毛，中脉微下陷，下面颜色较淡，除沿中脉有柔毛或脉腋有髯毛外，其余部分无毛，中脉和侧脉均凸起，侧脉5～8对；叶柄长6～12 mm，通常无毛或幼时微被短柔毛，无腺；托叶膜质，披针形，先端渐尖，边有带腺细锯齿，

樱桃李

早落。花1，稀2；花梗长1～2.2 cm，无毛或微被短柔毛；花直径2～2.5 cm；萼筒钟状，萼片长卵形，先端圆钝，边有疏浅锯齿，与萼片近等长，萼筒和萼片外面无毛，萼筒内面疏生短柔毛；花瓣白色，长圆形或匙形，边缘波状，基部楔形，着生于萼筒边缘；雄蕊25～30，花丝长短不等，紧密地排列成不规则2轮，比花瓣稍短；雌蕊1，心皮被长柔毛，柱头盘状，花柱比雄蕊稍长，基部被稀长柔毛。核果近球形或椭圆形，长、宽几相等，直径2～3 cm，黄色、红色或黑色，微被蜡粉，具有浅侧沟，粘核。花期4月，果期8月。

| **生境分布** | 生于海拔800～2 000 m的山坡灌丛中、多石砾的坡地及峡谷水边。分布于宁夏彭阳、原州、利通、青铜峡等。

| **资源情况** | 野生资源较少。

| **采收加工** | 采摘近成熟的果实，置通风处晾干或烘干。

| **功能主治** | 镇咳，活血，止痢，润肠。

蔷薇科 Rosaceae 李属 Prunus

盘腺野樱桃 *Prunus discadenia* Koehne

| 药 材 名 | 樱桃核（药用部位：种子。别名：野樱桃、缠条子）、樱桃果（药用部位：果实）、樱桃叶（药用部位：叶）、樱桃根（药用部位：根）。

| 形态特征 | 灌木或小乔木，高 3 ~ 5 m。幼枝红褐色或灰褐色，光滑无毛。叶互生，叶柄长 1 ~ 1.5 cm，无毛，先端具 2 盘状腺体；叶长倒卵形或狭倒卵形，长 4 ~ 9 cm，宽 2.5 ~ 6 cm，先端尾尖，基部圆形，稀微心形，边缘具腺体，上面绿色，下面淡绿色，两面无毛；托叶三角状卵形。总状花序短，具花 3 ~ 9，苞片卵形或圆卵形，先端圆钝或渐尖；花梗长 1 ~ 1.5 cm，无毛；花萼钟状，长 7 ~ 8 mm，无毛；萼裂片 5，三角形，先端急尖，边缘具腺体，与萼筒近等长；花瓣 5，白色，近圆形；雄蕊多数，与花瓣边近等长；子房上位，

盘腺野樱桃

花柱与雄蕊近等长，下部疏被柔毛。果实卵形或椭圆形，紫红色，长 8 ~ 10 mm，直径 5 ~ 6 mm，无毛。花期 4 ~ 5 月，果期 6 ~ 7 月。

| **生境分布** | 生于山坡杂木林中或山谷边缘。分布于宁夏六盘山（泾源、隆德、原州）等。

| **资源情况** | 野生资源较少。

| **采收加工** | 樱桃核：7 ~ 8 月果实成熟时采集果实，鲜用，或食后收集果核，晒干。
樱桃果：采摘近成熟的果实，置通风处晾干或烘干。
樱桃叶：摘取树叶，干燥。
樱桃根：挖取树根，洗净，干燥或切片后干燥。

| **功能主治** | 樱桃核：解毒透疹。用于麻疹初起、透发不畅，疝瘤，皮肤瘢痕。
樱桃果：甘、涩，平。归胃、脾、肾经。祛风通络，活血化瘀，补脾肾。用于瘫痪麻木，风湿痹痛，脾虚胃痛，肾虚腰痛，喉咙肿痛，音哑。

樱桃叶：甘、苦，平。归肝、脾经。温中健脾，止血止泻，解毒。用于胃痛，吐血，泄泻，痈肿疔疮，毒蛇咬伤。

樱桃根：甘，平。归肝、胃、大肠经。安蛔止痛，调气活血。用于蛔厥，月经不调，闭经。

| **用法用量** | 樱桃核：内服煎汤，3 ~ 9 g。外用适量，磨汁涂；或煎汤洗。

樱桃果：内服煎汤，250 ~ 500 g。外用适量。

樱桃叶：内服煎汤，30 ~ 60 g。外用适量。

樱桃根：内服煎汤，30 ~ 60 g。

| **附　注** | 樱桃始载于《名医别录》。《本草纲目》中有对其植物形态的记载，但一般系指人工栽培之樱桃 *Prunus pseudocerasus* (Lindl.) G. Don。

蔷薇科 Rosaceae 李属 Prunus

李

Prunus salicina Lindl.

| 药 材 名 | 李仁（药用部位：种子。别名：大李仁、郁李仁、山李子）、李子（药用部位：果实）、李树叶（药用部位：叶）。

| 形态特征 | 乔木，高 9 ～ 12 m。小枝无毛，幼枝红褐色，老枝灰黑色。叶椭圆状卵形或倒卵状披针形，长 6 ～ 8（～ 12）cm，宽 3 ～ 5 cm，先端渐尖，基部楔形，边缘有细密浅锯齿，表面绿色，无毛，背面淡绿色，脉腋有簇毛；叶柄长 1 ～ 2 cm，被短柔毛，上部具腺体。花先叶开放或二者同时开放，直径 1.5 ～ 2.2 cm，常 2 ～ 3 簇生；花梗长 1 ～ 2 cm；花萼钟形，裂片卵状三角形，无毛，边缘有细齿；花瓣白色，长圆状倒卵形；雄蕊多数，比花瓣短；子房无毛，花柱比雄蕊稍长。核果近球形，野生的直径 1.5 ～ 2.5 cm，黄绿色，被粉霜。花期 4 月，果期 7 ～ 8 月。

李

| 生境分布 | 生于海拔 2 200 ~ 2 400 m 的石质河滩地、灌丛或山坡林缘。宁夏各地均有栽培，六盘山有野生。

| 资源情况 | 野生资源丰富。

| 采收加工 | 李仁：8 ~ 9 月果实变黄时采集，除去果肉，打破核壳，取出种子，晒干。
李子：7 ~ 8 月果实成熟时采摘，鲜用。
李树叶：夏、秋季间采叶，鲜用或晒干。

| 药材性状 | 李仁：本品呈卵圆形或椭圆形，稍扁，长 7 ~ 10 mm，宽 5 ~ 8 mm。表面浅棕色或棕色。先端尖，基部钝圆，合点圆点状，明显，近尖部一侧有一突出的线形种脐，自基部合点处散发出数条维管束纹理。种皮薄，子叶肥厚，白色，油质。气微，味微苦，嚼之有苦杏仁气味。以粒大、饱满、无壳者为佳。
李子：本品呈球状卵形，直径 2 ~ 4 cm。先端微尖，基部凹陷，一侧有深沟。表面黄棕色或棕色。果肉较厚，果核扁平长椭圆形，长 6 ~ 10 mm，宽 4 ~ 7 mm，厚约 2 mm，褐黄色，有明显纵向皱纹。气微，味酸、微甜。
李树叶：本品大多皱缩，有的破碎。完整叶片呈椭圆状披针形或椭圆状倒卵形，长 6 ~ 10 cm，宽 3 ~ 4 cm，边缘有细钝的重锯齿，上下两面均为棕绿色，上面中脉疏生长毛，下面脉间簇生柔毛。叶柄长 1 ~ 2 cm，上有数个腺点。质脆，易碎。气微，味淡。

| 功能主治 | 李仁：甘、苦，平。归肝、肺、大肠经。散瘀止痛，利水消痰。用于跌扑损伤，瘀血骨痛，痰饮咳嗽，水气肿满。
李子：甘、酸，平。归肝、脾、胃经。清热，生津，消积。用于虚劳骨蒸，消渴，食积。
李树叶：甘、酸，平。清热解毒。用于壮热惊痫，肿毒溃烂。

| 用法用量 | 李仁：内服煎汤，6 ~ 12 g。外用适量，研末调敷。
李子：内服煎汤，10 ~ 15 g；或鲜者生食，每次 100 ~ 300 g。
李树叶：内服煎汤，10 ~ 15 g。外用适量，煎汤洗；或捣敷；或捣汁涂。

| 附　　注 | 《宁夏中药志》记载宁夏所产李仁采自野生李，俗称"山李子"，药材称"李仁"或"大李仁"，非《中华人民共和国药典》收载品，仅作为地方习用品载入《宁夏中药材标准》（1993 年版），在宁夏习惯将之代郁李仁药用。宁夏原州、泾源等还分布有同属植物毛叶欧李 *Cerasus dictyoneura* (Diels) Yu et Li，其种子也作为郁李仁药用。李仁在宁夏一般生用，仅银川地区用炒制品。

蔷薇科 Rosaceae 梨属 Pyrus

杜梨
Pyrus betulifolia Bunge

| 药 材 名 | 杜梨（药用部位：果实、树皮、枝叶。别名：野梨子、棠梨）。

| 形态特征 | 落叶乔木，高达 10 m。小枝开展，常具刺，幼时密被灰色绒毛，老时被稀疏绒毛或近无毛；冬芽卵形，先端急尖，被灰白色绒毛。叶片菱状卵形或长卵形，长 4 ~ 8 cm，宽 2.5 ~ 3.5 cm，先端渐尖，基部宽楔形至近圆形，边缘具粗尖锯齿，幼时两面密被灰白色绒毛，老时上面无毛、背面微被绒毛或近无毛；叶柄细，长 2 ~ 3 cm，被灰白色绒毛。托叶膜质，线状披针形，早落。伞房花序具花 10 ~ 15。花梗长 2 ~ 2.5 cm，与总花梗均密被灰白色绒毛；萼筒外面密被灰白色绒毛，萼裂片三角状卵形，长约 3 mm，先端急尖，全缘，两面均被绒毛；花瓣宽卵形，长 5 ~ 8 mm，基部具短爪，白色；雄蕊 20，长约为花瓣之半；花柱 2 ~ 3，基部微具柔毛。果实近球形，

杜梨

直径 0.5 ~ 1 cm，红褐色，萼片脱落，果柄基部被绒毛。花期 4 月，果期 8 ~ 9 月。

| **生境分布** | 宁夏部分地区有栽培。分布于宁夏兴庆、金凤、西夏、平罗、灵武、中宁、海原、沙坡头、同心、彭阳、泾源、隆德、西吉、原州等。

| **资源情况** | 野生资源较少。

| **采收加工** | 果实，8 ~ 9 月果实成熟时采摘，晒干或鲜用。树皮，全年均可采收，剥取树皮，晒干。枝叶，夏季采收，将枝切段，晒干。

| **药材性状** | 本品果实类球形，直径 0.5 ~ 1 cm。表面黑褐色，有白色斑点，质硬，果肉薄，褐色。气微，味酸、微甜。

| **功能主治** | 果实，酸、甘、涩，寒。归肺、胃、大肠经。消食止痢。用于腹泻。树皮，苦，平。敛疮。用于皮肤溃疡。枝叶，用于霍乱，吐泻不止，腹痛，反胃吐食。

| **用法用量** | 果实，内服煎汤，30 g。树皮，外用适量，煎汤熏洗。枝叶，内服煎汤，15 ~ 30 g；或叶研末。外用适量，煎汤洗。

蔷薇科 Rosaceae 梨属 *Pyrus*

白梨
Pyrus bretschneideri Rehd.

| 药 材 名 | 白梨（药用部位：果实。别名：梨）。

| 形态特征 | 乔木，高达 5 ～ 8 m，树冠开展。小枝粗壮，圆柱形，微屈曲，嫩时密被柔毛，不久脱落，二年生枝紫褐色，具稀疏皮孔。叶片卵形或椭圆状卵形，长 5 ～ 11 cm，宽 3.5 ～ 6 cm，先端渐尖，稀急尖，基部宽楔形，稀近圆形，边缘有尖锐锯齿，齿尖有刺芒，微向内合拢，嫩时紫红绿色，两面均有绒毛，不久脱落，老叶无毛；叶柄长 2.5 ～ 7 cm，嫩时密被绒毛，不久脱落；托叶膜质，线形至线状披针形，先端渐尖，边缘具有腺齿，长 1 ～ 1.3 cm，外面有稀疏柔毛，内面较密，早落。伞形总状花序，有花 7 ～ 10，直径 4 ～ 7 cm，总花梗和花梗嫩时有绒毛，不久脱落，花梗长 1.5 ～ 3 cm；苞片膜质，线形，长 1 ～ 1.5 cm，先端渐尖，全缘，内面密被褐色长绒毛；花

白梨

直径 2 ~ 3.5 cm；萼片三角形，先端渐尖，边缘有腺齿，外面无毛，内面密被褐色绒毛；花瓣卵形，长 1.2 ~ 1.4 cm，宽 1 ~ 1.2 cm，先端常呈啮齿状，基部具有短爪；雄蕊 20，长约等于花瓣之半；花柱 4 或 5，与雄蕊近等长，无毛；果实卵形或近球形，长 2.5 ~ 3 cm，直径 2 ~ 2.5 cm，先端萼片脱落，基部具肥厚果柄，黄色，有细密斑点，4 ~ 5 室；种子倒卵形，微扁，长 6 ~ 7 mm，褐色。花期 4 月，果期 8 ~ 9 月。

| **生境分布** | 栽培种。宁夏各地均有栽培。

| **资源情况** | 栽培资源较丰富。

| **采收加工** | 8 ~ 9 月，当果皮呈现该品种固有的颜色、果实有光泽和香味、种子变为褐色、果柄易脱落时，即可采摘，轻摘轻放，不要碰伤梨果和折断果枝。

| **功能主治** | 甘、酸，凉。归肺、胃、心经。清肺化痰，生津止渴。用于肺燥咳嗽，热病烦躁，津少口干，消渴，目赤，疮疡，烫火伤。

| **用法用量** | 内服煎汤，15 ~ 30 g；或生食，1 ~ 2 枚；或捣汁；或蒸服；或熬膏。外用适量，捣敷；或捣汁点眼。

| **附　　注** | 《宁夏中药志》记载白梨 *Pyrus bretschneideri* Rehd. 作白梨药用。《中华本草》记载白梨 *Pyrus bretschneideri* Rehd. 及其同属植物沙梨 *Pyrus pyrifolia* (Burm. f.) Nakai、秋子梨 *Pyrus ussuriensis* Maxim. 作梨入药。

蔷薇科 Rosaceae 梨属 *Pyrus*

西洋梨 *Pyrus communis* L. var. *sativa* (DC.) DC.

西洋梨

| 药 材 名 |

西洋梨（药用部位：果实。别名：洋梨）。

| 形态特征 |

落叶乔木，高 10 ～ 15 m。小枝直立，无刺，灰褐色或褐色，幼时被稀疏短柔毛。叶片大形，宽卵形或卵形，长 5 ～ 10 cm，宽 3 ～ 6 cm，先端渐尖或短渐尖，基部宽楔形或近圆形，边缘具浅细圆钝锯齿，两面被柔毛，后脱落，或仅背面沿中脉被柔毛；叶柄细，长 1.5 ～ 5 cm；托叶膜质，线状披针形，长约 1 cm，微具柔毛，早落。伞房花序具花 6 ～ 9，花梗长 2 ～ 3.5 cm，总花梗和花梗均密被绒毛；花直径 2.5 ～ 3.5 cm；萼片三角状披针形，先端渐尖，里外两面均被短柔毛，花瓣倒卵形，长 1.3 ～ 1.5 cm，宽 1 ～ 1.3 cm，先端圆钝，基部具短爪；雄蕊 20，长为花瓣之半；花柱 5，基部具柔毛。果实倒卵形或近球形，绿色、黄色或带红晕，直径 2 ～ 7 cm，具斑点，萼片宿存。花期 4 月，果期 7 ～ 9 月。

| 生境分布 |

宁夏中宁、沙坡头、贺兰、惠农、平罗、西夏、永宁、兴庆、灵武、金凤等有栽培。

| **资源情况** | 栽培资源较少。 |

| **采收加工** | 秋季果熟期采摘，鲜用，或切片，晒干。 |

| **功能主治** | 祛痰止咳，健胃消食，润肺止痢。 |

新疆梨
Pyrus sinkiangensis Yü

| 药 材 名 | 新疆梨（药用部位：果实）。

| 形态特征 | 落叶乔木，高 6 ~ 9 m。小枝圆柱形，微具棱，紫褐色或灰褐色，无毛。叶片卵形、椭圆形至宽卵形，长 6 ~ 8 cm，宽 3.5 ~ 5 cm，先端短渐尖，基部圆形至宽楔形，边缘上半部具细锐锯齿，下半部或基部具浅锯齿或近全缘，两面无毛或具白色绒毛；叶柄长 3 ~ 5 cm，幼时具白色绒毛，不久脱落；托叶膜质，线状披针形，长 8 ~ 10 mm，边缘具稀疏腺齿，被白色长绒毛。伞房花序具花 4 ~ 7，花梗长 1.5 ~ 4 cm，总花梗及花梗均被绒毛，后脱落；苞片膜质，线状披针形，边缘疏生腺齿及褐色长柔毛；萼片三角状卵形，先端渐尖，长为萼筒之半，边缘具腺齿，里面密被褐色绒毛；花瓣倒卵形，长 1.2 ~ 1.5 cm，宽 0.8 ~ 1 cm，先端啮蚀状，基部具爪；雄蕊

新疆梨

20，花丝长不及花瓣之半；花柱 5，比雄蕊短，基部被柔毛。果实卵形至倒卵形，直径 2.5 ～ 5 cm，黄绿色，萼片宿存，果柄先端肥厚，长 4 ～ 5 cm。花期 4 月，果期 9 ～ 10 月。

| **生境分布** | 宁夏有栽培。

| **资源情况** | 栽培种。栽培资源较少。

| **采收加工** | 秋季果实成熟时采收，鲜用。

| **功能主治** | 健胃消食，润肺止痢。

■蔷薇科■ Rosaceae ■鸡麻属■ *Rhodotypos*

鸡麻
Rhodotypos scandens (Thunb.) Makino

| 药 材 名 |　鸡麻（药用部位：果实、根。别名：双珠母）。

| 形态特征 |　落叶灌木，高 0.5 ~ 2 m，稀达 3 m。小枝紫褐色，嫩枝绿色，光滑。单叶对生，卵形，长 4 ~ 11 cm，宽 3 ~ 6 cm，先端渐尖，基部圆形至微心形，边缘有尖锐重锯齿，上面幼时被疏柔毛，以后脱落无毛，下面被绢状柔毛，老时脱落，仅沿脉被稀疏柔毛；叶柄长 2 ~ 5 mm，被疏柔毛；托叶膜质，狭带形，被疏柔毛，不久脱落。单花顶生于新梢上，直径 3 ~ 5 cm；萼片大，卵状椭圆形，先端急尖，边缘有锐锯齿，外面被稀疏绢状柔毛，副萼片细小，狭带形，比萼片短 4 ~ 5 倍；花瓣白色，倒卵形，比萼片长 1/4 ~ 1/3 倍。核果 1 ~ 4，黑色或褐色，斜椭圆形，长约 8 mm，光滑。花期 4 ~ 5 月，果期 6 ~ 9 月。

鸡麻

| **生境分布** | 生于山坡疏林中及山谷林下阴处。分布于宁夏金凤等。

| **资源情况** | 野生资源较少。

| **采收加工** | 果实，6 ～ 9 月采收，晒干。根，夏、秋季采挖，洗净，切片，晒干。

| **功能主治** | 甘，平。补血，益肾。用于血虚，肾亏。

| **用法用量** | 内服煎汤，15 ～ 30 g。

蔷薇科 Rosaceae 蔷薇属 Rosa

刺蔷薇 *Rosa acicularis* Lindl.

| 药 材 名 | 少刺大叶蔷薇（药用部位：根）。

| 形态特征 | 灌木，高达 1 ~ 3 m。小枝红褐色，有细直皮刺，常密生针刺，有时无刺。奇数羽状复叶，小叶 3 ~ 7，小叶片宽椭圆形或长圆形，先端急尖或圆钝，基部近圆形，稀宽楔形，边缘有单锯齿或不明显重锯齿，上面深绿色，无毛，中脉和侧脉稍微下陷，下面淡绿色，中脉和侧脉均凸起，有柔毛，沿中脉较密；叶柄和叶轴有柔毛、腺毛和稀疏皮刺；托叶大部贴生于叶柄，离生部分宽卵形，边缘有腺齿，下面被柔毛。花单生或 2 ~ 3 集生；苞片卵状披针形，先端尾状长渐尖，两面几无毛，边缘具腺体；花梗长 2 ~ 3.5 cm，疏被腺刺；萼筒长椭圆形，光滑无毛或有腺毛，萼片披针形，长 2 ~ 2.5 cm，宽约 3 mm，先端长尾尖，先端稍扩展，背面具极稀疏的短柔毛和腺

刺蔷薇

毛，里面密被短绒毛，边缘具腺体；花瓣宽倒卵形，粉红色；雄蕊多数；花柱稍伸出花托口，密被柔毛，离生。蔷薇果椭圆形，有明显颈部，红色，光滑。花期 6 ~ 7 月，果期 7 ~ 9 月。

| 生境分布 | 生于海拔 2 000 ~ 2 400 m 的山坡林缘地或山坡灌丛中。分布于宁夏六盘山（泾源、隆德、原州）、贺兰山（贺兰、平罗、西夏、永宁）、罗山（同心、红寺堡）等，同心其他区域也有分布。

| 资源情况 | 野生资源较少。

| 采收加工 | 夏、秋季采根，洗净，切段，晒干。

| 功能主治 | 祛风湿。用于风湿性关节炎。

| 用法用量 | 内服煎汤，10 ~ 15 g。

薔薇科 Rosaceae 薔薇属 Rosa

腺齿薔薇 *Rosa albertii* Regel

| 药 材 名 | 腺齿薔薇（药用部位：根）。

| 形态特征 | 灌木，高 1 ~ 2 m。小枝灰褐色或紫褐色，无毛，有散生直细皮刺，通常密生针刺，针刺基部有圆盘。小叶 5 ~ 7，叶片卵形、椭圆形、倒卵形或近圆形，长 8 ~ 30 mm，宽 5 ~ 18 mm，先端圆钝或急尖，基部近圆形或宽楔形，边缘有重锯齿，有时齿尖有腺体，上面无毛，下面有短柔毛，沿脉较密；叶柄和叶轴被短柔毛、腺毛和稀疏针刺；托叶大部贴生于叶柄，离生部分卵状披针形，先端渐尖，边缘有腺毛。花单生或 2 ~ 3 簇生，直径 3 ~ 4 cm；苞片卵形，先端渐尖，边缘有腺毛，两面无毛或有时背面有腺毛；花梗长 1.5 ~ 3 cm，无毛，有腺毛或无腺毛；花瓣白色，宽倒卵形，先端微凹，基部宽楔形；萼片卵状披针形，先端尾尖，有时扩展成叶状，外面无毛，

腺齿薔薇

有时有腺毛,内面密被柔毛;花柱离生,被长柔毛,比雄蕊短很多。果实梨形或椭圆形,直径 8 ~ 18 mm,橙红色,成熟后萼片和萼筒顶部一起脱落。花期 6 ~ 8 月,果期 8 ~ 10 月。

| 生境分布 | 生于海拔 1 200 ~ 2 200 m 的山坡、云杉落叶松林下或林缘。分布于宁夏金凤等。

| 资源情况 | 野生资源较少。

| 采收加工 | 夏、秋季采根,洗净,切段,晒干。

| 功能主治 | 活血化瘀,祛风除湿,解毒收敛。

蔷薇科 Rosaceae 蔷薇属 Rosa

美蔷薇 *Rosa bella* Rehd. et Wils.

| 药 材 名 | 美蔷薇花（药用部位：花。别名：油瓶子 ）、美蔷薇叶（药用部位：叶 ）、美蔷薇果（药用部位：果实）。

| 形态特征 | 灌木，高 1 ~ 3 m。小枝紫红色，无毛，具皮刺，皮刺宽扁，稍弯曲。奇数羽状复叶，长 9 ~ 13 cm；叶轴腹面微具浅沟槽，被腺毛及疏生短刺，具小叶 7 ~ 9，小叶椭圆形、矩圆形或卵状椭圆形，长 1 ~ 3 cm，宽 6 ~ 20 mm，先端急尖或圆钝，基部圆形，边缘具尖锐单锯齿，近基部全缘，常具腺毛，上面绿色，无毛，背面灰绿色，疏被柔毛或仅沿中脉被柔毛；托叶倒卵状披针形，先端急尖，两面无毛或背面疏被柔毛，边缘具腺毛，下部 2/3 与叶轴合生。花单生或 2 ~ 3 簇生；花梗长 5 ~ 10 mm，密被腺刺，苞片卵形，长约 1.5 cm，宽约 7 mm，先端长渐尖，先端具数个锐锯齿，背面被短

美蔷薇

柔毛，边缘具腺毛；花托卵状椭圆形，密被腺刺；萼裂片披针形，长约 2 cm，先端尾状尖，先端扩展，边缘具锯齿，背面具腺刺，腹面密被短绒毛；花瓣宽倒卵形，长 2 ～ 2.5 cm，宽 1.7 ～ 2 cm，粉红色，先端微凹；雄蕊多数，长 3 ～ 5 mm。蔷薇果猩红色，密被刺毛。花期 5 ～ 7 月，果期 8 ～ 10 月。

| 生境分布 | 生于海拔 1 800 ～ 2 400 m 的山谷林缘或山顶灌丛中。分布于宁夏六盘山（泾源、隆德、原州）、罗山（同心、红寺堡）及海原、西吉等，原州、同心其他区域也有分布。

| 资源情况 | 野生资源较少。

| 采收加工 | 美蔷薇花：5 ～ 7 月花盛开时采收，晾干或晒干。

美蔷薇叶：夏、秋季采叶，鲜用或晒干。

美蔷薇果：9 ～ 10 月果实成熟时采摘，晒干。

| 功能主治 | 美蔷薇花：甘、酸、微苦，温。理气活血，消肿调经。用于消化不良，气滞腹痛，乳痈肿毒，跌打损伤，月经不调。

美蔷薇叶：止血，解毒。用于创伤出血，痈疽疔疮。

美蔷薇果：甘、酸、涩，平。固精止泻，养血活血。用于肾虚遗精遗尿，脾虚泻痢，带下赤白，脉管炎，高血压，头晕。

| 用法用量 | 美蔷薇花：内服煎汤，5 ～ 10 g；或浸酒。

美蔷薇叶：外用适量，鲜品捣敷；或干品研末调敷。

美蔷薇果：内服煎汤，5 ～ 10 g。

蔷薇科 Rosaceae 蔷薇属 Rosa

月季花 *Rosa chinensis* Jacq.

| 药 材 名 | 月季花（药用部位：花蕾及半开放花。别名：月月花、月月红）。

| 形态特征 | 直立灌木，高 1 ~ 2 m。茎直立，圆柱形，近无毛，具短粗的钩状皮刺。奇数羽状复叶，小叶 3 ~ 5 (~ 7)，连叶柄长 5 ~ 11 cm；小叶片宽卵形至卵状长圆形，长 2.5 ~ 6 cm，宽 1 ~ 3 cm，先端长渐尖或渐尖，基部近圆形或宽楔形，边缘有锐锯齿，两面近无毛，上面暗绿色，背面颜色较浅，顶生小叶片有柄，侧生小叶片近无柄，总叶柄较长。花数朵簇生于茎顶，稀单生，直径 4 ~ 5 cm；花梗长 2.5 ~ 6 cm，近无毛或有腺毛；萼片卵形，先端尾状渐尖；花瓣重瓣至半重瓣，红色、粉红色至白色，倒卵形，先端有凹缺，基部楔形；花柱离生，伸出萼筒口外，约与雄蕊近等长。聚合果圆卵形或梨形，红色，萼片脱落。花期 4 ~ 9 月，果期 6 ~ 11 月。

月季花

| 生境分布 | 宁夏各地均有栽培。

| 资源情况 | 栽培资源较丰富。

| 采收加工 | 全年均可采收，花微开时采摘，阴干或低温干燥。

| 药材性状 | 本品呈类球形，直径 1.5 ～ 2.5 cm。花托长圆形；萼片 5，暗绿色，先端尾尖；花瓣呈覆瓦状排列，有的散落，长圆形，紫红色或淡紫红色；雄蕊多数，黄色。体轻，质脆。气清香，味淡、微苦。

| 功能主治 | 甘，温。归肝经。活血调经，疏肝解郁。用于气滞血瘀，月经不调，痛经，闭经，胸胁胀痛。

| 用法用量 | 内服煎汤，3 ～ 6 g。

| 附　　注 | 本种载于《本草纲目》卷十八"草部"。李时珍曰："处处人家多栽插之，亦蔷薇类也。青茎长蔓硬刺，叶小于蔷薇，而花深红，千叶厚瓣，逐月开放，不结子也。"以上所述与现今广泛栽培并供药用的月季花的特征基本一致。

蔷薇科 Rosaceae 蔷薇属 Rosa

山刺玫

Rosa davurica Pall.

| 药 材 名 | 刺玫果（药用部位：果实。别名：刺玫蔷薇、刺玫果、野玫瑰）、刺玫根（药用部位：根）、刺玫花（药用部位：花）。 |

| 形态特征 | 灌木，高约 1.5 m。茎直立。小枝紫褐色或灰褐色，无毛，小枝具刺，伸直或稍弯曲，基部扩大，长达 1 cm。奇数羽状复叶，互生；叶轴被短绒毛和腺毛；具小叶 7 ~ 9，小叶椭圆形，长 1.5 ~ 3.5 cm，宽 0.5 ~ 1.5 cm，先端急尖或稍钝，基部楔形至近圆形，边缘具细锯齿，上面深绿色，无毛，下面灰绿色，被短绒毛及粒状腺点；托叶披针形，边缘密被腺毛，大部与叶轴合生。花单生或 2 ~ 3 聚生；花梗长，粗壮，具腺毛；花托卵形，无毛；萼片线状披针形，长 1.5 ~ 2 cm，先端尾状，稍扩展，背面及边缘被腺毛，腹面密被 |

山刺玫

短绒毛；花瓣粉红色，倒卵形，长约 1.5 cm，先端微凹；雄蕊多数。蔷薇果卵形或近球形，直径 1 ~ 1.5 cm，红色，萼片宿存。花期 6 ~ 7 月，果期 8 ~ 9 月。

| 生境分布 | 生于林缘草地或稀疏灌丛中。分布于宁夏六盘山（泾源、隆德、原州）、贺兰山（贺兰、西夏）及沙坡头等。

| 资源情况 | 野生资源较丰富。

| 采收加工 | 刺玫果：于果期采摘成熟果实，晒干。
刺玫根：春、秋季挖取根，洗净，晒干。
刺玫花：夏季采集未开或初开放的花，阴干。

| 功能主治 | 刺玫果：甘、酸，温。归脾经。健脾理气，养血调经。用于脾虚食少，胃脘胀痛，泄泻，月经不调。
刺玫根：苦、涩，平。归肺、大肠经。镇咳祛痰，止痢止血。用于咳嗽，泄泻，痢疾，崩漏，跌扑损伤。
刺玫花：甘、微苦，温。归肝经。止血和血，解郁调经。用于吐血，崩漏，胸胁胀痛，痛经，月经不调。

| 用法用量 | 刺玫果：内服煎汤，9 ~ 15 g。
刺玫根：内服煎汤，9 ~ 15 g。
刺玫花：内服煎汤，3 ~ 6 g。

薔薇科 Rosaceae 薔薇属 Rosa

黄薔薇
Rosa hugonis Hemsl.

| 药 材 名 | 黄薔薇（药用部位：根、叶）。

| 形态特征 | 矮小灌木，高约 2.5 m。枝粗壮，常呈弓形；小枝圆柱形，无毛，皮刺扁平，常混生细密针刺。小叶 5 ~ 13，连叶柄长 4 ~ 8 cm；小叶片卵形、椭圆形或倒卵形，长 8 ~ 20 mm，宽 5 ~ 12 mm，先端圆钝或急尖，边缘有锐锯齿，两面无毛，上面中脉下陷，下面中脉凸起；托叶狭长，大部贴生于叶柄，离生部分极短，呈耳状，无毛，边缘有稀疏腺毛。花单生于叶腋，无苞片；花梗长 1 ~ 2 cm，无毛；花直径 4 ~ 5.5 cm；萼筒、萼片外面无毛，萼片披针形，先端渐尖，全缘，有明显的中脉，内面有稀疏柔毛；花瓣黄色，宽倒卵形，先端微凹，基部宽楔形；雄蕊多数，着生于坛状萼筒口的周围；花柱离生，被白色长柔毛，稍伸出萼筒口外面，比雄蕊短。果实扁球形，

黄薔薇

直径 12 ~ 15 mm，紫红色至黑褐色，无毛，有光泽，萼片宿存反折。花期 5 ~ 6 月，果期 7 ~ 8 月。

| 生境分布 | 生于向阳山坡林缘或林边灌丛中。分布于宁夏贺兰山（贺兰、平罗、西夏）、罗山（同心、红寺堡）、香山（沙坡头）等。

| 资源情况 | 野生资源较丰富。

| 功能主治 | 止痛收敛。

蔷薇科 Rosaceae 蔷薇属 Rosa

野蔷薇 *Rosa multiflora* Thunb.

| 药 材 名 | 蔷薇花（药用部位：花。别名：刺花、白残花、柴米花花）、营实（药用部位：果实。别名：蔷薇子、野蔷薇子、石珊瑚）、蔷薇枝（药用部位：枝）、蔷薇根（药用部位：根）。

| 形态特征 | 攀缘灌木。小枝圆柱形，通常无毛，有短、粗稍弯曲皮束。小叶 5 ～ 9，近花序的小叶有时 3，连叶柄长 5 ～ 10 cm；小叶片倒卵形、长圆形或卵形，长 1.5 ～ 5 cm，宽 8 ～ 28 mm，先端急尖或圆钝，基部近圆形或楔形，边缘有尖锐单锯齿，稀混有重锯齿，上面无毛，下面有柔毛；小叶柄和叶轴有柔毛或无毛，有散生腺毛；托叶篦齿状，大部分贴生于叶柄，边缘有或无腺毛。花多数，排成圆锥状花序，花梗长 1.5 ～ 2.5 cm，无毛或有腺毛，有时基部有篦齿状小苞片；花直径 1.5 ～ 2 cm，萼片披针形，有时中部具 2 线形裂片，外

野蔷薇

面无毛，内面有柔毛；花瓣白色，宽倒卵形，先端微凹，基部楔形；花柱结合成束，无毛，比雄蕊稍长。果实近球形，直径 6 ~ 8 mm，红褐色或紫褐色，有光泽，无毛，萼片脱落。

| 生境分布 | 生于向阳山坡林缘或林边灌丛中。分布于宁夏灵武、金凤等。

| 资源情况 | 野生资源较少。

| 采收加工 | 蔷薇花：花盛开时，择晴天采集，晒干。

营实：秋季采收，以半青半红未成熟果实为佳，鲜用或晒干。

蔷薇枝：全年均可采收，剪枝，切段，晒干。

蔷薇根：秋季采挖，洗净，切片，晒干。

| 药材性状 | 蔷薇花：本品呈不规则椭圆形，多破碎不全，较小，黄色。花萼披针形，密被毛茸。花瓣三角状卵形，黄白色至棕色，多皱缩卷曲，脉纹明显。雄蕊多数，着生于花萼筒上，卷曲成团。花托小，壶形，基部有长短不等的花梗。质脆易碎。气微香，味微苦、涩。

营实：本品呈卵圆形，直径 6 ~ 8 mm，具果柄，先端有宿存萼之裂片。果实外皮红褐色，内为肥厚肉质果皮。种子黄褐色，果肉与种子间有白毛，果肉味酸、甜。

| 功能主治 | 蔷薇花：甘，凉。归胃、肝经。理气和胃。用于胸腹痞闷，不思饮食，口疮，口糜。

营实：酸，凉。归肝、肾、胃经。清热解毒，祛风活血，利水消肿。用于疮痈肿毒，风湿痹痛，关节不利，月经不调，水肿，小便不利。

蔷薇枝：甘，凉。清热消肿，生发。用于疮疖，脱发。

蔷薇根：苦、涩，凉。归脾、胃、肾经。清热解毒，祛风除湿，活血调经，固经缩尿，消骨鲠。用于疮痈肿毒，烫伤，口疮，痔血，鼻衄，关节疼痛，月经不调，痛经，久痢不愈，遗尿，尿频，白带过多，子宫脱垂，骨鲠。

| 用法用量 | 蔷薇花：内服煎汤，3 ~ 5 g。

营实：内服煎汤，15 ~ 30 g，鲜品加倍。

蔷薇枝：内服煎汤，15 ~ 30 g。外用适量，煎汤洗。

蔷薇根：内服煎汤，10 ~ 15 g；或研末，1.5 ~ 3 g；或鲜品捣汁。外用适量，研末敷；或煎汤含漱；或煎汤洗。

蔷薇科 Rosaceae 蔷薇属 Rosa

峨眉蔷薇 *Rosa omeiensis* Rolfe.

| 药 材 名 | 刺石榴根（药用部位：根。别名：山石榴）、刺石榴果（药用部位：果实。别名：刺石榴、山石榴）、峨眉蔷薇花（药用部位：花瓣）。

| 形态特征 | 直立灌木，高 3 ~ 4 m。小枝细弱，无刺或有扁而基部膨大的皮刺，幼嫩时常密被针刺或无针刺。小叶 9 ~ 13（~ 17），连叶柄长 3 ~ 6 cm；小叶片长圆形或椭圆状长圆形，长 8 ~ 30 mm，宽 4 ~ 10 mm，先端急尖或圆钝，基部圆钝或宽楔形，边缘有锐锯齿，上面无毛，中脉下陷，下面无毛或在中脉有疏柔毛，中脉凸起；叶轴和叶柄有散生小皮刺；托叶大部分贴生于叶柄，先端离生部分呈三角状卵形，边缘有齿或全缘，有时有腺。花单生于叶腋，无苞片；花梗长 6 ~ 20 mm，无毛；花直径 2.5 ~ 3.5 cm；萼片 4，披针形，全缘，先端渐尖或长尾尖，外面近无毛，内面有稀疏柔毛；花瓣 4，

峨眉蔷薇

白色，倒三角状卵形，先端微凹，基部宽楔形；花柱离生，被长柔毛，比雄蕊短很多。果实倒卵状球形或梨形，直径 8 ～ 15 mm，亮红色，果实成熟时果柄肥大，萼片直立宿存。花期 5 ～ 6 月，果期 7 ～ 9 月。

| **生境分布** | 生于山坡、山脚下或灌丛中。分布于宁夏泾源等。

| **资源情况** | 野生资源较丰富。

| **采收加工** | 刺石榴根：全年均可采挖，洗净，晒干。
刺石榴果：7 ～ 9 月果实成熟时采摘，除去萼片及果柄，晒干。
峨眉蔷薇花：夏季花盛开时采收，阴干。

| **药材性状** | 峨眉蔷薇花：本品为皱缩卷曲的花瓣，完整的花瓣呈倒广卵形至扇形，长 1.2 ～ 2.5 cm，宽 1.2 ～ 2.3 cm。暗黄色或黄白色，先端微凹，浅裂或钝圆，基部有 10 余花脉，呈放射状排列。纸质，体轻。气芳香，味微苦、甜。

| **功能主治** | 刺石榴根：苦、涩，平。止血，止带，止痢，杀虫。用于吐血，崩漏，带下，泄泻，痢疾，蛔虫病。
刺石榴果：微酸、涩，平。止血，止带，止痢，杀虫。用于吐血，崩漏，带下，赤白痢，蛔虫病。
峨眉蔷薇花：甘、酸，凉。清热解毒，活血调经。用于肺热咳嗽，吐血，血脉瘀痛，月经不调，赤白带下，乳痈。

| **用法用量** | 刺石榴根：内服煎汤，6 ～ 15 g。
刺石榴果：内服煎汤，9 ～ 15 g；或研末。
峨眉蔷薇花：内服煎汤，3 ～ 6 g。

| **附　　注** | （1）宁夏还分布有本种的变种扁刺峨眉蔷薇 *Rosa omeiensis* Rolfe. f. *pteracantha* Rehd. et Wils.。根据《宁夏中药志》记载，其果实可供药用，功效与刺石榴果相同。
（2）据《中华本草》记载，在《四川常用中草药》中，刺石榴根的别名为山石榴，而在《陕西中草药》和《宁夏中药志》中，山石榴是刺石榴果的别名。

▍蔷薇科▍ Rosaceae ▍蔷薇属▍ *Rosa*

玫瑰
Rosa rugosa Thunb.

| 药 材 名 | 玫瑰花（药用部位：花蕾。别名：徘徊花、笔头花、刺玫花）。

| 形态特征 | 直立灌木，高可达2 m。茎粗壮，丛生；小枝密被绒毛，并有针刺和腺毛，有直立或弯曲、淡黄色的皮刺，皮刺外被绒毛。小叶5 ~ 9，连叶柄长5 ~ 13 cm；小叶片椭圆形或椭圆状倒卵形，长1.5 ~ 4.5 cm，宽1 ~ 2.5 cm，先端急尖或圆钝，基部圆形或宽楔形，边缘有尖锐锯齿，上面深绿色，无毛，叶脉下陷，有折皱，下面灰绿色，中脉凸起，网脉明显，密被绒毛和腺毛，有时腺毛不明显；叶柄和叶轴密被绒毛和腺毛；托叶大部分贴生于叶柄，离生部分卵形，边缘有带腺锯齿，下面被绒毛。花单生于叶腋，或数花簇生，苞片卵形，边缘有腺毛，外被绒毛；花梗长5 ~ 22.5 mm，密被绒毛和腺毛；

玫瑰

花直径 4 ~ 5.5 cm；萼片卵状披针形，先端尾状渐尖，常有羽状裂片而扩展成叶状，上面有稀疏柔毛，下面密被柔毛和腺毛；花瓣倒卵形，重瓣至半重瓣，芳香，紫红色至白色；花柱离生，被毛，稍伸出萼筒口外，比雄蕊短很多。果实扁球形，直径 2 ~ 2.5 cm，砖红色，肉质，平滑，萼片宿存。花期 5 ~ 6 月，果期 8 ~ 9 月。

| 生境分布 | 宁夏惠农、大武口、平罗、兴庆、金凤、灵武、利通、青铜峡、沙坡头、彭阳等有栽培。

| 资源情况 | 栽培资源较丰富。

| 采收加工 | 春末夏初花将开放时分批采摘，及时低温干燥。

| 药材性状 | 本品略呈半球形或不规则团状，直径 0.7 ~ 1.5 cm。残留花梗上被细柔毛，花托半球形，与花萼基部合生；萼片 5，披针形，黄绿色或棕绿色，被有细柔毛；花瓣多皱缩，展平后宽卵形，呈覆瓦状排列，紫红色，有的黄棕色；雄蕊多数，黄褐色；花柱多数，柱头在花托口集成头状，略凸出，短于雄蕊。体轻，质脆。气芳香浓郁，味微苦、涩。

| 功能主治 | 甘、微苦，温。归肝、脾经。行气解郁，和血，止痛。用于肝胃气痛，食少呕恶，月经不调，跌扑伤痛。

| 用法用量 | 内服煎汤，3 ~ 10 g；或浸酒；或代茶饮。

薔薇科 Rosaceae 薔薇属 *Rosa*

扁刺蔷薇 *Rosa sweginzowii* Koehne

| 药 材 名 | 野刺玫（药用部位：果实。别名：油瓶子、金樱子）。

| 形态特征 | 灌木，高 3 ~ 5 m。小枝圆柱形，无毛或有稀疏短柔毛，有直立或稍弯曲、基部膨大而扁平的皮刺，有时老枝常混有针刺。小叶 7 ~ 11，连叶柄长 6 ~ 11 cm；小叶片椭圆形至卵状长圆形，长 2 ~ 5 cm，宽 8 ~ 20 mm，先端急尖，稀圆钝，基部近圆形或宽楔形，边缘有重锯齿，上面无毛，下面有柔毛或至少沿脉有柔毛，中脉和侧脉均凸起；小叶柄和叶轴有柔毛、腺毛并散生小皮刺；托叶大部分贴生于叶柄，离生部分卵状披针形，先端渐尖，边缘有腺齿。花单生，或 2 ~ 3 簇生，苞片 1 ~ 2，卵状披针形，先端尾尖，下面中脉明显，边缘有带腺锯齿，有时有羽状裂片；花梗长 1.5 ~ 2 cm，有腺毛；

扁刺蔷薇

花直径 3 ～ 5 cm；萼片卵状披针形，先端浅裂扩展成叶状，或有时羽状分裂，外面近无毛，有腺或无腺，内面有短柔毛，边缘较密；花瓣粉红色，宽倒卵形，先端微凹，基部宽楔形；花柱离生，密被柔毛，比雄蕊短很多。果实长圆形或倒卵状长圆形，先端有短颈，长 1.5 ～ 2.5 cm，宽 1 ～ 1.7 cm，紫红色，外面常有腺毛，萼片直立宿存。花期 6 ～ 7 月，果期 8 ～ 11 月。

| 生境分布 | 生于海拔 2 200 ～ 2 600 m 的林缘、灌丛。分布于宁夏隆德等。

| 资源情况 | 野生资源较少。

| 采收加工 | 秋季果实近成熟时采收，干燥。

| 药材性状 | 本品呈长圆形或倒卵状长圆形，长 1 ～ 2.5 cm，宽 1 ～ 1.5 cm，表面具皱纹，紫红色或棕红色，具毛茸。先端有直立的宿存萼，呈条状，绿褐色。剖面可见许多骨质小种子。气微香，味酸、甜、微涩。

| 功能主治 | 甘，微寒。清热解毒，利湿止泻。用于发热，肝炎，肾病，腹泻，关节炎，关节积液。

| 用法用量 | 内服煎汤，5 ～ 15 g。

蔷薇科 Rosaceae 蔷薇属 *Rosa*

黄刺玫
Rosa xanthina Lindl.

| 药 材 名 | 黄刺玫（药用部位：果实）

| 形态特征 | 直立灌木，高 2 ~ 3 m。枝粗壮，密集，披散；小枝无毛，有散生皮刺，无针刺。小叶 7 ~ 13，连叶柄长 3 ~ 5 cm；小叶片宽卵形或近圆形，稀椭圆形，先端圆钝，基部宽楔形或近圆形，边缘有圆钝锯齿，上面无毛，幼嫩时下面有稀疏柔毛，逐渐脱落；叶轴、叶柄有稀疏柔毛和小皮刺；托叶带状披针形，大部分贴生于叶柄，离生部分呈耳状，边缘有锯齿和腺。花单生于叶腋，重瓣或半重瓣，黄色，无苞片；花梗长 1 ~ 1.5 cm，无毛，无腺；花直径 3 ~ 4（~ 5）cm；萼筒、萼片外面无毛，萼片披针形，全缘，先端渐尖，内面有稀疏柔毛，边缘较密；花瓣黄色，宽倒卵形，先端微凹，基部宽楔形；

黄刺玫

花柱离生，被长柔毛，稍伸出萼筒口外部，比雄蕊短很多。果实近球形或倒卵圆形，紫褐色或黑褐色，直径 8 ~ 10 mm，无毛，开花后萼片反折。花期 4 ~ 6 月，果期 7 ~ 8 月。

| **生境分布** | 宁夏惠农、西夏、永宁、贺兰、利通、青铜峡、中宁、原州、隆德等有栽培。

| **资源情况** | 栽培资源较丰富。

| **功能主治** | 理气活血，调经健脾。

▨▨▨ 蔷薇科 ▨ Rosaceae ▨▨ 蔷薇属 ▨ Rosa

单瓣黄刺玫
Rosa xanthina Lindl. f. *normalis* Rehd. et Wils.

| 药 材 名 | 黄刺玫（药用部位：果实、花）。

| 形态特征 | 直立灌木，高 1.5 ~ 3 m。小枝细长，紫褐色，具散生皮刺，刺直伸。小叶 7 ~ 13，连叶柄长 3 ~ 5 cm；小叶片宽卵形或近圆形，稀椭圆形，先端圆钝，基部宽楔形或近圆形，长 6 ~ 15 mm，宽 3 ~ 9 mm，边缘有圆钝锯齿，上面无毛，幼嫩时下面有稀疏柔毛；托叶披针形，贴生于叶柄，边缘具腺齿。花单生于叶腋，无苞片；花梗长 1 ~ 1.8 cm，无毛；萼筒及萼片外面无毛，萼片披针形，全缘，先端渐尖；花单瓣，黄色，常 5，宽倒卵形，先端微凹，基部宽楔形；花柱离生，被长柔毛，稍伸出萼筒口外部，较雄蕊长。果实近球形，紫褐色，直径 6 ~ 8 mm，无毛，花后萼片反折。花期 4 ~ 6 月，果期 7 ~ 8 月。

单瓣黄刺玫

| **生境分布** | 生于山坡、山沟。分布于宁夏平罗、大武口、金凤、灵武、泾源等。

| **资源情况** | 野生资源较丰富。

| **采收加工** | 春季采集花，秋末采集果实，晒干。

| **功能主治** | 果实，养血活血。花，理气，活血，调经。

| **附　　注** | 宁夏栽培有本种的原变型黄刺玫 *Rosa xanthina* Lindl.。

蔷薇科 Rosaceae 悬钩子属 Rubus

插田泡
Rubus coreanus Miq.

| **药 材 名** | 插田泡果（药用部位：果实。别名：覆盆子、插田藨、大麦莓）、倒生根（药用部位：根。别名：大乌泡根）。

| **形态特征** | 小灌木，高 1 ~ 3 m。茎直立或拱形，被白粉，具扁平而弯曲的皮刺。奇数羽状复叶，互生，有柄；条形托叶与柄合生；叶柄及叶轴有散生的倒刺；小叶 3 ~ 7，顶生小叶较大，具柄，侧生小叶近无柄；小叶片卵形或菱状卵形，长 3 ~ 7 cm，宽 1.5 ~ 4.5 cm，先端急尖，基部楔形或近圆形，边缘具不整齐的重锯齿或缺刻，表面近无毛，背面脉上具短毛或密生毡毛。伞房花序顶生或腋生，具毛；花直径约 1.5 cm；萼裂片 5，披针形或卵状披针形，先端渐尖，呈芒状，花时开展，果时反折；花瓣倒卵形，较萼片稍短，淡红色；雄蕊多

插田泡

数，较花瓣短；心皮多数，分离，花柱无毛，子房被柔毛。聚合果球形或卵形，基部有宿存萼，花托肉质，膨大，上生多数肉质小核果，红色至紫黑色。花期5月，果期7~8月。

| **生境分布** | 生于山林缘、灌丛及山沟旁。分布于宁夏西吉等。

| **资源情况** | 野生资源较少。

| **采收加工** | 插田泡果：6~8月果实成熟时采收，鲜用或晒干。
倒生根：9~10月采挖，洗净，切片，晒干。

| **药材性状** | 插田泡果：本品聚合果单个或数个成束，单个聚合果近球形，直径约4 mm，基部较平坦，表面淡绿色、灰棕色或红棕色至紫红色，周围密布小核果，近无毛。宿存萼棕褐色，5裂。气微，味酸、甜。

| **功能主治** | 插田泡果：甘、酸，温。归肝、肾经。补肾固精，平肝明目。用于阳痿，遗精，遗尿，带下，不孕症，胎动不安，风眼流泪，目生翳障。
倒生根：苦，凉。归心、肾经。调经活血，止血止痛。用于跌扑损伤，骨折，月经不调，鼻衄，劳伤吐血，外伤出血。

| **用法用量** | 插田泡果：内服煎汤，9~15 g。
倒生根：内服煎汤，6~15 g；或浸酒。外用适量，鲜品捣敷。

| **附　　注** | （1）覆盆子之名首载于《名医别录》。历代本草文献中收载的覆盆子药材原植物为悬钩子属多种植物，包括本种。《本草纲目》曰："五月子熟，其色乌赤，故俗名乌藨、大麦莓、插田藨，亦曰栽秧藨……覆盆以四五月熟，故谓之插田藨，正与《别录》五月采相合。"该书所载覆盆子药材的原植物即本种。
（2）《中华人民共和国药典》（2020年版）将同属植物掌叶复盆子 *Rubus chingii* Hu（《中华人民共和国药典》记作华东覆盆子 *Rubus chingii* Hu）作为药材覆盆子的法定基原植物。

蔷薇科 Rosaceae 悬钩子属 Rubus

茅莓 Rubus parvifolius L.

| 药 材 名 | 薅田藨（药用部位：地上部分。别名：红梅消、倒生根、薅秧泡）、茅莓根（药用部位：根。别名：薅田藨根、托盘根、米花托盘根）。

| 形态特征 | 灌木，高 1 ~ 2 m。枝呈弓形弯曲，被柔毛和稀疏钩状皮刺；小叶 3，在新枝上偶有 5，菱状圆形或倒卵形，长 2.5 ~ 6 cm，宽 2 ~ 6 cm，先端圆钝或急尖，基部圆形或宽楔形，上面伏生疏柔毛，下面密被灰白色绒毛，边缘有不整齐粗锯齿或缺刻状粗重锯齿，常具浅裂片；叶柄长 2.5 ~ 5 cm，顶生小叶叶柄长 1 ~ 2 cm，均被柔毛和稀疏小皮刺；托叶线形，长 5 ~ 7 mm，具柔毛。伞房花序顶生或腋生，稀顶生花序成短总状，具花数朵，被柔毛和细刺；花梗长 0.5 ~ 1.5 cm，具柔毛和稀疏小皮刺；苞片线形，有柔毛；花直径约 1 cm；花萼外面密被柔毛和疏密不等的针刺；萼片卵状披针形或披针形，先端渐

茅莓

尖，有时条裂，在花果期均直立开展；花瓣卵圆形或长圆形，粉红色至紫红色，基部具爪；雄蕊花丝白色，稍短于花瓣；子房具柔毛。果实卵球形，直径 1 ～ 1.5 cm，红色，无毛或具稀疏柔毛；核有浅皱纹。花期 5 ～ 6 月，果期 7 ～ 8 月。

| 生境分布 | 生于海拔 2 600 m 以下的山坡林下、灌丛或林缘。分布于宁夏泾源、彭阳等。

| 资源情况 | 野生资源较少。

| 采收加工 | 薅田藨：夏、秋季采收，鲜用或晒干。
茅莓根：秋季挖取根部，洗净，晒干。

| 药材性状 | 薅田藨：本品长短不一，枝和叶柄具小钩刺，枝表面红棕色或枯黄色；质坚，断面黄白色，中央有白色髓。叶多皱缩破碎，上面黄绿色，下面灰白色，被柔毛。枝上部往往附枯萎的花序，花瓣多已掉落，萼片黄绿色，外卷，两面被长柔毛。气微，味微苦、涩。
茅莓根：本品为类圆形或不规则形的片，直径 0.3 ～ 2.5 cm。外表皮灰棕色至棕褐色，粗糙，外皮较易脱落，有的具须根痕。切面淡黄色至淡黄棕色，可见放射状纹理。质坚硬。气微，味微涩。

功能主治	薅田藨：苦、涩，凉。清热解毒，散瘀止血，杀虫疗疮。用于感冒发热，咳嗽痰血，痢疾，跌打损伤，产后腹痛，疔疮，疖肿，外伤出血。 茅莓根：苦、涩，微寒。活血消肿，祛风利湿，利水通淋。用于跌打损伤，痈肿，风湿痹痛，水肿，热淋，石淋。
用法用量	薅田藨：内服煎汤，10～15 g；或浸酒。外用适量，煎汤洗；或捣敷；或研末撒。 茅莓根：内服煎汤，9～15 g。

蔷薇科 Rosaceae 悬钩子属 *Rubus*

多腺悬钩子 *Rubus phoenicolasius* Maxim.

| 药 材 名 | 空筒泡（药用部位：根）、空筒泡叶（药用部位：叶）、悬钩木（药用部位：茎）。

| 形态特征 | 灌木，茎初直立后蔓生，长可达 3 m，全株散生皮刺。羽状三出复叶，长 5 ~ 12 cm，顶生小叶具长柄，卵形或宽卵形，有时歪卵形，长 3 ~ 7 cm，宽 2 ~ 4 cm，边缘有缺刻状重牙齿，有时 3 裂，上面散生柔毛或近无毛，下面密生灰白色短绒毛，中脉具稀疏细刺，侧生小叶歪卵形，几无柄，比顶生小叶小；叶柄与叶轴均被柔毛、红色刺毛、腺毛和稀疏细刺；托叶线形，全缘，长约 1 cm，被腺毛和短柔毛。伞房花序顶生或腋生，具数花，密被红色腺毛、刺毛和稀疏细刺；上部苞片线形，下部苞片 3 深裂，被腺毛和柔毛；花梗长

多腺悬钩子

1 ~ 3 cm，密被红色腺毛；萼裂片狭披针形，长约 1.5 cm，先端尾尖，外面密被红色腺毛和刺毛，里面密被短柔毛，花时开展，花后闭合；花瓣卵状椭圆形，粉红色，长 5 ~ 7 mm，基部具爪；雄蕊多数，直立；雌蕊多数，花柱直立，稍长于雄蕊，子房被柔毛。聚合果近球形，红色，无毛。花期 6 月，果期 7 ~ 8 月。

| 生境分布 | 多生于路旁、林下或山沟谷底。分布于宁夏贺兰山（贺兰、西夏、永宁、平罗）、罗山（同心）等。

| 资源情况 | 野生资源较少。

| 采收加工 | 空筒泡：秋、冬季采挖，洗净，晒干。
空筒泡叶：夏季采收，鲜用或晒干。
悬钩木：秋季割取地上部分，除去叶和杂质，晒干。

| 药材性状 | 悬钩木：本品茎呈长圆柱形，长 15 ~ 40 cm，直径 2 ~ 6 cm，直或略弯曲。幼枝外皮黄绿色或绿褐色，具纵沟纹并密被皮刺、腺毛和短柔毛，皮刺黄棕色，腺毛具明显黑色小腺头；老茎枝表面灰褐色，粗糙，被细小尖刺及多数皮刺脱落后的疤痕，疤痕长圆形，微凹陷。栓皮呈片状或条状剥落，剥落后呈黄棕色，光滑或有纵条纹。质硬而稍韧，断面不整齐，外层纤维性，黄绿色或黄白色，髓大，白绿色、类白色或浅棕黄色，疏松，有的中央有髓腔。气微，味淡。

| **功能主治** | 空筒泡：甘、辛，温。归肝、肾经。祛风活血，补肾壮阳。用于风湿痹痛，跌打损伤。

空筒泡叶：甘、辛，平。解毒。用于黄水疮。

悬钩木：辛、苦，平。解表散寒，祛风除湿，活血止痛。用于风寒感冒，流行性感冒发热，咳嗽，风湿痹痛，跌打损伤，月经不调。 |

| **用法用量** | 空筒泡：内服煎汤，10 ～ 30 g，或浸酒。

空筒泡叶：外用适量，捣敷。

悬钩木：内服煎汤，6 ～ 15 g；或入丸、散剂。 |

| **附　　注** | 《中华本草·藏药卷》记载多腺悬钩子的果实还作藏药使用。味甘、微辛，性温。可清热解毒，用于"龙"热二合症，时疫感冒，时疫热症及咳嗽等。 |

蔷薇科 Rosaceae 悬钩子属 Rubus

针刺悬钩子
Rubus pungens Camb.

针刺悬钩子

药材名

倒扎龙（药用部位：根。别名：倒毒散）。

形态特征

匍匐灌木，高达 3 m。枝圆柱形，幼时被柔毛，老时脱落，常具较稠密的直立针刺。小叶常 5 ~ 7，稀 3 或 9，卵形、三角状卵形或卵状披针形，长 2 ~ 5 cm，宽 1 ~ 3 cm，先端急尖至短渐尖，顶生小叶常渐尖，基部圆形至近心形，上面疏生柔毛，下面有柔毛或仅在脉上有柔毛，边缘具尖锐重锯齿或缺刻状重锯齿，顶生小叶常羽状分裂；叶柄长（2 ~ ）3 ~ 6 cm，顶生小叶叶柄长 0.5 ~ 1 cm，侧生小叶近无柄，与叶轴均有柔毛或近无毛，并被稀疏小刺和腺毛；托叶小，线形，有柔毛。花单生或 2 ~ 4 成伞房花序，顶生或腋生；花梗长 2 ~ 3 cm，有柔毛和小针刺，或有疏腺毛；花直径 1 ~ 2 cm；花萼外面具柔毛和腺毛，密被直立针刺；萼筒半球形；萼片披针形或三角状披针形，长达 1.5 cm，先端长渐尖，在花果期均直立，稀反折；花瓣长圆形、倒卵形或近圆形，白色，基部具爪，比萼片短；雄蕊多数，直立，长短不等，花丝近基部稍宽扁；雌蕊多数，花柱无毛或基部具疏柔毛，子房有柔毛或近无毛。

果实近球形，红色，直径 1 ～ 1.5 cm，具柔毛或近无毛；核卵球形，长 2 ～ 3 mm，有明显皱纹。花期 4 ～ 5 月，果期 7 ～ 8 月。

| **生境分布** | 生于海拔 2 000 ～ 2 500 m 的山坡林下、林缘或河边。分布于宁夏泾源等。

| **资源情况** | 野生资源较少。

| **采收加工** | 秋季采挖，除去须根，抖掉泥土，切片，晒干。

| **功能主治** | 苦、辛，凉。清热解毒，活血止痛，止带，止汗。用于腰痛，带下，瘰疬，黄水疮，盗汗。

| **用法用量** | 内服煎汤，15 ～ 30 g。外用适量，鲜品捣敷。

蔷薇科 Rosaceae 悬钩子属 Rubus

库页悬钩子
Rubus sachalinensis Lévl.

| 药 材 名 | 库页悬钩子（药用部位：茎叶。别名：野悬钩子）、库页悬钩子根（药用部位：根）、库页悬钩子花（药用部位：花）、库页悬钩子果实（药用部位：果实）。

| 形态特征 | 灌木，高 40 ~ 100 cm。茎直立，幼枝紫褐色，被柔毛、腺毛和密的皮刺。羽状三出复叶，具小叶 3，稀 5，小叶片卵形至卵状披针形，长 3 ~ 7 cm，宽 1.5 ~ 4 cm，先端短渐尖，基部圆形或近心形，边缘具缺刻状粗锯齿，上面近无毛，下面密被白色绒毛。伞房花序顶生或腋生，具 5 ~ 9 花，稀单花；花梗和总花梗具柔毛，密生皮刺和腺毛；萼片长三角形，外面被柔毛、皮刺和腺毛，边缘具白色绒毛；花瓣白色，舌形或匙形；花丝与花柱近等长；花柱基部及子房被

库页悬钩子

绒毛。聚合果红色，被绒毛。花期 6 ~ 7 月，果期 8 ~ 9 月。

| 生境分布 | 生于海拔 1 200 ~ 2 500 m 的山坡潮湿地密林下、稀疏杂木林内、林缘、林间草地或干沟石缝、谷底石堆中。分布于宁夏贺兰山（平罗、西夏、永宁）等。

| 资源情况 | 野生资源较少。

| 采收加工 | 库页悬钩子：7 ~ 8 月采收，晒干。
库页悬钩子根：秋季采挖，洗净，鲜用或晒干。
库页悬钩子花：6 ~ 7 月采收，鲜用或晒干。
库页悬钩子果实：8 ~ 9 月采摘，鲜用或晒干。

| 功能主治 | 库页悬钩子：苦、涩，平。清肺止血，解毒止痢。用于吐血，衄血，痢疾，泄泻。
库页悬钩子根：苦、涩，平。收涩止血，祛风清热。用于久痢，久泻，吐血，衄血，带下，支气管哮喘，荨麻疹。
库页悬钩子花：苦，平。解毒，安神。用于蛇蝎咬伤，安神。
库页悬钩子果实：酸、甘，平。清热解毒，祛痰止咳。用于感冒发热，咳嗽，咽喉炎，肺炎，面部粉刺，脓疱疮。

| 用法用量 | 库页悬钩子：内服煎汤，15 ~ 30 g。
库页悬钩子根：内服煎汤，15 ~ 30 g。
库页悬钩子花：内服煎汤，3 ~ 10 g。外用适量，煎汤洗或浸泡。
库页悬钩子果实：内服煎汤，3 ~ 9 g。外用适量，煎汤洗。

| 附 注 | 《中华本草·蒙药卷》记载本种的茎也作蒙药使用。味甘、微辛，性平。具有止咳、解表、调元等功效。在治疗感冒、咳嗽、头痛的蒙药药方中，通常以库页悬钩子为主药或配伍药。

高山地榆 *Sanguisorba alpina* Bge.

| **药 材 名** | 高山地榆（药用部位：根）。

| **形态特征** | 多年生草本。根粗壮，圆柱形。茎高 30 ~ 80 cm，无毛或几无毛。叶为羽状复叶，有小叶 4 ~ 7（~ 9）对，叶柄无毛，小叶有柄；小叶片椭圆形或长椭圆形，稀卵形，长 1.5 ~ 7 cm，宽 1 ~ 4 cm，基部截形至微心形，先端圆钝或几圆形，边缘有缺刻状尖锐锯齿，两面绿色无毛；茎生叶与基生叶相似，惟向上小叶对数逐渐减少，且小叶基部常圆形至宽楔形；基生叶托叶膜质，黄褐色，无毛，茎生叶托叶革质，绿色，卵形或弯弓成半圆形，边缘有缺刻状尖锐锯齿。穗状花序圆柱形，稀椭圆形，从基部向上逐渐开放，初时较短，花后伸长，下垂，通常长 1 ~ 4 cm，伸长后可达 5 cm，横径 0.6 ~

高山地榆

1.2 cm，花序梗初时被疏柔毛，以后脱落无毛；苞片淡黄褐色，卵状披针形或匙状披针形，边缘及外面密被柔毛，未开花时显著比花蕾长，比萼片长 1 ～ 2 倍；萼片白色，或微带淡红色，卵形；雄蕊 4，花丝从下部开始微扩大至中部，到先端渐狭，明显比花药窄，比萼片长 2 ～ 3 倍。果被疏柔毛，萼片宿存。花果期 7 ～ 8 月。

| **生境分布** | 生于海拔 2 000 ～ 2 200 m 的山坡、沟谷水边、沼泽地或林缘。分布于宁夏贺兰山（平罗、贺兰、西夏、永宁）、南华山（海原）等。

| **资源情况** | 野生资源较少。

| **功能主治** | 止血止泻，收敛消炎。

蔷薇科 Rosaceae 地榆属 Sanguisorba

地榆 *Sanguisorba officinalis* L.

地榆

| 药 材 名 |

地榆（药用部位：根。别名：地儿根、野桑里）。

| 形态特征 |

多年生草本，高 50 ～ 120 cm，全株无毛。根茎粗壮；根圆柱形，弯曲，微木质化。茎直立，有细棱，上部分枝。奇数羽状复叶；基生叶具长柄，小叶通常 5 ～ 13，具短柄，小叶片卵圆形或矩圆状卵形，长 1.5 ～ 5 cm，宽 1 ～ 3 cm，先端尖或钝圆，基部心形或微心形，边缘具圆牙齿，上面绿色，下面淡绿色，小叶柄基部有小托叶 1 对；茎生叶具短柄，小叶长圆形或长圆状披针形，基部心形或楔形，较基生叶小；托叶抱茎，镰状，有齿。穗状花序生茎顶，花小，密集成球形或短圆柱形，花序长 1 ～ 3 cm，直径约 1 cm；花暗紫红色、紫红色或红色，每小花有 2 膜质苞片；萼片 4，长约 2 mm，宿存；无花冠；雄蕊 4，花丝丝状，与萼片近等长，花药黑紫色；子房上位。瘦果椭圆形，暗棕色，被细毛。花期 7 ～ 8 月，果期 8 ～ 9 月。

| 生境分布 |

生于向阳山坡、林缘、草甸或田边等。分布

于宁夏海原、彭阳、西吉、原州、金凤等。

| 资源情况 | 野生资源丰富。

| 采收加工 | 春季将发芽时或秋季植株枯萎后采挖，除去须根，洗净，干燥，或趁鲜切片，干燥。

| 药材性状 | 本品呈不规则纺锤形或圆柱形，稍弯曲，长 5 ~ 25 cm，直径 0.5 ~ 2 cm。表面灰褐色至暗棕色，粗糙，有纵纹。质硬，断面较平坦，粉红色或淡黄色，木部略呈放射状排列。气微，味微苦、涩。

| 功能主治 | 苦、酸、涩，微寒。归肝、大肠经。凉血止血，解毒敛疮。用于便血，痔血，血痢，崩漏，烫火伤，痈肿疮毒。

| 用法用量 | 内服煎汤，9 ~ 15 g。外用适量，研末涂敷。

| 附　　注 | （1）宁夏贺兰山还分布有同属植物高山地榆 *Sanguisorba alpina* Bge.，其与本种的区别在于：穗状花序长圆柱形，长可达 6 cm；花由基部向上渐次开放，白色。
（2）《中华人民共和国药典》记载地榆来源于蔷薇科植物地榆 *Sanguisorba officinalis* L. 或长叶地榆 *Sanguisorba officinalis* L. var. *longifolia* (Bert.) Yü et Li 的干燥根，后者习称"绵地榆"。

蔷薇科 Rosaceae 珍珠梅属 Sorbaria

华北珍珠梅

Sorbaria kirilowii (Regel) Maxim.

| 药 材 名 | 珍珠梅（药用部位：茎皮、枝条、果穗。别名：珍珠杆）。

| 形态特征 | 灌木，高达 3 m，枝条开展。小枝圆柱形，稍有弯曲，光滑无毛，幼时绿色，老时红褐色；冬芽卵形，先端急尖，无毛或近于无毛，红褐色。羽状复叶，具有小叶片 13 ~ 21，连叶柄长 21 ~ 25 cm，宽 7 ~ 9 cm，光滑无毛；小叶片对生，相距 1.5 ~ 2 cm，披针形至长圆状披针形，长 4 ~ 7 cm，宽 1.5 ~ 2 cm，先端渐尖，稀尾尖，基部圆形至宽楔形，边缘有尖锐重锯齿，上下两面均无毛或在脉腋间具短柔毛，羽状网脉，侧脉 15 ~ 23 对近平行，下面显著；小叶柄短或近无柄，无毛；托叶膜质，线状披针形，长 8 ~ 15 mm，先端钝或尖，全缘或先端稍有锯齿，无毛或近无毛。顶生大型密集的

华北珍珠梅

圆锥花序，分枝斜出或稍直立，直径 7 ~ 11 cm，长 15 ~ 20 cm，无毛，微被白粉；花梗长 3 ~ 4 mm；苞片线状披针形，先端渐尖，全缘，长 2 ~ 3 mm；花直径 5 ~ 7 mm；萼筒浅钟状，内外两面均无毛；萼片长圆形，先端圆钝或截形，全缘，萼片与萼筒近等长；花瓣倒卵形或宽卵形，先端圆钝，基部宽楔形，长 4 ~ 5 mm，白色；雄蕊 20，与花瓣等长或稍短于花瓣，着生于花盘边缘；花盘圆杯状；心皮 5，无毛，花柱稍短于雄蕊。蓇葖果长圆柱形，无毛，长约 3 mm，花柱稍侧生，向外弯曲；萼片宿存，反折，稀开展；果柄直立。花期 6 ~ 7 月，果期 9 ~ 10 月。

| **生境分布** | 生于海拔 1 500 ~ 2 200 m 的山坡灌丛、山谷林中。分布于宁夏西吉、利通、青铜峡、灵武等。

| **资源情况** | 野生资源较少。

| **采收加工** | 春、秋季采收茎、枝，剥取皮部，晒干。秋末采摘果穗，晒干。

| **功能主治** | 苦，寒；有毒。归肝、肾经。活血散瘀，消肿止痛。用于骨折，跌扑损伤，风湿痹痛。

| **用法用量** | 茎皮、果穗，内服研末，0.6 ~ 1.2 g。枝条，内服煎汤，9 ~ 15 g。外用适量，研末调敷。

蔷薇科 Rosaceae 珍珠梅属 Sorbaria

珍珠梅
Sorbaria sorbifolia (L.) A. Br.

| 药 材 名 | 珍珠梅（药用部位：茎皮或果穗。别名：珍珠杆、花儿杆、山高粱）。

| 形态特征 | 落叶灌木，高 1.5 ～ 3 m。枝条开展，圆柱形，淡绿色，老枝淡褐色，无毛或微被短柔毛；冬芽卵形，先端圆钝，无毛。奇数羽状复叶，连叶柄长 15 ～ 16 cm，宽 11 ～ 14 cm；小叶片 11 ～ 21，对生，披针形至卵状披针形，长 4 ～ 7 cm，宽 1.5 ～ 3 cm，先端渐尖，基部近圆形或宽楔形，边缘具尖锐重锯齿，两面无毛；托叶卵状披针形至三角状披针形，先端渐尖，全缘或具不规则小锯齿。大型圆锥花序顶生，长 13 ～ 21 cm，直径 6 ～ 15 cm，花序轴密被星状毛或短柔毛，果期逐渐脱落；苞片线状披针形，先端长渐尖，全缘或有浅齿，两面微被柔毛，果期脱落；花瓣长圆形或倒卵形，长 5 ～ 8 mm，

珍珠梅

宽 3 ~ 6 mm，白色；雄蕊 20 ~ 30，不等长，与花瓣片近等长，生在花盘边缘。蓇葖果长圆形，长 2.5 ~ 3 mm，萼片宿存。花期 7 ~ 8 月，果期 8 ~ 9 月。

| 生境分布 | 宁夏惠农、大武口、平罗、兴庆、金凤、西夏、永宁、盐池、原州、泾源、彭阳等有栽培。

| 资源情况 | 栽培资源较丰富。

| 采收加工 | 春、秋季采收茎、枝，剥取外皮，晒干。9 ~ 10 月果穗成熟时采收果穗，晒干。

| 药材性状 | 本品茎皮呈条状或片状，长宽不一，厚约 3 mm。外表面棕褐色，有多数淡黄棕色疣状突起；内表面淡黄棕色。质脆，断面平坦。气微，味苦。

| 功能主治 | 苦，寒；有毒。归肝、肾经。活血祛瘀，消肿止痛。用于跌打损伤，骨折，风湿痹痛。

| 用法用量 | 茎皮、果穗，内服研末，0.6 ~ 1.2 g。枝条，内服煎汤，9 ~ 15 g；外用适量，研末调敷。

| 附　注 | 本种同属植物高丛珍珠梅 Sorbaria arborea Schneid. 和本种的变种星毛珍珠梅 Sorbaria sorbifolia (L.) A. Br. var. stellipila Maxim. 也作珍珠梅药用。

蔷薇科 Rosaceae 绣线菊属 Spiraea

绣球绣线菊 *Spiraea blumei* G. Don

| 药 材 名 | 麻叶绣球（药用部位：根。别名：碎米桠、山茴香）。

| 形态特征 | 灌木，高 1 ~ 2 m。小枝细，开张，稍弯曲，深红褐色或暗灰褐色，
无毛；冬芽小，卵形，先端急尖或圆钝，无毛，有数个外露鳞片。
叶片菱状卵形至倒卵形，长 2 ~ 3.5 cm，宽 1 ~ 1.8 cm，先端圆钝或
微尖，基部楔形，边缘自近中部以上有少数圆钝缺刻状锯齿或 3 ~ 5
浅裂，两面无毛，下面浅蓝绿色，基部具不明显的 3 脉或羽状脉。
伞形花序有总梗，无毛，具花 10 ~ 25；花梗长 6 ~ 10 mm，无毛；
苞片披针形，无毛；花直径 5 ~ 8 mm；萼筒钟状，外面无毛，内面
具短柔毛；萼片三角形或卵状三角形，先端急尖或短渐尖，内面疏
生短柔毛；花瓣宽倒卵形，先端微凹，长 2 ~ 3.5 mm，宽几与长相

绣球绣线菊

等，白色；雄蕊 18 ~ 20，较花瓣短；花盘由 8 ~ 10 较薄的裂片组成，裂片先端有时微凹；子房无毛或仅在腹部微具短柔毛，花柱短于雄蕊。蓇葖果较直立，无毛，花柱位于背部先端，倾斜开展，萼片直立。花期 4 ~ 6 月，果期 8 ~ 10 月。

| **生境分布** | 生于海拔 1 800 ~ 2 200 m 的向阳山坡、灌丛或林缘。分布于宁夏隆德等。

| **资源情况** | 野生资源较少。

| **采收加工** | 全年均可采挖，洗净，晒干。

| **功能主治** | 辛，微温。归肝、脾经。活血止痛，解毒祛湿。用于跌打损伤，瘀滞疼痛，咽喉肿痛，带下，疮毒，湿疹。

| **用法用量** | 内服煎汤，15 ~ 30 g；或浸酒。外用适量，研末，浸油搽。

蔷薇科 Rosaceae 绣线菊属 *Spiraea*

麻叶绣线菊
Spiraea cantoniensis Lour.

| **药 材 名** | 麻叶绣线菊（药用部位：根、叶、果实）。

| **形态特征** | 灌木，高达 1.5 m。小枝细瘦，圆柱形，呈拱形弯曲，幼时暗红褐色，无毛；冬芽小，卵形，先端尖，无毛，有数个外露鳞片。叶片菱状披针形至菱状长圆形，长 3 ~ 5 cm，宽 1.5 ~ 2 cm，先端急尖，基部楔形，边缘自近中部以上有缺刻状锯齿，上面深绿色，下面灰蓝色，两面无毛，有羽状叶脉；叶柄长 4 ~ 7 mm，无毛。伞形花序具多数花；花梗长 8 ~ 14 mm，无毛；苞片线形，无毛；花直径 5 ~ 7 mm；萼筒钟状，外面无毛，内面被短柔毛；萼片三角形或卵状三角形，先端急尖或短渐尖，内面微被短柔毛；花瓣近圆形或倒卵形，先端微凹或圆钝，长、宽均为 2.5 ~ 4 mm，白色；雄蕊 20 ~ 28，稍

麻叶绣线菊

短于花瓣或几与花瓣等长；花盘由大小不等的近圆形裂片组成，裂片先端有时微凹，排列成圆环形；子房近无毛，花柱短于雄蕊。蓇葖果直立开张，无毛，花柱顶生，常倾斜开展，具直立开张萼片。花期 4～5 月，果期 7～9 月。

| **生境分布** | 宁夏有零星栽培，分布于宁夏大武口等。

| **资源情况** | 栽培资源较少。

| **功能主治** | 清热，凉血，祛瘀，消肿止痛。用于跌打损伤，疥癣。

薔薇科 Rosaceae 绣线菊属 Spiraea

蒙古绣线菊

Spiraea mongolica Maxim.

| 药 材 名 | 蒙古绣线菊（药用部位：花）。

| 形态特征 | 灌木，高 2.5 m。小枝细，有棱角，红褐色或黄褐色，无毛，老枝暗褐色；冬芽长卵形，先端长渐尖，较叶柄稍长，无毛，具 2 外露鳞片。叶片长椭圆形或卵状长椭圆形，长 1 ～ 2 cm，宽 5 ～ 8 mm，先端圆钝，具小尖头，基部楔形，两面无毛，全缘；叶柄长约 2 mm，无毛。伞形总状花序着生于侧枝先端，花序具总梗，无毛；花梗长 5 ～ 15 mm，无毛；萼筒钟形，无毛；萼裂片三角形，先端急尖，外面无毛，里面被短柔毛；花瓣近圆形，先端圆钝，长约 2 mm，白色雄蕊 20，与花瓣近等长；子房密被短柔毛。蓇葖果被柔毛。花期 5 ～ 7 月，果期 7 ～ 9 月。

蒙古绣线菊

| **生境分布** | 生于向阳山坡灌丛中。分布于宁夏隆德、贺兰、西夏、沙坡头、同心等。 |

| **资源情况** | 野生资源较少。 |

| **功能主治** | 生津止渴，利水。 |

蔷薇科 Rosaceae 绣线菊属 Spiraea

土庄绣线菊 *Spiraea pubescens* Turcz.

| 药 材 名 | 土庄绣线菊（药用部位：茎髓。别名：土庄花、蚂蚱腿、石蒡子）。

| 形态特征 | 灌木，高 1 ～ 2 m。小枝开展，稍弯曲，嫩时被短柔毛，褐黄色，老时无毛，灰褐色；冬芽卵形或近球形，先端急尖或圆钝，具短柔毛，外被数个鳞片。叶片菱状卵形至椭圆形，长 2 ～ 4.5 cm，宽 1.3 ～ 2.5 cm，先端急尖，基部宽楔形，边缘自中部以上有深刻锯齿，有时 3 裂，上面有稀疏柔毛，下面被灰色短柔毛；叶柄长 2 ～ 4 mm，被短柔毛。伞形花序具总梗，具花 15 ～ 20；花梗长 7 ～ 12 mm，无毛；苞片线形，被短柔毛；花直径 5 ～ 7 mm；萼筒钟状，外面无毛，内面有灰白色短柔毛；萼片卵状三角形，先端急尖，内面疏生短柔毛；花瓣卵形、宽倒卵形或近圆形，先端圆钝或微凹，长、宽均

土庄绣线菊

2 ～ 3 mm，白色；雄蕊 25 ～ 30，约与花瓣等长；花盘圆环形，具 10 裂片，裂片先端稍凹陷；子房无毛或仅在腹部及基部被短柔毛，花柱短于雄蕊。蓇葖果开张，仅在腹缝微被短柔毛，花柱顶生，稍倾斜开展或几直立，多数具直立萼片。花期 5 ～ 6 月，果期 7 ～ 8 月。

| **生境分布** | 生于海拔 1 800 ～ 2 200 m 的山地灌丛、林缘或向阳坡地。分布于宁夏海原、彭阳、同心、原州、金凤等。

| **资源情况** | 野生资源较少。

| **采收加工** | 秋季采割地上茎，截段，趁鲜取出茎髓，理直，晒干。

| **功能主治** | 利尿消肿。用于水肿。

| **用法用量** | 内服煎汤，6 ～ 9 g。

豆科 Fabaceae 大豆属 Glycine

大豆 *Glycine max* (L.) Merr.

大豆

药材名

黑豆（药用部位：成熟种子。别名：大豆、乌豆、黑大豆）、黄大豆（药用部位：表皮为黄色的成熟种子。别名：黄豆）、黑大豆花（药用部位：花）、黑大豆叶（药用部位：叶）。

形态特征

一年生草本。茎直立或伏卧，长40～80 cm，多分枝，密被长硬毛。羽状三出复叶，叶轴长4～8 cm，密被直伸或微倒生的长硬毛；托叶披针形，长2～25 mm，密被长硬毛；小叶卵形、三角状斜卵形至狭卵形，长4～8 cm，宽2～5 cm，先端急尖或渐尖，基部宽楔形或圆形，全缘，两面被硬伏毛。总状花序短，腋生，具花2～6；花梗长约1 mm，密被短硬毛；花萼钟形，长约5 mm，被长硬毛，萼齿圆锥状披针形，较萼筒长；花冠白色或紫红色，旗瓣圆形，长7 mm，先端微凹，基部具爪，翼瓣较旗瓣稍短，先端圆，基部具爪和耳，龙骨瓣较翼瓣短，长约5 mm，耳极短，具爪；子房密被毛，花柱短。花期7～8月，果期8～9月。

| **生境分布** | 宁夏各地均有栽培。 |

| **资源情况** | 栽培资源丰富。 |

| **采收加工** | 黑豆：秋季采收成熟果实，晒干，打下种子，除去杂质。
黄大豆：秋季采收成熟果实，晒干，打下种子，除去杂质。
黑大豆花：花开时采收，晒干。
黑大豆叶：春季采叶，鲜用或晒干。 |

| **药材性状** | 黑豆：本品呈椭圆形或类球形，稍扁，长 6 ~ 12 mm，直径 5 ~ 9 mm。表面黑色或灰黑色，光滑或有皱纹，具光泽，一侧有淡黄白色长椭圆形种脐。质坚硬。种皮薄而脆，子叶 2，肥厚，黄绿色或淡黄色。气微，味淡，嚼之有豆腥味。
黄大豆：本品呈椭圆形或类球形，稍扁。表面黄色或黄绿色，光滑或有皱纹，具光泽，一侧有淡黄白色长椭圆形种脐。质坚硬。种皮薄而脆，子叶 2，肥厚，黄绿色。气微，味淡，有豆腥味。 |

| **功能主治** | 黑豆：甘，平。归脾、肾经。益精明目，养血祛风，利水，解毒。用于阴虚烦渴，头晕目昏，体虚多汗，肾虚腰痛，水肿尿少，痹痛拘挛，手足麻木，药食中毒。
黄大豆：甘，平。归脾、胃、大肠经。宽中导滞，健脾利水，解毒消肿。用于食积泻痢，腹胀食呆，疮痈肿毒，脾虚水肿，外伤出血。
黑大豆花：苦、微甘，凉。明目去翳。用于翳膜遮睛。
黑大豆叶：利尿通淋，凉血解毒。用于热淋，血淋，蛇咬伤。 |

| **用法用量** | 黑豆：内服煎汤，9 ~ 30 g。外用适量，煎汤洗。
黄大豆：内服煎汤，30 ~ 90 g。外用适量，捣敷；或烧焦研末调敷。
黑大豆花：内服煎汤，3 ~ 9 g。
黑大豆叶：内服煎汤，鲜品 15 ~ 30 g。外用适量，鲜品捣敷。 |

豆科 Fabaceae 合欢属 Albizia

合欢 *Albizia julibrissin* Durazz.

| 药 材 名 | 合欢皮（药用部位：树皮。别名：绒花树）、合欢花（药用部位：花序或花蕾。别名：夜合花）。

| 形态特征 | 落叶乔木，高达 15 m。树皮灰棕色，平滑。二回偶数羽状复叶，羽片 4 ~ 12 对，小叶 10 ~ 30 对，小叶片镰状长圆形，长 6 ~ 12 mm，宽 2 ~ 4 mm，先端急尖，基部楔形，全缘，上面无毛，背面疏被黄色伏毛，无柄；托叶线状披针形，早落。头状花序多数集成伞房状，顶生或腋生，总花梗被白色短毛；花萼长钟形，萼齿 5，极短；花冠狭漏斗状，淡红色，先端 5 裂，裂片三角形，长约 1 mm；雄蕊多数，花丝长为花冠的 3 ~ 5 倍，上部粉红色，下部色浅，基部合生。荚果条形，长 9 ~ 15 cm，宽 1.2 ~ 2.5 cm，扁平，先端尖，边缘波状，幼时被毛。花期 7 ~ 8 月，果期 9 ~ 10 月。

合欢

| **生境分布** | 宁夏吴忠及金凤、贺兰、西夏、中宁、彭阳、原州等有栽培。

| **资源情况** | 栽培资源较少。

| **采收加工** | 合欢皮：夏、秋季剥取，晒干。
合欢花：夏季花开放时择晴天采收或花蕾形成时采收，及时晒干。花序习称"合欢花"，花蕾习称"合欢米"。

| **药材性状** | 合欢皮：本品卷曲成筒状或槽状，长 40 ~ 80 cm，厚 1 ~ 3 mm。外表面灰棕色至灰褐色，稍有纵皱纹，有的呈浅裂纹，密生棕色或棕红色的椭圆形横向皮孔，偶有凸起的横棱或较大的枝痕，常附有地衣斑块。内表面淡黄棕色或黄白色，平滑，有细密纵纹。质硬而脆，易折断，断面呈纤维性片状。气微香，味淡、微涩，嚼之稍刺舌，而后喉头有不适感。
合欢花：本品皱缩成团，松泡如棉絮。小花细长而弯曲，长 7 ~ 10 mm，淡黄棕色至淡黄褐色，具短梗。花萼筒状，先端具 5 小齿，花冠筒长约为萼筒的 2 倍，先端 5 裂，裂片披针形，雄蕊多数，花丝细长，黄棕色至黄褐色，易断，下部合生，上部分离，伸出花冠筒外，交织成紊乱状。气微香，味淡。合欢米呈棒槌状，长 2 ~ 6 mm，膨大部分直径约 2 mm，淡黄色至黄褐色，全体被毛茸，花梗极短或无。花萼筒状，先端有 5 小齿；花冠未开放；雄蕊多数，细长并弯曲，基部联合，包于花冠内。气微香，味淡。

| **功能主治** | 合欢皮：甘，平。归心、肝、肺经。解郁安神，活血消肿。用于心神不安，忧郁失眠，肺痈疮肿，跌扑伤痛。
合欢花：甘，平。归心、肝经。解郁安神。用于心神不安，忧郁失眠。

| **用法用量** | 合欢皮：内服煎汤，6 ~ 12 g。外用适量，研末调敷。
合欢花：内服煎汤，5 ~ 10 g。

豆科 Fabaceae 沙冬青属 Ammopiptanthus

沙冬青
Ammopiptanthus mongolicus (Maxim. ex Kom.) Cheng f.

| 药 材 名 | 沙冬青（药用部位：茎叶。别名：蒙古黄花木、冬青）。

| 形态特征 | 常绿灌木，高 1.5 ~ 2 m。枝条黄绿色，幼时被白色短伏毛，后渐无毛。掌状三出复叶，上部有时具单叶；叶片革质，两面密被银白色柔毛，总叶柄长 5 ~ 12 mm，密被灰白色短伏毛；托叶小，贴生于叶柄上；小叶无柄，长椭圆形、倒卵状椭圆形、菱状椭圆形或椭圆状披针形，长 2 ~ 4 cm，宽 5 ~ 15 mm，先端急尖或钝圆，基部楔形，全缘，两面密生银白色短柔毛。总状花序顶生，小花互生，花梗长 10 ~ 15 mm，无毛；花萼钟形，长 5 ~ 6 mm，萼齿 4，极短，宽三角形；花冠黄色，长约 2 cm，旗瓣宽倒卵形，基部渐狭成短爪，翼瓣较旗瓣短，先端圆，龙骨瓣较翼瓣短，分离，先端钝；雄蕊 10，

沙冬青

分离；子房具柄。荚果长椭圆形，扁平，长 5 ～ 6 cm，宽 1 ～ 1.5 cm，具果柄。花期 4 ～ 5 月，果期 5 ～ 6 月。

| **生境分布** | 生于固定沙丘、干旱山坡或沙地。分布于宁夏海原、原州、灵武、红寺堡、兴庆、金凤、大武口等。

| **资源情况** | 野生资源较少。

| **采收加工** | 早春或冬季采收鲜嫩茎叶，随采随用。

| **功能主治** | 辛、苦，温；有毒。归心经。祛风除湿，活血散瘀。用于慢性风湿性关节炎，冻疮。

| **用法用量** | 外用适量，煎汤熏洗；或熬膏涂。

豆科 Fabaceae 紫穗槐属 Amorpha

紫穗槐 *Amorpha fruticosa* L.

| 药 材 名 | 紫穗槐（药用部位：叶）。

| 形态特征 | 落叶灌木，高 1 ～ 4 m。小枝红褐色，初被疏毛，后渐脱落。奇数羽状复叶，互生，长 10 ～ 15 cm，叶轴上面具槽，疏被白色伏柔毛；小叶 13 ～ 25，椭圆形、卵状椭圆形至线状椭圆形，长 1.5 ～ 4 cm，宽 5 ～ 15 mm，先端圆，具小尖头，基部圆形至楔形，全缘，上面暗绿色，无毛，背面淡绿色，疏被伏柔毛及腺点；小叶柄长 2 ～ 3 mm，被短毛；托叶早落，小托叶圆锥形，褐色，长约 2 mm。总状花序顶生，花序轴疏被白色柔毛；苞片针形，长约 1 mm，被毛；花梗长约 2 mm，疏被白色柔毛；花萼钟形，长约 3 mm，萼齿不等长，三角形，被柔毛和腺点，暗紫色；旗瓣宽倒卵形，长、宽均约 6 mm，先端凹，

紫穗槐

基部具短爪，翼瓣和龙骨瓣缺；雄蕊 10，下部合生成鞘。荚果长圆形，弯曲，长 7 ~ 9 mm，宽约 3 mm，棕褐色，表面具瘤状腺点。花期 5 ~ 7 月，果期 7 ~ 9 月。

| **生境分布** | 宁夏泾源、西吉、利通、青铜峡、沙坡头、中宁、灵武、贺兰、西夏、永宁、兴庆、金凤等有栽培。

| **资源情况** | 栽培资源较丰富。

| **采收加工** | 春、夏季采收，鲜用或晒干。

| **功能主治** | 微苦，凉。清热解毒，祛湿消肿。用于痈肿，湿疹，烫火伤。

| **用法用量** | 外用适量，捣敷；或煎汤洗。

豆科 Fabaceae 落花生属 Arachis

落花生 *Arachis hypogaea* L.

| 药 材 名 | 落花生（药用部位：成熟种子。别名：花生、落花参、长生果）、花生红衣（药用部位：成熟种子的种皮。别名：花生衣）。

| 形态特征 | 一年生草本。根部有丰富的根瘤；茎直立或匍匐，长 30 ~ 80 cm，茎和分枝均有棱，被黄色长柔毛，后变无毛。叶通常具小叶 2 对；托叶长 2 ~ 4 cm，具纵脉纹，被毛；叶柄基部抱茎，长 5 ~ 10 cm，被毛；小叶纸质，卵状长圆形至倒卵形，长 2 ~ 4 cm，宽 0.5 ~ 2 cm，先端钝圆形，有时微凹，具小刺尖头，基部近圆形，全缘，两面被毛，边缘具睫毛；侧脉每边约 10；叶脉边缘互相联结成网状；小叶柄长 2 ~ 5 mm，被黄棕色长毛；花长约 8 mm；苞片 2，披针形；小苞片披针形，长约 5 mm，具纵脉纹，被柔毛；萼筒细，长 4 ~ 6 cm；

落花生

花冠黄色或金黄色，旗瓣直径 1.7 cm，开展，先端凹入；翼瓣与龙骨瓣分离，翼瓣长圆形或斜卵形，细长；龙骨瓣长卵圆形，内弯，先端渐狭成喙状，较翼瓣短；花柱延伸于萼管咽部之外，柱头顶生，小，疏被柔毛。荚果长 2 ～ 5 cm，宽 1 ～ 1.3 cm，膨胀，荚厚；种子横径 0.5 ～ 1 cm。花果期 6 ～ 8 月。

| 生境分布 | 宁夏部分地区有栽培。

| 资源情况 | 栽培资源较少。

| 采收加工 | 落花生：秋季采挖果实，剥去果壳，取种子，晒干。
花生红衣：秋季采挖果实，除去泥土及外部黄白色果皮，烘干，轻搓取种皮。

| 药材性状 | 落花生：本品呈短圆柱形或一端较平截，长 0.5 ～ 1.5 cm，直径 0.5 ～ 0.8 cm。种皮棕色或淡棕红色，不易剥离，子叶 2，类白色，油润，中间有胚芽。气微，味淡，嚼之有豆腥味。
花生红衣：本品呈碎片状，大小不一。外表面红色，有纵皱纹，内表面黄白色，脉纹明显，质轻易碎。气微，味涩、微苦。

| 功能主治 | 落花生：甘，平。归脾、肺经。健脾养胃，润肺化痰。用于脾虚不运，反胃不舒，缺乳，脚气病，肺燥咳嗽，大便燥结。
花生红衣：甘、微苦、涩，温。归心、肝经。补血养血，益气健脾，滋补肝肾。用于各类贫血，血小板减小性紫癜，血友病，接触核能或从事放射性工作以及化疗、放疗所致血液异常等。

| 用法用量 | 落花生：内服煎汤，30 ～ 100 g；生研冲汤，10 ～ 15 g；或炒熟；或煮熟食，30 ～ 60 g。
花生红衣：内服煎汤，5 ～ 30 g。

豆科 Fabaceae 黄芪属 *Astragalus*

斜茎黄芪 *Astragalus laxmannii* Jacquin

| 药 材 名 | 沙打旺（药用部位：种子）。

| 形态特征 | 多年生草本，高 20 ~ 80 cm。根粗壮。茎多数丛生，斜升，稍有棱，疏被平伏的白色丁字毛。奇数羽状复叶，长 4 ~ 10 cm，具小叶 11 ~ 25，卵状椭圆形、椭圆形或长椭圆形，长 0.5 ~ 2 cm，宽 3 ~ 7 mm，先端钝，基部圆形，上面无毛或疏被白色平伏丁字毛，下面被白色平伏丁字毛；托叶三角形或卵状三角形，膜质，背面被白色丁字毛。总状花序腋生，远较叶长，具花约 40，较紧密；苞片披针形或卵状披针形，先端渐尖，长 2.5 ~ 3 mm，膜质，疏被白色丁字毛，混生有黑色丁字毛，花梗极短；花萼钟形，长约 5 mm，宽约 2 mm，被白色丁字毛，混生有黑色丁字毛，萼齿圆锥形，不等长，

斜茎黄芪

长可达 2 mm；花冠蓝紫色，旗瓣卵形，长 1.5 ~ 1.7 mm，宽 7 ~ 8 mm，先端凹，基部渐狭，具短爪，翼瓣长 1.2 ~ 1.5 cm，瓣片椭圆形，稍长于爪，先端圆形，耳短，稍内弯，龙骨瓣长约 1 cm，爪与瓣片近等长，耳短，圆形；子房被白色短毛。荚果圆筒形，长 1 ~ 1.5 cm，背缝线凹陷，被黑色丁字毛。花期 6 ~ 7 月，果期 8 ~ 10 月。

| 生境分布 | 宁夏泾源、西吉、原州、同心、盐池、青铜峡、西夏、兴庆、灵武等有栽培。

| 资源情况 | 栽培资源较少。

| 采收加工 | 秋季采收，在距离地面 6 cm 处割下果实，晒干，打出种子，除去杂质，于通风干燥处保存。

| 功能主治 | 益肾固精，保肝明目。

| 附　　注 | （1）《宁夏植物志》和《宁夏中药志》记载沙打旺的基原为直立黄芪 *Astragalus adsurgens* Pall.。《中国植物志》（英文版）将本种的拉丁学名由 *Astragalus adsurgens* Pall. 修订为 *Astragalus laxmannii* Jacquin。
（2）斜茎黄芪分布广泛，对环境适应性强，是优良牧草和保土植物，多有栽培。但是，本种在栽培过程中，其形态和细胞会出现一些变异。

豆科 Fabaceae　黄芪属 Astragalus

地八角
Astragalus bhotanensis Baker

| 药 材 名 | 地八角（药用部位：全草或根。别名：地八椒、球花紫云英、上牛膝）。

| 形态特征 | 多年生草本，高 30 ~ 100 cm。茎直立，无毛或幼时疏被短柔毛。羽状复叶，具小叶 11 ~ 25；小叶倒卵形或倒卵状椭圆形，长 6 ~ 15 mm，宽 3 ~ 5 mm，先端钝，具小尖头，基部楔形，上面无毛，下面被短柔毛。花 8 ~ 20 排列成近头状的总状花序；总花梗长 5 ~ 12 cm，疏生短柔毛；花萼管状，长约 5 mm，萼齿披针形，疏被白色长柔毛；花冠紫红色，长约 1.5 cm，旗瓣倒披针形，无爪，翼瓣狭椭圆形，有爪，龙骨瓣矩圆形；子房无毛。荚果圆柱形，背

地八角

腹稍扁，长 1.5 ~ 2.5 cm，先端具喙。花期 6 ~ 7 月，果期 8 ~ 9 月。

| **生境分布** | 生于海拔 1 800 m 左右的山坡草地、田边、沟旁。分布于宁夏泾源、彭阳等。

| **资源情况** | 野生资源较少。

| **采收加工** | 夏、秋季采收，洗净，切碎，晒干。

| **功能主治** | 苦，凉。归肝、肾经。清热解毒，利尿消肿。用于咽喉肿痛，咳嗽，泄泻，痢疾，牙痛，口鼻出血，麻疹，浮肿，扁桃体炎。

| **用法用量** | 内服煎汤，10 ~ 15 g。

| **附　注** | （1）《中国植物志》记载的地八角 *Astragalus bhotanensis* Baker 与《宁夏中药志》《中华本草》记载的不丹黄芪 *Astragalus bhotanensis* Baker 的拉丁学名一致，两者为同一植物。

（2）《宁夏中药志》记载不丹黄芪来源于豆科植物不丹黄芪 *Astragalus bhotanensis* Baker，以根入药。《中华本草》记载不丹黄芪以全草入药。

豆科 Fabaceae 黄芪属 Astragalus

金翼黄芪

Astragalus chrysopterus Bunge

| 药 材 名 | 金翼黄芪（药用部位：根。别名：小黄芪、小白芪）。

| 形态特征 | 亚灌木，高可达 2 m。茎丛生，多分枝，具纵棱，无毛或被极稀疏的柔毛。奇数羽状复叶，长 6 ~ 10 cm，疏被白色短毛，小叶 15 ~ 21，椭圆形，长 6 ~ 12 mm，宽 3 ~ 6 mm，先端圆，具小尖头，稀微凹，基部圆形，上面无毛，背面被平伏的白色短柔毛；小叶柄短，被白色柔毛；托叶披针形，离生，膜质，浅棕色。总状花序腋生，长 5 ~ 10 cm，花序轴疏被白色短毛，具花 3 ~ 20；苞片披针形，长 2 ~ 3 mm，花梗长 2 ~ 3 mm，疏被白色和黑色短毛；花萼钟形，长约 3 mm，宽约 2 mm，疏被白色柔毛，萼齿披针形，长 0.8 ~ 1 mm；花冠黄色，旗瓣倒卵形，长 1 ~ 1.1 cm，宽 6 ~ 7 mm，先端微凹，基部渐狭，爪极短，翼瓣与旗瓣等长，倒披针形，先端圆，

金翼黄芪

爪长为瓣片的 1/3，耳长，线形，龙骨瓣倒三角状披针形，长 1.3 ~ 1.4 cm；子房无毛，花柱上部微有毛，子房具柄。荚果倒卵形至倒披针形，长约 1 cm，无毛，果柄较果实长。花期 6 ~ 7 月，果期 7 ~ 8 月。

| 生境分布 | 生于海拔 1 800 ~ 2 400 m 的山顶灌丛、林缘。分布于宁夏泾源、沙坡头、海原等。

| 资源情况 | 野生资源较少。

| 采收加工 | 春、秋季采挖，除去须根和根头，晒干。

| 药材性状 | 本品呈圆柱形，长 20 ~ 100 cm，直径 1 ~ 2.5 cm。上部有细密纵皱纹和环纹，表面淡黄白色至淡褐色，有纵皱纹。质坚略韧，粉性，断面显纤维性，有豆腥气，味微甜。

| 功能主治 | 甘，微温。补气固表，利尿托毒，排脓，敛疮生肌。用于气虚乏力，食少便溏，中气下陷，久泻脱肛，便血崩漏，表虚自汗，气虚水肿，痈疽难溃，久溃不敛，血虚萎黄，内热消渴。

| 用法用量 | 内服煎汤，9 ~ 30 g。

| 附　注 | （1）《中华人民共和国药典》记载黄芪的植物来源为豆科植物蒙古黄芪 *Astragalus membranaceus* (Fisch.) Bge. var. *mongholicus* (Bge.) Hsiao 或膜荚黄芪 *Astragalus membranaceus* (Fisch.) Bge.。《中国植物志》将上述 2 种合并为 1 种，即蒙古黄芪 *Astragalus mongholicus* Bunge。《中华本草》记载有其他 4 种同属植物，即金翼黄芪 *Astragalus chrysopterus* Bunge、多花黄芪 *Astragalus floridulus* Podlech、棱果黄芪 *Astragalus ernestii* Comb. 和东俄洛黄芪 *Astragalus tongolensis* Ulbr.，这 4 种植物在一些地区曾作黄芪药用。

（2）《宁夏中药志》记载金翼黄芪在宁夏有分布，但当地未将其作黄芪药用。

豆科 Fabaceae 黄芪属 Astragalus

背扁黄芪 Astragalus complanatus Bunge

| 药 材 名 | 沙苑子（药用部位：成熟种子。别名：沙苑蒺藜、白蒺藜、沙苑蒺藜子）。

| 形态特征 | 多年生草本。主根粗壮。茎丛生，稍扁，具纵棱，通常斜升，长可达 1 m，疏被白色硬毛。奇数羽状复叶，具小叶 9 ~ 21，椭圆形或卵状椭圆形，长 0.5 ~ 2 cm，宽 3 ~ 8 mm，先端钝或微凹，具小尖头，基部近圆形，上面无毛，下面被短柔毛；托叶披针形，长 2 ~ 4 mm，被毛。总状花序腋生，比叶长，具花 3 ~ 9；苞片圆锥形，长约 6 mm，被黑色和白色短毛，萼齿披针形，与萼筒近等长；花冠白色或带紫色，旗瓣近圆形，先端深凹，基部具短爪，翼瓣较龙骨

背扁黄芪

瓣短，狭窄，龙骨瓣稍短于旗瓣或与之近等长；子房长圆形，密被毛，具子房柄，柱头被画笔状髯毛。荚果纺锤形，长 2～3.5 cm，稍膨胀，背腹压扁，基部具短柄，被黑色短硬毛。花期 7～9 月，果期 8～10 月。

| **生境分布** | 生于山坡、灌丛或路边。分布于宁夏贺兰、盐池、中宁等。

| **资源情况** | 野生资源较少。

| **采收加工** | 秋末冬初果实成熟尚未开裂时采割植株，晒干，打下种子，除去杂质，晒干。

| **药材性状** | 本品略呈肾形而稍扁，长 2～2.5 mm，宽 1.5～2 mm，厚约 1 mm。表面光滑，褐绿色或灰褐色，边缘一侧微凹处具圆形种脐。质坚硬，不易破碎。子叶 2，淡黄色，胚根弯曲，长约 1 mm。气微，味淡，嚼之有豆腥味。

| **功能主治** | 甘，温。归肝、肾经。补肾助阳，固精缩尿，养肝明目。用于肾虚腰痛，遗精早泄，遗尿尿频，白浊带下，眩晕，目暗昏花。

| **用法用量** | 内服煎汤，9～15 g。

| **附　　注** | 本种即《中华人民共和国药典》记载的沙苑子的法定基原植物扁茎黄芪 *Astragalus complanatus* R. Br.。《中国植物志》（英文版）将本种学名修订为蔓黄芪 *Phyllolobium chinense* Fisch. ex DC.。

豆科 Fabaceae 黄芪属 *Astragalus*

乌拉特黄芪 *Astragalus hoantchy* Franch.

| **药 材 名** | 贺兰山黄芪（药用部位：根。别名：白芪）。

| **形态特征** | 多年生草本，高可达 1 m。根粗壮，圆锥形，分枝或不分枝，黄褐色。茎直立，具纵条棱，疏被白色粗毛。奇数羽状复叶，长15 ~ 25 cm，叶轴疏生白色长柔毛，具小叶 9 ~ 25，叶片宽椭圆形、宽倒卵形或近圆形，长 0.8 ~ 2 cm，宽 0.6 ~ 1.5 cm，先端微凹、截形或圆形，具小尖头，基部近圆形或宽楔形，上面无毛，背面中脉上具稀疏的白色长柔毛，边缘具缘毛；小叶柄长 1 ~ 1.5 mm，疏被白色长柔毛；托叶三角状披针形，边缘具白色和黑色长柔毛。总状花序腋生，长 20 ~ 35 cm，总花梗疏被黑色长柔毛，具花 8 ~ 20，疏散；花梗长 3 ~ 6 mm，被黑色长柔毛；苞片披针形，膜质，与花梗近等长，被黑色长柔毛；小苞片 2，线形，长约 2 mm；花萼钟形，长

乌拉特黄芪

1.5 ~ 1.8 cm，宽 5 ~ 7 mm，基部偏斜，被黑色长柔毛，萼齿线形，长约为萼筒的一半；花冠紫红色，旗瓣卵状矩圆形，长 2.5 ~ 2.8 cm，宽 1.2 ~ 1.4 cm，先端微凹，基部渐狭，具长爪，翼瓣矩圆形，长 2.3 ~ 2.5 cm，先端圆，爪长为瓣片的一半，耳短，圆形，龙骨瓣倒三角形，长 1.8 ~ 2 cm，先端圆，爪长为瓣片的一半，耳短；子房具长柄，无毛，柱头上具画笔状髯毛。荚果矩圆形，两侧稍扁，长 3 ~ 4 cm，直径 1 ~ 1.3 cm，先端尖，基部渐狭，具横网纹，无毛；果柄长 1 ~ 1.5 cm。花期 5 ~ 6 月，果期 6 ~ 7 月。

| **生境分布** | 生于海拔 1 500 ~ 2 250 m 的向阳石质山坡、石质山沟、干河滩地。分布于宁夏贺兰山（平罗、西夏、青铜峡）、罗山（同心）等。

| **资源情况** | 野生资源较少。

| **采收加工** | 春、秋季采挖，除去茎枝及须根，洗净泥土，晒干。

| **药材性状** | 本品呈圆柱形，下部有分枝，上端较粗，长 20 ~ 40 cm，直径 1 ~ 2 cm。表面灰棕黄色或灰棕褐色，有不整齐的纵皱纹或栓皮脱落的斑痕。质硬而韧，断面纤维性强，并显粉性，皮部黄白色，木部淡黄棕色，老根中心偶为枯朽状，黑褐色或呈空洞状。气微，味微甜，嚼之有豆腥味。

| **功能主治** | 甘，微温。归肺、脾经。补气固表，利尿托毒，排脓，敛疮生肌。用于气虚乏力，食少便溏，中气下陷，久泻脱肛，便血崩漏，表虚自汗，气虚水肿，痈疽难溃，久溃不敛，血虚萎黄，内热消渴。

| **用法用量** | 内服煎汤，9 ~ 30 g。

| **附　注** | （1）宁夏贺兰山周围群众将本品称为"白芪"，《中国植物志》《宁夏中药志》和《宁夏植物志》均记载本种的根可作黄芪药用，种加词"hoantchy"即"黄芪"的音译。

（2）《宁夏中药志》将本种记作贺兰山黄芪，《宁夏植物志》记作黄芪。

豆科 Fabaceae 黄芪属 Astragalus

草木樨状黄芪 *Astragalus melilotoides* Pall.

| 药 材 名 | 秦头（药用部位：全草。别名：苦豆根）。

| 形态特征 | 多年生草本，高 50 ~ 80 cm。根粗壮，深可达 1 m。茎丛生，直立，
上部多分枝，具纵棱，被白色短柔毛。奇数羽状复叶，具小叶 5 ~ 7，
小叶长矩圆形或矩圆状倒披针形，长 8 ~ 18 mm，宽 2 ~ 8 mm，先
端截形、圆形或微凹，基部楔形，两面被平伏的白色短毛；小叶柄
长约 1 mm，疏被白色短毛，托叶披针形，长 1 ~ 3 mm，疏被白色
柔毛。总状花序腋生，长 5 ~ 15 cm，被白色短柔毛，具花 5 ~ 30，
疏散；苞片三角形，长约 1 mm，先端尖；花梗长 1 ~ 1.5 mm，被
黑色短毛；花萼钟形，长、宽均约 2 mm，疏被白色和黑色短柔毛，
萼齿短，三角形；花冠白色或粉红色，旗瓣近圆形至宽椭圆形，
长约 5 mm，宽约 4 mm，先端微凹，基部具短爪，翼瓣长圆形，

草木樨状黄芪

与旗瓣等长或稍短，先端 2 裂，基部具明显的爪和耳，龙骨瓣比翼瓣短，长约 4 mm，具爪和耳；子房无柄，无毛。荚果宽倒卵状球形，长 2.5 ～ 3.5 mm，宽 2 ～ 3 mm，具横纹，无毛。花期 7 月，果期 8 月。

| **生境分布** | 生于向阳山坡、路旁草地或草甸草地。分布于宁夏泾源、彭阳、中宁、灵武、红寺堡、盐池、兴庆等。

| **资源情况** | 野生资源较少。

| **采收加工** | 夏、秋季采收，洗净，晒干。

| **功能主治** | 苦，平。祛风除湿，止咳。用于风湿关节痛，四肢麻木，咳嗽。

| **用法用量** | 内服煎汤，10 ～ 15 g。

豆科 Fabaceae 黄芪属 Astragalus

膜荚黄芪
Astragalus membranaceus (Fisch.) Bunge

| 药 材 名 | 黄芪（药用部位：根。别名：黄耆、戴糁、戴椹）。

| 形态特征 | 多年生草本，高 50 ~ 100 cm。主根肥厚，木质，常分枝，灰白色。茎直立，上部多分枝，有细棱，被白色柔毛。羽状复叶有 13 ~ 27 小叶，长 5 ~ 10 cm；叶柄长 0.5 ~ 1 cm；托叶离生，卵形、披针形或线状披针形，长 4 ~ 10 mm，下面被白色柔毛或近无毛；小叶椭圆形或长圆状卵形，长 7 ~ 30 mm，宽 3 ~ 12 mm，先端钝圆或微凹，具小尖头或不明显，基部圆形，上面绿色，近无毛，下面被伏贴白色柔毛。总状花序稍密，有 10 ~ 20 花；总花梗与叶近等长或较叶长，至果期显著伸长；苞片线状披针形，长 2 ~ 5 mm，背面被白色柔毛；花梗长 3 ~ 4 mm，连同花序轴稍密被棕色或黑色柔毛；小苞片 2；花萼钟状，长 5 ~ 7 mm，外面被白色或黑色柔毛，有时萼筒近无毛，仅萼齿有毛，萼齿短，三角形至钻形，长仅为萼筒的

膜荚黄芪

1/5 ～ 1/4；花冠黄色或淡黄色，旗瓣倒卵形，长 12 ～ 20 mm，先端微凹，基部具短瓣柄，翼瓣较旗瓣稍短，瓣片长圆形，基部具短耳，瓣柄较瓣片长约 1.5 倍，龙骨瓣与翼瓣近等长，瓣片半卵形，瓣柄较瓣片稍长；子房有柄，被细柔毛。荚果薄膜质，稍膨胀，半椭圆形，长 20 ～ 30 mm，宽 8 ～ 12 mm，先端具刺尖，两面被白色或黑色细短柔毛，果颈超出花萼外；种子 3 ～ 8。花期 6 ～ 8 月，果期 7 ～ 9 月。

| 生境分布 | 生于海拔 2 100 m 以上的山坡林缘、草甸、灌丛或疏林下。分布于宁夏隆德、原州、彭阳等。

| 资源情况 | 野生资源稀少。

| 采收加工 | 春、秋季采挖，除去须根和根头，晒干。

| 药材性状 | 本品呈圆柱形，有的有分枝，上端较粗，长 30 ～ 90 cm，直径 1 ～ 3.5 cm。表面淡棕黄色或淡棕褐色，有不整齐的纵皱纹或纵沟。质硬而韧，不易折断，断面纤维性强，并显粉性，皮部黄白色，木部淡黄色，有放射状纹理和裂隙，老根中心偶呈枯朽状，黑褐色或呈空洞。气微，味微甜，嚼之微有豆腥味。

| 功能主治 | 甘，温。归肺、脾经。补气升阳，固表止汗，利水消肿，生津养血，行滞通痹，托毒排脓，敛疮生肌。用于气虚乏力，食少便溏，中气下陷，久泻脱肛，便血崩漏，表虚自汗，气虚水肿，内热消渴，血虚萎黄，半身不遂，痹痛麻木，痈疽难溃，久溃不敛。

| 用法用量 | 内服煎汤，9 ～ 30g。

| 附　　注 | （1）《中国植物志》将膜荚黄芪与蒙古黄芪合并为一个物种，即蒙古黄芪，拉丁学名为 *Astragalus mongholicus* Bunge。本文按照《中华人民共和国药典》记载，将其按照 2 个种来记载。

（2）《新修本草》记载："今出原州（宁夏固原）及华原（今陕西铜川耀州）者最良，蜀汉（指蜀郡和汉中）不复采用之。宜州、宁州者亦佳。"据《宁夏植物志》记载，宁夏境内没有蒙古黄芪野生资源分布，20 世纪 60 年代才逐步引种。从资源分布来看，上述文献记载的黄芪可能为膜荚黄芪，即历史上所谓的"原州黄芪"。

（3）市场上的栽培黄芪以蒙古黄芪为主，膜荚黄芪市场占有量很少。膜荚黄芪较蒙古黄芪质地坚硬，柴性大，不易折断，表皮呈棕褐色，俗称"黑皮芪"。

豆科 Fabaceae 黄芪属 Astragalus

多枝黄芪
Astragalus polycladus Bur. et Franch.

| 药 材 名 | 多枝黄芪（药用部位：全草）。

| 形态特征 | 多年生草本，高 20 ~ 30 cm。根粗壮，圆柱形，根茎短，木质。茎丛生，细瘦，直立或斜升，下部常弯曲，下垂，具纵棱，被平伏白色短毛。奇数羽状复叶，长 2 ~ 8 cm，具小叶 17 ~ 31，叶轴上面具槽，疏被平伏白色短毛，小叶椭圆形、倒卵状椭圆形或椭圆状披针形，长 0.3 ~ 1 cm，宽 1 ~ 4 mm，先端圆或微凹，基部楔形，腹面几无毛或疏被平伏白色短毛，背面被平伏白色短毛；托叶披针形，长约 3 mm，被白色和黑色柔毛。总状花序腋生，长 7 ~ 15 cm，花序轴被白色短毛，混生有黑色短毛，具花 10 ~ 15，集生于花序轴先端，紧密；苞片披针形，长约 2 mm，被黑色长柔毛；花萼钟

多枝黄芪

形，长约 3 mm，宽 1.5 ~ 2 mm，密被黑色毛，萼齿线形，与萼筒近等长或稍·
短；花冠菫紫色，旗瓣卵形，长 7 ~ 8 mm，宽 4 ~ 5 mm，先端凹，基部渐狭，
具短爪，翼瓣长 6 ~ 7 mm，先端圆或微凹，爪长为瓣片的一半，耳圆形，龙
骨瓣长 5 ~ 6 mm，爪长于瓣片的一半，耳短；子房具短柄，被毛。荚果倒卵状
披针形，先端急尖，被白色和黑色短毛，果柄较花萼短。花期 6 ~ 7 月，果期
7 ~ 8 月。

| **生境分布** | 生于山坡、草地、路边、田埂等。分布于宁夏海原、原州、灵武等。

| **资源情况** | 野生资源较少。

| **功能主治** | 用于肝硬化腹水。

豆科 Fabaceae 黄芪属 Astragalus

糙叶黄芪

Astragalus scaberrimus Bunge

| 药 材 名 |　糙叶黄芪（药用部位：种子）。

| 形态特征 |　多年生草本，高 5 ~ 8 cm。根细长，深可达 40 cm。无地上茎。奇数羽状复叶，长 5 ~ 20 cm，具小叶 18 ~ 23，椭圆形或卵状椭圆形，长 4 ~ 7 mm，宽 2 ~ 5 mm，先端急尖，基部宽楔形或近圆形，叶两面及叶轴均被开展的丁字毛。花无梗，多数集生于基部；萼筒形，长约 14 mm，宽约 3 mm，密被开展的丁字毛，萼齿线状圆锥形，长为萼筒的 1/3；花冠乳白色，旗瓣矩圆状倒披针形，长 2.3 ~ 2.5 cm，宽 6 ~ 7 mm，先端微凹，基部渐狭成爪，翼瓣长约 2 cm，先端微凹，瓣片与爪等长，具耳，龙骨瓣长约 1.8 cm，瓣片长为爪的 1/2，耳短；子房被毛。花期 5 月。

糙叶黄芪

| **生境分布** | 生于沙地或半固定沙丘。分布于宁夏金凤、兴庆等。

| **资源情况** | 野生资源较少。

| **功能主治** | 补肾益肝，固精明目。

豆科 Fabaceae 锦鸡儿属 Caragana

树锦鸡儿
Caragana arborescens Lam.

| 药 材 名 | 树锦鸡儿（药用部位：根、根皮或花。别名：锦鸡儿根、柠条）。

| 形态特征 | 小乔木或大灌木，高 2 ~ 6 m。老枝深灰色，平滑，稍有光泽，小枝有棱，幼时被柔毛，绿色或黄褐色。羽状复叶有 4 ~ 8 对小叶；托叶针刺状，长 5 ~ 10 mm，长枝者脱落，极少宿存；叶轴细瘦，长 3 ~ 7 cm，幼时被柔毛；小叶长圆状倒卵形、狭倒卵形或椭圆形，长 1 ~ 2（~ 2.5）cm，宽 5 ~ 10（~ 13）mm，先端圆钝，具刺尖，基部宽楔形，幼时被柔毛，或仅下面被柔毛。花梗 2 ~ 5 簇生，每梗 1 花，长 2 ~ 5 cm，关节在上部，苞片小，刚毛状；花萼钟状，长 6 ~ 8 mm，宽 7 ~ 8 mm，萼齿短宽；花冠黄色，长 16 ~ 20 mm，旗瓣菱状宽卵形，宽与长近相等，先端圆钝，具短瓣

树锦鸡儿

柄，翼瓣长圆形，较旗瓣稍长，瓣柄长为瓣片的 3/4，耳距状，长不及瓣柄的 1/3，龙骨瓣较旗瓣稍短，瓣柄较瓣片略短，耳钝或略呈三角形；子房无毛或被短柔毛。荚果圆筒形，长 3.5～6 cm，直径 3～6.5 mm，先端渐尖，无毛。花期 5～6 月，果期 8～9 月。

| **生境分布** | 生于林间、林缘。分布于宁夏兴庆等。

| **资源情况** | 野生资源较少。

| **采收加工** | 秋季采挖根，洗净，切片，或剥取根皮，鲜用或晒干。夏季采花，晒干。

| **功能主治** | 甘、微辛，平。健脾益肾，祛风利湿。用于肾虚耳鸣，眼花头晕，食少羸瘦，脚气浮肿，男子淋浊，女子带下，血崩，乳汁不畅，风湿关节痛。

| **用法用量** | 内服煎汤，15～30 g。

豆科 Fabaceae 锦鸡儿属 Caragana

中间锦鸡儿

Caragana liouana Zhao Y. Chang et Yakovlev

| 药 材 名 | 柠条（药用部位：全草。别名：马集柴、老虎刺）、柠条根（药用部位：根）、柠条花（药用部位：花）、柠条子（药用部位：种子）。

| 形态特征 | 灌木，高 60 ～ 120 cm。老枝黑灰色，嫩枝黄白色。羽状复叶，小叶 5 ～ 12 对，宽倒卵形或长椭圆形，长 5 ～ 12 mm，宽 4 ～ 8 mm，先端圆钝，基部楔形。花单生，花梗长 1.5 ～ 2.1 cm，花萼管状钟形，花冠黄色，旗瓣宽倒卵形，先端微凹，基部具短瓣柄，翼瓣的瓣柄长为瓣片的 1/2，耳短；龙骨瓣的瓣柄与瓣片近等长，基部截平。荚果披针形或矩圆状披针形，长 2 ～ 4 cm，先端渐尖，果皮硬厚。花期 4 ～ 6 月，果期 8 月。

中间锦鸡儿

| **生境分布** | 生于沙丘或半固定沙丘上。分布于宁夏盐池、沙坡头、灵武等。宁夏惠农、平罗、兴庆、红寺堡等有栽培。 |

| **资源情况** | 野生资源较少。 |

| **采收加工** | 柠条：夏、秋季采收，洗净，切碎，鲜用或晒干。
柠条根：秋季采挖，洗净，切片，鲜用或晒干。
柠条花：春末夏初花开时采收，鲜用或晒干。
柠条子：秋季果实近成熟时采收果实，剥取种子，晒干。 |

| **药材性状** | 柠条花：本品多皱缩。花萼钟状，长 7 ～ 12 mm，萼齿三角形；花冠蝶形，黄色，长 20 ～ 25 mm，旗瓣宽卵形或近圆形，瓣柄为瓣片的 1/4 ～ 1/3，翼瓣长圆形，先端稍尖，瓣柄与瓣片近等长，耳不明显，子房无毛。 |

| **功能主治** | 柠条：甘，温。归肝经。滋阴养血。用于月经不调，乳腺癌，宫颈癌。
柠条根：微辛，温。归心、肝经。用于肝阳上亢，头晕，头痛。
柠条花：甘，温。归肝经。滋阴养血。用于肝阳上亢，头痛眩晕。
柠条子：苦，平。杀虫，止痒。用于神经性皮炎，银屑病，黄水疮。 |

| **用法用量** | 柠条：内服煎汤，9 ～ 15 g。
柠条根：内服煎汤，9 ～ 15 g，鲜品 15 ～ 30 g。
柠条花：内服煎汤，9 ～ 15 g。
柠条子：外用适量，熬油外涂；或研末撒。 |

豆科 Fabaceae 锦鸡儿属 Caragana

鬼箭锦鸡儿
Caragana jubata (Pall.) Poir.

| 药 材 名 | 鬼箭锦鸡儿（药用部位：根、枝叶。别名：鬼见愁、狼麻）。

| 形态特征 | 灌木，直立或伏卧地面成垫状，高 50 ~ 100 cm，多分枝。树皮灰黑色。叶密生，叶轴宿存并硬化成针刺，长 5 ~ 7 cm，灰白色；托叶圆锥形，先端成刺状，被白色长柔毛；小叶 4 ~ 6 对，无柄，羽状着生，长椭圆形或倒卵状长椭圆形，长 6 ~ 12 mm，宽 2 ~ 5 mm，先端急尖或圆，具小刺尖，基部圆形，上面近无毛，边缘密被白色长柔毛，背面疏被柔毛。花单生，近无梗；花萼筒状，长 1.5 ~ 1.7 cm，直径 0.8 ~ 1 cm，萼齿卵形，先端尖，边缘狭膜质，长约 6 mm，被柔毛；花冠淡红色或白色，旗瓣宽卵形，长 3 ~ 3.2 cm，宽 1.8 ~ 2 cm，先端圆或微凹，基部具爪，翼瓣长椭圆形，先端圆，长约 3 cm，爪几与瓣片等长或稍短，耳长，线形，稍短于爪，龙骨瓣与

鬼箭锦鸡儿

翼瓣近等长，爪与瓣片等长，耳三角形；子房椭圆形，长 1 ~ 1.2 cm，密生白色长毛，花柱线形，长约 2.5 cm，被柔毛。荚果长椭圆形，长约 3 cm，密生长柔毛。花期 5 ~ 6 月，果期 6 ~ 7 月。

| **生境分布** | 生于山坡灌丛或高山林缘。分布于宁夏贺兰山（平罗、西夏、青铜峡、大武口）等。

| **资源情况** | 野生资源较少。

| **采收加工** | 夏、秋季采收枝叶，晒干。秋季采挖根，洗净，切片，晒干。

| **功能主治** | 辛、苦、涩，微寒。归肝、脾、肾经。用于乳痈，疮疖肿痛，高血压。

| **用法用量** | 内服煎汤，9 ~ 15 g。外用适量，熬膏敷。

| **附　注** | （1）宁夏贺兰山另分布有本种的 2 个变种，即两耳鬼箭 *Caragana jubata* (Pall.) Poir. var. *biaurita* Liou f. 和弯耳鬼箭 *Caragana jubata* (Pall.) Poir. var. *recurva* Liou f.，文献中未见两者药用记载。

（2）《中华本草·藏药卷》记载本种的红色木部芯材可作藏药。《中华人民共和国卫生部药品标准·藏药分册》记载本种药材名为藏锦鸡儿，其味涩，性寒，可破血、化瘀、降血压，用于多血症、血热证、高血压、月经不调。

豆科 Fabaceae 锦鸡儿属 Caragana

小叶锦鸡儿 *Caragana microphylla* Lam.

小叶锦鸡儿

| 药 材 名 |

小叶锦鸡儿（药用部位：果实、根。别名：锦鸡儿、牛筋条、拧鸡儿）。

| 形态特征 |

落叶灌木，高 50 ~ 80 cm。老枝黑绿色或深灰色，嫩枝黄白色或灰黄色，被柔毛。羽状复叶，小叶 6 ~ 10 对，宽倒卵形或倒卵状长圆形，长 4 ~ 11 mm，宽 3 ~ 8 mm，先端圆或钝，具短刺尖，基部宽楔形，两面被短柔毛。花单生，花梗长 1.4 ~ 2 cm，被柔毛；花萼管状钟形，萼齿宽三角形；花冠黄色，旗瓣宽倒卵形，先端微凹，基部具短瓣柄，翼瓣的瓣柄长为瓣片的 1/2，耳短，齿状；龙骨瓣的瓣柄与瓣片近等长，耳不明显，基部截平。荚果圆筒形，稍扁，长 4 ~ 5 cm。花期 5 ~ 6 月，果期 7 ~ 8 月。

| 生境分布 |

生于固定、半固定沙地。分布于宁夏西吉、盐池、沙坡头、同心、灵武等。

| 资源情况 |

野生资源较少。

| **采收加工** | 秋季果实近成熟时采收果实，晒干，或挖取根部，洗净，切片，晒干。 |

| **功能主治** | 苦，寒。归肺经。清热解毒。用于咽喉肿痛。 |

| **用法用量** | 内服煎汤，5 ~ 15 g；或入散剂。 |

豆科 Fabaceae 锦鸡儿属 *Caragana*

红花锦鸡儿
Caragana rosea Turcz. ex Maxim.

| 药 材 名 | 红花锦鸡儿（药用部位：根）。

| 形态特征 | 灌木，高 0.4 ~ 1 m。树皮绿褐色或灰褐色，小枝细长，具条棱，托叶在长枝者成细针刺，长 3 ~ 4 mm，在短枝者脱落；叶柄长 5 ~ 10 mm，脱落或宿存成针刺；叶假掌状；小叶 4，楔状倒卵形，长 1 ~ 2.5 cm，宽 4 ~ 12 mm，先端圆钝或微凹，具刺尖，基部楔形，近革质，上面深绿色，下面淡绿色，无毛，有时小叶边缘、小叶柄、小叶下面沿脉被疏柔毛。花梗单生，长 8 ~ 18 mm，关节在中部以上，无毛；花萼管状，不扩大或仅下部稍扩大，长 7 ~ 9 mm，宽约 4 mm，常紫红色，萼齿三角形，渐尖，内侧密被短柔毛；花冠黄色，常紫红色或全部淡红色，凋时变为红色，长 20 ~ 22 mm，旗瓣长圆状倒卵形，先端凹入，基部渐狭成宽瓣柄，翼瓣长圆状线形，

红花锦鸡儿

瓣柄较瓣片稍短，耳短齿状，龙骨瓣的瓣柄与瓣片近等长，耳不明显；子房无毛。荚果圆筒形，长 3 ～ 6 cm，具渐尖头。花期 4 ～ 6 月，果期 6 ～ 7 月。

| **生境分布** | 生于山坡、沟边或灌丛中。分布于宁夏金凤等。

| **资源情况** | 野生资源较少。

| **采收加工** | 秋季采挖，洗净，切片，晒干。

| **功能主治** | 甘、微辛，平。健脾，益肾，通经，利尿。用于虚损劳热，咳喘，淋浊，阳痿，妇女血崩，带下，乳少，子宫脱垂。

| **用法用量** | 内服煎汤，6 ～ 24 g。

豆科 Fabaceae 锦鸡儿属 *Caragana*

狭叶锦鸡儿

Caragana stenophylla Pojark.

| 药 材 名 | 狭叶锦鸡儿（药用部位：花）。

| 形态特征 | 矮灌木，高 30 ～ 80 cm。老枝灰绿色或灰黄色，幼枝淡灰褐色，有时带红色，被短柔毛，后渐无毛。长枝上的托叶硬化成针刺，长 2 ～ 4 mm；长枝上的叶轴宿存并硬化成针刺，长 5 ～ 7 mm，短枝上的叶无叶轴；小叶 4，假掌状着生，线状倒披针形，长 8 ～ 17 mm，宽 1 ～ 1.5 mm，先端急尖，具小尖头，基部渐狭，两面无毛或疏被柔毛。花单生；花梗长约 1 cm，无毛，近中部具关节；花萼钟形，长约 6 mm，宽约 4 mm，基部偏斜，无毛，萼齿宽三角形，先端具尖头，边缘具短柔毛；花冠黄色，旗瓣倒卵形，长约 2 cm，宽约 12 mm，先端凹，基部具短爪，翼瓣长约 1.9 cm，先端圆钝，爪长为瓣片的 1/2，耳长为爪长的 1/3 ～ 1/2，龙骨瓣长约 1.5 cm，耳短

狭叶锦鸡儿

而钝，爪长不及瓣片的 1/2；子房无毛。荚果线形，膨胀，长 3 ～ 4 cm，直径约 5 mm，无毛，成熟时红褐色。花期 6 ～ 7 月，果期 7 ～ 8 月。

| **生境分布** | 生于向阳干旱沙地、黄土丘陵、低山阳坡。分布于宁夏海原、青铜峡、沙坡头、红寺堡、贺兰、西夏、大武口等。

| **资源情况** | 野生资源较少。

| **功能主治** | 祛风，平肝，止咳。

豆科 Fabaceae 锦鸡儿属 Caragana

毛刺锦鸡儿 Caragana tibetica Kom.

| 药 材 名 | 毛刺锦鸡儿（药用部位：根、花）。

| 形态特征 | 矮灌木，高 20 ~ 30 cm，常呈垫状。老枝皮灰黄色或灰褐色，多裂；小枝密集，淡灰褐色，密被长柔毛。羽状复叶有 3 ~ 4 对小叶；托叶卵形或近圆形；叶轴硬化成针刺，长 2 ~ 3.5 cm，宿存，淡褐色，无毛，嫩枝叶轴长约 2 cm，密被长柔毛，灰色；小叶线形，长 8 ~ 12 mm，宽 0.5 ~ 1.5 mm，先端尖，有刺尖，基部狭，近无柄，密被灰白色长柔毛。花单生，近无梗；花萼管状，长 8 ~ 15 mm，宽约 5 mm；花冠黄色，长 22 ~ 25 mm，旗瓣倒卵形，先端稍凹，瓣柄长约为瓣片的 1/2，翼瓣的瓣柄与瓣片等长或较瓣片稍长，龙骨瓣的瓣柄较瓣片稍长，耳短小，齿状；子房密被柔毛。荚果椭圆形，

毛刺锦鸡儿

长 7 ~ 8 mm，外面密被柔毛，里面密被绒毛。花期 5 ~ 7 月，果期 7 ~ 8 月。

| **生境分布** | 生于向阳干旱山坡或山麓石质沙地。分布于宁夏海原、沙坡头、中宁、同心等。

| **资源情况** | 野生资源较少。

| **功能主治** | 根，用于关节痛。花，用于头晕。

决明
Senna tora (Linnaeus) Roxburgh

| 药 材 名 | 决明子（药用部位：成熟种子。别名：小决明、草决明、羊明）。

| 形态特征 | 直立、粗壮、一年生亚灌木状草本，高 1 ~ 2 m。叶长 4 ~ 8 cm；叶柄上无腺体；叶轴上每对小叶间有棒状的腺体 1；小叶 3 对，膜质，倒卵形或倒卵状长椭圆形，长 2 ~ 6 cm，宽 1.5 ~ 2.5 cm，先端圆钝而有小尖头，基部渐狭，偏斜，上面被稀疏柔毛，下面被柔毛；小叶柄长 1.5 ~ 2 mm；托叶线状，被柔毛，早落。花腋生，通常 2 聚生；总花梗长 6 ~ 10 mm；花梗长 1 ~ 1.5 cm，丝状；萼片稍不等大，卵形或卵状长圆形，膜质，外面被柔毛，长约 8 mm；花瓣黄色，下面 2 略长，长 12 ~ 15 mm，宽 5 ~ 7 mm；能育雄蕊 7，花药四方形，顶孔开裂，长约 4 mm，花丝短于花药；

决明

子房无柄，被白色柔毛。荚果纤细，近四棱形，两端渐尖，长达 15 cm，宽 3 ~ 4 mm，膜质；种子约 25，菱形，光亮。花果期 8 ~ 11 月。

| **生境分布** | 宁夏海原等有栽培。

| **资源情况** | 栽培资源较少。

| **采收加工** | 秋季采收成熟果实，晒干，打下种子，除去杂质。

| **药材性状** | 本品呈短圆柱形，较小，长 3 ~ 5 mm，宽 2 ~ 3 mm。表面棱线两侧各有一宽广的浅黄棕色色带。质坚硬，不易破碎。种皮薄，子叶 2，黄色，呈 "S" 形折曲并重叠。气微，味微苦。

| **功能主治** | 甘、苦、咸，微寒。归肝、大肠经。清热明目，润肠通便。用于目赤涩痛，畏光多泪，头痛眩晕，目暗不明，大便秘结。

| **用法用量** | 内服煎汤，9 ~ 15 g。脾胃虚寒及便溏者慎用。

豆科 Fabaceae 紫荆属 Cercis

紫荆

Cercis chinensis Bunge

| 药 材 名 |

紫荆皮（药用部位：树皮。别名：肉红、内消、紫荆木皮）。

| 形态特征 |

丛生或单生灌木，高 2 ~ 5 m；树皮和小枝灰白色。叶纸质，近圆形或三角状圆形，长 5 ~ 10 cm，宽与长相等或略短于长，先端急尖，基部浅至深心形，两面通常无毛，嫩叶绿色，仅叶柄略带紫色，叶缘膜质透明，新鲜时明显可见。花紫红色或粉红色，2 ~ 10 余成束，簇生于老枝和主干上，尤以主干上花束较多，越到上部幼嫩枝条则花越少，通常先于叶开放，但嫩枝或幼株上的花则与叶同时开放，花长 1 ~ 1.3 cm；花梗长 3 ~ 9 mm；龙骨瓣基部具深紫色斑纹；子房嫩绿色，花蕾时光亮无毛，后期则密被短柔毛，有胚珠 6 ~ 7。荚果扁狭长形，绿色，长 4 ~ 8 cm，宽 1 ~ 1.2 cm，翅宽约1.5 mm，先端急尖或短渐尖，喙细而弯曲，基部长渐尖，两侧缝线对称或近对称；果颈长 2 ~ 4 mm；种子 2 ~ 6，阔长圆形，长5 ~ 6 mm，宽约 4 mm，黑褐色，光亮。花期 3 ~ 4 月，果期 8 ~ 10 月。

紫荆

| 生境分布 | 宁夏西夏等有零星栽培。

| 资源情况 | 栽培资源较少。

| 采收加工 | 7 ～ 8 月剥取树皮，晒干。

| 药材性状 | 本品呈筒状、槽状或不规则的块片，向内卷曲，长 6 ～ 25 cm，宽约 3 cm，厚 3 ～ 6 mm。外表面灰棕色，粗糙，有皱纹，常显鳞甲状；内表面紫棕色或红棕色，有细皱纹理。质坚实，不易折断，断面灰红棕色。对光照视可见细小的亮点。气无，味涩。

| 功能主治 | 苦，平。归肝经。活血，通淋，解毒。用于月经不调，瘀滞腹痛，风湿痹痛，小便淋痛，喉痹，痈肿，疥癣，跌打损伤，蛇虫咬伤。

| 用法用量 | 内服煎汤，6 ～ 15 g；或浸酒；或入丸、散剂。外用适量，研末调敷。孕妇禁服。

豆科 Fabaceae 皂荚属 Gleditsia

皂荚 *Gleditsia sinensis* Lam.

皂荚

| 药 材 名 |

猪牙皂（药用部位：不育果实。别名：牙皂）、大皂角（药用部位：成熟果实。别名：皂荚、皂角、长皂荚）、皂角刺（药用部位：棘刺。别名：皂荚刺、皂刺、天丁明）。

| 形态特征 |

落叶乔木或小乔木，高 10 ~ 30 m。枝灰色至深褐色，茎坚挺，刺粗壮，常分枝。偶数羽状复叶，小叶 3 ~ 9 对；小叶对生或交互对生，卵状披针形至长圆形，长 3 ~ 9 cm，宽 1 ~ 2 cm，先端钝，顶有细尖，基部圆形或楔形，常稍歪斜，边缘具细锯齿，上面被短柔毛，背面中脉上稍被柔毛。总状花序顶生或腋生，花杂性，黄白色；花梗长 3 ~ 12 mm，被短柔毛；花萼钟形，萼片 4，三角状披针形；花瓣 4，长圆形，被微柔毛；雄蕊 6 ~ 8，其中 3 ~ 4 较长；子房具短柄，柱头浅 2 裂；胚珠多数。荚果带状，长 12 ~ 42 cm，宽 2 ~ 5 cm，劲直稀扭转，常弯曲成新月形。花期 3 ~ 5 月，果期 5 ~ 12 月。

| 生境分布 |

宁夏灵武等有少量栽培。

| 资源情况 | 栽培资源较少。

| 采收加工 | 猪牙皂：秋季采收，除去杂质，干燥。

大皂角：秋季果实成熟后采收，晒干。

皂角刺：全年均可采收，干燥，或趁鲜切片，干燥。

| 药材性状 | 猪牙皂：本品呈圆柱形，略扁而弯曲，长 5 ~ 11 cm，宽 0.7 ~ 1.5 cm。表面紫棕色或紫褐色，被灰白色蜡质粉霜，擦去后有光泽，并有细小的疣状突起和线状或网状的裂纹。先端有鸟喙状花柱残基，基部具果柄残痕。质硬而脆，易折断，断面棕黄色，中间疏松，有淡绿色或淡棕黄色的丝状物，偶有发育不全的种子。气微，有刺激性，味先甜而后辣。

大皂角：本品呈扁长的剑鞘状，有的略弯曲，长 15 ~ 40 cm，宽 2 ~ 5 cm，厚 0.2 ~ 1.5 cm。表面棕褐色或紫褐色，被灰色粉霜，擦去后有光泽，种子所在处隆起。基部渐窄而弯曲，有短果柄或果柄痕，两侧有明显的纵棱线。质硬，摇之有声，易折断，断面黄色，纤维性。种子多数，扁椭圆形，黄棕色至棕褐色，光滑。气特异，有刺激性，味辛辣。

皂角刺：本品为主刺和 1 ~ 2 次分枝的棘刺。主刺长圆锥形，长 3 ~ 15 cm 或更长，直径 0.3 ~ 1 cm；分枝刺长 1 ~ 6 cm，刺端锐尖。表面紫棕色或棕褐色。体轻，质坚硬，不易折断。切片厚 0.1 ~ 0.3 cm，常带有尖细的刺端；木部黄白色，髓部疏松，淡红棕色；质脆，易折断。气微，味淡。

| 功能主治 | 猪牙皂、大皂角：辛、咸，温；有小毒。归肺、大肠经。祛痰开窍，散结消肿。用于中风口噤，昏迷不醒，癫痫痰盛，关窍不通，喉痹痰阻，咳痰不爽，大便燥结；外用于痈肿。

皂角刺：辛，温。归肝、胃经。消肿托毒，排脓，杀虫。用于痈肿初起或脓成不溃；外用于疥癣麻风。

| 用法用量 | 猪牙皂、大皂角：内服，1 ~ 1.5 g，多入丸、散剂。外用适量，研末吹鼻取嚏；或研末调敷。孕妇及咯血、吐血者禁用。

皂角刺：内服煎汤，3 ~ 10 g。外用适量，醋蒸取汁涂。疮痈已溃者及孕妇禁用。

豆科 Fabaceae 大豆属 Glycine

野大豆

Glycine soja Siebold & Zucc.

| 药 材 名 | 野大豆（药用部位：种子。别名：稆豆、料豆、马豆）、野大豆藤（药用部位：地上部分）。

| 形态特征 | 一年生缠绕草本，茎细弱，被倒生的长硬毛。羽状三出复叶，叶轴长 3 ~ 5 cm，疏被长硬毛；托叶小，卵形，长约 2 mm；小叶狭卵形至卵状披针形，长 1 ~ 4 cm，宽 8 ~ 20 mm，复叶两边小叶先端钝圆，中间小叶略尖，基部宽楔形，全缘，两面被平贴的硬毛，背面沿脉尤密；主叶脉两侧着生几乎对生的侧叶脉 6 ~ 8 对，叶片上的叶脉整齐清晰。每株平均有花序 73，总状花序极短，生于叶腋，具 2 ~ 3 花，稀 1 或 4 花；花梗长 1.5 mm，密被黄色短毛；花萼钟形，长约 4 mm，被棕黄色长硬毛，萼齿披针形，

野大豆

较萼筒长；蝶形花冠，蓝紫色，旗瓣近圆形，长 5 ~ 6 mm，先端微凹，基部具短爪，翼瓣与旗瓣等长，先端圆，具爪和耳，龙骨瓣长 3.5 ~ 4 mm，耳短，具爪。子房疏被毛，花柱短，柱头头状。荚果线状矩圆形，稍弯，长 1.5 ~ 3.5 cm，宽 5 ~ 7 mm，被棕黄色长硬毛。花期 7 ~ 8 月，果期 8 ~ 9 月。

| 生境分布 | 生于田边、园边、沟旁、河岸或湖边。分布于宁夏海原、沙坡头、中宁、兴庆、金凤、贺兰、惠农、平罗、大武口等。

| 资源情况 | 野生资源较丰富。

| 采收加工 | 野大豆：秋季果实成熟时，割取全株，晒干，打开果荚，收集种子，再晒至足干。
野大豆藤：秋季拔起，除去根，晒干。

| 药材性状 | 野大豆：本品呈椭圆形，稍扁，长 0.3 ~ 0.5 cm，直径 0.2 ~ 0.3 cm。表面灰褐色，擦去外层呈黑色而显光泽，一侧中间可见灰黄色长椭圆形种脐。种皮剥离后可见子叶 2，黄色。质坚。气微，味淡，具豆腥气。

野大豆藤：本品呈段状。茎纤细，有黄色硬毛。叶多皱缩破碎；完整者羽状三出复叶，小叶全缘，两面疏生白色短柔毛，叶脉羽状。荚果条形，略弯，扁平，长 1 ~ 3 cm，宽约 0.5 cm，密生黄褐色长硬毛。种子 2 ~ 4，扁平，矩圆形，黑色。茎叶气微，味淡；种子具豆腥气。

| 功能主治 | 野大豆：甘，微寒。清肝明目。用于肝火上炎，头晕眼花，小儿疳积。
野大豆藤：甘，微寒。归肝、脾经。强壮敛汗。用于自汗，盗汗。

| 用法用量 | 野大豆：内服煎汤，9 ~ 12 g。
野大豆藤：内服煎汤，15 ~ 30 g。

| 附　注 | 《中华本草》记载，野大豆的根也作野大豆藤药材使用。

豆科 Fabaceae 甘草属 *Glycyrrhiza*

洋甘草
Glycyrrhiza glabra L.

洋甘草

| 药 材 名 |

甘草（药用部位：根及根茎。别名：美草、蜜甘、国老）。

| 形态特征 |

多年生草本，根与根茎粗壮，根皮褐色，里面黄色。茎直立，多分枝，基部带木质，密被淡黄色鳞片状腺点和白色柔毛，幼时具条棱，有时具短刺毛状腺体。叶长 5 ~ 14 cm；托叶线形，长仅 1 ~ 2 mm，早落；叶柄密被黄褐色腺毛及长柔毛；小叶 11 ~ 17，卵状长圆形、长圆状披针形、椭圆形，上面近无毛或疏被短柔毛，下面密被淡黄色鳞片状腺点，沿脉疏被短柔毛，先端圆或微凹，具短尖，基部近圆形。总状花序腋生，具多数密生的花；总花梗短于叶或与叶等长（果后延伸），密生褐色的鳞片状腺点及白色长柔毛和绒毛；苞片披针形，膜质，长约 2 mm；花萼钟状，长 5 ~ 7 mm，疏被淡黄色腺点和短柔毛，萼齿 5，披针形，与萼筒近等长，上部的 2 齿大部分联合；花冠紫色或淡紫色，长 9 ~ 12 mm，旗瓣卵形或长圆形，长 10 ~ 11 mm，先端微凹，瓣柄长为瓣片长的 1/2，翼瓣长 8 ~ 9 mm，龙骨瓣直，长 7 ~ 8 mm；子房无毛。荚果长圆形，扁，长 1.7 ~ 3.5 cm，宽 4.5 ~ 7 mm，微呈镰形弯曲，有时在种子间微缢缩，无毛或疏被毛，有时被或疏或密的刺毛状腺体。种子 2 ~ 8，暗绿色，光滑，肾形，直径约 2 mm。花期 5 ~ 6 月，果期 7 ~ 9 月。

| 生境分布 | 生于田边、荒地或沟渠旁。分布于宁夏金凤等。

| 资源情况 | 野生资源较少。

| 采收加工 | 春、秋季采挖，除去须根，晒干。

| 药材性状 | 本品质地较坚实，有的分枝。外皮不粗糙，多呈灰棕色，皮孔细而不明显。根质坚实，断面略显纤维性，黄白色，粉性，形成层环明显，射线放射状，有的有裂隙。根茎呈圆柱形，表面有芽痕，断面中部有髓。气微，味甜而特殊。

| 功能主治 | 甘，平。归心、肺、脾、胃经。补脾益气，清热解毒，祛痰止咳，缓急止痛，调和诸药。用于脾胃虚弱，倦怠乏力，心悸气短，咳嗽痰多，脘腹、四肢挛急疼痛，痈肿疮毒，缓解药物的毒性、烈性。

| 用法用量 | 内服煎汤，2 ~ 10 g。

| 附　　注 | 本种即《中华人民共和国药典》收录的甘草法定基原之一的光果甘草 *Glycyrrhiza glabra* L.。

豆科 Fabaceae 甘草属 Glycyrrhiza

圆果甘草 *Glycyrrhiza squamulosa* Franch.

| 药 材 名 | 圆果甘草（药用部位：根及根茎）。

| 形态特征 | 多年生草本。根与根茎细长，外面灰褐色，内面淡黄色。茎直立，多分枝，高 30 ~ 60 cm，密被黄色鳞片状腺点，无毛或疏被白色短柔毛。叶长 5 ~ 15 cm；托叶披针形，长 2 ~ 3 mm，疏被白色短柔毛及腺点；叶柄密被鳞片状腺点，疏被短柔毛；小叶 9 ~ 13，长椭圆形至长圆状倒卵形，先端圆，通常微凹，基部楔形，边缘具微小的刺毛状细齿，上面深绿色，下面灰绿色，两面均密被鳞片状腺点。总状花序腋生，具多数花；总花梗长于叶，密被鳞片状腺点和疏生的短柔毛；苞片披针形，膜质，被腺点及短柔毛；花萼钟状，长 2.5 ~ 3.5 mm，密被鳞片状腺点及疏生短柔毛，萼齿 5，披针形，长

圆果甘草

1 ~ 1.5 mm，上部的 2 齿稍联合；花冠白色，背面密被黄色腺点，旗瓣卵状长圆形，长 5.7 cm，宽 2.5 ~ 3.5 mm，瓣柄长约 1 mm，翼瓣长 4 ~ 5 mm，龙骨瓣直，稍短于翼瓣。荚果近圆形或圆肾形，长 5 ~ 10 mm，宽 4 ~ 7 mm，背面突，腹面平，先端具小短尖，成熟时褐色，表面具瘤状突起，密被黄色鳞片状腺点。种子 2，绿色，肾形，长约 2 mm，宽约 1.5 mm。花期 5 ~ 7 月，果期 6 ~ 9 月。

| 生境分布 | 生于河岸阶地、路边、田埂边、荒地。分布于宁夏平罗、永宁、海原等。

| 资源情况 | 野生资源较少。

| 功能主治 | 补脾益气，清热解毒，润肺止咳，缓急止痛，调和诸药，缓解药物毒性与烈性。用于脾胃虚弱，中气不足，气短乏力，咳嗽痰多，脘腹、四肢挛急痛，食少便溏，痈疽疮毒。

| 附　　注 | 本种别名马蓝杆。本种与甘草的主要区别在于：本种的小叶矩圆形或倒卵状矩圆形，长 1 ~ 3 cm，宽 0.5 ~ 1 cm，先端微凹，基部楔形；花冠白色，长不及 1 cm；荚果扁，近圆形，长 5 ~ 10 mm，宽 4 ~ 7 mm，先端微尖，褐色，有瘤状突起，种子 2。

豆科 Fabaceae 米口袋属 Gueldenstaedtia

少花米口袋
Gueldenstaedtia verna (Georgi) Boriss.

| 药 材 名 | 甜地丁（药用部位：全草。别名：米粒粒、米布袋、地丁）。

| 形态特征 | 多年生草本，高 5 ~ 10 cm。根圆锥形，直伸，主根上端生短缩茎。
奇数羽状复叶，长 8 ~ 12 cm，疏生长柔毛，托叶卵状三角形至披
针形；小叶 9 ~ 19，叶片椭圆形或卵状椭圆形，长 1 ~ 1.5 cm，宽
3 ~ 8 mm，先端钝圆或急尖，具小尖头，基部圆形或宽楔形，全缘，
两面被长柔毛。总花梗从叶丛抽出，与叶近等长，密被柔毛，花 2 ~ 5
集生于茎顶，花梗短；苞片与小苞片披针形，长约 2.5 mm，密被毛；
花萼钟状，长约 7 mm，密被长柔毛，萼齿不等长；花冠紫红色，旗
瓣卵圆形，先端微凹，基部渐狭成爪，翼瓣矩圆形，稍短于旗瓣，
上端稍宽，基部具耳和爪，龙骨瓣短，基部具爪和耳；子房密被长

少花米口袋

毛，花柱短，卷曲。荚果圆柱状，长 1.5 ~ 3 cm，直径 3 ~ 5 mm，被棕褐色长柔毛。花期 5 ~ 6 月，果期 6 ~ 7 月。

| **生境分布** | 生于向阳山坡、草地、路旁砾石地。分布于宁夏彭阳、西吉、原州、泾源、海原、中宁、同心、贺兰、金凤、惠农、大武口等。

| **资源情况** | 野生资源较少。

| **采收加工** | 春、夏季采挖，除去杂质，晒干。

| **药材性状** | 本品根茎簇生或单一，圆柱形，长 1 ~ 3 cm，直径 0.2 ~ 0.7 cm，根长圆锥形，有的略弯曲，长 9 ~ 18 cm，直径 0.3 ~ 0.8 cm，表面红棕色或灰黄色，有纵皱纹、横向皮孔及细长的侧根；质硬，断面黄白色，边缘绵毛状。茎短而细，灰绿色，有茸毛。单数羽状复叶，丛生，具托叶，叶多皱缩、破碎，完整小叶片展开后呈椭圆形或长椭圆形，长 0.5 ~ 2 cm，宽 0.2 ~ 1 cm，灰绿色，有茸毛。蝶形花冠紫色。荚果圆柱形，长 1.5 ~ 2.5 cm，棕色，有茸毛。种子黑色，细小。气微，味淡、微甜，嚼之有豆腥气。

| **功能主治** | 苦、甘，寒。归心、肝经。清热解毒。用于痈肿疔疮，外耳道疖肿，阑尾炎。

| **用法用量** | 内服煎汤，9 ~ 15 g。外用适量，捣敷；或熬膏摊贴。

| **附　　注** | 《中国植物志》（英文版）将甘肃米口袋 *Gueldenstaedtia gansuensis* Tsui、狭叶米口袋 *Gueldenstaedtia stenophylla* Bunge 归并为少花米口袋 *Gueldenstaedtia verna* (Georgi) Boriss.。

短翼岩黄芪

Hedysarum brachypterum Bunge

| 药 材 名 | 短翼岩黄芪（药用部位：全草）。

| 形态特征 | 多年生草本，高 20 ～ 30 cm。茎斜升，具纵棱，被平伏短柔毛。奇数羽状复叶，具小叶 11 ～ 25，小叶椭圆形、卵状椭圆形至线状矩圆形，长 0.4 ～ 2 cm，宽 2 ～ 7 mm，先端圆，具小尖头，基部圆形或宽楔形，上面无毛，密生黑色腺点，下面被平伏柔毛；托叶卵状披针形，膜质，棕色，外面被柔毛。总状花序腋生，长 20 ～ 25 cm，总花轴被短柔毛，具 10 ～ 20 花；花梗长约 2 mm，被柔毛；苞片线形，长 5 ～ 6 mm，被柔毛；花萼钟形，萼齿线形，长为萼筒的 4 ～ 5 倍，被长柔毛；花冠紫红色，旗瓣倒卵状矩圆形，长 1 ～ 1.2 cm，宽约 8 mm，先端微凹，基部无爪，翼瓣小，倒卵状椭圆形，长 5 ～ 6 mm，

短翼岩黄芪

具短耳和短爪，龙骨瓣倒三角状卵形，长 1.3 ～ 1.5 cm，爪长约 2 mm，耳短；子房具短柄，被柔毛。荚果 1 ～ 3 节，先端具短尖，被柔毛及短刺。花期 6 ～ 8 月，果期 7 ～ 9 月。

| **生境分布** | 生于干旱石质山坡。分布于宁夏海原、原州、青铜峡、沙坡头、中宁、红寺堡、同心、大武口等。

| **资源情况** | 野生资源较丰富。

| **功能主治** | 用于腹痛。

豆科 Fabaceae 岩黄芪属 Hedysarum

红花岩黄芪
Hedysarum multijugum Maxim.

红花岩黄芪

| 药 材 名 |

红花岩黄芪（药用部位：根。别名：黄芪、红黄芪）。

| 形态特征 |

亚灌木，高 20 ~ 50 cm。茎直立，多分枝，具纵条棱，被平伏白色短毛。奇数羽状复叶，具小叶 23 ~ 37，小叶矩圆形至卵状矩圆形，长 7 ~ 15 mm，宽 4 ~ 8 mm，先端圆，稀微凹，基部近圆形，上面无毛，背面被平伏短毛；托叶三角形，浅褐色，膜质，外面被毛。总状花序腋生，长 10 ~ 30 cm，花序轴疏被短毛，具 5 ~ 20 花，疏散；花梗长约 2 mm，被短毛；花萼斜钟形，长 6 ~ 8 mm，宽 3 ~ 4 mm，外面被短毛，萼齿短，三角形；花冠紫红色，旗瓣倒圆卵形，长 1.5 ~ 2 cm，宽 1.5 ~ 1.8 cm，先端微凹，翼瓣长约 1 cm，先端稍狭，耳向外弯，稍短于爪，龙骨瓣倒卵状三角形，与旗瓣等长，具短耳及爪；子房具长柄，疏被毛。荚果 2 ~ 3 节，具网纹，被毛和小刺。花期 6 ~ 7 月，果期 7 ~ 8 月。

生境分布	生于干旱向阳山坡。分布于宁夏海原、隆德、彭阳、原州、红寺堡、同心等。
资源情况	野生资源较少。
采收加工	秋末采挖，除去根头部及支根，晒干。
功能主治	甘，温。补气固表，利尿，托毒排脓，生肌敛疮。用于气短心悸，倦怠，乏力，自汗，盗汗，久泻，脱肛，子宫脱垂，体虚浮肿，慢性肾炎，痈疽难溃，久溃不敛。
用法用量	内服煎汤，6 ~ 15 g，大剂量用至 30 g。
附　注	《中国植物志》（英文版）将岩黄芪属 *Hedysarum* 修订为羊柴属 *Corethrodendron*，将本种的学名修订为红花山竹子 *Corethrodendron multijugum* (Maximowicz) B. H. Choi & H. Ohashi。

豆科 Fabaceae 岩黄芪属 *Hedysarum*

多序岩黄芪

Hedysarum polybotrys Hand.-Mazz.

| 药 材 名 | 红芪（药用部位：根。别名：纳洼善马、真盘子、岩黄芪）。

| 形态特征 | 多年生直立草本，高达 1.2 m。主根粗壮，外皮红棕色。奇数羽状复叶，互生，长 10 ~ 15 cm，小叶 7 ~ 25，小叶片卵状长圆形，长 1 ~ 3 cm，宽 7 ~ 15 mm，先端圆或微缺，有小尖头，基部钝圆；托叶长披针形，基部联合。总状花序腋生，有多数花，花梗丝状，长 3 ~ 4 mm；花萼斜钟形，萼齿远比筒部短，最下边的 1 萼齿较其余 4 萼齿长约 1 倍；花冠淡黄色，旗瓣倒卵形，长约 10 mm，翼瓣与旗瓣等长，龙骨瓣长 13 ~ 16 mm。荚果有 3 ~ 5 节，节荚近圆形，直径约 5 mm，边缘有窄翅，表面被贴伏短柔毛，并具网纹。花期 6 ~ 8 月，果期 7 ~ 9 月。

多序岩黄芪

| 生境分布 | 生于海拔 2 500 m 左右的向阳山坡、灌丛或林缘草地。分布于宁夏彭阳、西吉、原州、西夏等。

| 资源情况 | 野生资源较丰富。

| 采收加工 | 春、秋季采挖，除去须根和根头，晒干。

| 药材性状 | 本品呈圆柱形，少有分枝，上端略粗，长 10 ~ 50 cm，直径 6 ~ 20 mm。表面灰红棕色，有纵皱纹、横长皮孔样突起及少数支根痕，外皮易脱落，剥落处淡黄色。质硬而韧，不易折断，断面纤维性，并显粉性。皮部黄白色，木部淡黄棕色，射线放射状，形成层环浅棕色。气微，味微甜，嚼之有豆腥气。

| 功能主治 | 甘，微温。归肺、脾经。补气升阳，固表止汗，利水消肿，生津养血，行滞通痹，托毒排脓，敛疮生肌。用于气虚乏力，食少便溏，中气下陷，久泻脱肛，便血崩漏，表虚自汗，气虚水肿，内热消渴，血虚萎黄，半身不遂，痹痛麻木，痈疽难溃，久溃不敛。

| 用法用量 | 内服煎汤，9 ~ 30 g。

| 附　注 | （1）拟蚕豆岩黄芪 *Hedysarum ussuriense* Schischkin & Komarov 与本种形态相似，主要区别在于其荚果无毛，萼齿与筒部近等长，花稍大。

（2）《名医别录》曾在黄芪项下提及 "又有赤色者，可作贴膏，用消痈肿，俗方多用。道家不须"，可见红芪的应用已有较长的历史。近代有以红芪代黄芪用的现象，《中华人民共和国药典》（1977 年版）将红芪列为黄芪的正品来源之一，附于黄芪项下。《中华人民共和国药典》（1985 年版）单列红芪，以后历版药典均采用这一体例，分别收载 2 味中药。

豆科 Fabaceae 岩黄芪属 Hedysarum

细枝岩黄芪
Hedysarum scoparium Fisch. et Mey

| 药 材 名 | 花棒（药用部位：根及根茎）。

| 形态特征 | 灌木，高可达 2 m。多分枝。树皮黄色，呈纤维状剥落；小枝浅绿色，具纵沟棱，疏被平伏柔毛。奇数羽状复叶，植株下部的叶具小叶 7 ~ 11，上部叶具少数叶或小叶全部退化而仅具叶轴，小叶披针形或线状披针形，长 10 ~ 30 mm，宽 2 ~ 6 mm，先端渐尖或锐尖，具小尖头，基部宽楔形，上面密布褐色腺点和平伏短柔毛，下面密被平伏长柔毛，全缘；托叶三角形，小，褐色，基部联合，外面疏被柔毛。总状花序腋生，较叶长，花序轴被平伏短毛，花少数，疏散；苞片卵形，长约 1 mm，棕色，外面被平伏短毛；花梗长 2 ~ 2.5 mm，密被平伏短毛；花萼钟状筒形，长约 6 mm，被平伏短

细枝岩黄芪

毛，上面的萼齿短，宽三角形，下面的萼齿长，狭三角形，长约 1 mm，边缘密被白色绒毛；花冠紫红色，旗瓣宽倒卵形，长 1.8 ~ 2 cm，宽 1.2 ~ 1.3 cm，先端凹，基部楔形，翼瓣长约 7 mm，先端尖，爪与瓣片近等长，耳长约 1.5 mm，外弯，龙骨瓣短于旗瓣，长 1.6 ~ 1.8 cm，先端圆，爪长约 7 mm，耳短；子房密被柔毛。荚果 2 ~ 4 节，膨胀，密被白色长毡毛。花期 6 ~ 8 月，果期 7 ~ 9 月。

| **生境分布** | 生于流动沙丘或半固定沙丘上。分布于宁夏兴庆等。

| **资源情况** | 野生资源较少。

| **功能主治** | 强心，利尿，消肿。用于气虚乏力，气喘自汗，浮肿。

| **附　　注** | 《中国植物志》（英文版）将岩黄芪属 *Hedysarum* 修订为羊柴属 *Corethrodendron*，将本种的学名修订为细枝山竹子 *Corethrodendron scioarium* Fisch. et Basiner。

豆科 Fabaceae 岩黄芪属 *Hedysarum*

拟蚕豆岩黄芪 *Hedysarum ussuriense* Schischkin & Komarov

拟蚕豆岩黄芪

药材名

拟蚕豆岩黄芪（药用部位：根）。

形态特征

多年生草本，高 30 ~ 50 cm。根为直根系，主根深长，稍肥厚，根颈向上分枝，形成多数地上茎。茎直立，丛生，上部分枝，通常被短柔毛。托叶宽披针形，棕褐色，干膜质，长 10 ~ 12 mm，合生至中部以上，易脱落；小叶 11 ~ 19，具长约 1 mm 的短柄；小叶片长卵形，长 10 ~ 23 mm，宽 5 ~ 11 mm，先端圆形，有时具短尖头，基部圆形，上面无毛，下面沿脉被疏柔毛。总状花序腋生，稍超出叶，花序轴和总花梗密被短柔毛；花多数，长 16 ~ 18 mm，具 5 ~ 6 mm 的花梗；苞片披针形，稍短于花梗；花萼钟状，被短柔毛，萼齿不等长，下萼齿披针形，等于或稍短于萼筒，其余萼齿三角形，比下萼齿短 2.5 ~ 3 倍；花冠淡黄色，旗瓣倒长卵形，长 14 ~ 16 mm，翼瓣与旗瓣近等长，龙骨瓣超出旗瓣约 2 mm；子房无毛。荚果扁平，3 ~ 4 节，节荚卵形或近圆形，两侧具明显网纹，边缘具狭边。花期 7 ~ 8 月，果期 8 ~ 9 月。

| **生境分布** | 生于山地砾石山坡、岳桦林下、林缘、亚高山和高山草甸、岩壁或古老冰碛物上。分布于宁夏罗山（同心、红寺堡）、贺兰山（青铜峡）等。 |

| **资源情况** | 野生资源较少。 |

| **采收加工** | 春、秋季采挖，除去须根和根头，晒干。 |

| **药材性状** | 本品粗大，质地松泡，根头中心多枯朽，根条不顺直，外观不整齐。气微，味微甜，嚼之有豆腥气。 |

| **功能主治** | 甘，微温。归肺、脾经。补气升阳，固表止汗，利水消肿，生津养血，行滞通痹，托毒排脓，敛疮生肌。用于气虚乏力，食少便溏，中气下陷，久泻脱肛，便血崩漏，表虚自汗，气虚水肿，内热消渴，血虚萎黄，半身不遂，痹痛麻木，痈疽难溃，久溃不敛。 |

| **用法用量** | 内服煎汤，9 ~ 30 g。 |

| **附 注** | 《宁夏中药志》记载拟蚕豆岩黄芪 *Hedysarum ussuriense* Schischkin & Komarov 与多序岩黄芪 *Hedysarum polybotrys* Hand.-Mazz. 的根均作红芪药用。《中华人民共和国药典》规定，红芪的来源于豆科同属植物多序岩黄芪 *Hedysarum polybotrys* Hand.-Mazz.。 |

豆科 Fabaceae 木蓝属 Indigofera

河北木蓝
Indigofera bungeana Walp.

河北木蓝

药材名

铁扫竹（药用部位：全草或根。别名：铁扫帚、野绿豆、木蓝荞）。

形态特征

直立灌木，高 40 ~ 100 cm。茎褐色，圆柱形，有皮孔，枝银灰色，被灰白色丁字毛。羽状复叶长 2.5 ~ 5 cm；叶柄长达 1 cm，叶轴上面有槽，与叶柄均被灰色平贴丁字毛；托叶三角形，长约 1 mm，早落；小叶 2 ~ 4 对，对生，椭圆形，稍倒阔卵形，长 5 ~ 1.5 mm，宽 3 ~ 10 mm，先端钝圆，基部圆形，上面绿色，疏被丁字毛，下面苍绿色，丁字毛较粗；小叶柄长 0.5 mm；小托叶与小叶柄近等长或不明显。总状花序腋生，长 4 ~ 6（~ 8）cm；总花梗较叶柄短；苞片线形，长约 1.5 mm；花梗长约 1 mm；花萼长约 2 mm，外面被白色丁字毛，萼齿近相等，三角状披针形，与萼筒近等长；花冠紫色或紫红色，旗瓣阔倒卵形，长达 5 mm，外面被丁字毛，翼瓣与龙骨瓣等长，龙骨瓣有距；花药圆球形，先端具小凸尖；子房线形，被疏毛。荚果褐色，线状圆柱形，长不超过 2.5 cm，被白色丁字毛，种子间有横隔，内果皮有紫红色斑点；种子椭圆形。花期 5 ～ 6 月，果期 8 ～ 10 月。

| 生境分布 | 生于海拔 1 200 ～ 2 300 m 的山坡、草地或河滩地。分布于宁夏泾源、隆德、彭阳、西吉、原州等。

| 资源情况 | 野生资源较少。

| 采收加工 | 春、秋季采收，洗净，鲜用或切段晒干。

| 药材性状 | 全草 40 ～ 100 cm，茎枝被白色丁字毛。羽状复叶互生，叶柄、小叶柄及叶两面均被白色丁字毛，小叶 5 ～ 9，矩圆形或倒卵状矩圆形，长 5 ～ 15 mm，宽 3 ～ 8 mm，先端骤尖，基部圆形。总状花序腋生，花冠紫色。荚果圆柱形，被白色丁字毛。种子椭圆形。气微。

| 功能主治 | 苦、涩，凉。归心、脾经。清热，利湿，止血。用于创伤，肿毒，口疮，泄泻，臁疮，吐血。

| 用法用量 | 内服煎汤，9 ～ 15 g，鲜品 30 ～ 60 g。外用适量，研末调敷；或鲜品捣敷；或煎汤洗。

豆科 Fabaceae 扁豆属 Lablab

扁豆 Lablab purpureus (L.) Sweet

| 药 材 名 | 白扁豆（药用部位：成熟种子。别名：白豆、扁豆、沿篱豆）。

| 形态特征 | 多年生缠绕藤本。全株几无毛，茎长可达6 m，常呈淡紫色。羽状复叶具3小叶；托叶基着，披针形；小托叶线形，长3～4 mm；小叶宽三角状卵形，长6～10 cm，宽约与长相等，侧生小叶两边不等大，偏斜，先端急尖或渐尖，基部近截平。总状花序直立，长15～25 cm，花序轴粗壮，总花梗长8～14 cm；小苞片2，近圆形，长3 mm，脱落；花2至多数簇生于每节上；花萼钟状，长约6 mm，上方2裂齿几完全合生，下方3近相等；花冠白色或紫色，旗瓣圆形，基部两侧具2长而直立的小附属体，附属体下有2耳，翼瓣宽倒卵形，具截平的耳，龙骨瓣成直角弯曲，基部渐狭成瓣柄；

扁豆

子房线形，无毛，花柱比子房长，弯曲不逾 90°，一侧扁平，近顶部内缘被毛。荚果长圆状镰形，长 5 ～ 7 cm，近先端最阔，宽 1.4 ～ 1.8 cm，扁平，直或稍向背弯曲，先端有弯曲的尖喙，基部渐狭；种子 3 ～ 5，扁平，长椭圆形，在白花品种中为白色，在紫花品种中为紫黑色，种脐线形，长约占种子周长的 2/5。花期 4 ～ 12 月。

| 生境分布 | 宁夏有零星栽培。

| 资源情况 | 栽培资源丰富。多作蔬菜食用。

| 采收加工 | 秋、冬季采收成熟果实，晒干，取出种子，再晒干。

| 药材性状 | 本品呈扁椭圆形或扁卵圆形，长 8 ～ 13 mm，宽 6 ～ 9 mm，厚约 7 mm。表面淡黄白色或淡黄色，平滑，略有光泽，一侧边缘有隆起的白色眉状种阜。质坚硬。种皮薄而脆，子叶 2，肥厚，黄白色。气微，味淡，嚼之有豆腥气。

| 功能主治 | 甘，微温。归脾、胃经。健脾化湿，和中消暑。用于脾胃虚弱，食欲不振，大便溏泻，带下过多，暑湿吐泻，胸闷腹胀。

| 用法用量 | 内服煎汤，9 ～ 15 g。

| 附　　注 | 本种始载于《名医别录》。《本草图经》记载："大叶细花，花有紫、白二色，荚生花下。其实有黑、白二种，白者温而黑者小冷，入药当用白者。"该书所载即今中药材"白扁豆"。

豆科 Fabaceae 山黧豆属 Lathyrus

大山黧豆 *Lathyrus davidii* Hance

| 药 材 名 | 大山黧豆（药用部位：种子。别名：茳芒山黛豆、大豌豆）。

| 形态特征 | 多年生草本，高 80 ~ 100 cm，多分枝。羽状复叶，先端具卷须，小叶 4 ~ 8，卵形或卵状椭圆形，长 3 ~ 10 cm，宽 1.8 ~ 6 cm，先端急尖，基部圆形，无毛；叶轴具狭翅；托叶大，半箭头形。总状花序腋生；花萼斜钟形，萼齿 5，下面 3 较大，三角形，急尖，无毛；花冠黄色，长约 2 cm；雄蕊二体，9+1；子房具短柄，无毛，花柱扁平，里面被髯毛。荚果圆筒形，长达 11 cm，灰棕色。花果期 6 ~ 8 月。

| 生境分布 | 生于海拔 2 000 m 左右的林缘、山坡草地。分布于宁夏泾源等。

| 资源情况 | 野生资源较少。

大山黧豆

| **采收加工** | 秋季果实成熟后采收，晒干。

| **功能主治** | 辛，温。疏肝理气，调经止痛。用于痛经，月经不调。

| **用法用量** | 内服煎汤，6～15 g。

豆科 Fabaceae 山黧豆属 Lathyrus

牧地山黧豆 *Lathyrus pratensis* L.

牧地山黧豆

| 药 材 名 |

牧地山黧豆（药用部位：全草）。

| 形态特征 |

多年生草本，高 30 ～ 120 cm，茎上升、平卧或攀缘。叶具 1 对小叶；托叶箭形，基部两侧不对称，长（5 ～）10 ～ 45 mm，宽3 ～ 10（～ 15）mm；叶轴末端具卷须，单一或分枝；小叶椭圆形、披针形或线状披针形，长 10 ～ 30（～ 50）mm，宽 2 ～ 9（～ 13）mm，先端渐尖，基部宽楔形或近圆形，两面或多或少被毛，具平行脉。总状花序腋生，具 5 ～ 12 花，长于叶数倍。花黄色，长 12 ～ 18 mm；花萼钟状，被短柔毛，最下 1 齿长于萼筒；旗瓣长约 14 mm，瓣片近圆形，宽 7 ～ 9 mm，下部变狭为瓣柄，翼瓣稍短于旗瓣，瓣片近倒卵形，基部具耳及线形瓣柄，龙骨瓣稍短于翼瓣，瓣片近半月形，基部具耳及线形瓣柄。荚果线形，长 23 ～ 44 mm，宽 5 ～ 6 mm，黑色，具网纹。种子近圆形，直径 2.5 ～ 3.5 mm，厚约2 mm，种脐长约 1.5 mm，平滑，黄色或棕色。花期 6 ～ 8 月，果期 8 ～ 10 月。

| 生境分布 | 生于海拔 1 700 ~ 2 200 m 的山坡灌丛、林缘或草地。分布于宁夏隆德、西吉、原州等。 |

| 资源情况 | 野生资源较少。 |

| 采收加工 | 春、夏季采收，鲜用或晒干。 |

| 功能主治 | 辛、甘，微温。归肺经。祛痰止咳。用于支气管炎，肺炎，肺脓肿，肺结核。 |

| 用法用量 | 内服煎汤，9 ~ 15 g。外用适量，捣敷。 |

豆科 Fabaceae 山黧豆属 Lathyrus

山黧豆
Lathyrus quinquenervius (Miq.) Litv.

| 药 材 名 | 竹叶马豆（药用部位：全草。别名：铁马豆）。

| 形态特征 | 多年生草本，高 30 ~ 40 cm。茎直立或斜升，具窄翅，被短柔毛。下部叶具小叶 1 对，上部叶具小叶 2 ~ 3 对，叶片披针形，长 3 ~ 8 cm，宽 0.3 ~ 1 cm，先端急尖或钝，具小尖头，基部楔形，两面被短柔毛，后渐无毛；叶轴两侧具窄翅，疏被短柔毛；卷须单一，下部叶卷须较短。总状花序腋生，花序轴长 8 ~ 15 cm，疏被短柔毛，具花 2 ~ 5；花梗长 2 ~ 4 cm，被短柔毛；花萼钟形，长约 7 mm，宽约 4 mm，被柔毛，上萼齿短，三角形，下萼齿与萼筒近等长或稍短，披针形；花冠蓝紫色，长 15 ~ 20 mm，旗瓣于中部缢缩，先端微凹，翼瓣比旗瓣稍短或近等长，龙骨瓣比翼瓣短；子房

山黧豆

被黄色长柔毛，无柄，花柱里面有白色髯毛。荚果长圆状线形，长 3 ～ 5 cm，宽约 5 mm，先端渐狭尖。花期 6 ～ 8 月，果期 8 ～ 9 月。

| 生境分布 | 多生于阴坡草地或林下。分布于宁夏隆德、西吉等。

| 资源情况 | 野生资源较少。

| 采收加工 | 春、夏季采收，鲜用或晒干。

| 药材性状 | 本品茎纤细，无毛。羽状复叶，小叶 1 ～ 3 对，叶轴先端成 2 歧卷须；叶片皱缩，小叶展平后呈线状披针形，长 2.4 ～ 4 cm，宽 1.5 ～ 4.5 mm，先端具小突尖，基部楔形，全缘，上、下表面叶脉明显凸出。有的可见总状花序，腋生，花暗紫色。荚果圆柱形，无毛。味苦，凉。

| 功能主治 | 苦，凉。清热解毒。用于疮，癣，癞，疥，小儿麻疹后余毒未尽。

| 用法用量 | 内服煎汤，9 ～ 15 g。外用适量，煎汤洗。

豆科 Fabaceae 胡枝子属 Lespedeza

胡枝子 *Lespedeza bicolor* Turcz.

| 药 材 名 | 胡枝子根（药用部位：根。别名：野山豆根、扫皮）、胡枝子（药用部位：枝叶。别名：随军茶、扫皮）、胡枝子花（药用部位：花）。

| 形态特征 | 直立灌木，高 1 ~ 3 m，多分枝，小枝黄色或暗褐色，有条棱，被疏短毛；芽卵形，长 2 ~ 3 mm，具数黄褐色鳞片。羽状复叶具 3 小叶；托叶 2，线状披针形，长 3 ~ 4.5 mm；叶柄长 2 ~ 7（~ 9） cm；小叶质薄，卵形、倒卵形或卵状长圆形，长 1.5 ~ 6 cm，宽 1 ~ 3.5 cm，先端钝圆或微凹，稀稍尖，具短刺尖，基部近圆形或宽楔形，全缘，上面绿色，无毛，下面色淡，被疏柔毛，老时渐无毛。总状花序腋生，比叶长，常构成大型、较疏松的圆锥花序；总花梗长 4 ~ 10 cm；小苞片 2，卵形，长不到 1 cm，先端钝圆或稍尖，黄褐色，被短柔毛；花梗短，长约 2 mm，密被毛；花萼长约 5 mm，5 浅裂，

胡枝子

裂片通常短于萼筒，上方 2 裂片合生成 2 齿，裂片卵形或三角状卵形，先端尖，外面被白毛；花冠红紫色，极稀白色，长约 10 mm，旗瓣倒卵形，先端微凹，翼瓣较短，近长圆形，基部具耳和瓣柄，龙骨瓣与旗瓣近等长，先端钝，基部具较长的瓣柄；子房被毛。荚果斜倒卵形，稍扁，长约 10 mm，宽约 5 mm，表面具网纹，密被短柔毛。花期 7 ~ 9 月，果期 9 ~ 10 月。

| 生境分布 | 生于田边、路旁。分布于宁夏泾源、盐池、中宁、金凤等。

| 资源情况 | 野生资源较少。

| 采集加工 | 胡枝子根：夏、秋季采收，洗净，切片，晒干。

胡枝子：春、夏季采收，鲜用或晒干。

胡枝子花：7 ~ 8 月花开时采收，阴干。

| 药材性状 | 胡枝子根：本品呈圆柱形，稍弯曲，长短不等，直径 0.8 ~ 1.4 cm。表面灰棕色，有支根痕、横向突起及纵皱纹。质坚硬，难折断。断面中央无髓，木部灰黄色，皮部棕褐色。气微弱，味微苦、涩。

| 功能主治 | 胡枝子根：甘，平。归心、肝经。祛风除湿，活血止痛，止血止带，清热解毒。用于感冒发热，风湿痹痛，跌打损伤，鼻衄，赤白带下，流注肿毒。

胡枝子：甘，平。清热润肺，利尿通淋，止血。用于肺热咳嗽，感冒发热，百日咳，淋证，吐血，衄血，尿血，便血。

胡枝子花：甘，平。清热止血，润肺止咳。用于便血，肺热咳嗽。

| 用法用量 | 胡枝子根：内服煎汤，9 ~ 15 g，鲜品 30 ~ 60 g；或炖肉；或浸酒。外用适量，研末调敷。

胡枝子：内服煎汤，9 ~ 15 g，鲜品 30 ~ 60 g；或代茶饮。

胡枝子花：内服煎汤，9 ~ 15 g。

| 附 注 | 《宁夏中药志》记载胡枝子 *Lespedeza bicolor* Turcz. 的根作为胡枝子药用。

豆科 Fabaceae 胡枝子属 Lespedeza

兴安胡枝子

Lespedeza davurica (Laxmann) Schindler

| 药 材 名 | 枝儿条（药用部位：全草或根。别名：牤牛茶、牛筋子、牛枝条）。

| 形态特征 | 小灌木，高达 1 m。茎通常稍斜升，单一或数个簇生；老枝黄褐色或赤褐色，被短柔毛或无毛，幼枝绿褐色，有细棱，被白色短柔毛。羽状复叶具 3 小叶；托叶线形，长 2 ~ 4 mm；叶柄长 1 ~ 2 cm；小叶长圆形或狭长圆形，长 2 ~ 5 cm，宽 5 ~ 16 mm，先端圆形或微凹，有小刺尖，基部圆形，上面无毛，下面被贴伏的短柔毛；顶生小叶较大。总状花序腋生。较叶短或与叶等长；总花梗密生短柔毛；小苞片披针状线形，有毛；花萼 5 深裂，外面被白毛，萼裂片披针形，先端长渐尖，成刺芒状，与花冠近等长；花冠白色或黄白色，旗瓣长圆形，长约 1 cm，中央稍带紫色，具瓣柄，翼瓣长圆形，先端钝，较短，龙骨瓣比翼瓣长，先端圆形；闭锁花生于叶腋，结实。

兴安胡枝子

荚果小，倒卵形或长倒卵形，长 3 ~ 4 mm，宽 2 ~ 3 mm，先端有刺尖，基部稍狭，两面凸起，有毛，包于宿存萼内。花期 7 ~ 8 月，果期 9 ~ 10 月。

| **生境分布** | 生于干旱山坡、草地、路旁或沙地上。分布于宁夏泾源、彭阳、西吉、青铜峡、沙坡头、灵武、红寺堡、同心等。

| **资源情况** | 野生资源较少。

| **采收加工** | 夏、秋季采挖，切段，晒干。

| **功能主治** | 辛，温。解表散寒。用于感冒发热，咳嗽。

| **用法用量** | 内服煎汤，9 ~ 15 g。

豆科 Fabaceae 胡枝子属 *Lespedeza*

多花胡枝子

Lespedeza floribunda Bunge

| 药 材 名 | 铁鞭草（药用部位：全草或根。异名：米汤草、石告杯）。

| 形态特征 | 小灌木，高 30 ~ 60（~ 100）cm。根细长；茎常近基部分枝；枝有条棱，被灰白色绒毛。托叶线形，长 4 ~ 5 mm，先端刺芒状；羽状复叶具 3 小叶；小叶具柄，倒卵形、宽倒卵形或长圆形，长 1 ~ 1.5 cm，宽 6 ~ 9 mm，先端微凹、钝圆或近截形，具小刺尖，基部楔形，上面被疏伏毛，下面密被白色伏柔毛；侧生小叶较小。总状花序腋生；总花梗细长，显著超出叶；花多数；小苞片卵形，长约 1 mm，先端急尖；花萼长 4 ~ 5 mm，被柔毛，5 裂，上方 2 裂片下部合生，上部分离，裂片披针形或卵状披针形，长 2 ~ 3 mm，先端渐尖；花冠紫色、紫红色或蓝紫色，旗瓣椭圆形，长 8 mm，先端圆形，基部有柄，翼瓣稍短，龙骨瓣长于旗瓣，钝头。荚果宽卵形，

多花胡枝子

长约 7 mm, 超出宿存萼, 密被柔毛, 有网状脉。花期 6 ~ 9 月, 果期 9 ~ 10 月。

| **生境分布** | 生于石质山坡。分布于宁夏原州等。

| **资源情况** | 野生资源较少。

| **采收加工** | 6 ~ 10 月采收, 根洗净, 切片, 晒干; 茎叶切段, 晒干。

| **药材性状** | 本品茎多基部分枝, 枝条细长柔弱, 具条纹。三出复叶, 叶片多皱缩, 完整小叶倒卵形或狭长倒卵形, 长 6 ~ 25 mm, 宽 3 ~ 16 mm, 叶端截形, 具尖刺, 嫩叶下表面密被白色绒毛。总状花序腋生, 蝶形花冠暗紫红色。荚果卵状菱形, 长约 5 mm, 有柔毛。气微, 味涩。

| **功能主治** | 涩, 凉。消积, 截疟。用于小儿疳积, 疟疾。

| **用法用量** | 内服煎汤, 9 ~ 15 g。

豆科 Fabaceae 胡枝子属 Lespedeza

美丽胡枝子

Lespedeza thunbergii (DC.) Nakai subsp. *formosa* (Vogel) H. Ohashi

美丽胡枝子

| 药 材 名 |

美丽胡枝子（药用部位：根、茎叶、花）。

| 形态特征 |

直立灌木，高 1 ~ 2 m。多分枝，枝伸展，被疏柔毛。托叶披针形至线状披针形，长 4 ~ 9 mm，被疏柔毛；叶柄长 1 ~ 5 cm；被短柔毛；小叶椭圆形、长圆状椭圆形或卵形，稀倒卵形，两端稍钝，长 2.5 ~ 6 cm，宽 1 ~ 3 cm，上面绿色，稍被短柔毛，下面淡绿色，贴生短柔毛。总状花序腋生，比叶长，或构成顶生的圆锥花序；总花梗长可达 10 cm，被短柔毛；苞片卵状渐尖，长 2 mm，密被绒毛；花梗短，被毛；花萼钟状，长 5 ~ 7 mm，5 深裂，裂片长圆状披针形，长为萼筒的 4 倍，外面密被短柔毛；花冠红紫色，长 10 ~ 15 mm，旗瓣近圆形或稍长，先端圆，基部具明显的耳和瓣柄，翼瓣倒卵状长圆形，短于旗瓣和龙骨瓣，长 7 ~ 8 mm，基部有耳和细长瓣柄，龙骨瓣比旗瓣稍长，在花盛开时明显长于旗瓣，基部有耳和细长瓣柄。荚果倒卵形或倒卵状长圆形，长 8 mm，宽 4 mm，表面具网纹且被疏柔毛。花期 7 ~ 9 月，果期 9 ~ 10 月。

| **生境分布** | 生于山坡、林缘。分布于宁夏六盘山（泾源、隆德）等。 |

| **资源情况** | 野生资源较少。 |

| **功能主治** | 根，清热解毒，祛风除湿，活血止痛。用于肺痈，乳痈，疖肿，腹泻，风湿痹痛，跌打损伤，骨折，风湿性关节炎。茎叶，清热凉血，利尿通淋。用于便血，尿血，热淋，小便不利，中暑发痧，蛇咬伤。花，清热凉血。用于肺热咳嗽，便血，尿血，慢性支气管炎。 |

豆科 Fabaceae 胡枝子属 *Lespedeza*

尖叶铁扫帚

Lespedeza juncea (L. f.) Pers.

尖叶铁扫帚

| 药 材 名 |

夜关门（药用部位：全草或根。别名：铁扫帚、封草、野鸡草）。

| 形态特征 |

小灌木，高可达 1 m。全株被伏毛，分枝或上部分枝呈扫帚状。托叶线形，长约 2 mm；叶柄长 0.5 ～ 1 cm；羽状复叶具 3 小叶；小叶倒披针形、线状长圆形或狭长圆形，长 1.5 ～ 3.5 cm，宽（2 ～）3 ～ 7 mm，先端稍尖或钝圆，有小刺尖，基部渐狭，边缘稍反卷，上面近无毛，下面密被伏毛。总状花序腋生，稍超出叶，有 3 ～ 7 排列较密集的花，近似伞形花序；总花梗长；苞片及小苞片卵状披针形或狭披针形，长约 1 mm；花萼狭钟状，长 3 ～ 4 mm，5 深裂，裂片披针形，先端锐尖，外面被白色伏毛，花开后具明显 3 脉；花冠白色或淡黄色，旗瓣基部带紫斑，花期不反卷或稀反卷，龙骨瓣先端带紫色，旗瓣、翼瓣与龙骨瓣近等长，有时旗瓣较短；闭锁花簇生于叶腋，近无梗。荚果宽卵形，两面被白色伏毛，稍超出宿存萼。花期 7 ～ 9 月，果期 9 ～ 10 月。

| **生境分布** | 生于海拔 1 500 m 左右的山坡灌丛间。分布于宁夏泾源、彭阳等。

| **资源情况** | 野生资源较少。

| **采收加工** | 夏季采收，拣去杂质，洗净，晒干。

| **药材性状** | 本品根细长，条状，多分枝。茎枝细长，被微柔毛。三出复叶互生，密集，多卷曲皱缩，完整小叶线状楔形，长 1 ~ 2.5 cm；叶端钝或截形，有小锐尖，在中部以下渐狭；上面无毛，下面被灰色丝毛。短总状花序腋生，花萼钟形，蝶形花冠淡黄白色至黄棕色，心部带红紫色。荚果卵形，稍斜，长约 3 mm，棕色，先端有喙。气微，味苦。

| **功能主治** | 苦、涩，凉。归肾、肝经。用于补肾涩精，健脾利湿，祛痰止咳，清热解毒。用于肾虚，遗精，遗尿，尿频，白浊，带下，泄泻，痢疾，水肿，小儿疳积，咳嗽气喘，跌打损伤，目赤肿痛，痈疮肿毒，毒虫咬伤。

| **用法用量** | 内服煎汤，15 ~ 30 g，鲜品 30 ~ 60 g；或炖肉。外用适量，煎汤熏洗；或捣敷。

豆科 Fabaceae 胡枝子属 Lespedeza

细梗胡枝子
Lespedeza virgata (Thunb.) DC.

| 药 材 名 | 掐不齐（药用部位：全草。别名：瓜子鸟梢、斑鸠花）。

| 形态特征 | 小灌木，高 50 ~ 80 cm。枝具棱，密被白色短毛。羽状三出复叶，总叶轴长 3 ~ 6 mm，密被白色短毛；托叶刺芒状，长 4 ~ 5 mm；顶生小叶较侧生小叶大，矩圆状长椭圆形，长 10 ~ 30 mm，宽 3 ~ 15 mm，先端圆，具小尖头，基部圆形，上面无毛，下面密被白色伏毛。总状花序腋生，总花梗细弱，长 2 ~ 5 cm，疏被白色伏毛；小苞片狭披针形，长 3 ~ 4 mm；花萼钟形，长 6 ~ 7 mm，密被白色伏毛，萼齿 5，长为萼筒的 2 ~ 3 倍；花冠黄白色，旗瓣椭圆形，长 9 ~ 10 mm，宽 4 ~ 5 mm，先端圆，基部有短爪，翼瓣长 7 ~ 8 mm，基部具耳和爪，龙骨瓣与旗瓣等长，耳短，爪长约子

细梗胡枝子

房无 3 mm；柄，被毛。荚果斜卵形至近圆形，具网脉，疏被白色短毛。花期 7 ～ 8 月，果期 9 ～ 10 月。

| 生境分布 | 生于向阳山坡或灌丛。分布于宁夏西吉、原州、中宁等。

| 资源情况 | 野生资源较少。

| 采收加工 | 夏季采收，洗净，切碎，晒干。

| 药材性状 | 本品根呈长圆锥形，具分枝，长 10 ～ 30 cm，表面淡黄棕色，具细纵皱纹，皮孔呈点状或横向延长疤状。茎呈圆柱形，较细，长约 50 cm，多分枝或丛生，表面灰黄色至灰褐色，木质。叶为三出复叶，小叶片狭卵形、倒卵形或椭圆形，长 1 ～ 2.5 cm，宽 0.5 ～ 1.5 cm，先端圆钝，稍具短尖，全缘，绿色或绿褐色，上面近无毛或被平伏短毛，背面毛较密集。有时可见腋生的总状花序，总花梗长 4 ～ 15 cm，花梗无关节，花萼杯状，长约 4.5 mm，被疏毛，花冠蝶形。荚果斜倒卵形。气微，味淡，具豆腥气。

| 功能主治 | 甘、微苦，平。清暑利尿，截疟。用于中暑，小便不利，疟疾，感冒，高血压。

| 用法用量 | 内服煎汤，15 ～ 30 g。

豆科 Fabaceae 百脉根属 Lotus

百脉根 *Lotus corniculatus* L.

| 药 材 名 | 百脉根（药用部位：根）、地羊鹊（药用部位：地上部分。别名：斑鸠窝、酸米了、黄花草）、百脉根花（药用部位：花。别名：三月黄花）。

| 形态特征 | 多年生草本，高 15 ~ 50 cm，全株散生稀疏白色柔毛或秃净。具主根。茎丛生，平卧或上升，实心，近四棱形。羽状复叶具小叶5；叶轴长 4 ~ 8 mm，疏被柔毛，先端 3 小叶，基部 2 小叶呈托叶状，纸质，斜卵形至倒披针状卵形，长 5 ~ 15 mm，宽 4 ~ 8 mm，中脉不清晰；小叶柄甚短，长约 1 mm，密被黄色长柔毛。伞形花序；总花梗长 3 ~ 10 cm；花 3 ~ 7 集生于总花梗先端，长（7 ~）9 ~ 15 mm；花梗短，基部有苞片 3；苞片叶状，与花萼等长，宿存萼钟形，长 5 ~ 7 mm，宽 2 ~ 3 mm，无毛或稀被柔毛，萼齿近等

百脉根

长，狭三角形，渐尖，与萼筒等长；花冠黄色或金黄色，干后常变蓝色，旗瓣扁圆形，瓣片和瓣柄几等长，长 10 ～ 15 mm，宽 6 ～ 8 mm，翼瓣和龙骨瓣等长，均略短于旗瓣，龙骨瓣呈直角三角形弯曲，喙部狭尖；雄蕊二体，花丝分离部略短于雄蕊筒；花柱直，等长于子房，呈直角上指，柱头点状，子房线形，无毛，胚珠 35 ～ 40。荚果直，线状圆柱形，长 20 ～ 25 mm，直径 2 ～ 4 mm，褐色，2 瓣裂，扭曲，有多数种子；种子细小，卵圆形，长约 1 mm，灰褐色。花期 5 ～ 9 月，果期 7 ～ 10 月。

| **生境分布** | 生于湿润而土壤呈弱碱性的山坡、草地、田野或河滩地。分布于宁夏西吉、利通、青铜峡、沙坡头、西夏、兴庆、惠农、平罗等。

| **资源情况** | 野生资源较少。

| **采收加工** | 百脉根：夏季采挖，洗净，晒干。
地羊鹊：夏季采收，洗净，晒干。
百脉根花：5 ～ 7 月采花，晾干。

| **功能主治** | 百脉根：甘、苦，微寒。补虚，清热，止渴。用于虚劳，阴虚发热，口渴。
地羊鹊：甘、微苦，凉。清热解毒，止咳平喘，利湿消痞。用于风热咳嗽，咽喉肿痛，胃脘痞满疼痛，疖疮，无名肿毒，湿疹，痢疾，痔疮便血。
百脉根花：微苦、辛，平。清肝明目。用于风热目赤，视物昏花。

| **用法用量** | 百脉根：内服煎汤，9 ～ 18 g；或浸酒；或入丸、散剂。
地羊鹊：内服煎汤，9 ～ 18 g。外用适量，捣敷。
百脉根花：内服煎汤，6 ～ 10 g。

豆科 Fabaceae 苜蓿属 Medicago

野苜蓿 *Medicago falcata* L.

野苜蓿

药 材 名

野苜蓿（药用部位：全草。别名：镰荚苜蓿、豆豆苗）。

形态特征

多年生草本，高（20～）40～100（～120）cm。主根粗壮，木质，须根发达。茎平卧或上升，圆柱形，多分枝。羽状三出复叶；托叶披针形至线状披针形，先端长渐尖，基部戟形，全缘或稍具锯齿，脉纹明显；叶柄细，比小叶短；小叶倒卵形至线状倒披针形，长（5～）8～15（～20）mm，宽（1～）2～5（～10）mm，先端近圆形，具刺尖，基部楔形，边缘上部1/4具锐锯齿，上面无毛，下面被贴伏毛，侧脉12～15对，与中脉成锐角平行达叶边，不分叉；顶生小叶稍大。花序短总状，长1～2（～4）cm，具花6～20（～25），稠密，花期几不伸长；总花梗腋生，挺直，与叶等长或稍长；苞片针刺状，长约1mm；花长6～9（～11）mm；花梗长2～3mm，被毛；花萼钟形，被贴伏毛，萼齿线状圆锥形，比萼筒长；花冠黄色，旗瓣长倒卵形，翼瓣和龙骨瓣等长，均比旗瓣短；子房线形，被柔毛，花柱短，略弯，胚珠2～5。荚果镰形，长（8～）10～15 mm，宽 2.5～3.5（～4）mm，脉纹细，斜向，被贴伏毛；
有种子 2～4。种子卵状椭圆形，长 2 mm，宽 1.5 mm，黄褐色，胚根处凸起。
花期 6～8 月，果期 7～9 月。

| **生境分布** | 生于砂质偏旱的耕地、山坡、草原或河岸杂草丛中。分布于宁夏灵武、沙坡头、
惠农、大武口等。

| **资源情况** | 野生资源较丰富。

| **采收加工** | 夏、秋季采收，晒干。

| **功能主治** | 甘、微苦，平。健脾补虚，利尿退黄，舒筋活络。用于脾虚腹胀，消化不良，
浮肿，黄疸，风湿痹痛。

| **用法用量** | 内服煎汤，9～15 g；或研末，3～4.5 g。

豆科 Fabaceae 苜蓿属 Medicago

天蓝苜蓿 *Medicago lupulina* L.

天蓝苜蓿

| 药 材 名 |

老蜗生（药用部位：全草。别名：接筋草、黄花马豆草、金花菜）。

| 形态特征 |

一年生草本，高 20 ~ 65 cm。茎斜升或铺散，多分枝，细弱，疏被柔毛。羽状三出复叶，叶轴被毛；托叶卵状披针形，先端渐尖，基部边缘常具细齿；小叶倒卵形、阔倒卵形或倒心形，长 6 ~ 20 mm，宽 4 ~ 20 mm。花 10 ~ 15 密集成花序头状，总花梗细，挺直，比叶长，密被贴伏柔毛；苞片刺毛状，甚小；花冠黄色，旗瓣近圆形，先端微凹，翼瓣和龙骨瓣近等长。荚果肾形，表面具同心弧形脉纹，被稀疏毛，成熟时变黑。种子卵形，褐色，平滑。花期 7 ~ 9 月，果期 8 ~ 10 月。

| 生境分布 |

生于河岸、路边、田野或荒地。宁夏各地均有分布。

| 资源情况 |

野生资源丰富。

| **采收加工** | 夏、秋季采收，洗净，晒干。

| **药材性状** | 本品长 20 ~ 60 cm，被疏毛。三出复叶互生，具长柄；完整小叶宽倒卵形或菱形，长、宽均 1 ~ 2 cm，叶端钝圆，微凹，叶基宽楔形，边缘上部具锯齿，两面均具白色柔毛，小叶柄短；托叶斜卵形，有柔毛。10 ~ 15 花密集成头状花序；花萼钟状，花冠蝶形，黄棕色。荚果先端内曲，稍呈肾形，黑色，具网纹，有疏柔毛。种子 1，黄褐色。气微，味淡。

| **功能主治** | 甘、微涩，平。归肝经。清热利湿，凉血止血，舒筋活络。用于黄疸，便血，痔疮出血，蛇咬伤，白血病，坐骨神经痛，风湿痹痛，腰肌损伤。

| **用法用量** | 内服煎汤，9 ~ 30 g。外用适量，捣敷。

豆科 Fabaceae 苜蓿属 Medicago

花苜蓿
Medicago ruthenica (L.) Trautv.

| 药 材 名 | 花苜蓿（药用部位：全草）。

| 形态特征 | 多年生草本，高 20 ~ 70（~ 100）cm。主根深入土中，根系发达。茎直立或上升，四棱形，基部分枝，丛生，羽状三出复叶；托叶披针形，锥尖，先端稍上弯，基部阔圆，耳状，具 1 ~ 3 浅齿，脉纹清晰；叶柄比小叶短，长 2 ~ 7（~ 12）mm，被柔毛；小叶形状变化很大，长圆状倒披针形、楔形、线形以至卵状长圆形，长（6 ~）10 ~ 15（~ 25）mm，宽（1.5 ~）3 ~ 7（~ 12）mm，先端截平、钝圆或微凹，中央具细尖，基部楔形、阔楔形至钝圆，边缘在基部 1/4 处以上具尖齿，或仅在上部具不整齐尖锯齿，上面近无毛，下面被贴伏柔毛，侧脉 8 ~ 18 对，分叉并伸出叶边成尖齿，两面均隆起；顶生小叶稍大，小叶柄长 2 ~ 6 mm，侧生小叶柄甚短，被毛。

花苜蓿

花序伞形，有时长达 2 cm，具花（4 ~）6 ~ 9（~ 15）；总花梗腋生，通常比叶长，挺直，有时也纤细，并比叶短；苞片刺毛状，长 1 ~ 2 mm；花长（5 ~）6 ~ 9 mm；花梗长 1.5 ~ 4 mm，被柔毛；花萼钟形，长 2 ~ 4 mm，宽 1.5 ~ 2 mm，被柔毛，萼齿披针状锥尖，与萼筒等长或比萼筒短；花冠黄褐色，中央深红色至紫色条纹，旗瓣倒卵状长圆形、倒心形至匙形，先端凹头，翼瓣稍短，长圆形，龙骨瓣明显短，卵形，均具长瓣柄；子房线形，无毛，花柱短，胚珠 4 ~ 8。荚果长圆形或卵状长圆形，扁平，长 8 ~ 15（~ 20）mm，宽 3.5 ~ 5（~ 7）mm，先端钝急尖，具短喙，基部狭尖并稍弯曲，具短颈，脉纹横向倾斜，分叉，腹缝有时具流苏状的狭翅，熟后变黑；有种子 2 ~ 6。种子椭圆状卵形，长 2 mm，宽 1.5 mm，棕色，平滑，种脐偏于一端；胚根发达。花期 6 ~ 9 月，果期 8 ~ 10 月。

| **生境分布** | 生于草原、沙地、河岸及砂砾质土壤的山坡旷野。分布于宁夏泾源、海原、彭阳等。

| **资源情况** | 野生资源较少。

| **采集加工** | 6 ~ 7 月采收，洗净，除去残叶、须根，晾干。

| **药材性状** | 本品长 20 ~ 80 cm。主根粗壮，须根多已除去。茎多分枝，具 4 棱，有稀疏的类白色短柔毛。三出复叶；托叶披针形，基部有牙齿或裂片，有伏毛；小叶 3，多皱缩或脱落，完整者展平后呈倒卵形或长圆状倒披针形，长 0.5 ~ 1.5 cm，宽 1.5 ~ 4 mm，边缘具锯齿，叶脉明显，有短柄。气微，味淡。

| **功能主治** | 苦，寒。清热解毒，止咳，止血。用于发热，肺热咳嗽，赤痢，外伤出血，痈疡。

| **用法用量** | 内服煎汤，5 ~ 15 g。外用适量，捣敷。

| **附　注** | 本种的干燥全草也作藏药用。味苦，性凉，可清热解毒、益肾愈疮，用于疮疹、肺热咳嗽。

豆科 Fabaceae 苜蓿属 Medicago

紫苜蓿 *Medicago sativa* L.

紫苜蓿

药材名

苜蓿（药用部位：全草。别名：木粟、怀风、光风）。

形态特征

多年生草本，高 35 ～ 120 cm。根系发达。茎直立或平卧，四棱形，微被短柔毛。羽状三出复叶；托叶大，卵状披针形，先端锐尖，基部全缘或具 1 ～ 2 齿裂；小叶长卵形、倒长卵形至线状卵形，顶生小叶稍大，长 1.5 ～ 3 cm，宽 3 ～ 8 mm，先端钝圆，基部狭窄，楔形，边缘 1/3 以上具锯齿，上面无毛，深绿色，背面被贴伏柔毛。花序总状或头状，长 1.2 ～ 2.8 cm，具花 8 ～ 25；总花梗长于叶，苞片线状圆锥形；花萼钟形，长 2 ～ 5 mm，萼齿线状圆锥形，被贴伏柔毛；花冠紫红色，花瓣均具长瓣柄，旗瓣长圆形，先端微凹，明显较翼瓣和龙骨瓣长，翼瓣较龙骨瓣稍长；子房线形，具柔毛，花柱短阔，上端细尖，柱头点状，胚珠多数。荚果螺旋状，1 ～ 3 回旋转，被柔毛或渐脱落。花期 5 ～ 7 月，果期 6 ～ 8 月。

| **生境分布** | 生于田边、路旁、旷野、草原、河岸或沟谷等地。宁夏各地均有分布。

| **资源情况** | 野生资源丰富。

| **采收加工** | 夏、秋季采收，洗净，鲜用或晒干。

| **药材性状** | 本品茎呈类圆柱形，多分枝，高 30 ~ 100 cm，表面黄绿色，光滑；质脆，断面黄白色，有的中空。三出复叶，小叶倒卵形或倒披针形，长 1 ~ 2 cm，主脉稍凸出，上部叶缘有浅锯齿；托叶狭披针形，先端尖。总状花序腋生，花 8 ~ 25，花冠紫色。气微，味淡、微涩。

| **功能主治** | 甘、酸，平。归脾、胃、肾经。清热利尿，健胃。用于泄泻，石淋，水肿，小便不利，消渴，夜盲。

| **用法用量** | 内服捣汁，15 ~ 30 g，鲜品 30 ~ 90 g。

| **附　　注** | （1）《中华本草》记载本种的同属植物南苜蓿 *Medicago polymorpha* L. 的全草也作苜蓿药用。
（2）本种的干燥成熟种子也可作维药，可软便、消肿、通经、催乳，用于体瘦、贫血、经闭、胸闷、关节炎、咳嗽。

| 豆科 | Fabaceae | 草木樨属 | *Melilotus*

白花草木樨 *Melilotus albus* Desr.

| **药 材 名** | 白花辟汗草（药用部位：全株。别名：马苜蓿、白草木樨、金花草）。

| **形态特征** | 一、二年生草本，高 70 ~ 200 cm。茎直立，圆柱形，中空，多分枝，几无毛。羽状三出复叶；托叶尖刺状圆锥形，长 6 ~ 10 mm，全缘；叶柄比小叶短，纤细；小叶长圆形或倒披针状长圆形，长 15 ~ 30 cm，宽（4 ~ ）6 ~ 12 mm，先端钝圆，基部楔形，边缘疏生浅锯齿，上面无毛，下面被细柔毛，侧脉 12 ~ 15 对，平行直达叶缘齿尖，两面均不隆起，顶生小叶稍大，具较长小叶柄，侧小叶小叶柄短。总状花序长 9 ~ 20 cm，腋生，具花 40 ~ 100，排列疏松；苞片线形，长 1.5 ~ 2 mm；花长 4 ~ 5 mm；花梗短，长 1 ~ 1.5 mm；花萼钟形，长约 2.5 mm，微被柔毛，萼齿三角状披针形，短于萼筒；花冠白色，旗瓣椭圆形，稍长于翼瓣，龙骨瓣与翼瓣等

白花草木樨

长或稍短；子房卵状披针形，上部渐窄至花柱，无毛，胚珠 3 ~ 4。荚果椭圆形至长圆形，长 3 ~ 3.5 mm，先端锐尖，具尖喙表面脉纹细，网状，棕褐色，老熟后变黑褐色；有种子 1 ~ 2。种子卵形，棕色，表面具细瘤点。花期 5 ~ 7 月，果期 7 ~ 9 月。

| 生境分布 | 生于田边、路旁荒地或湿润的沙地。分布于宁夏泾源、海原、隆德、西吉、原州、红寺堡、盐池、兴庆、金凤、惠农、平罗等。

| 资源情况 | 野生资源较丰富。

| 采收加工 | 花期采收，洗净，切段，阴干。

| 功能主治 | 苦、辛，凉。清热解毒，和胃化湿，利尿。用于暑热胸闷，头痛，口臭，疟疾，痢疾，淋病，皮肤疮疡。

| 用法用量 | 内服煎汤，9 ~ 15 g。外用适量，捣敷；或煎汤洗。

豆科 Fabaceae 草木樨属 Melilotus

细齿草木樨 Melilotus dentatus (Waldstein et Kitaibel) Persoon

细齿草木樨

| 药 材 名 |

草木樨（药用部位：全草。别名：马层子、臭苜蓿）。

| 形态特征 |

一年生或二年生草本。茎直立，高20～40 cm，多从基部分枝，具棱，无毛。羽状三出复叶，叶轴长5～20 mm；托叶披针形，长达7 mm，先端长渐尖，基部具尖裂齿；小叶椭圆形或倒卵状长椭圆形，长1～2 cm，宽5～8 mm，先端钝或急尖，具小尖头，基部楔形，边缘具密的细锐锯齿，上面无毛，背面主脉隆起，边缘的侧脉极为明显并延伸到锯齿，被平伏的长柔毛，主脉两侧尤密。总状花序腋生，长5～8 cm，花序轴疏被短柔毛；苞片圆锥形，长约1.5 mm，疏被柔毛；花梗与苞片近等长，被柔毛；花萼钟形，疏被柔毛，萼齿三角形，较萼筒稍短；花冠黄色，旗瓣卵状椭圆形，长约4 mm，先端微凹，基部渐狭，翼瓣长3.5 mm，先端圆，基部具耳和爪，龙骨瓣与翼瓣近等长，先端微尖，耳短，具爪；子房无毛。荚果卵形或斜卵形，长2.5～3 mm，宽约2 mm，无毛，先端具宿存花柱。花期6～7月，果期7～8月。

| 生境分布 | 生于沙滩、沟旁、田埂及低湿地草甸。分布于宁夏沙坡头、中宁、贺兰、惠农、平罗、永宁、青铜峡、灵武等引黄灌区。

| 资源情况 | 野生资源较丰富。

| 采收加工 | 夏、秋季采收，晒干或切段后晒干。

| 功能主治 | 辛，平。归脾经。化湿解暑，清热解毒，利尿，止咳平喘，散结止痛。用于疟疾，哮喘，支气管炎，肠绞痛，创伤，淋巴结肿痛。

| 用法用量 | 内服煎汤，5 ～ 15 g。

豆科 Fabaceae 草木樨属 Melilotus

草木樨 *Melilotus officinalis* (L.) Pall.

草木樨

药材名

辟汗草（药用部位：全草。别名：野苜蓿、品川萩、铁扫把）、辟汗草根（药用部位：根）。

形态特征

二年生草本，高 40 ~ 100（~ 250）cm。茎直立，粗壮，多分枝，具纵棱，微被柔毛。羽状三出复叶；托叶镰状线形，长 3 ~ 5（~ 7）mm，中央有 1 脉纹，全缘或基部有 1 尖齿；叶柄细长；小叶倒卵形、阔卵形、倒披针形至线形，长 15 ~ 25（~ 30）mm，宽 5 ~ 15 mm，先端钝圆或截形，基部阔楔形，边缘具不整齐疏浅齿，上面无毛，粗糙，下面散生短柔毛，侧脉 8 ~ 12 对，平行直达齿尖，两面均不隆起，顶生小叶稍大，具较长的小叶柄，侧小叶的小叶柄短。总状花序长 6 ~ 15（~ 20）cm，腋生，具花 30 ~ 70，初时稠密，花开后渐疏松，花序轴在花期中显著伸展；苞片刺毛状，长约 1 mm；花长 3.5 ~ 7 mm；花梗与苞片等长或稍长；花萼钟形，长约 2 mm，脉纹 5，甚清晰，萼齿三角状披针形，稍不等长，比萼筒短；花冠黄色，旗瓣倒卵形，与翼瓣近等长，龙骨瓣稍短或三者均近等长；雄蕊筒在花后常宿存包于果外；子房卵状披针形，胚珠（4 ～）6（～ 8），花柱长于子房。荚果卵形，长 3 ～ 5 mm，宽约 2 mm，先端具宿存花柱，表面具凹凸不平的横向细网纹，棕黑色；有种子 1 ～ 2。种子卵形，长 2.5 mm，黄褐色，平滑。花期 5 ～ 9 月，果期 6 ～ 10 月。

| 生境分布 | 生于山坡、河岸、路旁、砂质草地或林缘。分布于宁夏泾源、海原、隆德、彭阳、西吉、原州、惠农、平罗、西夏、沙坡头、同心、兴庆、金凤等。

| 资源情况 | 野生资源丰富。

| 采集加工 | 辟汗草：夏、秋季采收，晒干，或切碎后晒干。
辟汗草根：夏末秋初采挖，洗净，切片，晒干。

| 药材性状 | 辟汗草：本品为全株或切小段。茎直立，多分枝，外表有纵棱，绿色或黄绿色。三出复叶，互生，有柄，小叶片多皱缩，展平后长椭圆形或倒披针形，长 1 ～ 3 cm，宽 0.5 ～ 1 cm，先端钝圆或近平截，有纤柔小齿；基部楔形，边缘有细齿；托叶线性，长约 5 mm。总状花序纤细，腋生或顶生，花多数，小形，长 3 ～ 4 mm；花萼钟形，花冠蝶形，黄色，二体雄蕊，质轻脆或稍韧，气芳香。

| 功能主治 | 辟汗草：辛、甘、微苦，凉；有小毒。清暑化湿，健胃和中。用于暑湿胸闷，头胀头痛，痢疾，疟疾，淋证，带下，口疮，口臭，疮疡，湿疮，疥癣，淋巴结结核。
辟汗草根：清热解毒。用于暑热胸闷，瘰疬。

| 用法用量 | 辟汗草：内服煎汤，9 ～ 15 g；或浸酒。外用适量，捣敷；或煎汤洗；或烧烟熏。
辟汗草根：内服煎汤，9 ～ 15 g。

| 附 注 | 《中国植物志》记载以往把东亚产的鉴定作 *Melilotus suaveolens* Ledeb.，欧洲产的鉴定为 *Melilotus officinialis* (L.) Pall.，以花的长度、果实表面网纹和胚珠数目来区分。但这些特征相互交叉而且差别甚微，难以区别作 2 种，故予以归并。

豆科 Fabaceae 棘豆属 *Oxytropis*

地角儿苗
Oxytropis bicolor Bunge

| 药 材 名 | 地角儿苗（药用部位：种子）。

| 形态特征 | 多年生草本，高 20 ~ 40 cm。主根粗壮，圆锥形，黑褐色。无地上茎。叶丛生，长 8 ~ 20 cm，叶轴密被黄色柔毛，具小叶 17 ~ 81，多 4 小叶轮生，少 2 小叶对生，小叶片卵状披针形或卵状长椭圆形，长 5 ~ 13 mm，宽 2 ~ 4 mm，先端尖，基部圆形，上面疏被平伏柔毛，下面密被平伏柔毛；托叶卵状披针形，膜质，先端渐尖，基部与叶柄合生，被棕色长柔毛。总状花序较叶长，密被棕色长柔毛，花多数，或疏或密的在花序轴先端集成短总状；苞片披针形，长 7 ~ 8 mm，宽 2 ~ 3 mm，先端渐尖，被棕色长柔毛；花萼筒形，长 9 ~ 10 mm，宽 2.5 ~ 3 mm，密被棕色长柔毛，萼齿线形，长为萼筒的 1/4；花冠蓝紫色，旗瓣菱状倒卵形，长约 2 cm，宽约

地角儿苗

8 mm，先端圆或微凹，基部渐狭成爪，翼瓣较旗瓣短，长约 17 mm，先端圆钝，爪长约 8 mm，耳长约 3 mm，龙骨瓣较翼瓣短，喙长约 1.5 mm，爪长为瓣片的 2 倍，具耳；子房密被长柔毛，具短柄。荚果矩圆形，长约 17 mm，宽约 5 mm，背腹略扁，密被白色长柔毛。花期 5 ~ 7 月，果期 7 ~ 9 月。

| 生境分布 | 生于干旱山坡、石质河滩地、荒地等。分布于宁夏泾源、隆德、沙坡头、同心等。

| 资源情况 | 野生资源较少。

| 功能主治 | 解毒镇痛。

豆科 Fabaceae 棘豆属 Oxytropis

猫头刺
Oxytropis aciphylla Ledeb.

| 药 材 名 | 猫头刺（药用部位：全草）。

| 形态特征 | 矮小半灌木，高 10 ~ 20 cm。根粗壮，圆柱形。地上茎短而多分枝成垫状。偶数羽状复叶，长 3 ~ 5 cm，叶轴密被白色平伏柔毛，先端成刺，具小叶 2 ~ 3 对；小叶线形，长 5 ~ 15 mm，宽约 1 mm，先端成硬刺尖，两面密被白色平伏柔毛，叶轴宿存且硬化成针刺；托叶膜质，下部与叶柄合生，上部常撕裂状，背面被白色长柔毛。总状花序腋生，总花梗短，长 5 ~ 12 mm，密被白色平伏柔毛，常具 2 花；苞片披针形，膜质，长约 3 mm，被白色长柔毛；花萼筒形，长 8 ~ 10 mm，宽约 3 mm，密被白色长柔毛，萼齿圆锥形，长约 3 mm；花冠蓝紫色，旗瓣倒卵形，长 20 ~ 24 mm，先端圆或微凹，

猫头刺

基部渐狭成爪，翼瓣短于旗瓣，先端微凹，具爪和耳，爪与瓣片近等长，龙骨瓣较翼瓣短，先端具长约 1 mm 的喙；子房无毛。荚果矩圆形，长 1 ～ 1.5 cm，宽 4 ～ 5 mm，密生白色平伏柔毛。花期 5 ～ 6 月，果期 6 ～ 7 月。

| **生境分布** | 生于干旱石质山坡、石质滩地或沙地。分布于宁夏青铜峡、沙坡头、红寺堡、盐池、兴庆、金凤、大武口等。

| **资源情况** | 野生资源较少。

| **功能主治** | 用于脓疮。

豆科 Fabaceae 棘豆属 Oxytropis

镰荚棘豆
Oxytropis falcata Bunge

| 药 材 名 | 大夏（药用部位：全草。别名：莪大夏）。

| 形态特征 | 多年生草本，高 1 ~ 35 cm，具黏性和特异气味。根直径 6 mm，直根深，暗红色。茎缩短，木质而多分枝，丛生。羽状复叶长 5 ~ 12（~ 20）cm；托叶膜质，长卵形，于 2/3 处与叶柄贴生，彼此合生，上部分离，分离部分披针形，先端尖，密被长柔毛和腺点；叶柄与叶轴上面有细沟，密被白色长柔毛；小叶 25 ~ 45，对生或互生，线状披针形、线形，长 5 ~ 15（~ 20）mm，宽 1 ~ 3（~ 4）mm，先端钝尖，基部圆形，上面疏被白色长柔毛，下面密被淡褐色腺点。6 ~ 10 花组成头形总状花序；花葶与叶近等长，或较叶短，直立，疏被白色长柔毛，稀有腺点；苞片草质，长圆状披针形，长 8 ~ 12 mm，宽约 4 mm，先端渐尖，基部圆形，密被褐色腺点和白色、

镰荚棘豆

黑色长柔毛，边缘具纤毛；花长 20 ~ 25 mm；花萼筒状，长 11 ~ 16（~ 18）mm，宽约 3 mm，密被白色长柔毛和黑色柔毛，密生腺点，萼齿披针形、长圆状披针形，长 3 ~ 4.5 mm；花冠蓝紫色或紫红色，旗瓣长 18 ~ 25 mm，瓣片倒卵形，长 15 mm，宽 8 ~ 11 mm，先端圆，瓣柄长 10 mm，翼瓣长 15 ~ 22 mm，瓣片斜倒卵状长圆形，先端斜微凹 2 裂，背部圆形，龙骨瓣长 16 ~ 18 mm，喙长 2 ~ 2.5 mm；子房披针形，被贴伏白色短柔毛，具短柄，含胚珠 38 ~ 46。荚果革质，宽线形，微蓝紫色，稍膨胀，略成镰状弯曲，长 25 ~ 40 mm，宽 6 ~ 8 mm，喙长 4 ~ 6 mm，被腺点和短柔毛，隔膜宽 2 mm，不完全 2 室；果柄短。种子多数，肾形，长 2.5 mm，棕色。花期 5 ~ 8 月，果期 7 ~ 9 月。

| **生境分布** | 生于黄土丘陵、荒地、田野中。分布于宁夏泾源、隆德、沙坡头等。

| **资源情况** | 野生资源较少。

| 采收加工 | 7 ~ 8 月采挖全草，洗净，切段，晒干。

| 药材性状 | 本品多皱缩，碎断。根圆锥状，多分枝，表皮黄褐色，与木部易剥离，质韧，断面纤维状。茎短粗，丛生。托叶大而明显，密被白柔毛。奇数羽状复叶多破碎，小叶展开呈线状披针形，长 7 ~ 12 mm，宽 2 ~ 3 mm，两面密被白色长柔毛和腺体。总状花序由 6 ~ 10 花组成，花序梗被白色绵毛；花冠黄白色。稀见幼嫩荚果，密被白色绵毛和疣状腺点。气异，味微苦。

| 功能主治 | 苦，寒；有毒。清热解毒，生肌止痛。用于发热，流行性感冒，扁桃体炎，咽喉炎，急、慢性支气管炎，便血，痢疾，痈疽疮肿，刀伤。

| 用法用量 | 内服煎汤，3 ~ 9 g。外用适量，研末撒。

| 附　　注 | 《中华本草·藏药卷》记载镰荚棘豆的全草也作藏药用。味微苦而甘，消化后味苦，性凉，有毒，可清热解毒、生肌愈疮、涩脉止血，用于瘟疫、咽喉肿痛、大便秘结，外敷用于疮疖肿毒。

豆科 Fabaceae 棘豆属 *Oxytropis*

小花棘豆 *Oxytropis glabra* (Lam.) DC.

| 药 材 名 | 醉马草（药用部位：全草。别名：马绊肠、断肠草、醉马豆）。

| 形态特征 | 多年生草本，高 30 ~ 50 cm。茎匍匐或斜升，多分枝，圆柱形，被白色平伏短毛。奇数羽状复叶，互生，长 8 ~ 15 cm，叶轴腹面具沟槽，密被灰色平伏柔毛，小叶 9 ~ 13，长椭圆形、卵状椭圆形至卵状披针形，长 1 ~ 3 cm，宽 5 ~ 13 mm，先端急尖或钝，具小刺尖，基部圆形，两面被灰色平伏柔毛，背面稍密；小叶柄短，长约 1 mm；托叶卵形至狭卵形，草质，具膜质窄边，被灰色长柔毛，与叶轴分离。总状花序腋生，较叶长，长者可达 24 cm，疏被白色短伏毛，具花约 30，开花时稀疏；苞片披针形，较花梗长，长约 2.5 mm，宽约 1 mm，草质，疏被白色毛，花萼钟形，长 4 ~ 5 mm，宽约 2 mm，被白色柔毛，并混生有黑色毛，萼齿圆锥形，长为萼筒的一

小花棘豆

半；花冠蓝紫色，旗瓣宽倒卵形，长 7 ~ 8 mm，先端圆形，微凹，具细尖，基部具爪，翼瓣较旗瓣短，先端圆，基部具爪和耳，龙骨瓣与翼瓣近等长，先端具长 0.5 mm 的短喙，耳短；子房具短柄，被毛。荚果下垂，披针状椭圆形，膨胀，长 1.5 ~ 1.7 cm，宽 4 ~ 7 mm，先端尖，密被白色短伏毛。花期 6 ~ 9 月，果期 7 ~ 9 月。

| **生境分布** | 多生于沟渠旁、荒地、田边及低洼盐碱地。宁夏惠农、平罗、灵武、永宁、青铜峡、中宁、沙坡头、利通等引黄灌区普遍分布。

| **资源情况** | 野生资源较丰富。

| **采收加工** | 夏、秋季采收，洗净，晒干。

| **药材性状** | 本品根呈长圆锥形，有分枝。羽状复叶，托叶三角形，先端渐尖，基部与叶柄合生，有刚毛。小叶椭圆形，长 10 ~ 20 mm，宽 2.5 ~ 6 mm，先端钝，基部圆形，全缘，表面绿色或枯绿色，皱缩，质脆易碎。有的可见总状花序，或矩形荚果，长 15 mm，宽 4 mm，先端有弯曲的小喙。气微，味微苦。

| **功能主治** | 辛，微温；有毒。归肺、心、肝经。止痛镇静。用于关节疼痛，牙痛，神经衰弱，皮肤瘙痒。

| **用法用量** | 内服煎汤，1.5 ～ 3 g。外用适量，煎汤洗；或揉烂塞患牙；或煎汤含漱。

| **附　　注** | 《宁夏植物志》还记载 1 种本种的变种细叶棘豆 *Oxytropis glabra* (Lam.) DC. var. *tenuis* Palib.。

| 豆科 | Fabaceae | 棘豆属 | *Oxytropis*

多叶棘豆
Oxytropis myriophylla (Pall.) DC.

| 药 材 名 | 鸡翎草（药用部位：全草。别名：长肉芽草）。

| 形态特征 | 多年生草本，高 20 ~ 30 cm，全株被白色或黄色长柔毛。根褐色，粗壮，深长。茎缩短，丛生。轮生羽状复叶长 10 ~ 30 cm；托叶膜质，卵状披针形，基部与叶柄贴生，先端分离，密被黄色长柔毛；叶柄与叶轴密被长柔毛；小叶 25 ~ 32 轮，每轮 4 ~ 8 小叶或有时对生，线形、长圆形或披针形，长 3 ~ 15 mm，宽 1 ~ 3 mm，先端渐尖，基部圆形，两面密被长柔毛。多花组成紧密或较疏松的总状花序；总花梗与叶近等长或长于叶，疏被长柔毛；苞片披针形，长 8 ~ 15 mm，被长柔毛；花长 20 ~ 25 mm；花梗极短或近无梗；花萼筒状，长 11 mm，被长柔毛，萼齿披针形，长约 4 mm，两面被长

多叶棘豆

柔毛；花冠淡红紫色，旗瓣长椭圆形，长 18.5 mm，宽 6.5 mm，先端圆形或微凹，基部下延成瓣柄，翼瓣长 15 mm，先端急尖，耳长 2 mm，瓣柄长 8 mm，龙骨瓣长 12 mm，喙长 2 mm，耳长约 15.2 mm；子房线形，被毛，花柱无毛，无柄。荚果披针状椭圆形，膨胀，长约 15 mm，宽约 5 mm，先端喙长 5 ~ 7 mm，密被长柔毛，隔膜稍宽，不完全 2 室。花期 5 ~ 6 月，果期 7 ~ 8 月。

| 生境分布 | 生于林缘草地或荒地。分布于宁夏彭阳、泾源、隆德等。

| 资源情况 | 野生资源较少。

| 采收加工 | 7 ~ 9 月采收，晒干。

| 药材性状 | 本品皱缩成团，全株密被长柔毛。主根粗壮，长 6 ~ 10 cm，有分枝。湿润展平后，羽状复叶丛生在根茎上，长 10 ~ 20 cm，小叶对生或数片轮生，25 ~ 30 轮；小叶片线形或披针形，长 3 ~ 10 mm，宽 0.5 ~ 1 mm。总状花序，花排列紧密，淡紫色，总花梗长于叶。荚果椭圆形，长约 15 mm，宽约 5 mm，被长柔毛，先端具长 10 mm 的喙。气微，味微甜、甘。

| 功能主治 | 甘，寒。清热解毒，消肿止血。用于流行性感冒，咽喉肿痛，痈疮肿毒，跌扑损伤，瘀血肿胀，各种出血。

| 用法用量 | 内服煎汤，6 ~ 9 g；或研末，2 ~ 3 g。外用适量，研末敷；或煎汤洗。

豆科 Fabaceae 棘豆属 Oxytropis

黄花棘豆
Oxytropis ochrocephala Bunge

| 药 材 名 |　黄花棘豆（药用部位：花）。

| 形态特征 |　多年生草本，高（10 ～）20 ～ 40（～ 50）cm。根粗，圆柱状，淡褐色，深达 50 cm，侧根少。茎粗壮，直立，基部分枝多而开展，有棱及沟状纹，密被卷曲白色短柔毛和黄色长柔毛，绿色。羽状复叶长 10 ～ 19 cm。托叶草质，卵形，与叶柄离生，于基部彼此合生，分离部分三角形，长约 15 mm，先端渐尖，密被开展的黄色和白色长柔毛；叶柄与叶轴上面有沟，于小叶之间有淡褐色腺点，密被黄色长柔毛；小叶 17 ～ 29（～ 31），草质，卵状披针形，长 10 ～ 25（～ 30）mm，宽 3 ～ 9（～ 10）mm，先端急尖，基部圆形，幼时两面密被贴伏绢状毛，以后变绿色，两面疏被贴伏黄色和

黄花棘豆

白色短柔毛。多花组成密总状花序，以后延伸；总花梗长 10 ~ 25 cm，直立，较坚实，具沟纹，密被卷曲黄色和白色长柔毛，花序下部混生黑色短柔毛；苞片线状披针形，上部的长 6 mm，下部的长 12 mm，密被开展的白色长柔毛和黄色短柔毛；花长 11 ~ 17 mm；花梗长约 1 mm；花萼膜质，几透明，筒状，长 11 ~ 14 mm，宽 3 ~ 5 mm，密被开展的黄色和白色长柔毛并杂生黑色短柔毛，萼齿线状披针形，长约 6 mm；花冠黄色，旗瓣长 11 ~ 17 mm，瓣片宽倒卵形，外展，中部宽 10 mm，先端微凹或截形，瓣柄与瓣片近等长，翼瓣长约 13 mm，瓣片长圆形，先端圆形，瓣柄长 7 mm，龙骨瓣长 11 mm，喙长约 1 mm 或稍长；子房密被贴伏的黄色和白色柔毛，具短柄，胚珠 12 ~ 13。荚果革质，长圆形，膨胀，长 12 ~ 15 mm，宽 4 ~ 5 mm，先端具弯曲的喙，密被黑色短柔毛，1 室；果柄长约 2 mm。花期 6 ~ 8 月，果期 7 ~ 9 月。

| 生境分布 | 生于海拔 1 800 m 左右的山坡草地。分布于宁夏海原、原州、同心等。

| 资源情况 | 野生资源较少。

| 功能主治 | 利水。用于水肿。

豆科 Fabaceae 棘豆属 Oxytropis

砂珍棘豆
Oxytropis racemosa Turcz.

| 药 材 名 | 沙棘豆（药用部位：全草。别名：泡泡草、砂棘豆）。

| 形态特征 | 多年生草本，高 5 ～ 15（～ 30）cm。根淡褐色，圆柱形，较长。茎缩短，多头。轮生羽状复叶长 5 ～ 14 cm；托叶膜质，卵形，大部分与叶柄贴生，分离部分先端尖，被柔毛；叶柄与叶轴上面有细沟纹。密被长柔毛；小叶轮生，6 ～ 12 轮，每轮 4 ～ 6 小叶，或有时为 2 小叶对生，长圆形、线形或披针形，长 5 ～ 10 mm，宽 1 ～ 2 mm，先端尖，基部楔形，边缘有时内卷，两面密被贴伏长柔毛。顶生头形总状花序；总花梗长 6 ～ 15 cm，被微卷曲绒毛；苞片披针形，比花萼短而宿存；花长 8 ～ 12 mm；花萼管状钟形，长 5 ～ 7 mm，萼齿线形，长 1.5 ～ 3 mm，被短柔毛；花冠红紫色或淡紫红色，

砂珍棘豆

旗瓣匙形，长 12 mm，先端圆或微凹，基部渐狭成瓣柄，翼瓣卵状长圆形，长 11 mm，龙骨瓣长 9.5 mm，喙长 2～2.5 mm；子房微被毛或无毛，花柱先端弯曲。荚果膜质，卵状球形，膨胀，长约 10 mm，先端具钩状短喙，腹缝线内凹，被短柔毛，隔膜宽约 0.5 mm，不完全 2 室。种子肾状圆形，长约 1 mm，暗褐色。花期 5～7 月，果期 6～10 月。

| 生境分布 | 生于沙滩、沙荒地、沙丘、砂质坡地或丘陵地区阳坡。分布于宁夏盐池、灵武等。

| 资源情况 | 野生资源较少。

| 采收加工 | 秋季采挖，通常鲜用，或晒干。

| 药材性状 | 本品皱缩成团，被灰白色长柔毛。根呈长圆柱形，直径 0.2～0.5 cm，黄褐色。湿润展平后，羽状复叶丛生在根茎上，小叶线形或倒披针形，对生或 4～6 轮生，长 3～10 mm，宽 1～2 mm，枯绿色。总状花序近头状，花梗细长，花淡棕红色或棕紫色。荚果长约 10 mm，宽约 6 mm，很膨胀，呈桃状，先端尖有微弯曲的短喙，被短柔毛，1 室。气微，味微苦、甘。

| 功能主治 | 淡，平。健脾消食。用于小儿消化不良。

| 用法用量 | 内服煎汤，10～30 g。

豆科 Fabaceae 豌豆属 Pisum

豌豆
Pisum sativum L.

| 药 材 名 | 豌豆（药用部位：种子。别名：荜豆、寒豆、麦豆）、豌豆荚（药用部位：荚果）、豌豆花（药用部位：花）、豌豆苗（药用部位：嫩茎叶）。

| 形态特征 | 一年生攀缘草本，高 0.5 ~ 2 m。全株绿色，光滑无毛，被粉霜。叶具小叶 4 ~ 6，托叶比小叶大，叶状，心形，下缘具细牙齿。小叶卵圆形，长 2 ~ 5 cm，宽 1 ~ 2.5 cm；花于叶腋单生或数朵排列为总状花序；花萼钟状，深 5 裂，裂片披针形；花冠颜色多样，随品种而异，但多为白色和紫色，雄蕊二体，9+1。子房无毛，花柱扁，内面有髯毛。荚果肿胀，长椭圆形，长 2.5 ~ 10 cm，宽 0.7 ~ 14 cm，先端斜急尖，背部近伸直，内侧有坚硬纸质的内皮；种子 2 ~ 10，

豌豆

圆形，青绿色，有皱纹或无，干后变为黄色。花期 6 ～ 7 月，果期 7 ～ 9 月。

| 生境分布 | 宁夏银川、吴忠、中卫及泾源、隆德、西吉、彭阳等有栽培。

| 资源情况 | 栽培资源丰富。

| 采收加工 | 豌豆：夏、秋季果实成熟时采收荚果，晒干，打出种子。

豌豆荚：7 ～ 9 月采摘，晒干。

豌豆花：6 ～ 7 月开花时采收，鲜用或晒干。

豌豆苗：春季采收，鲜用。

| 药材性状 | 豌豆：本品圆球形，直径 5 mm。表面青绿色至黄绿色、淡黄白色，有皱纹，可见点状种脐。种皮薄而韧，除去种皮有 2 黄白色肥厚的子叶。气微，味淡。

| 功能主治 | 豌豆：甘，平。归脾、胃经。和中下气，通乳利水，解毒。用于消渴，吐逆，泻痢腹胀，霍乱转筋，乳少，脚气水肿，疮痈。

豌豆荚：甘，平。解毒敛疮。用于耳后糜烂。

豌豆花：甘，平。清热，凉血。用于咯血，鼻衄，月经过多。

豌豆苗：甘，平。清热解毒，凉血平肝。用于暑热，消渴，高血压，疔疮。

| 用法用量 | 豌豆：内服煎汤，60 ～ 125 g；或煮食。外用适量，煎汤洗；或研末调涂。

豌豆荚：外用适量，烧灰存性，茶油调涂。

豌豆花：内服煎汤，9 ～ 15 g。

豌豆苗：内服煎汤，9 ～ 15 g；或鲜品捣汁；或作蔬菜食。外用适量，鲜叶捣敷。

| 附　注 | 豌豆花也作蒙药使用。《中华人民共和国卫生部药品标准·蒙药分册》记载，其味甘、涩，性凉；可止血止泻；用于吐血、便血、崩漏等各种出血证，肠刺痛，腹痛，腹泻，赤白带下。

豆科 Fabaceae 补骨脂属 Cullen

补骨脂 *Cullen corylifolium* (Linnaeus) Medikus

补骨脂

药材名

补骨脂（药用部位：成熟果实。别名：胡韭子、婆固脂、破故纸）。

形态特征

一年生直立草本，高 0.5 ~ 1.5 m，全株具黑褐色腺点及白色柔毛。叶互生，单叶，有时有 1 侧生小叶，宽卵形或三角状宽卵形，长 5 ~ 9 cm，宽 3 ~ 6 cm，先端圆钝，基部圆形或心形，边缘具不规则的粗锯齿，两面被腺点；叶柄长 2 ~ 4.5 cm；托叶三角状披针形，长约 1 cm，宽约 3 mm，先端渐尖。总状花序腋生，花密集成近头状或短穗状；花萼钟形，上面的 2 萼齿合生；花冠淡紫色、黄色或白色；雄蕊单体。荚果卵形，长约 5 mm，黑色，不裂。种子椭圆形，扁，具细网纹。花期 7 ~ 8 月，果期 9 ~ 10 月。

生境分布

宁夏银川及平罗、利通、中宁等有栽培。

资源情况

栽培资源较少。

| **采收加工** | 秋季果实成熟时采收果序，晒干，搓出果实，除去杂质。

| **药材性状** | 本品呈肾形，略扁，长 3 ～ 5 mm，宽 2 ～ 4 mm，厚约 1.5 mm。表面黑色、黑褐色或灰褐色，具细微网状皱纹。先端圆钝，有 1 小突起，凹侧有果柄痕。质硬。果皮薄，与种子不易分离；种子 1，子叶 2，黄白色，有油性。气香，味辛、微苦。

| **功能主治** | 辛、苦，温；归脾、肾经。温肾助阳，纳气平喘，温脾止泻；外用消风祛斑。用于肾阳不足，阳痿遗精，遗尿尿频，腰膝冷痛，肾虚气喘，五更泄泻；外用于白癜风，斑秃。

| **用法用量** | 内服煎汤，6 ～ 9 g。外用适量，20% ～ 30% 浓度的酊剂涂患处。

豆科 Fabaceae 刺槐属 Robinia

刺槐
Robinia pseudoacacia L.

| 药 材 名 | 刺槐花（药用部位：花）、刺槐根（药用部位：根）。

| 形态特征 | 落叶乔木，高 10 ~ 25 m；树皮灰褐色至黑褐色，浅裂至深纵裂，稀光滑。小枝灰褐色，幼时有棱脊，微被毛，后无毛；具托叶刺，长达 2 cm；冬芽小，被毛。羽状复叶长 10 ~ 25（ ~ 40）cm，叶轴上面具沟槽；小叶 2 ~ 12 对，常对生，椭圆形、长椭圆形或卵形，长 2 ~ 5 cm，宽 1.5 ~ 2.2 cm，先端圆，微凹，具小尖头，基部圆至阔楔形，全缘，上面绿色，下面灰绿色，幼时被短柔毛，后变无毛；小叶柄长 1 ~ 3 mm；小托叶针芒状，总状花序腋生，长 10 ~ 20 cm，下垂，花多数，芳香；苞片早落；花梗长 7 ~ 8 mm；花萼斜钟状，长 7 ~ 9 mm，萼齿 5，三角形至卵状三角形，密被柔毛；花冠白色，各瓣均具瓣柄，旗瓣近圆形，长 16 mm，宽约

刺槐

19 mm，先端凹缺，基部圆，反折，内有黄斑，翼瓣斜倒卵形，与旗瓣几等长，长约 16 mm，基部一侧具圆耳，龙骨瓣镰状，三角形，与翼瓣等长或稍短，前缘合生，先端钝尖；雄蕊二体，对旗瓣的 1 枚分离；子房线形，长约 1.2 cm，无毛，柄长 2 ~ 3 mm，花柱钻形，长约 8 mm，上弯，先端具毛，柱头顶生。荚果褐色，或具红褐色斑纹，线状长圆形，长 5 ~ 12 cm，宽 1 ~ 1.3 (~ 1.7) cm，扁平，先端上弯，具尖头，果颈短，沿腹缝线具狭翅；花萼宿存，有种子 2 ~ 15；种子褐色至黑褐色，微具光泽，有时具斑纹，近肾形，长 5 ~ 6 mm，宽约 3 mm，种脐圆形，偏于一端。花期 4 ~ 6 月，果期 8 ~ 9 月。

| 生境分布 | 生于公路旁或村舍附近。宁夏各地均有栽培。

| 资源情况 | 栽培资源丰富。

| 采收加工 | 刺槐花：6 ~ 7 月花盛开时采收花序，晒干。
刺槐根：秋季挖根，洗净，切片，晒干。

| 药材性状 | 刺槐花：本品略呈飞鸟状或未开放者为钩镰状，长 1.3 ~ 1.6 cm。下部为钟状花萼，棕色，被亮白色短柔毛，先端 5 齿裂，基部有花梗，其近上端有 1 关节，节上略粗，节下狭细。上部为花冠，花瓣 5，皱缩，有时残破或脱落，其中旗瓣 1，宽大，常反折，翼瓣 2，两侧生，较狭，龙骨瓣 2，上部合生，钩镰状，雄蕊 10，9 花丝合生，1 花丝下部参与联合，子房线形棕色，花柱弯生，先端有短柔毛。质软，体轻。气微，味微甘。

| 功能主治 | 刺槐花：甘，平。止血。用于大肠下血，咯血，吐血，血崩。
刺槐根：苦，微寒。凉血止血，舒筋活络。用于便血，咯血，吐血，崩漏，劳伤乏力，风湿骨痛，跌打损伤。

| 用法用量 | 刺槐花：内服煎汤，9 ~ 15 g，或泡茶饮。
刺槐根：内服煎汤，9 ~ 30 g。

豆科 Fabaceae 苦参属 *Sophora*

白刺花

Sophora davidii (Franch.) Skeels

| 药 材 名 | 白刺花（药用部位：花）、白刺花根（药用部位：根）、白刺花果（药用部位：果实）、白刺花叶（药用部位：叶。别名：苦刺枝叶）。

| 形态特征 | 灌木或小乔木，高 1 ~ 2 m，有时 3 ~ 4 m。枝多开展，小枝初被毛，旋即脱净，不育枝末端明显变成刺，有时分叉。羽状复叶；托叶钻状，部分变成刺，疏被短柔毛，宿存；小叶 5 ~ 9 对，形态多变，一般为椭圆状卵形或倒卵状长圆形，长 10 ~ 15 mm，先端圆或微缺，常具芒尖，基部钝圆形，上面几无毛，下面中脉隆起，疏被长柔毛或近无毛。总状花序着生于小枝先端；花小，长约 15 mm，较少；花萼钟状，稍歪斜，蓝紫色，萼齿 5，不等大，圆三角形，无毛；花冠白色或淡黄色，有时旗瓣稍带红紫色，旗瓣倒卵状长圆形，长 14 mm，宽 6 mm，先端圆形，基部具细长柄，柄与瓣片近等长，反

白刺花

折，翼瓣与旗瓣等长，单侧生，倒卵状长圆形，宽约 3 mm，具 1 锐尖耳，明显具海绵状折皱，龙骨瓣比翼瓣稍短，镰状倒卵形，具锐三角形耳；雄蕊 10，等长，基部联合不到 1/3；子房比花丝长，密被黄褐色柔毛，花柱弯曲，无毛，胚珠多数，荚果非典型串珠状，稍压扁，长 6 ~ 8 cm，宽 6 ~ 7 mm，开裂方式与砂生槐同，表面散生根毛或近无毛，有种子 3 ~ 5；种子卵球形，长约 4 mm，直径约 3 mm，深褐色。花期 3 ~ 8 月，果期 6 ~ 10 月。

| 生境分布 | 生于向阳山坡。分布于宁夏彭阳、隆德、泾源等。

| 资源情况 | 野生资源较少。

| 采收加工 | 白刺花：3 ~ 5 月花开放时采收，鲜用或晒干。
白刺花根：夏、秋季采挖，洗净泥土，切片，晒干。
白刺花果：6 ~ 8 月果实成熟时采收，鲜用或晒干。
白刺花叶：夏、秋季采收，鲜用或晒干。

| 药材性状 | 白刺花：本品为带枝总状花序，皱缩成团。展平后，花萼钟状，长 0.3 ~ 0.4 cm，密生短柔毛，萼齿三角形；花冠类白色，长约 1.5 cm，旗瓣倒卵形或匙形，龙骨瓣基部有钝耳；花丝下部合生；子房被毛。体轻，气微，味苦。
白刺花根：本品呈类圆柱形，外皮灰棕色至棕褐色，粗糙。质坚硬，断面皮部

灰棕色，木部外侧黄色，内侧棕色至棕褐色。气微，味苦、涩。

| **功能主治** | 白刺花：苦，凉。清热解暑。用于暑热烦渴。
白刺花根：苦，凉。清热利咽，凉血消肿。用于咽喉肿痛，肺热咳嗽，肝炎，痢疾，淋证，水肿，衄血，便血，血尿。
白刺花果：苦，凉。清热化湿，消积止痛。用于食积，胃痛，腹痛。
白刺花叶：苦，凉。凉血，杀虫，解毒。用于衄血，便血，疔疮肿毒，疥癣，烫伤；外用于滴虫性阴道炎。

| **用法用量** | 白刺花：内服泡茶，1 ~ 3 g。
白刺花根：内服煎汤，9 ~ 15 g。外用适量，捣敷。
白刺花果：内服煎汤，3 ~ 6 g；或研末。
白刺花叶：内服煎汤，9 ~ 15 g。外用适量，捣敷。

苦参 *Sophora flavescens* Alt.

| 药材名 | 苦参（药用部位：根。别名：苦骨、牛参、山槐根）、苦参实（药用部位：种子。别名：苦参子、苦豆）。

| 形态特征 | 草本或亚灌木，稀呈灌木状，通常高 1 m 左右，稀达 2 m。茎具纹棱，幼时疏被柔毛，后无毛。羽状复叶长达 25 cm；托叶披针状线形，渐尖，长 6 ~ 8 mm；小叶 6 ~ 12 对，互生或近对生，纸质，形状多变，椭圆形、卵形、披针形至披针状线形，长 3 ~ 4（~ 6）cm，宽（0.5 ~）1.2 ~ 2 cm，先端钝或急尖，基部宽楔形或浅心形，上面无毛，下面疏被灰白色短柔毛或近无毛。中脉下面隆起。总状花序顶生，长 15 ~ 25 cm；花多数，疏或稍密；花梗纤细，长约 7 mm；苞片线形，长约 2.5 mm；花萼钟状，明显歪斜，具不明显波状齿，完全发育后近截平，长约 5 mm，宽约

苦参

6 mm，疏被短柔毛；花冠比花萼长 1 倍，白色或淡黄白色，旗瓣倒卵状匙形，长 14 ~ 15 mm，宽 6 ~ 7 mm，先端圆形或微缺，基部渐狭成柄，柄宽 3 mm，翼瓣单侧生，强烈折皱几达瓣片的顶部，柄与瓣片近等长，长约 13 mm，龙骨瓣与翼瓣相似，稍宽，宽约 4 mm，雄蕊 10，分离或近基部稍联合；子房近无柄，被淡黄白色柔毛，花柱稍弯曲，胚珠多数。荚果长 5 ~ 10 cm，种子间稍缢缩，呈不明显串珠状，稍四棱形，疏被短柔毛或近无毛，成熟后开裂成 4 瓣，有种子 1 ~ 5；种子长卵形，稍压扁，深红褐色或紫褐色。花期 6 ~ 8 月，果期 7 ~ 10 月。

| 生境分布 | 宁夏同心、隆德、彭阳等有栽培。

| 资源情况 | 栽培资源较少。

| 采收加工 | 苦参：春、秋季采挖，除去根头和小支根，洗净，干燥，或趁鲜切片，干燥。
苦参实：7 ~ 8 月果实成熟时采收，晒干，打下种子，去净果壳、杂质，再晒干。

| 药材性状 | 苦参：本品呈长圆柱形，下部常有分枝，长 10 ~ 30 cm，直径 1 ~ 6.5 cm。表面灰棕色或棕黄色，具纵皱纹和横长皮孔样突起，外皮薄，多破裂反卷，易剥落，剥落处显黄色，光滑。质硬，不易折断，断面纤维性；切片厚 3 ~ 6 mm；切面黄白色，具放射状纹理和裂隙，有的具异型维管束。同心性环列或不规则散在。气微，味极苦。

| 功能主治 | 苦参：苦，寒。归心、肝、胃、大肠、膀胱经。清热燥湿，杀虫，利尿。用于热痢，便血，黄疸尿闭，赤白带下，阴肿阴痒，湿疹，湿疮，皮肤瘙痒，疥癣麻风；外用于滴虫性阴道炎。
苦参实：苦，寒。清热解毒，通便，杀虫。用于急性细菌性痢疾，大便秘结，蛔虫病。

| 用法用量 | 苦参：内服煎汤，4.5 ~ 9 g。外用适量，煎汤洗。
苦参实：内服研末，0.6 ~ 1.5 g，每日 4 次。

■豆科■ Fabaceae ■槐属■ *Styphnolobium*

槐

Styphnolobium japonicum (L.) Schott

| 药 材 名 | 槐花（药用部位：花及花蕾。别名：槐蕊）、槐角（药用部位：成熟果实。别名：槐实、槐子、槐荚）。

| 形态特征 | 落叶乔木，高 10 ~ 15 m。树冠圆形，树皮暗灰色，粗糙纵裂；小枝暗绿色，疏被柔毛。奇数羽状复叶，长 15 ~ 25 cm，叶轴被毛，小叶 7 ~ 15；托叶镰形，长约 8 mm，早落；小叶卵状长圆形或卵状披针形，长 3 ~ 6 cm，宽 1.5 ~ 3 cm，先端急尖，具小尖头，基部楔形，全缘，上面无毛，背面几无毛，小叶柄长约 0.5 mm，被短柔毛。圆锥花序顶生，长 15 ~ 30 cm，微被柔毛；花梗长 1.5 ~ 2 mm，微被柔毛；花萼钟形，微被短柔毛，萼齿短三角形；花冠乳白色，长 10 ~ 15 mm，旗瓣近圆形，先端微凹，基部微心形，具短爪，翼瓣稍长于龙骨瓣，二者均为卵状矩圆形，具双耳，有爪；雄

槐

蕊不等长；子房圆筒形，被毛。荚果串珠状，长 3 ~ 5 cm，肉质，不开裂。花期 6 ~ 8 月，果期 7 ~ 9 月。

| 生境分布 | 宁夏各地均有栽培。

| 资源情况 | 栽培资源丰富。

| 采收加工 | 槐花：夏季花初开放时采收花，称"槐花"；花未开时采收花蕾，称"槐米"。除去杂质，及时干燥。

槐角：冬季果实在树上已近干燥时，打落或摘下，除去杂质，晒干。

| 药材性状 | 槐花：槐花皱缩而卷曲，花瓣多散落。完整者花萼钟状，黄绿色，先端 5 浅裂；花瓣 5，黄色或黄白色，1 较大，近圆形，先端微凹，其余 4 长圆形。雄蕊 10，其中 9 基部联合，花丝细长。雌蕊圆柱形，弯曲。体轻。气微，味微苦。槐米呈卵形或椭圆形，长 2 ~ 6 mm，直径约 2 mm。花萼下部有数条纵纹。萼的上方为黄白色未开放的花瓣。花梗细小。体轻，手捻即碎。气微，味微苦、涩。

槐角：本品呈连珠状，长 1 ~ 6 cm，直径 0.6 ~ 1 cm。表面黄绿色或黄褐色，皱缩而粗糙，背缝线一侧呈黄色。质柔润，干燥皱缩，易在收缩处折断，断面黄绿色，有黏性。种子 1 ~ 6，肾形，长约 8 mm，表面光滑，棕黑色，一侧有灰白色圆形种脐；质坚硬，子叶 2，黄绿色。果肉气微，味苦，种子嚼之有豆腥气。

| 功能主治 | 槐花：苦，微寒。归肝、大肠经。凉血止血，清肝泻火。用于便血，血痢，崩漏，吐血，衄血，肝热目赤，头痛眩晕。

槐角：苦，寒。归肝、大肠经。清热泻火，凉血止血。用于肠热便血，痔疮出血，肝热头痛，眩晕目赤。

| 用法用量 | 槐花：内服煎汤，5 ~ 9 g。
槐角：内服煎汤，6 ~ 9 g。

豆科 Fabaceae 苦马豆属 Sphaerophysa

苦马豆 *Sphaerophysa salsula* (Pall.) DC.

| 药 材 名 | 苦马豆（药用部位：全草或根、果实。别名：小苦豆子、羊卵泡、尿泡草）。

| 形态特征 | 多年生草本或半灌木，高 25 ~ 60 cm。茎直立，多分枝，具纵棱脊。奇数羽状复叶，长 5 ~ 12 cm，叶轴上面具沟槽，被白色短柔毛；小叶 11 ~ 21，倒卵形至卵状椭圆形，长 2 ~ 5 cm，宽 0.3 ~ 1 cm，先端微凹至圆形，具短尖头，基部圆形至宽楔形，上面疏被毛至无毛。总状花序腋生，较叶长；苞片卵状披针形；花梗长 2 ~ 4 mm，密被白色柔毛，小苞片线形至钻形；花萼钟状，萼齿三角状；花冠紫红色，旗瓣瓣片近圆形，先端微凹，基部具短柄，翼瓣较龙骨瓣短，连柄长约 11 mm，先端圆，基部具短爪，龙骨瓣长 12 cm，裂片近成直角，先端钝；子房近线形，密被白色柔毛，花柱弯曲，柱头近

苦马豆

球形。荚果椭圆形或卵圆形，膨胀呈膀胱状，长 2 ~ 4 cm，直径 1.5 ~ 1.9 cm，先端圆；种子肾形或半圆形。花期 5 ~ 8 月，果期 6 ~ 9 月。

| 生境分布 | 生于河滩、荒地、沟渠或田埂边。分布于宁夏惠农、平罗、贺兰、兴庆、金凤、西夏、利通、青铜峡、中宁等。

| 资源情况 | 野生资源较丰富。

| 采收加工 | 秋季果实成熟后，挖全草，晒干或切段、晒干。

| 药材性状 | 本品果实呈卵球形或长圆球形，长 1.5 ~ 3 cm，直径 1.5 ~ 2 cm，果柄较长。表面黄白色，较光滑。果皮膜质而脆，内有多数种子。种子肾状圆形，表面棕褐色，长约 1.5 mm。小枝圆柱形，羽状复叶，小叶多脱落，小叶片长椭圆形，先端钝或微凹，全缘。气微，味苦。

| 功能主治 | 微苦，平；有小毒。归肝、肾、脾经。利水消肿。用于胸腹腔积水。

| 用法用量 | 内服煎汤，9 ~ 12 g。

豆科 Fabaceae 野决明属 Thermopsis

披针叶野决明

Thermopsis lanceolata R. Br.

| 药 材 名 | 牧马豆（药用部位：地上部分。别名：黄花苦豆子、野决明、扁豆子）、牧马豆根（药用部位：根及根茎）。

| 形态特征 | 多年生草本，高 15 ~ 35 cm。茎直立，单一或分枝，具沟棱，被棕色伸展柔毛。掌状三出复叶，叶柄短，长 3 ~ 6 mm；托叶叶状，卵状披针形，先端渐尖，基部楔形，长 1.5 ~ 3 cm，宽 6 ~ 11 mm，上面近无毛，下面被贴伏柔毛；小叶倒披针形或狭长圆形，长 3 ~ 8 cm，宽 0.6 ~ 1.8 cm，上面无毛，下面少量被伏柔毛。总状花序顶生，长 8 ~ 18 cm，花轮生，每轮 2 ~ 4 花，疏松排列；苞片线状卵形或卵形，先端渐尖，长 0.8 ~ 1.8 cm，宽 0.3 ~ 0.6 cm，宿存；花萼钟形。花冠黄色，旗瓣近圆形，长 2 ~ 2.8 cm，宽 1.8 ~ 2.2 cm，先端微凹，基部渐狭成瓣柄，翼瓣长 2.3 ~ 2.6 cm，先端具狭窄头，

披针叶野决明

龙骨瓣长 2 ~ 2.4 cm，宽为翼瓣的 1.5 倍。荚果线形，长 4 ~ 8 cm，宽 6 ~ 12 mm，先端具尖喙，被细柔毛。花期 5 ~ 7 月，果期 6 ~ 10 月。

| **生境分布** | 生于草原沙丘、田边、荒地、河滩或沟渠边。宁夏各地均有分布。

| **资源情况** | 野生资源丰富。

| **采收加工** | 牧马豆：夏季割取地上带花和果实部分，除去杂质，切段，晒干。
牧马豆根：9 ~ 10 月挖根，洗净泥上，除去须根，晾干。

| **药材性状** | 牧马豆：本品被黄白色长柔毛。茎偶有分枝，掌状复叶，小叶 3；托叶卵状披针形，长 1.5 ~ 2.5 cm，宽 4 ~ 7 mm，基部联合。小叶多皱缩破碎，完整者展平后呈倒披针形或长圆状倒卵形，长 2.5 ~ 8.5 cm，宽 0.7 ~ 1.5 cm，有短柄。有时可见花序和荚果，花蝶形，黄色。荚果线状长圆形，长约 4 cm，先端有尖喙，浅棕色，密被短柔毛，内有种子 6 ~ 14，近肾形，黑褐色，具光泽。气微，味淡。种子嚼之有豆腥气。
牧马豆根：本品呈圆柱状长条形，弯曲，长 13 ~ 35 cm，直径 3 ~ 5 mm。表面棕黄色至棕黑色、有纵皱纹，有的外皮剥落，根茎节上有芽痕或叶基痕。质硬、易折断，断面不平整，淡黄色或淡黄绿色。气微，味微苦、涩，微腥。

| **功能主治** | 牧马豆：甘，微温；有毒。归肺经。祛痰止咳。用于痰喘咳嗽。
牧马豆根：辛、苦，凉。清热解毒，利咽。用于感冒，肺热咳嗽，咽痛。

| **用法用量** | 牧马豆：内服煎汤，6 ~ 9 g。
牧马豆根：内服煎汤，3 ~ 9 g。

豆科 Fabaceae 车轴草属 Trifolium

红车轴草 *Trifolium pratense* L.

| **药材名** | 红车轴草（药用部位：全草或花、花序。别名：红三叶、红菽草、红荷兰翘摇）。

| **形态特征** | 多年生草本。茎直立，高 30 ~ 60 cm，下部稍分枝，无毛。掌状三出复叶，总叶柄长达 10 cm，向上渐短，无毛；托叶线状披针形，长达 2.5 cm，下半部与叶柄合生；小叶卵形、菱状卵形或卵状椭圆形，长 2 ~ 4 cm，宽 1 ~ 2 cm，先端圆或微凹，基部楔形，边缘具不明显的细牙齿，上面无毛，下面疏被长伏柔毛，边缘具缘毛。花序头状，花多数密集；花萼筒状，被长柔毛，萼齿 5，不等长，下面 1 最长，线形，长达萼筒的 2 倍；花冠红色，旗瓣舌形，长约 13 mm，先端平截，下部具 2 耳及长爪，翼瓣与龙骨瓣均具长爪；

红车轴草

子房卵形，无毛，花柱细长，荚果倒卵形，长约 2 mm，通常含 1 种子。花期 6 月，果期 7 ~ 8 月。

| 生境分布 | 宁夏兴庆、永宁等引黄灌区有栽培。

| 资源情况 | 栽培资源较少。

| 采收加工 | 夏、秋季采挖全草，夏季采摘花及花序，阴干。

| 药材性状 | 本品头状花序扁球形或不规则球形，直径 2 ~ 3 cm，近无总花梗。有大型总苞，总苞卵圆形，有纵脉。花萼钟状，萼齿线状披针形，有长毛。花瓣暗紫红色，具爪。有时花序带有枝叶，三出复叶；托叶卵形，基部抱茎。小叶 3，多卷缩或脱落，完整者展平后呈卵形或长椭圆形，长 2.5 ~ 4 cm，宽 1 ~ 2 cm，叶面有浅色斑纹。气微，味淡。

| 功能主治 | 微甘，平。归肺经。止咳平喘，解痉止痛。用于咳嗽，痰喘，咽喉肿痛，胃肠绞痛，痛经。

| 用法用量 | 内服煎汤，15 ~ 30 g。

豆科 Fabaceae 车轴草属 *Trifolium*

白车轴草 *Trifolium repens* L.

| 药 材 名 | 三消草（药用部位：全草。别名：螃蟹草、菽草翘摇、白三叶）。

| 形态特征 | 多年生草本，高 10 ~ 30 cm。主根短，侧根和须根发达。茎匍匐蔓生，上部稍上升，节上生根，全株无毛。掌状三出复叶；托叶卵状披针形，膜质，基部抱茎成鞘状，离生部分锐尖；叶柄较长，长10 ~ 30 cm；小叶倒卵形至近圆形，长 8 ~ 20（~ 30）mm，宽8 ~ 16（~ 25）mm，先端凹头至钝圆，基部楔形渐窄至小叶柄，中脉在下面隆起，侧脉约 13 对，与中脉成 50° 角展开，两面均隆起，近叶边分叉并伸达锯齿尖；小叶柄长 1.5 mm，微被柔毛。花序球形，顶生，直径 15 ~ 40 mm；总花梗甚长，比叶柄长近 1 倍，具花 20 ~ 50（~ 80），密集；无总苞；苞片披针形，膜质，锥尖；花长 7 ~ 12 mm；花梗比花萼稍长或等长，开花立即下垂；花萼钟

白车轴草

形，具脉纹 10，萼齿 5，披针形，稍不等长，短于萼筒，萼喉开张，无毛；花冠白色、乳黄色或淡红色，具香气。旗瓣椭圆形，比翼瓣和龙骨瓣长近 1 倍，龙骨瓣比翼瓣稍短；子房线状长圆形，花柱比子房略长，胚珠 3 ~ 4。荚果长圆形；种子通常 3。种子阔卵形。花果期 5 ~ 10 月。

| **生境分布** | 生于低湿草地、河岸、路边或林缘下。分布于宁夏平罗、惠农、金凤、灵武、沙坡头、泾源等。

| **资源情况** | 野生资源较少。

| **采收加工** | 夏、秋季花盛期采收，晒干。

| **药材性状** | 本品皱缩卷曲。茎呈圆柱形，多扭曲，直径 5 ~ 8 mm，表面有细皱纹，节间长 7 ~ 9 cm，节上有膜质托叶鞘。三出复叶，叶柄长达 10 cm；托叶椭圆形，抱茎。小叶 3，多卷折或脱落，完整者展平后呈倒卵形或倒心形，长 1.5 ~ 2 cm，宽 1 ~ 1.5 cm，边缘具细齿，近无柄。花序头状，直径 1.5 ~ 2 cm，类白色，有总花梗，长可达 20 cm。气微，味淡。

| **功能主治** | 微甘，平。清热，凉血，宁心。用于癫痫，痔疮出血，硬结肿块。

| **用法用量** | 内服煎汤，15 ~ 30 g。外用适量，捣敷。

豆科 Fabaceae 胡卢巴属 Trigonella

胡卢巴
Trigonella foenum-graecum L.

| 药 材 名 | 胡芦巴（药用部位：种子。别名：芦巴子、香豆子、香豆草）。

| 形态特征 | 一年生草本。茎直立，不分枝或少从基部分枝，具棱，疏被长柔毛。羽状三出复叶。叶轴长 5 ~ 15 mm，腹面具槽，疏被柔毛；托叶卵状披针形，长 5 ~ 6 mm，先端长渐尖，下部与叶柄合生，疏被柔毛；小叶倒卵状披针形或倒披针形，长 1 ~ 3.5 cm，宽 5 ~ 15 mm，先端圆钝，基部楔形，边缘上部 1/3 ~ 2/3 具细锯齿，上面无毛，下面疏被毛或无毛。花 1 ~ 2 生于叶腋，无梗，花萼筒形，长 7 ~ 8 mm，密被柔毛，萼齿披针形，与萼筒等长或稍短；花冠黄白色，基部稍带紫色，旗瓣矩圆状倒卵形，先端具深波状凹缺，翼瓣较旗瓣短，先端圆，基部具爪和耳，龙骨瓣较翼瓣短；子房线形，花柱被短柔毛。荚果线状圆筒形，长 6 ~ 11 cm，直径约 5 mm，先端渐尖，具

胡卢巴

长喙，具明显的纵纹，疏被柔毛。花期 6 ～ 7 月，果期 7 ～ 8 月。

| **生境分布** | 宁夏彭阳、原州、西吉、同心、海原、隆德等有栽培。

| **资源情况** | 栽培资源较丰富。

| **采收加工** | 9 ～ 10 月植株由绿变黄、下部荚果变黄时，割取果枝，放置一周，俟其熟后，晒干，打下种子，除去杂质。

| **药材性状** | 本品略呈斜方形或矩形，长 3 ～ 4 mm，宽 2 ～ 3 mm，厚约 2 mm。表面黄绿色或黄棕色，平滑，两侧各具深斜沟 1，相交处有点状种脐。质坚硬，不易破碎。种皮薄，胚乳呈半透明状，具黏性；子叶 2，淡黄色，胚根弯曲，肥大而长。气香，味微苦。以粒大、饱满、坚实者为佳。

| **功能主治** | 苦，温。归肾经。温肾助阳，祛寒止痛。用于肾阳不足，下元虚冷，小腹冷痛，寒疝腹痛，寒湿脚气。

| **用法用量** | 内服煎汤，5 ～ 10 g。

| **附　　注** | 本种喜凉爽、干燥气候，较耐旱，喜光，以排水良好、肥沃疏松的砂质壤土为佳。

豆科 Fabaceae 野豌豆属 Vicia

山野豌豆 *Vicia amoena* Fisch. ex DC.

山野豌豆

| 药 材 名 |

山野豌豆（药用部位：嫩茎叶。别名：宿根巢菜、山豆苗、宿根草藤）。

| 形态特征 |

多年生草本。根粗壮。茎直立或攀缘，高50～100 cm，有棱，疏被长柔毛。偶数羽状复叶，叶轴疏被长柔毛，叶轴末端成分枝的卷须；小叶8～14，椭圆形或倒卵状椭圆形，长2～3.5 cm，宽10～15 mm，先端圆或微凹，具小尖头，基部圆形，上面无毛或几无毛，下面疏被柔毛；托叶半箭头形，长约1 cm，具牙齿，上面无毛，下面疏被毛。总状花序腋生，与叶等长或较叶长，花序轴疏被柔毛，具花15～30，生于花序轴的上部；花萼斜钟形，长5～6 mm，宽3～4 mm，疏被长柔毛，最下1萼齿较长，披针形，长为萼筒的一半或稍长；花冠紫红色，旗瓣倒卵形，长11～13 mm，宽7～8 mm，先端微凹，翼瓣与旗瓣等长，先端圆钝，耳长，爪长4～5 mm，龙骨瓣长约1 cm，有耳和爪；子房具柄，无毛，花柱上部周围被柔毛。荚果矩圆状菱形，长20～25 mm，宽约6 mm，无毛。花期6～8月，果期8～9月。

| **生境分布** | 生于山谷、林缘、灌丛、路边、草地。分布于宁夏隆德、西吉等。 |

| **资源情况** | 野生资源较少。 |

| **采收加工** | 7 ~ 9 月间采集，晒干。 |

| **药材性状** | 茎呈四棱形，细长盘绕，直径 1.5 ~ 2 mm，灰绿色或灰棕色。质轻脆，易折断。羽状复叶，小叶片多已脱落散在，先端具卷须。气微，味微苦。 |

| **功能主治** | 甘，平。归肝、膀胱经。祛风除湿，活血止痛。用于风湿疼痛，筋脉拘挛，阴囊湿疹，跌打损伤，无名肿痛，鼻衄，崩漏。 |

| **用法用量** | 内服煎汤，6 ~ 15 g，鲜品 30 ~ 45 g。外用适量，煎汤熏洗；或研末调敷。 |

豆科 Fabaceae 野豌豆属 Vicia

广布野豌豆
Vicia cracca L.

| 药 材 名 | 落豆秧（药用部位：全草。别名：透骨草、劳豆子、兰花草）。

| 形态特征 | 多年生草本。茎攀缘，长 50 ～ 80 cm，有棱，疏被短柔毛。偶数羽状复叶，叶轴疏被短柔毛，叶轴末端成分枝的卷须；小叶 14 ～ 24，矩圆状长椭圆形、披针形至线状披针形，长 1.5 ～ 3 cm，宽 3 ～ 7 mm，先端圆钝或急尖，具小尖头，基部圆形，两面疏被柔毛；托叶披针形，被毛。总状花序腋生，与叶等长或稍长，花序轴疏被短柔毛，花 15 ～ 30，生于花序轴上部；花萼钟形，长 4 ～ 5 mm，宽约 3 mm，疏被柔毛，下面 1 萼齿最长，长约 1.5 mm，三角状披针形，上面的萼齿短，三角形；花冠蓝紫色或紫色，旗瓣卵状矩圆形，先端微凹，中部缢缩，长 10 ～ 12 mm，宽 4.5 ～ 6 mm；翼瓣与旗

广布野豌豆

瓣等长或稍短，先端圆钝，爪长约7 mm，耳长约2 mm；龙骨瓣长7～8 mm，爪长约5 mm，耳短；子房具柄，无毛，花柱上部周围被柔毛。荚果矩圆形，两端尖，长15～25 mm，宽约8 mm，无毛。花期6～8月，果期7～10月。

| **生境分布** | 生于林缘、灌丛、草地。分布于宁夏隆德、彭阳、西吉、同心等。

| **资源情况** | 野生资源较少。

| **采收加工** | 夏季开花时采收，晒干。

| **功能主治** | 甘、苦，温。归肝、膀胱经。祛风除湿，活血舒筋，止痛。用于风湿痹痛，扭挫伤，无名肿毒，阴囊湿疹。

| **用法用量** | 内服煎汤，6～15 g，鲜品30～45 g。外用适量，煎汤熏洗；或研末调敷。

豆科 Leguminosae 野豌豆属 Vicia

蚕豆
Vicia faba L.

| 药 材 名 | 蚕豆（药用部位：豆荚、种子、花、叶、梗。别名：大豆、胡豆、南豆）。

| 形态特征 | 一年生直立草本，高 30 ~ 100（~ 120）cm，不分枝，无毛。偶数羽状复叶，具小叶 2 ~ 6，小叶倒卵状长圆形或椭圆形，长 4 ~ 6（~ 10）cm，宽 1.5 ~ 4 cm，先端钝圆，具小尖头，基部楔形，两面无毛；托叶大，长 10 ~ 20 mm，半箭头形，边缘具锯齿；叶轴末端呈不发达的刺状卷须。总状花序短，叶腋生，具 2 ~ 4（~ 6）花；花梗极短或无；萼钟形，长 10 ~ 14 mm，宽 4 ~ 5 mm，无毛，萼齿 5，长为萼筒的 1/2，下面 1 萼齿最长；花冠白色，具紫色斑块，旗瓣倒卵形，长 2 ~ 3 cm，宽 1 ~ 1.5 cm，先端圆钝或微凹，中部

蚕豆

缢缩，翼瓣较旗瓣短，先端圆形，具爪和耳，龙骨瓣较翼瓣短；子房无柄，无毛，花柱上部背面具髯毛。荚果肥厚，近圆柱状，无毛，绿色，干后黑色。花期 4 ~ 5月，果期 5 ~ 6 月。

| **生境分布** | 栽培种。宁夏各地均有栽培。

| **资源情况** | 栽培资源丰富。

| **采收加工** | 豆荚，夏季果实成熟呈黑褐色时采收，除去种子、杂质，晒干，或取青色荚壳鲜用。种子，夏季豆荚成熟呈黑褐色时拔取全株，晒干，打下种子，扬净后再晒干，或鲜用。花，清明节前后开花时采收，晒干，或烘干。叶，夏季采收，晒干。梗，夏季采收，晒干。 |

| **药材性状** | 本品种子呈扁矩圆形，长 1.2 ~ 1.5 cm，直径约 1 cm，厚约 7 mm；种皮表面浅棕褐色，光滑，微有光泽；两面凹陷；种脐位于较大端，褐色或黑褐色；质坚硬，内有子叶 2，肥厚，黄色；气微，味淡，嚼之有豆腥气。花多皱缩，长 2 ~ 3 cm，黑褐色，常 1 至数朵着生于极短的总花梗上；萼筒钟状，紧贴花冠筒，先端 5 裂，裂片卵状披针形，不等长；花冠蝶形，旗瓣倒卵形，包裹着翼瓣和龙骨瓣，翼瓣中央具黑紫色大斑，龙骨瓣三角状半圆形而作掌合状；气微香，味淡；以花朵完整、无叶、无梗者为佳。羽状复叶，有小叶 2 ~ 6；叶轴顶端有狭线形卷须，叶柄基部两侧有大而明显的平箭头状托叶；小叶多皱缩卷曲，完整者展平后呈椭圆形或广椭圆形，长 4 ~ 8 cm，宽 2.5 ~ 4 cm，先端圆钝，具细尖，基部楔形；质脆，易碎；气微，味淡。 |

| **功能主治** | 豆荚，苦、涩，平。利水渗湿，敛疮。用于水肿脚气，小便不利，天疱疮，脓疱疮，烫火伤。种子，甘、微辛，平。归脾、胃经。健脾利湿。用于脚气，水肿。花，甘，凉。凉血，止血，止带，降血压。用于咯血，吐血，便血，带下，高血压。叶，苦、甘，温。解毒。用于毒蛇咬伤。梗，苦，温。止血，止泻。用于各种出血，腹泻。 |

| **用法用量** | 豆荚，内服煎汤，15 ~ 30 g。外用适量，炒炭，研细末调敷。种子，内服煎汤，60 ~ 400 g。花，内服煎汤，15 ~ 30 g。叶，外用适量，鲜品捣敷患处。梗，内服煎汤，30 g；或研末吞服，3 g，每日 3 次。 |

| **附 注** | 《中华本草》记载本种种皮可作蚕豆壳药用；果壳可作蚕豆荚壳药用；茎可作蚕豆茎药用。 |

豆科 Leguminosae 野豌豆属 Vicia

多茎野豌豆
Vicia multicaulis Ledeb.

| 药 材 名 | 多茎野豌豆（药用部位：全草）。

| 形 态 特 征 | 多年生草本。根茎粗壮。茎直立或斜升，高 10 ~ 50 cm，丛生，有棱，无毛或几无毛。偶数羽状复叶，叶轴无毛或几无毛，叶轴末端呈不分枝或分枝的卷须；小叶 4 ~ 8 对，矩圆状长椭圆形至线状矩圆形，长 15 ~ 30 mm，宽 2 ~ 5 mm，先端圆，具小尖头，基部圆形，叶脉明显，两面疏被短柔毛；托叶半箭头形，疏被毛。总状花序腋生，较叶长，花序轴疏被柔毛，花 14 ~ 15；花萼钟状，长约 8 mm，宽约 3 mm，被毛，下面 1 萼齿较长，长约 2 mm；花冠蓝紫色，旗瓣倒卵状矩圆形，长约 15 mm，宽 7 ~ 9 mm，先端微凹，中部缢缩，翼瓣与旗瓣等长，先端圆钝，有耳和爪，爪长约 7 mm，

多茎野豌豆

龙骨瓣较旗瓣稍短，耳短，爪长约 9 mm；子房具长柄，无毛，花柱上部周围被柔毛。荚果矩圆形，长 3 ~ 3.5 cm，宽 6 ~ 7 mm，扁平或稍膨胀，无毛。花果期 6 ~ 9 月。

| 生境分布 | 生于山谷沟畔、灌丛及林缘。分布于宁夏罗山（同心）、南华山（海原）及泾源、隆德、贺兰、西夏等，同心、海原其他区域也有分布。

| 资源情况 | 野生资源较少。

| 采收加工 | 夏、秋季采收，晒干。

| 功能主治 | 辛，平。祛风除湿，活血止痛。用于风湿痹痛，筋脉拘挛，黄疸性肝炎，带下，鼻衄，热疟，阴囊湿疹。

| 用法用量 | 内服煎汤，15 ~ 30 g。外用适量，煎汤洗。

豆科 Leguminosae 野豌豆属 Vicia

救荒野豌豆 *Vicia sativa* L.

| 药 材 名 | 野豌豆（药用部位：全草。别名：大巢菜、箭舌豌豆、救荒野豌豆）。

| 形态特征 | 一年生或二年生草本。茎细弱，高 15 ~ 90（~ 105）cm，具分枝，有棱，无毛或疏被柔毛。偶数羽状复叶，具 2 ~ 7 对小叶，叶轴末端呈分枝的卷须，小叶线状椭圆形、卵状披针形、倒卵状矩圆形至倒卵形，长 0.9 ~ 2.5 cm，宽 0.3 ~ 1 cm，先端截形或微凹，具小尖头，基部楔形，上面无毛，下面疏被短毛；托叶半箭头状，具牙齿。花单生叶腋，稀 2，花梗很短；苞片卵形，先端长尾尖，边缘具齿；花萼筒形，长约 1 cm，萼齿披针形，长约 4 mm，疏被黄色柔毛；花冠紫红色或红色，旗瓣宽倒卵形，长约 14 mm，先端微凹，基部渐狭，翼瓣长 12 mm，耳长 2 mm，爪长 7 mm，龙骨瓣长

救荒野豌豆

约 10 mm，耳短，爪长约 7 mm；子房无柄，疏被黄色短柔毛，花柱上部背面具 1 丛黄色髯毛。荚果线形，扁平，长 4 ~ 6 cm，宽 5 ~ 8 mm，成熟后裂为 2 卷曲的果瓣。花期 4 ~ 7 月，果期 7 ~ 9 月。

| 生境分布 | 生于山谷、沟岸、荒地及麦田中。宁夏各地均有分布。

| 资源情况 | 野生资源丰富。

| 采收加工 | 夏季植株茂盛时采收，晒干或鲜用。

| 功能主治 | 甘、辛，温。归肾经。补肾调经，祛痰止咳。用于肾虚腰痛，遗精，月经不调，咳嗽痰多，疔疮。

| 用法用量 | 内服煎汤，15 ~ 30 g。外用适量，鲜品捣敷；或煎汤洗。

| 附　注 | （1）《中国植物志》（英文版）记载的救荒野豌豆 *Vicia sativa* L. 与《中华本草》记载的大巢菜 *Vicia sativa* L.、《宁夏中药志》记载的巢菜 *Vicia sativa* L. 的拉丁学名相同，三者应为同一植物。
（2）《宁夏中药志》记载巢菜 *Vicia sativa* L. 的全草作野豌豆药用；《中华本草》记载大巢菜 *Vicia sativa* L. 的全草或种子作大巢菜药用。

| 豆科 | Leguminosae | 野豌豆属 | *Vicia* |

歪头菜
Vicia unijuga A. Br.

| 药 材 名 | 歪头菜（药用部位：全草。别名：野豌豆、草豆、三铃子）。

| 形态特征 | 多年生草本。根茎粗壮，木质，黑褐色。茎直立，高（15～）40～100（～180）cm，多从基部分枝或呈丛生状，四棱形，疏被短柔毛。偶数羽状复叶，具小叶2，小叶椭圆形、长椭圆形、卵状披针形或近菱形，长（1.5～）3～7（～11）cm，宽1.5～4（～5）cm，先端钝而具小尖头，基部楔形，边缘粗糙，上面无毛，下面疏被短柔毛；叶轴末端呈刺状，托叶半箭头形，具数牙齿。总状花序顶生和腋生，比叶长，具花8～20，侧向排列于总花梗的上部，总花梗无毛；苞片线形；花梗长约2 mm，无毛；萼钟形，长约4 mm，宽2～3 mm，无毛，萼齿5，下萼齿长，披针形，上萼齿短，

歪头菜

三角形；花冠蓝紫色、紫红色或淡蓝色，旗瓣倒卵形，先端微凹，长 1.1 ~ 1.5 cm，翼瓣长 1.3 ~ 1.4 cm，先端圆钝，有爪及耳，龙骨瓣与翼瓣等长或稍短于翼瓣，先端钝，有爪和耳；子房具长柄，无毛，花柱上部周围被柔毛。荚果扁平，狭长圆形，长 2 ~ 3.5 cm，宽 5 ~ 7 mm，先端具短喙，无毛。花期 6 ~ 7 月，果期 8 ~ 9 月。

| 生境分布 | 生于海拔 1 700 ~ 2 600 m 的高山林缘、灌丛、沟边。分布于宁夏六盘山（泾源、隆德、原州）、南华山（海原）及彭阳等，泾源、隆德、原州其他区域也有分布。

| 资源情况 | 野生资源较丰富。

| 采收加工 | 夏、秋季采收，晒干。

| 功能主治 | 甘，平。归肝、脾经。补虚调肝，理气止痛，清热利水。用于劳伤，头晕，体虚浮肿，胃痛，疔疖。

| 用法用量 | 内服煎汤，9 ~ 15 g。外用适量，鲜品捣敷。

豆科 Leguminosae 豇豆属 *Vigna*

赤豆
Vigna angularis (Willd.) Ohwi et Ohashi

| 药 材 名 |

赤小豆（药用部位：种子。别名：红小豆、红豆、小红绿豆）。

| 形态特征 |

一年生直立或缠绕草本，高 30～90 cm，植株被疏长毛。羽状复叶具 3 小叶；托叶盾状着生，箭头形，长 0.9～1.7 cm；小叶卵形至菱状卵形，长 5～10 cm，宽 5～8 cm，先端宽三角形或近圆形，侧生的偏斜，全缘或浅 3 裂，两面均稍被疏长毛。花黄色，5 或 6 花生于短的总花梗先端；花梗极短；小苞片披针形，长 6～8 mm；花萼钟状，长 3～4 mm；花冠长约 9 mm，旗瓣扁圆形或近肾形，常稍歪斜，先端凹，翼瓣比龙骨瓣宽，具短瓣柄及耳，龙骨瓣先端弯曲近半圈，其中 1 龙骨瓣的中下部有 1 角状突起，基部有瓣柄；子房线形，花柱弯曲，近先端有毛。荚果圆柱状，长 5～8 cm，宽 5～6 mm，平展或下弯，无毛。种子通常暗红色或其他颜色，长圆形，长 5～6 mm，宽 4～5 mm，两端截平或近浑圆，种脐不凹陷。花期夏季，果期 9～10 月。

赤豆

| **生境分布** | 栽培种。宁夏沙坡头、中宁、贺兰、惠农、平罗、永宁、兴庆、灵武等引黄灌区有少量栽培。 |

| **资源情况** | 栽培资源较少。 |

| **采收加工** | 秋季果实成熟而未开裂时拔取全株，晒干，打出种子，除去杂质，再晒干。 |

| **药材性状** | 本品呈短圆柱形，两端较平截或钝圆，直径 4 ~ 6 mm。表面暗棕红色，有光泽，种脐不凸出。质硬，不易破碎。无臭，味微甘。以粒饱满、色紫红发暗者为佳。 |

| **功能主治** | 甘、酸，平。归心、小肠经。利水消肿，解毒排脓。用于水肿胀满，脚气浮肿，黄疸尿赤，风湿热痹，痈肿疮毒，肠痈腹痛。 |

| **用法用量** | 内服煎汤，9 ~ 30 g。外用适量，研末调敷。 |

| **附　　注** | 《中国植物志》（英文版）记载的赤豆 *Vigna angularis* (Willd.) Ohwi et Ohashi 与《宁夏中药志》记载的赤豆 *Phaseolus calcaratus* (Willd.) W. F. wight 拉丁学名不同。 |

豆科 Leguminosae 豇豆属 Vigna

绿豆
Vigna radiata (L.) Wilczek

| 药 材 名 | 绿豆（药用部位：种子。别名：青小豆）、绿豆粉（药材来源：种子经水磨加工而得的淀粉。别名：真粉）、绿豆皮（药用部位：种皮。别名：绿豆壳、绿豆衣）、绿豆叶（药用部位：叶）、绿豆花（药用部位：花）。 |

| 形态特征 | 一年生草本。茎直立，高 20 ~ 60 cm，具棱，疏被淡褐色长硬毛。羽状三出复叶，总叶柄长达 20 cm，密被淡褐色长硬毛；托叶卵状椭圆形，长约 13 mm，先端尖，基部圆形或近截形，脉纹明显，边缘具长硬毛，基部以上着生；小托叶线形，长 10 ~ 12 mm，上部呈刚毛状，边缘疏具硬毛；小叶宽卵形至菱状宽卵形，长 5 ~ 16 cm，宽 3 ~ 12 cm，先端渐尖或急尖，基部宽楔形至近截形，全缘，侧 |

绿豆

生小叶基部偏斜，两面疏被灰色伏硬毛。总状花序叶腋生，较叶短，少数花着
生于花序轴先端，常 2 花着生于腺体两侧，小花梗长 2 ～ 3 mm，无毛；小苞片
2，披针形，长 4 ～ 7 mm，脉纹明显，边缘被淡褐色长硬毛；花萼钟形，长约
6 mm，萼齿狭卵形，上面 2 萼齿合生，稍长于萼筒，边缘疏具长毛；花冠黄绿
色，长 10 ～ 11 mm，旗瓣肾形，先端深凹，基部心形，翼瓣具爪与耳，爪与耳
近等长，龙骨瓣与翼瓣等长，上端约卷曲半圈，其中 1 龙骨瓣中部以下具角状
突起；子房线形，密被褐色长硬毛。荚果线状圆筒形，长 4 ～ 9 cm，宽 5 ～ 6 mm，
被褐色短硬毛，2 瓣开裂。花期初夏，果期 6 ～ 8 月。

| 生境分布 |　　栽培种。宁夏沙坡头、中宁、贺兰、惠农、平罗、永宁等引黄灌区有少量栽培。

| **资源情况** | 栽培资源较少。

| **采收加工** | 绿豆：秋季割取全株，晒干后打下种子，再晒干，簸净杂质。
绿豆皮：绿豆用水浸胖，揉搓取种皮。一般取绿豆发芽后残留的皮壳晒干而得。
绿豆叶：夏、秋季采收，随采随用。
绿豆花：6～7月采摘，晒干。

| **药材性状** | 绿豆：本品呈短矩圆形，长4～6 mm。表面黄绿色或暗绿色，具光泽。种脐位于一侧上端，长约为种子的1/3，呈白色纵向线形。种皮薄韧，剥离后露出淡黄绿色或黄白色种仁，子叶2，肥厚。质坚硬。断面细致，显粉性。无臭，味淡，有豆腥气。
绿豆皮：本品多向内卷成梭形或不规则形，长4～7 mm，直径约2 mm。表面黄绿色至暗绿色，微有光泽；种脐呈长圆形槽状，其上常有残留黄白色种柄；内表面色较淡。质较脆，易捻碎。气微，味淡。以身干、色绿、不变红、无霉者为佳。

| **功能主治** | 绿豆：甘，寒。归心、脾、肺、胃经。清热解毒，消暑止渴，利水消肿。用于暑热烦躁，疮疖肿毒，药物或食物中毒，水肿。
绿豆粉：甘，寒。清热消暑，凉血解毒。用于暑热烦渴，痈肿疮疡，丹毒，烫火伤，跌打损伤，肠风下血，酒毒。
绿豆皮：甘，寒。归心、胃经。清暑止渴，利尿解毒，退目翳。用于暑热烦渴，泄泻，痢疾，水肿，痈肿，丹毒，目翳。
绿豆叶：苦，寒。和胃，解毒。用于霍乱吐泻，斑疹，疔疮，疥癣，药毒，火毒。
绿豆花：甘，寒。解酒毒。用于急慢性酒精中毒。

| **用法用量** | 绿豆：内服煎汤，30～120 g。外用适量，研末调敷。
绿豆粉：内服水调，9～30 g。外用适量，调敷；或粉扑。
绿豆皮：内服煎汤，9～30 g；或研末。外用适量，研末和水洗。
绿豆叶：内服捣汁，15～30 g。外用适量，捣烂布包擦。
绿豆花：内服煎汤，30～60 g。

| **附　注** | 《中国植物志》（英文版）记载的绿豆 *Vigna radiata* (L.) Wilczek 与《宁夏中药志》记载的绿豆 *Phaseolus radiatus* L. 拉丁学名不同。

豆科 Leguminosae 紫藤属 Wisteria

紫藤
Wisteria sinensis (Sims) DC.

紫藤

| 药 材 名 |

紫藤（药用部位：茎、茎皮、花、种子）。

| 形态特征 |

落叶藤本。茎左旋，枝较粗壮，嫩枝被白色柔毛，后秃净；冬芽卵形。奇数羽状复叶长15 ~ 25 cm；托叶线形，早落；小叶3 ~ 6对，纸质，卵状椭圆形至卵状披针形，上部小叶较大，基部1对最小，长5 ~ 8 cm，宽2 ~ 4 cm，先端渐尖至尾尖，基部钝圆或楔形，或歪斜，嫩叶两面被平伏毛，后秃净；小叶柄长3 ~ 4 mm，被柔毛；小托叶刺毛状，长4 ~ 5 mm，宿存。总状花序发自去年生短枝的腋芽或顶芽，长15 ~ 30 cm，直径8 ~ 10 cm，花序轴被白色柔毛；苞片披针形，早落；花长2 ~ 2.5 cm，芳香；花梗细，长2 ~ 3 cm；花萼杯状，长5 ~ 6 mm，宽7 ~ 8 mm，密被细绢毛，上方2齿甚钝，下方3齿卵状三角形；花冠紫色，旗瓣圆形，先端略凹陷，花开后反折，基部有2胼胝体，翼瓣长圆形，基部圆，龙骨瓣较翼瓣短，阔镰形；子房线形，密被绒毛，花柱无毛，上弯，胚珠6 ~ 8。荚果倒披针形，长10 ~ 15 cm，宽1.5 ~ 2 cm，密被绒毛，悬垂枝上不脱落，有种子1 ~ 3。种子褐色，

具光泽，圆形，宽约 1.5 cm，扁平。花期 4 月中旬至 5 月上旬，果期 5 ~ 8 月。

| **生境分布** | 生于山坡、疏林缘、溪谷两旁或空旷草地。分布于宁夏西夏、青铜峡、兴庆、大武口等。

| **资源情况** | 野生资源较少。

| **采收加工** | 夏季采收，晒干。

| **功能主治** | 甘、苦，微温；有小毒。归肾经。利水，除痹，杀虫。用于浮肿，关节疼痛，肠寄生虫病。

| **用法用量** | 内服煎汤，1 ~ 3 g。